Daniel, Hermann Ad

Das deutsche Land u.. ....pen

Daniel, Hermann Adalbert

Das deutsche Land und die Alpen

Inktank publishing, 2018

www.inktank-publishing.com

ISBN/EAN: 9783747779507

Das deutsche Land und die Alpen.

Geographische Charakterbilder

von

H. A. Daniel und Berth. Volz.

Fünfte Auflage.

Neu bearbeitet und erweitert

von

H. Th. Matth. Meyer.

Mit 92 Illustrationen und 3 Karten.

Leipzig,
O. R. Reisland.
1905.

Aus dem Vorwort der früheren Auflagen.

Durch seine frischen und lebensgetreuen und zugleich behaglich-
anmutenden Schilderungen ist H. A. Daniels Handbuch der Geographie zu einem Hausbuche des deutschen Volkes geworden. Es
war daher ein glücklicher Gedanke des Herrn Direktor H. D. Zimmermann, aus denjenigen Bänden Daniels, in welchen die Vorzüge,
durchwärmt von edler Vaterlandsliebe, am ansprechendsten zutage
treten, in seinem „Deutschland für die Jugend" eine Auslese zu
bieten.

Dennoch bedurfte es schon für die nächste Auflage erheblicher
Umgestaltungen. Denn in dieser war es bestimmt, eine Reihe geo-
graphischer Charakterbilder aus allen Erdteilen zu eröffnen, welche
typische oder bedeutungsvolle Stätten und Szenen aus der Erd- und
Völkerkunde wie aus der Entdeckungsgeschichte nach den Schilderungen
und Berichten von Augenzeugen in freier Bearbeitung vorführen, das
Interesse zu wecken und zu spornen.

Damit wurde das Buch durchaus auf einen anderen Standpunkt
gestellt. Es mußte den ihm anhaftenden lehrhaften Charakter möglichst aufgeben. Die Neubearbeitung konnte sich nicht damit begnügen,
Daniels Schilderungen nur zu sichten, zu bessern; mehrere mußten
nach Form und Inhalt umgearbeitet, einige ganz aufgegeben werden;
sondern es wurde auch nötig, ohne jedoch lehrbuchhafte Vollständig-
keit irgendwo zu erstreben, eine Anzahl von Schilderungen aus anderer
Feder neu einzufügen.

Zur fünften Auflage.

Daniels geographische Charakterbilder gehören auch jetzt noch,
mehr als 30 Jahre nach seinem Tode, zu den klassischen Werken der
geographischen Literatur, und der verstorbene Berthold Volz hat
sich gewiß ein Verdienst erworben, indem er sie durch fortgesetzte
Sichtung und Erweiterung bis in die neueste Zeit hinein für die

5

Liebe zu unserm Vaterlande besonders bei der Jugend fruchtbar gemacht hat. Immerhin hat die Ehrfurcht vor dem ursprünglichen Inhalte des zugrunde liegenden Werkes ihn manche Partien schonen lassen, die gewiß einer gründlicheren Revision bedurft hätten. So war es gekommen, daß das Buch auch in seiner vierten Auflage von 1898 manche Gegenden, besonders die Städte in einem Zustande schilderte, wie er vor einigen Jahrzehnten bestanden hatte. Da er= schien es erwünscht, daß eine gründliche Durchprüfung des Inhaltes des Buches geschehe, Veraltetes ausgemerzt und Fehlerhaftes be= richtigt werde. Dieser Aufgabe habe ich mich mit Vergnügen unter= zogen, und ich glaube versprechen zu können, daß das Buch in seiner vorliegenden Gestalt an keiner Stelle die richtige Erkenntnis der geographischen Verhältnisse gefährdet, sondern angetan ist, die un= mittelbare Anschauung zu ersetzen, soweit ein solcher Ersatz durch Wort und Bild überhaupt möglich ist. Da alle Teile des Buches einer Revision unterzogen und nicht unerhebliche Partien neu hinzu= gefügt sind, so habe ich jetzt darauf Verzicht geleistet, den ursprüng= lichen Danielschen Text inmitten der übrigen Bestandteile des Buches durch äußere Zeichen kenntlich zu machen.

Manche Dankesschuld ist mir im Verlaufe meiner Arbeit auf= erlegt worden. Vor allen andern aber fühle ich mich Herrn Fritz Heinemann, der die frische Zugspitzenbesteigung beisteuerte, und dem Herrn Generaldirektor Ballin, der mich mit dem neuesten authentischen Material über Deutschlands größte Schiffahrtslinie ausrüstete, verpflichtet.

Daß der Verlag durch manches neue Bild das Buch wertvoller gemacht und trotz des um zwei Bogen gewachsenen Umfanges den Preis nicht erhöht hat, wird ihm hoffentlich den Dank vieler eintragen.

Hamburg, im Dezember 1904.

H. Ch. Matth. Meyer.

Inhalt.

Verzeichnis
der Illustrationen und Karten.

9

I. Land und Leute.

1. Deutschlands Grenzen.

Mitten im Herzen von Europa liegt Deutschland, unser Vaterland, das „edle, großmächtige", wie es unsere Vorfahren nannten,
mit Recht in tausend Liedern gepriesen. Scharf sind im Norden
und Süden seine Grenzen durch Meer und Gebirge gezeichnet;
auch an der Westseite sind sie dem Aufmerksamen erkennbar; nur
nach Osten fehlt jede Marke. Die Südgrenze bildet die Alpenmauer vom Genfer See bis zum Quarnero-Busen *); die Nordgrenze die Küste der Nord- und Ostsee, die das meerumschlungene
Schleswig-Holstein mit der jütischen Halbinsel voneinander scheidet.
Die Nordsee oder, wie sie schon bei den Römern hieß, das d e u t s c h e
Meer, bespült die Küsten von Calais bis zum Kleinen Belt auf
einer Strecke von 2000 km. Sie wird durch Flußmündungen
und verschiedene größere und kleinere Busen unterbrochen, welche
von der See dem Lande abgewonnen sind; denn dieser ganze Küstenstrich ist seit Jahrtausenden den mannigfachsten Veränderungen
unterworfen gewesen. Vom Kap „zur grauen Nase" in Frankreich bis zur Spitze Helder in Holland ist der Küstenzug einförmig
mit Dünen besetzt, deren äußere Reihe aus losem Sande besteht,
während sie weiter landeinwärts in fruchtbares Weide- und Ackerland übergehen. Von der Stadt Helder beginnen die bedeutenderen
Meereinschnitte und die vorgelagerten Sandinseln, die, vom ehemaligen Festlande übriggeblieben, zwar jetzt noch den wilden
Sturmlauf des Ozeans gegen die Küsten brechen, aber von den
gierigen Wellen auch immer mehr umspült werden. So ist an
der Grenze zwischen Holland und Deutschland durch Eisflut der
Ems 1277 und durch Einbruch des Meeres zehn Jahre später

---

*) Im NO des Adriatischen Meeres zwischen Istrien und Kroatien.

Geogr. Charakterbilder I. Das deutsche Land.   1

der Dollart entstanden. Fünfzig Ortschaften gingen damals zu grunde; eine andere Sturmflut (1362) ließ nur die Insel Nessa mit der Nesserkirche von den einst reichen Uferlandschaften übrigbleiben. Der Jadebusen ist auf ähnliche Weise im 16. Jahrhundert entstanden. Dicht schließt sich an ihn die durch die Mündung der Weser gebildete Bucht sowie noch östlicher der Elbbusen an, vor dem das Inselchen Neuwerk und weiter ins Meer hinaus das Felseneiland Helgoland Wacht halten.

Von der Elbmündung zieht sich die Küste von Schleswig und Jütland, durch die Reihe der ostfriesischen Inseln geschützt, 400 km nordwärts. In alten Zeiten dehnte sich das Festland auch hier noch weiter aus und umfaßte nicht nur die gegenwärtigen Marschen und Inseln, sondern reichte sogar über die Sanddünen hinaus, die heutzutage den zerrissenen Eilanden gegen den Andrang der Meeresfluten einigen Schutz gewähren. Der Boden dieser jetzt größtenteils vom Meere verschlungenen Niederungen bestand aus fruchtbaren Sand- und Toufschichten, die nach Westen hin etwas höher gelegen waren und hier auf dem festen Gestein ruhten, das in Helgoland und in dem roten Kliff auf Sylt zutage tritt. Das Meer zertrümmerte diesen Schutzwall, drang tief in die Küste des Kontinents ein, bildete weite Buchten, überflutete die niedrigeren Gegenden und zerriß das Land in mehrere große Inseln; gleichzeitig aber schied es von den verschlungenen Länderreien die schwereren sandigen Teile und verwendete sie zur Dünenbildung, während es die leichteren Humusteile in den ruhigen Buchten ablagerte und dadurch fruchtbare Marschländer schuf, die, von der tüchtigen, an den Kampf mit dem Meere gewöhnten Bevölkerung durch Eindeichung dem Meere abgerungen und mit den Inseln oder dem Festlande als „Köge“ wieder verbunden werden. An anderen Stellen hat freilich die See an der Inselzertrümmerung weiter fortgearbeitet; die Flut vom 11. Oktober 1634, welche die Insel Nordstrand in das noch jetzt vorhandene Stück und 13 Halligen zertrümmerte, ist die letzte gewesen, welche auf die Küstengestaltung eine bedeutende Einwirkung ausgeübt hat.

Indessen auch diese Halligen sind dem Untergange unrettbar verfallen. Im Durchschnitte nur einige Quadratkilometer umfassend, sind sie zu klein, als daß es sich lohnte, mit schützenden Deichen sie zu umgeben. So überflutet sie denn, da sie nur etwa um einen Meter über den Stand der gewöhnlichen Flut des Meeres sich erheben, im Herbst und Winter gar nicht selten die wogende See, fort und fort

Abb. 1. Eine Hallig (S. 2).

den Inselrand unterspülend oder mit wildstürmender Gewalt große Stücke davon wegführend. Kein Baum, kein Strauch wächst auf einer Hallig; nur ein fahles Gras widersteht den Überspülungen, dem genügsamen Schafe zur spärlichen Nahrung. Auf künstlich auf= geschütteten „Warfen" sind die Wohnungen gebaut, deren Pfosten so tief in den Boden eingesenkt sind, wie sie daraus emporragen. Aber auch zu der Warf peitscht der Sturm mitunter die Flut empor; die Hauswände werden bald eingeschlagen; auf den Dachboden flüchtet sich mit seinen besten Schafen der Bewohner und schätzt sich glücklich, wenn die mächtigen Dachpfosten dem Wogenbraus so lange stand zu halten vermögen, bis der Sturm sich ausgetobt hat.

An dem nördlichen Teile der Küste, in Jütland, schwindet die Inselbegleitung; dafür wird der Dünengürtel jetzt breiter; Strand= seeen bilden sich hinter ihm, die, durch Landzungen oder Nehrungen von der offenen See geschieden, nur an einer Stelle mit derselben in Verbindung stehen. Einer derselben, der Limfjord, durchzieht in einer Länge von 150 km die ganze Halbinsel und verbindet die Nordsee mit dem Kattegat.

Nicht leicht bietet eine Küste dem Schiffer eine ungastlichere Stätte als die jütische. Auf den weithinaus ins Meer sich ziehen= den Sandriffen stranden bei hoher See und den häufigen Nebeln viele Schiffe; am gefürchtetsten ist die Umfahrt um die nördlichste Spitze, um Skagens Horn, eine 10 m hohe Düne, von der aus sich die gefährliche Sandbank Skager Rak weit hin ins Meer er= streckt. Selbst weiter östlich bleibt das Fahrwasser des Schiffers im bösen Meere des Kattegat durch die Scheren (Felsinseln) der schwedischen und die Sandbänke der jütischen Küste schmal um= grenzt.

Von den natürlichen Verbindungsstraßen der Nord= und Ostsee ist der Sund die wichtigste, doch berührt er, da er zwischen Schweden und der dänischen Insel Seeland sich hindurchzieht, deutsches Gebiet nicht; der Große und Kleine Belt, von denen nur der letztere sich an der jütischen Küste hin erstreckt, sind für die Schiffahrt ihres schwierigen Fahrwassers wegen von geringer Bedeutung. Durch den Kaiser Wilhelms=Kanal haben sie vollends ihren Wert verloren.

Wollen wir eine Ostseefahrt von dem Kleinen Belt bis zur Kieler Bucht unternehmen, so finden wir auch hier eine reiche Gliederung mit langhingestreckten Landzungen und tief eingeschnittenen Föhrden. Noch einmal tritt an die mehrfach ausgeschweifte Küste

Abb. 2. Dünen an der Ostsee (S. 6).

die Insel Fehmarn nahe heran, die nur durch den 1 km breiten
Fehmarn=Sund vom Festlande abgeschieden ist. Tiefer schneidet
von hier aus die See ins norddeutsche Tiefland in der Lübischen
Bucht, die im Mittelalter der Hauptsammelplatz des deutschen
Schiffsverkehres war, ein, um dann wieder zurückzuweichen und
erst in der Pommerschen Bucht den ausmündenden Gewässern der
Oder südlich entgegenzutreten.

Der weiteren Ostseeküste entlang sind eine Menge Haffs oder
Strandseeen mit süßem Wasser, die durch schmale Nehrungen von
dem Meere geschieden sind, durch ein „Tief" aber wieder mit ihm
Verbindung haben.

Weiß blinkende Dünen (s. Abb. 2) umsäumen das Meeresufer.
Am Horizonte erscheinen sie als glänzende Linien, welche sich scharf
gegen den Himmel abzeichnen; aber in der Nähe gesehen machen
sie einen einförmigen, melancholischen Eindruck. Betritt man das
Dünengelände von der Landseite, so erkennt man alsbald Regel
und Plan in den lang dahinstreichenden 3 bis 18 m hohen Ketten.
Senkrecht gegen den herrschenden Wind gerichtet, erhebt sich vom
Meere in steilem Anstieg der Außenwall; landeinwärts dacht er
sich sanfter ab; dann folgt ein zweiter innerer Wall, oft noch,
wenn auch niedriger, ein dritter oder gar vierter. Täler senken
sich dazwischen, die Linien des Gesamtzuges nachziehend, aber mit=
unter auch kreuzend. Stetig drängt die Düne unter dem Drucke
des Windes landeinwärts vor, und schon manche Flur, ja manches
Dorf, hat sie mit ihren losen Sandmassen allgemach überschüttet.
Aber die Natur legt ihr selbst einen Zügel an, und die Vorsicht
der Strandanwohner gebietet ihr Halt. Seit fast einem Jahr=
hundert betreibt man in Deutschland, wie schon länger in Holland
und Flandern, einen systematischen Stranddünenbau, indem
man ca. 40 m von der Strandlinie entfernt künstliche Vordünen
anlegt und diese mit Schilf und Strandhafer bepflanzt. Bald
genügt der Boden auch für die Bepflanzung mit Kiefern, Wacholder
und Sandborn, und ein wirksamer Schutz gegen Wind und Wellen
ist geschaffen. Hinter diesem sucht man dann den Flugsand der
Binnendünen durch Sandgräser festzulegen und so mit der Zeit
Kulturland zunächst für Aufforstungen zu gewinnen.

Von Kolberg an wird dem Schiffer die breite Masse des schön
bewaldeten Gollenberges bei Köslin sichtbar, und bald zeigt sich
zu beiden Seiten des Samlandes noch einmal die Haffbildung im
größten Maßstabe. Ringsum fast ganz umschlossen vom Festlande,

trägt die Ostsee den Charakter eines Binnenmeeres; die zahlreichen
einmündenden Flüsse setzen bei der geringen Verbindung des Meeres
mit dem offenen Ozean den Salzgehalt herab. Dadurch erklärt sich das
leichte Gefrieren der See, das oft monatelang die Schiffahrt hemmt.

Wie klar auch die Grenze Deutschlands nach Norden zu ge=
staltet ist, so unsicher wird dieselbe im Osten, wenn man nach einer
natürlichen Marke sucht. Schon dem Römer Tacitus, der unter
allen Schriftstellern des Altertums Deutschland am eingehendsten
behandelt hat, bereitete die östliche Grenze Verlegenheit. Können
wir auch die freilich kaum merkliche Wasserscheide zwischen Oder
und Weichsel und die Kleinen Karpathen als Grenze annehmen, so
fehlt doch im übrigen jede natürliche Mark, so daß wir in Krain,
Steiermark, Böhmen und Mähren, in Schlesien, Posen und
Preußen zwei=, selbst dreisprachige Mischvölker antreffen.

Auch auf der westlichen, romanischen Seite fehlt gegen Holland,
zum Teil auch gegen Belgien jede natürliche Grenze für Deutsch=
land. Gegen Frankreich dagegen bildet sie wohl erkennbar die
Wasserscheide zwischen Maas und Mosel und der hohe Kamm des
Wasgau. Von da läuft die Grenze auf der Wasserscheide zwischen
Rhein und Rhone zum Jura, der bis zum Genfer See den breiten
Grenzwall zwischen Germanen und Romanen bildet.

Das Grenzland zwischen Frankreich und Deutschland in
sprachlicher Beziehung ist im Nordwesten Belgien, wo das
Deutsch=Flämische und Französisch=Wallonische einander gegenüber=
stehen. Von der Maas aus folgt dann die Sprachgrenze dem West=
rande der preußischen Rheinprovinz und des holländischen Luxem=
burg bis in die Nähe der Mosel, dann, Lothringen durchschneidend,
dem Zuge des Wasgau und berührt die Schweiz im Norden des
Kantons Bern. Das ganze Rheingebiet ist bis auf wenige Land=
schaften am oberen Rhein ein Gebiet der deutschen Sprache, wozu
auch noch die Gegenden am Inn und im oberen Rhonetal gehören.
Zwischen Martinsbrück und Finstermünz stoßen das Deutsche und
Italienische zusammen; die deutsche Grenze gegen das stetig vor=
bringende Italienische geht von da südlich an der Etsch hinab bis
Mezzo Tedesco, wendet sich dann nordöstlich und zieht südwärts von
Bozen und Brixen bis Bruneck an der Rienz und folgt nun dem
Zuge der Kärntner Alpen. Unregelmäßiger noch zieht sich im Osten
die Sprachgrenze. Namentlich an dieser Seite finden sich viele
Sprachinseln, deren größte das Sachsenland in Siebenbürgen ist, in
größerer oder geringerer Entfernung dem Mutterlande vorgelagert.

So zeigt sich klar, daß Deutschland das Herz von Europa ist, „niemandem gefährlich, allen wohltätig." Denn durch seine Lage mit allen größeren Nationen unseres Erdteils in Zusammenhang gebracht, ist es dazu geschaffen, die vielfach gespaltenen Glieder in Frieden zu vereinen.

2. Bodengestaltung und Bewässerung.

In der Bodengestaltung zeigt Deutschland mehr als andere europäische Länder reichste Mannigfaltigkeit; es vereinigt die verschiedensten Oberflächenformen in sich. Von den steilsten, teils nackten, teils ewig beschneiten Felsengipfeln, in deren Form die gerade Linie vorherrscht, bis zum sanftesten, abgerundeten, schönbewaldeten Gehügel findet man hier alle Formen der Bodenerhebung.

Deutschland besteht aus einer flachen und niedrigen und aus einer mit Gebirgen und Hochebenen erfüllten Hälfte. Wie Alpen und Seelinie im ganzen parallel laufen, so zieht auch die Scheidelinie zwischen Hochland und Tiefland im ganzen von Westen nach Osten, jenen Grenzlinien parallel. Ganz allgemein angedeutet, fällt Ober= und Niederdeutschland mit Süd= und Norddeutschland zusammen, genauer gefaßt, müßte man von einer südwestlichen gebirgigen und einer nordöstlichen Tieflands=Hälfte reden. Doch der Gegensatz von Oberdeutschland und Niederdeutschland ist so klar, daß ihn schon die Geographen des Mittelalters festhielten.

Oberdeutschland liegt innerhalb des kontinentalen Gebirgsdreiecks und begreift außer den Alpenlandschaften das deutsche Mittelgebirge. Es ruht auf der südlichen Grundlinie des Dreiecks, den Alpen, und die nordwestliche Spitze (Wesergebirge) liegt bei dem Städtchen Bramsche auf seinem Boden. Den nordöstlichen Rand von Oberdeutschland bilden also Harz, Thüringer Wald, Erzgebirge, Lausitzer Gebirge, Sudeten; den nordwestlichen das Weser= und das Rheinische Schiefergebirge. Das Innere von Oberdeutschland wird von vielen Ketten durchzogen und zerschnitten, welche aber nie die Höhe des Südrandes, auch nicht die des Nordostrandes erreichen. Neben diesen Gebirgen herrscht die Form der Hochebene und des Hügellandes vor; das Ganze „so recht sichtlich in Kammern geteilt, zwischen welchen die Treppen und Gänge die Verbindung, wie in einem altdeutschen Familienhause, erhalten".

So zerfällt Oberdeutschland in zwei Hauptteile: in das deutsche Alpenland und in die deutsche Mittelgebirgslandschaft. In letzterer unterscheidet man wieder zwei Hälften. Die Grenze bildet ein 900 km langer Gebirgsdamm, der vom Westende der Karpathen bei den Oberquellen beginnt und vor den Ardennen endigt. Sudeten, Erzgebirge, Fichtelgebirge, Thüringer Wald, Rhön, Vogelsberg, Taunus, Westerwald, Hunsrück, Eifel sind die Teile dieses Bergwalles, der von zwei Haupttoren aus dem Hochland zur Ebene, dem Elbtor und dem Rheintor, unterbrochen ist. Er entbehrt eines gemeinsamen, im Munde des Volkes lebenden Namens. Die Geographen nennen ihn den Hauptkamm des deutschen Mittelgebirges. In sprachlicher, politischer und kulturhistorischer Hinsicht hat dieser Mittelkamm immer bedeutenden Einfluß geübt. Die großen Völkergruppen und Völkerbündnisse teilen sich fast von ihrem ersten Auftreten an und das ganze Mittelalter hindurch in solche, die nördlich von jenem Bergwalle wohnen, und in solche, deren Gebiet einen großen Teil des südlich davon gelegenen Landes umfaßt. So finden wir zur Zeit Armins den Bund der Cherusker nördlich und fast gleichzeitig den der Markomannen südlich von jenem Mittelkamme, später den süddeutschen alemannischen und den norddeutschen fränkischen Völkerbund. Die niederdeutsche Mundart wird hauptsächlich im Norden, die oberdeutsche im Süden des Mittelkammes gesprochen. Ähnliche Verhältnisse zeigt die Ausbreitung einerseits des sächsischen, andererseits des schwäbischen Rechts, sowie die Lage und Ausdehnung der großen Kirchenprovinzen und geistlichen Gebiete Deutschlands im Mittelalter. Sogar die Bildung des Norddeutschen Bundes hielt sich im wesentlichen an diese Scheide.

Zwischen dem deutschen Mittelgebirge und der Nord- und Ostsee breitet sich das deutsche Tiefland aus, ein Teil der großen nordeuropäischen Ebene. Es teilt sich in die westdeutsche, zur Nordsee abgedachte Ebene und in die ostdeutsche Ebene, das Hinterland der Ostsee, an der Ostgrenze zu 650 km verbreitet und von zwei flachen Landrücken durchzogen.

Das deutsche Tiefland war einst Meeresboden. Große Sandhügelreihen, die am Fuße der im Süden grenzenden Gebirge hinziehen, waren einst Dünenketten am Rande des Ozeans. Harz, Teutoburger Wald, Haarstrang, Westerwald ragten als Inseln, Halbinseln, Vorgebirge aus der Flut.

Deutschland hat zwei Hauptabdachungen, denen die Flußrichtungen entsprechen. Die westöstliche, zum Gebiet des Schwarzen Meeres gehörige, umfaßt die bayrische Hochebene, Mähren und viele Alpentäler. Ihr Strom ist die Donau, nur in ihrem Oberlaufe ein deutscher Strom. Süddeutschland ist Donauhochland. Der Strom umschließt in einem nach Süden geöffneten Bogen die oberdeutschen Hochebenen und wird, dem Ursprunge nach kein Alpenfluß, doch nur durch Zuflüsse aus den Alpen mächtig. Die linken Zuflüsse sind gegen die rechten unbedeutend. Mit ihnen jedoch greift das Donaugebiet in das Herz des Mittelgebirges, bis an das Fichtelgebirge heran. Durch die östlichen Alpen, welche sich zwischen dem Strome und dem Adriatischen Meere ausbreiten, wird die Donau gehindert, „eine deutsche Rhone" zu werden und Deutschland, wie diese Frankreich, mit dem Mittelmeere zu verbinden. Sie tritt dafür in ein Durchbruchstal zwischen den Alpen und dem Mittelgebirge: an der Grenze greift sie noch einmal mit der March bis an die Subeten. Die ganze Länge des deutschen Donaulaufes beträgt 1000 km. Die Donau ist die Hauptstraße Deutschlands in den Orient, die Straße nach Konstantinopel, Smyrna und Alexandrien.

Die südnördliche Abdachung umfaßt beinahe zwei Drittel von Deutschland, das ganze Tiefland, die böhmischen, fränkischen, schwäbischen, oberrheinischen und schweizerischen Becken, Kessel und Hochebenen. Sie ist so überwiegend, daß man Deutschland im ganzen als eine nördliche Abdachung der Alpen ansehen kann. Die bedeutendsten der südnördlichen Abdachung zugehörigen Flüsse fließen größere oder geringere Strecken in Oberdeutschland, brechen durch den Gebirgsrand hindurch und durchziehen dann ruhig und gemächlich die Tiefebene. Ihre Durchbruchsstellen sind die großen Tore aus dem Berglande in die Ebene. Andere Flüsse der südnördlichen Abdachung entspringen am Rande der abgrenzenden Bergmauer, wieder andere sind nur Küstenflüsse.

Die südnördliche Abdachung zerfällt nach den zwei Flügeln der deutschen Tiefebene in zwei Hälften, in eine kleinere östliche und eine größere westliche. Die östliche fällt zur Ostsee ab; ihre Flüsse sind, den Hauptstrom nicht ausgenommen, Randflüsse oder entstehen im Tieflande selbst. Die Oder ist der deutsche Tieflandsstrom. Sie hat nur einen kurzen Lauf im Gebirge und war, als es noch ein niederdeutsches Meer gab, ein Küstenfluß.

Die Elbe reicht mit der Moldau unter den nördlichen Flüssen

am tiefsten in das Innere von Oberdeutschland, sammelt sich wie der Rhein in einem oberdeutschen Gebirgsbecken und durchbricht wie dieser den Mittelkamm. Ihre Durchbruchsstelle aus dem böhmischen Kessel liegt in gerader Linie 500 km von der Mündung, die des Rheins 300, die der Weser nur 150. Nach der Oder hat die Elbe im Tieflande die größte Entwickelung. Sie ist überhaupt ein Vermittlungsstrom zwischen Ober- und Niederland, wie sich das auch in ihren beiden größten Nebenflüssen, in der Saale und Havel, von denen erstere fast ausschließlich dem Berglande, letztere dem Tieflande angehört, ausspricht.

Die Weser ist der Fluß des norddeutschen Berglandes, das sie in seinem nordwestlichen Teile durchschneidet; bei keinem Strome liegen daher Mündung und Durchbruch in die Tiefebene einander so nahe. Ganz dagegen der Ebene gehört der Weser größter Zufluß, die Aller, an.

Die Gebiete der Oder, Elbe und Weser haben in der Richtung der Hauptströme und in den wiederkehrenden Veränderungen des Flußnetzes eine gewisse Einförmigkeit; doch wird diese durch die verschiedenen Meere, in welche die Ströme münden, und den bei jedem verschiedenen Oberlauf gemindert.

Der Rhein, altdeutsch Rin, ist Deutschlands größter Strom. Vom Fuße der südlichen Alpenmauer rinnt er durch Ober- und Niederdeutschland zur Nordsee. Nachdem er den Bodensee, sein Läuterungsbecken, durchflossen, wendet er sich nach Westen, empfängt mit der Aare den größten Zufluß des Oberlaufs und bricht nun zwischen Jura und Schwarzwald durch; denn der Rhein ist unter den deutschen Flüssen der Durchbrecher im großartigsten Maßstabe, „der heroische Strom". Bei Basel nimmt er wieder die Hauptrichtung nach Norden und tritt in die oberrheinische Tiefebene. Neckar und Main strömen ihm zu. Von Mainz hat er wieder eine westliche Wendung parallel der vom See bis Basel; auch auf ihr erstarkt der Strom zu einem neuen großartigen Durchbruch. In einem von Felsen eingeschlossenen Zickzacktale durchsetzt er auf einer 150 km langen Strecke das Rheinische Schiefergebirge und empfängt die größten Zuflüsse aus dem Berglande, rechts die Lahn, links die Mosel. Bei Bonn tritt er in das Tiefland, noch bleiben rechts begleitende Bergzüge nicht allzufern. Sie senden zwei Parallelflüsse, Ruhr und Lippe, dem Strome zu, der von links her nicht mehr bedeutend verstärkt wird. Bei Nymwegen nimmt der Rhein zum drittenmal westliche Richtung und tritt in fein Delta, das mit den Mündungen der Maas ver= flochten ist.

Donau und Rhein treten unter den übrigen Strömen an Lauf= erstreckung und Wasserfülle als die mächtigsten hervor und sind in dieser Weise von alters her zusammengestellt. „Die Donau," schreibt ein alter Geograph, „ist die Mutter aller Europäischen Flüsse, welche durch Gottes sonderbare Fürsichtigkeit gerade gegen Aufgang den Türken entgegenfliesset, der Rhein kann mit Recht ihr Mann genannt werden." Die drei andern Ströme Weser, Elbe und Oder bilden durch eine Abnahme der Wassermenge und steigende Versandung zu jenen einen ungünstigen Gegensatz. Donau und Rhein, einst Grenz= ströme gegen das Römerreich, sind vor allen andern unsere historischen Flüsse, wie beide schon in der Sage bedeutungsvoll hervortreten. Das Donautal ist von den Zeiten der Völkerwanderung an bis auf die Nibelungen und auf Napoleons Züge herunter das große Passage= land zwischen Osten und Westen geworden, und am Rhein haben die größten europäischen Kriege einen Hauptschauplatz gehabt.

Deutschland hat nicht so große Ströme wie Osteuropa, aber größere als die übrigen europäischen Länder. Sie sind nach allen Richtungen hin ziemlich gleichmäßig verteilt. Im ganzen mögen der Gewässer an 40 000 sein, worunter 60 schiffbar sind.

3. Klima und Vegetation.

Wenn wir uns das Gebiet der nördlichen gemäßigten Zone vom Wendekreise aus in vier gleich breite Streifen geteilt denken, so gehört Deutschland nach seinem Klima dem dritten dieser Streifen an. Diese Lage ist in erster Linie maßgebend. Doch ist auch die Stellung zwischen Osten und Westen nicht ohne bedeutenden Einfluß: in der weiten Erstreckung durch sechzehn Längengrade nehmen die nordwestlichsten Landschaften Deutschlands an dem ozeanischen Klima des westlichen Europa teil, während die östlichen schon den Übergang zu dem kontinentalen Klima von Osteuropa zeigen. Infolge dieses doppelten Verhältnisses nimmt die Wärme in Deutschland im all= gemeinen nicht in der Richtung von Süden nach Norden, sondern vielmehr von Südwesten nach Nordosten, ja von Westen nach Osten ab. Dazu tritt noch ein dritter Umstand, welcher den aus jenen beiden zu erwartenden Unterschied der Wärmeverteilung im ganzen sehr beträchtlich verringert und nicht selten sogar ein Abnehmen der Wärme in der Richtung von Norden nach Süden zur Folge hat. Es ist dies die bedeutende Meereshöhe fast des ganzen weiten Striches zwischen den Alpen und der Reihe von Gebirgen, welche die deutsche Tiefebene im Süden begrenzt; nur wenige Striche Süddeutschlands treten aus dem Ganzen heraus, die, begünstigt durch niedrigere Lage und andere Bodenverhältnisse, denjenigen Grad von Wärme genießen, der ihnen ihrer geographischen Breite nach in Vergleich mit der nördlichen Ebene zukommt.

Im ganzen genommen ist also der Unterschied der Wärmeverteilung in Deutschland ziemlich gering, weit geringer, als er nach der im allgemeinen zwischen den betreffenden Breitengraden stattfindenden Abnahme der Wärme von Süden nach Norden zu erwarten wäre. Denn während z. B. nach dem allgemeinen Gesetze die mittlere Jahreswärme von München um 4° C. höher sein sollte als die von Stralsund, so haben beide Orte nahezu gleiche Jahrestemperatur. Dieser höhere Grad von Gleichmäßigkeit aber ist auf Kosten Süddeutschlands erreicht, das wegen seiner größeren Bodenerhebung verhältnismäßig geringere Wärme genießt und auf seinen Hochflächen rauhe, sprunghafte Witterung hat.

Bei der Betrachtung im einzelnen jedoch finden wir in Deutschlands Klima eine sehr große Verschiedenheit, die von der Mannigfaltigkeit der Bodengestaltung des mittleren und südlichen Deutschland abhängt. Während hier ausgedehnte Hochebenen, Tafel= und Kesselländer im ganzen gleichförmiges Klima haben, so erfährt die Verteilung der Temperatur dagegen mancherlei Abänderungen einerseits durch die zahlreichen Gebirgserhebungen, andererseits durch tief eingeschnittene Täler größerer Flüsse oder einzelne, den Lauf derselben begleitende tiefere Kessel und wirkliche Tiefebenen. Die bedeutendsten klimatischen Verschiedenheiten in geringsten Entfernungen finden sich natürlich im Gebiete der Alpen, wo von tiefer eingeschnittenen Tälern, die, durch geographische Breite und durch ihre geschützte Lage begünstigt, ein warmes Klima genießen, bis zu den Gipfeln voll ewigen Schnees alle klimatischen Abstufungen auf kleinem Raume sich darbieten. In den kältesten Wintermonaten kommt es nicht selten vor, daß die Berghöhe eine mildere Temperatur hat; so ist es im Januar und Februar sehr gewöhnlich, daß der Rigi bei seiner Lage 1370 m über Zürich, eine um mehrere Grade geringere Kälte hat als letzterer Ort.

Wenn man die Abnahme der mittleren Jahreswärme in Deutsch-

land auf verschiedenen Linien in Meridianrichtung verfolgt, so zeigt
sich, daß die Unterschiede von Westen nach Osten zunehmen. Im
Rheintale von Basel bis Arnheim beträgt die Abnahme der Wärme
nur 0,25°, von Innsbruck bis Stralsund 0,8°, von Wien bis zur
nordöstlichsten Ecke Deutschlands über 2,5°. Hierin zeigt sich die
Abnahme des ozeanischen Einflusses nach Osten hin. Von derselben
Ursache hängt es ab, daß nach Osten die Unterschiede der Winter-
und Sommertemperaturen wachsen. So beträgt z. B. bei ziemlich
gleichen Jahrestemperaturen der Unterschied zwischen dem kältesten
und dem wärmsten Monat in Jever 17°, in Swinemünde 20°, und
von Binnenstädten in Karlsruhe 18,6°, in Wien 21°. Vornehmlich
macht sich der ozeanische Einfluß auf Erhöhung der Wintertemperatur
längs der Nordseeküste fühlbar: an dieser ist trotz der nördlichen
Lage der äußerste Grad der Winterkälte am geringsten im ganzen
Gebiete.

Der größte Unterschied der mittleren Jahreswärme (ohne Be-
rücksichtigung der eigentlichen Gebirgshöhen) beträgt ungefähr 4°;
die kältesten Gegenden von größerer Ausdehnung sind die bayrische
Hochebene, besonders in ihrem südlichen Teile, und das südöstliche
Odergebiet mit Einschluß des oberen Warthegebietes; die mittlere
Jahreswärme steigt da kaum auf 6,4°. Die Punkte der größten
Wärme, „das deutsche Italien,“ wo der Weinbauer die Rebe auch
im kältesten Winter frei am Pfahle stehen lassen kann, sind im
Südwesten am Rhein und in dessen Nähe; dazu kommen noch einige
Täler zwischen den weiter nach Süden vortretenden östlichen Alpen.

Größer als die Unterschiede der mittleren Jahrestemperatur
sind die der mittleren Wintertemperatur zwischen dem Westen und
Osten, geringer dagegen die der mittleren Sommertemperatur, da die
Extreme der größten und geringsten Wärme im Osten weiter auseinander liegen als im Westen. So beträgt der Unterschied der
mittleren Wintertemperatur zwischen Aachen und Berlin 2,77° (der
Jahrestemperatur 0,96°), zwischen Aachen und Breslau 4,16°
(Jahrestemperatur 1,75°). Ja, bei den mittleren Sommertemperaturen tritt sogar eine Umkehrung des Wärmeverhältnisses ein, so daß
östlicher liegende Orte von geringerer Jahrestemperatur eine höhere
Sommerwärme haben. So ist der Sommer von Berlin (18,26°)
wärmer als der von Trier (17,4°). Dies bezieht sich jedoch nur
auf die drei wirklichen Sommermonate, nicht auf das Sommer-
semester. In den drei Frühlingsmonaten ist vielmehr das Verhältnis
ganz anders; denn gerade im nordöstlichen Deutschland ist der Früh-

ling durch verspätetes Eintreten und verhältnismäßig geringe Wärme
mit öfteren Rückfällen der bereits gestiegenen Temperatur gegen das
westliche Deutschland ungünstig charakterisiert. Diese Verzögerung
des Frühlings hängt großenteils, besonders bei den Küstenländern der
Ostsee, von dem schon oben berührten erkältenden Einflusse dieses
Wasserbeckens ab. Die Rückfälle der Temperatur aber, welche sich besonders gegen die Mitte des Mai und im ersten Drittel des Juni
bemerklich zu machen pflegen, scheinen einer allgemeinen Ursache, den
durch die verschiedenartige Erwärmung der Land= und Meermassen
auf der nördlichen Halbkugel und das Schmelzen der Eismassen im
nördlichen Ozean bedingten Luftströmungen oder den Massen des
Treibeises in den nördlichen Meeren, zugeschrieben werden zu müssen.
Auch der Herbst hat im Nordosten geringere Wärme als im Westen.
Aus der längeren Dauer und dem größeren Kältegrade des Winters
nach Nordosten hin geht ein bedeutender Unterschied im Verhalten
der Gewässer während des Winters hervor. Der Rhein ist durch=
schnittlich 26, die Weser 30, die Elbe 62, die Oder 70 Tage mit Eis
bedeckt. In Kleve und Köln sinkt die Wintertemperatur im Mittel
gar nicht unter den Gefrierpunkt, in Trier kaum 5 Tage, in Berlin
1½ Monate. Aus dem obenerwähnten Verhältnisse ergibt sich auch,
daß der Frühling im allgemeinen von Südwesten nach Nordosten, der
Winter in der entgegengesetzten Richtung vorschreitet. Über das Vor-
schreiten des Frühlings hat man Beobachtungen gemacht, teils nach
dem Erscheinen der Zugvögel, teils nach den Lebensäußerungen der
Vegetation. Die letzteren sind jedenfalls die zuverlässigeren, da sie in
einem viel entscheidenderen Grade von dem Wärmeverhältnisse des
Ortes, an dem sie gemacht werden, abhängen, als es bei den ersteren
der Fall ist.

Auch die Luftströmungen haben auf das Klima wesentlichen Ein=
fluß. In dieser Beziehung ist es günstig für das Klima Deutschlands,
daß die südwestlichen Winde vorherrschend sind, welche wärmere Luft
herbeiführen. Die östlichen Winde verhalten sich in Deutschland zu
den westlichen wie 1 zu 17, die nördlichen zu den südlichen wie 1 zu
13. Die mittlere Windrichtung ändert sich mit den Jahreszeiten:
im Winter ist die Luftströmung meistens südlicher als im Jahres=
durchschnitt, und zwar am meisten im Januar und Februar; im
Frühling sind die Ostwinde häufiger, im Sommer herrschen west=
liche Winde vor, im Herbst nehmen sie ab, während die Südwinde,
welche besonders im Oktober vorherrschend sind, zunehmen.

In bezug auf die Regenmenge findet ein bedeutender Unterschied
statt. Am größten ist sie zunächst in den Alpen selbst, dann längst

dem nördlichen Abhange derselben, weil die von den Süd- und Südwestwinden herbeigeführten Wasserdünste durch die Kälte der Alpenregion großenteils niedergeschlagen werden. An der Südwestseite der mitteldeutschen Gebirge, welche von Südost nach Nordwest streichen, ist der Niederschlag aus ähnlichem Grunde bei Südwestwind bedeutender als auf der Nordseite. Dagegen findet die entsprechende Erscheinung bei den von Nordost gegen Südwest streichenden Gebirgen in bezug auf die Nordwestwinde statt. Aus dem allem ergibt sich, daß die Regenmenge im allgemeinen gegen Osten hin abnehmen muß.

Die klimatischen Zustände jedes Landes verkörpern sich gleichsam in seiner Vegetation, auf deren typischen Charakter die Verhältnisse der Wärme und Feuchtigkeit der Luft den vorherrschenden Einfluß üben. Werfen wir deshalb einen Blick auf die Vegetation Deutschlands und seine landwirtschaftliche Physiognomie.

Der Gegensatz von Feld und Wald besteht in Deutschland noch in seiner ganzen Ausdehnung. Eng schließt sich der Wald an das Gemütsleben, namentlich an das der Stämme im Norden, deren landschaftliche Begriffe auf das innigste mit den Wäldern verschlungen sind. Diese sind es, welche weiten Strecken, namentlich des Tieflandes, die charakteristische Schönheit und Mannigfaltigkeit der Landschaftsbilder verleihen; und von dem lichterstrahlenden Weihnachtsbaum und dem zur Rute verschlungenen Birkenreise der Kindheit an durchwebt der Baum, der Wald die Erinnerungen und Erlebnisse der Menschen bis zum letzten Tage ihres Erdenlaufes. Mit dem Wald verflechten sich die Sagen und Märchen des Volkes und leben fort bis auf diese Stunde, umrauscht vom Wehen des Waldes, das den Sinn geheimnisvoll umfängt und ihn mit unsichtbarer Gewalt ins Reich der Wunder trägt. Und wir haben auf deutscher Erde noch lustigen schönen Wald, noch Wälder, wo der Wanderer, meilenweit von jeder menschlichen Niederlassung entfernt, nur den Schlag des eigenen Herzens in der Kirchenstille der Wildnis hört. Privatbesitz ist bei den deutschen Völkern erst spät und allmählich aufgekommen; noch jetzt gilt der Wald für das einzige große Besitztum, das noch nicht vollkommen ausgeteilt ist. Im Gegensatz zu Acker, Wiese und Garten hat jeder ein gewisses Recht auf den Wald, „und bestände es nur darin, daß er nach Belieben in demselben herumlaufen kann". Und was das allein wert ist, das empfindet man in Ländern, welche diese Waldfreiheit und diesen süßen Waldfrieden nicht haben, in England, das nur eingehegte Parks, aber keine Wälder hat, in den kultivierten Strecken der amerikanischen Union, wo die Fenzen überall auch den gemeinen Weg bannen. Man redet jetzt von Schonung des Waldes, weil es an Holz gebricht oder die Flüsse an Wassermenge abnehmen; aber nicht bloß vom Standpunkte des Nutzens, sondern auch von höherem Gesichtspunkte aus sollte der Wald gerade auf deutschem Boden geschont werden. Kein Volk hat so schöne Lieder vom Walde als das deutsche; der Gedanke, jeden Fleck Erde von Menschenhänden umgewühlt zu sehen, ist dem deutschen Geiste zuwider: „wir müssen den Wald erhalten, nicht bloß damit uns der Ofen im Winter nicht kalt werde, sondern damit die Pulse des Volkslebens warm und fröhlich weiter schlagen, damit Deutschland deutsch bleibe."

Die höheren Gebirgswälder Deutschlands bestehen vorzugsweise aus der Edel= und Rottanne, wozu in den Hochalpen noch die Arve kommt, während die Kiefer ihren Standort hauptsächlich in den sandigen Flächen des nordöstlichen Tieflandes hat. Die Wälder der niederen Gebirge werden hauptsächlich von der Steineiche, Stieleiche und Rotbuche gebildet, unter die sich mehr zerstreut eine bedeutende Anzahl anderer Waldbäume wie Weißbuchen, Birken, Ulmen und viele Arten der Gattungen Fichte und Esche mischen. In wasserreichen Gegenden der Ebenen treten besonders die Erle, mehrere Arten von Pappeln und Weiden hervor. Eiche, Buche und Linde sind echt deutsche Bäume, die auch in Sagen und Märchen eine große Rolle spielen. Mit der Linde siedelten unsere Vorfahren die Romantik des Waldes in Städte und Dörfer über, wenn sie den Baum auf den Marktplatz, den Tanzrasen, den Kirchhof pflanzten, wenn sie die Auffahrten zu Burgen, Klöstern und Schlössern mit Lindenbäumen zierten. Die Linde ist der echtdeutsche Baum, von den Minnesängern viel besungen. Später gab sie ihr Holz zur Verfertigung christlicher Heiligenbilder, weshalb es auch „Heiligholz" genannt wurde. Das älteste Marienbild am Nonnenberge in Salzburg ist aus Lindenholz geschnitzt, und der Volksglaube behauptet in manchen Gegenden Deutschlands jetzt noch, daß keine Linde vom Blitze getroffen werde, sowie daß Lindenbast ein sicheres Mittel gegen Zauberei sei. Unter geheiligten Linden tagte man früher bei offenem Gerichte, und bekannt ist die Femlinde in Dortmund, welche noch jährlich sich mit Laub bedeckt, an längst vergangene Zeiten mahnend. Unter einer Linde ist der Held der Nibelungen, Siegfried, in sein Blut gesunken, über Klopstocks Grabe zu Ottensee wölbt sich ein grünes Lindenpaar; denn die Linde ist der Baum der Auferstehung, der aus dem Grabe der Liebe sein blühendes Leben treibt. Von Obstbäumen gedeihen die echte Kastanie und der Mandelbaum noch in den am günstigsten gelegenen südwestlichsten

Strichen, das Klima ertragen sie selbst in den milderen Gegenden
Norddeutschlands. Der Walnußbaum hat eine viel weitere Verbreitung, und der Maulbeerbaum gedeiht fast überall. Der Weinstock
wird unter günstigen Verhältnissen bis 52° kultiviert; ein edleres
Gewächs liefert er jedoch nur in den wärmeren Tälern des Rheins
und seiner Nebenflüsse Neckar, Main und Mosel, ferner am Boden-
see und in der österreichischen Donaugegend. Gute Pfirsicharten reifen
bei Schutz gegen die kälteren Winde in vielen Gegenden, und die
Aprikose gibt noch am Rande der norddeutschen Tiefebene reichen
Ertrag. Die gewöhnlichen Obstbäume, Äpfel, Birnen, Kirschen,
Pflaumen, gedeihen überall mit Ausnahme der kältesten Striche, doch
findet sich eigentlicher Obstreichtum in weiterer Ausdehnung erst in
Thüringen, Sachsen und Böhmen. Aber überall macht die Obstkultur
Fortschritte, und Obstbäume verdrängen selbst von den Chausseen
immer mehr die Pyramidenpappel, „das echte Sinnbild von außen
her aufgedrungener Zivilisation, den uniformmäßigen Baum, den man
in Reihen aufmarschieren lassen kann gleich einer Paradeübung von
Soldaten". Unter den Getreidearten gedeihen Weizen, Roggen, Gerste
und Hafer in geeignetem Boden überall und bilden namentlich in
der nordöstlichen Tiefebene den Hauptgegenstand des Ackerbaus; an
Dinkelbau ist man nur im Südwesten gewöhnt. Mais gelangt nur
in den wärmeren Strichen des Südens sicher zur Reise, zu denen in
dieser Beziehung auch die großen Längentäler der östlichen Alpen zu
rechnen sind. Flachs wird mehr in der nördlichen Tiefebene, Hanf in
wärmeren Tälern Mitteldeutschlands gebaut. „Also ist," so schließen
wir mit den Worten des alten deutschen Geographen Seb. Franck,
„Germania eine selige gegend, darin gemässigte lufft, fruchtbare feldung
von allerley getreyd überflüssig, dicke wäld, wasserreich, mit guten
quellenden brunnen allenthalb gezieret, genugsamt allerley wein, metal,
treyd, handthierungen."

4. Volkscharakter und Sprache.

Der Charakter des deutschen Volkes bietet auf den ersten Blick die wundersamsten Gegensätze, ja Widersprüche dar.

Es gibt kein Volk, dem das Haus und die Familie ein größeres Heiligtum wäre. Heimweh ist ein deutsches Wort und ein vor allem deutsches Gefühl. Das echte innige Heimatsgefühl ist von niemand mit so warmen, herzbewegenden Farben geschildert als von den deutschen Dichtern alter und neuer Zeit, von Otfried an bis auf Liliencron. Das Vaterhaus, „mit dem Apfelbaum im Garten, auf dem die Finken schlagen", ist der erste Boden, in dessen Umfang sich der einzelne mit unverlöschlichen Gefühlen einlebt, und von dem aus die weiteren Kreise der Familie, der Gemeinde, des Stammes sich hinziehen, um eine enge Verkettung der Bande bis zum großen Ganzen der Nation zu bilden. Und auf der anderen Seite: wo gibt es ein Volk, in dem Wanderlust oder, wie Arndt sich ausdrückt, „Weltläuferei", so entschieden ausgebildet wäre? Nur in Deutsch= land wandern noch Handwerker, nur hier gibt es so schöne Fußreisen wandernder Studenten und Schüler, — nach allen Ländern und über alle Meere sind Deutsche gezogen. Sie wachsen auch leicht auf fremdem Boden an und sind zur Kolonisation überaus geeignet.

Die Deutschen sind ein materielles Volk, so äußern sich fremde, besonders romanische südliche Völker. Sie sagen das zunächst, wenn sie einen Deutschen essen und trinken sehen. Deutsche Sprichwörter, wie: Essen und Trinken hält Leib und Seele zusammen u. a., zeigen die Bedeutung, welche der Deutsche auf materielle Genüsse legt; und deren Fehlen kann ihn gründlich verstimmen. Und doch — wo gibt es eine Nation, die für edlere Bestrebungen empfänglicher wäre, welcher die Harmonie zwischen Wirklichkeit und Idee so bestimmt als letztes Ziel menschlicher Bestrebung erschiene, die imstande wäre, für Ideen so freudig Gut und Leben einzusetzen? Dafür zeugen schon die Spöttereien anderer Nationen, die ein solches Pfund nicht empfangen haben. Der Franzos spottet über die „deutschen Träu= mereien" und hat, weil er das deutsche Wesen nicht versteht, ein Sprichwort: C'est du haut allemand pour moi (das verstehe ich nicht). Napoleon höhnte und haßte die deutschen Ideologen, die ihm endlich doch den Garaus machten. Auch das germanische Brudervolk jenseit des Ärmelkanals, das englische, ist anders geartet. Wohl ist es uns so gegangen und geht es uns noch so, daß wir, die Blicke allein auf das Ideale gerichtet, das Wirkliche übersehen, daß wir vergessen

2*

haben, wie eine richtige Verschmelzung von Idealismus und Realis-
mus das Wohl der einzelnen und der Völker in rechter Weise baut;
aber wenn nun einmal nicht alle Gaben und Gottesgeschenke e i n e r
Nation zu teil werden, so möchte der deutsche Sinn diesen seinen
Idealismus durchaus nicht missen und nimmermehr mit der einseitig
praktischen Verstandesrichtung oder gar mit dem Materialismus anderer
Völker vertauschen.

Der Deutsche erscheint andern beweglichen Nationen in vielen
Situationen des Lebens als verkörperte Prosa, und das, was wir mit
e i n e m Worte als Philistertum bezeichnen, ist ein wesentlich deutsches
Produkt. Aber andererseits ist dem Deutschen vor vielen andern Völkern Gesang gegeben, ein Ohr, offen für jeden poetischen Laut, auch
den leisesten und fernsten, ein Herz für das Verständnis seiner Dichter.
Die Deutschen sind ein sangesreiches, poetisches Volk.

Die Deutschen, sagt man, sind phlegmatischen Temperaments und
haben Fischblut in den Adern. Manches scheint das zu bestätigen —
aber auf einmal wandelt der nie ganz verschwundene furor teutonicus
die ruhigen Leute an: ihr Ingrimm und ihre heldenhafte Tapferkeit
sind gefährlicher als das Schreien und Toben der Romanen.

Die Reihe der Kontraste ließe sich vermehren. In einer ober-
flächlichen, glattgestrichenen Natur sind solche Widersprüche nicht möglich: sie resultieren aus einer Tiefe, die aus einer und derselben ver-
borgenen Ader mehrere Quellen an die Oberfläche sendet. Ernst und
Tiefe war schon in ältester Zeit ein Kennzeichen deutscher Stämme
den Kelten gegenüber. Was im deutschen Charakter noch heute Licht
ist, das ist in christlicher Umbildung aus jener Urzeit herüber gerettet. Damit hängt die tiefere Erfassung aller menschlichen und
göttlichen Dinge zusammen, die den Deutschen überhaupt auszeichnet.
Deutschland ist, wie der französische Schriftsteller C o u s i n bemerkt,
ein ernstes, nachdenkliches, durch Gelehrsamkeit und geschichtliche Kritik
klassisches Land. Es ist das Land der Wissenschaft, die dort um ihrer
selbst willen zahlreiche Verehrer findet. Vor allem hat Deutschland
es mit dem Heiligen ernst genommen. Trotz aller die alte Zeit be-
einträchtigenden Einflüsse hat sich der Deutsche ein tiefes Gefühl für
Ehre, Recht und Sitte gewahrt. Noch immer gilt des alten Geographen Wort: „Und ist die Ehre bei ihnen so zart, daß ein geringes
Ding dieselbe verwunden kann"; ein liederlicher Deutscher z. B. fühlt
ganz anders einen Stachel im Gewissen als der zügellose Romane.
Den Deutschen verläßt das Gefühl nicht, daß alles sei doch ein Widerspruch gegen sein eigentliches Wesen. Und diese allseitige Tüchtigkeit

des Volkes erscheint in eigentümlicher Färbung in seinen Geschlechtern und seinen Altersstufen wieder: der deutsche Mann voll Biederkeit und Treue, der Jüngling, im äußern Auftreten oft eckig und verschlossen, aber mit Mark in den Knochen und den Kopf voll Ideale, das Herz auf dem rechten Flecke; die deutsche Hausfrau das Juwel aller Frauen auf Erden, die deutsche Jungfrau wie eine Blume so hold und schön und rein — das deutsche Haus, ein Haus voll Zucht und Ernst und zugleich eine Stätte traulicher Gemütlichkeit.

Was fremde Völker an den Deutschen bespotten: eine gewisse zähe Langsamkeit und Umständlichkeit, Unanstelligkeit, Mangel an Politur und wohltuender Feinheit des Verkehrs in allen Richtungen, das kann unter Umständen ärgern und aufbringen, aber die aufgezählten Vorzüge nicht sehr beeinträchtigen. Näher auf unsern Grundschaden führt eine über das Maß getriebene Verehrung des Fremden, „ein Nachäffen sowohl fremder Kleider- als Wortflicken", eine Verachtung gegen alles, was nicht weit her ist. Die Haupteigentümlichkeit der alten Tage, der zu einer für andere Nationen beschwerlichen Höhe gesteigerte Nationalstolz, war uns geschwunden. Die Deutschen haben lange Zeit kein Gesamtgefühl gehabt. Kein Volk ist so oft unter sich gespalten und gegeneinander in den Waffen gewesen. Erst mit dem glorreichen Kriege von 1870 ist ein gewaltiger Umschwung in dem Selbstgefühl des Deutschen wie in seiner Anerkennung von seiten des Auslandes wieder eingetreten.

Deutsches Nationalbewußtsein muß sich vor allem im begeisterten Werthalten der deutschen Sprache betätigen. Für jedes Volk ist seine Sprache ein köstliches Gut, in dem sich der Volksgeist, die Nationalität am treuesten abspiegelt; für das deutsche um so mehr, als es neben dem Christentum ihr sein engeres Zusammenschließen verdankt.

Die deutsche S p r a c h e gliedert sich in die beiden Mundarten des H o c h - oder O b e r d e u t s c h e n und des N i e d e r d e u t s c h e n, welche bedeutend voneinander abweichen. Jedoch in historischer Hinsicht unterscheidet man Althochdeutsch, Mittelhochdeutsch und Neuhochdeutsch. Das A l t h o c h d e u t s c h e ist in einer ziemlichen Zahl prosaischer und poetischer Sprachdenkmäler aus dem 8. und 9. Jahrhundert auf uns gekommen. Das M i t t e l h o c h d e u t s c h e, dessen Periode von der Mitte des 12. Jahrhunderts anhebt, zeigt schon einen sehr verschiedenen Charakter. Vornehmlich war es die schwäbische Mundart, welche in dieser Zeit der Minnesänger als Schriftsprache eine höhere Ausbildung erhielt, weil der Hof der schwäbischen Hohenstaufen der Mittelpunkt war, welcher alle diese Dichter anzog, und von dem sie wieder ausgingen. Die folgende Periode bis zum ersten Viertel des 16. Jahrhunderts kann man als einen Übergang vom Mittelhochdeutschen zum Neuhochdeutschen betrachten.

Seit dem ersten Viertel des 16. Jahrhunderts aber erhob sich ein oberdeutscher Dialekt zur allgemeinen Schriftsprache und zur Verkehrssprache aller Gebildeteren in ganz Deutschland. Es war dies die bis dahin wenig bedeutsam hervorgetretene o b e r s ä c h s i s c h e Mund- art, nach dem bedeutendsten Staatsgebiet in diesem Bezirke, der Markgrafschaft Meißen, auch die M e i ß n e r Mundart genannt. Wenn eine Mundart als gemeinsame Sprache für Ober- und Nieder- deutschland Geltung gewinnen sollte, so war es ganz natürlich, daß dieselbe die schroffen Unterschiede zwischen Oberdeutsch und Nieder- deutsch einigermaßen zu vermitteln geeignet sein mußte. Dies war der Fall bei der obersächsischen Mundart, wie auch schon die geo= graphische Lage, gleichsam am nördlichen Hange Oberdeutschlands und gegen Niederdeutschland offen wie keine andere oberdeutsche Landschaft, auf eine solche Aufgabe hinwies, während schon der Name des Landes zugleich auf eine Verbindung mit Niederdeutschland hindeutete. Ent- scheidend für die Herrschaft dieser Sprache wurde aber die Refor- mation und vor allem Luthers Bibelübersetzung, durch welche dieselbe in kurzer Zeit dem größten Teile Deutschlands bis in die untersten Schichten der Bevölkerung so bekannt wurde, daß sie als allgemeines Mittel der Verständigung für alle Deutschen gelten konnte. Diese n e u h o c h d e u t s c h e , oder gewöhnlich schlechthin h o c h d e u t s c h e Sprache ist nun fortan die allgemeine Sprache der deutschen Schrift- steller geblieben und immer mehr die Sprache aller Gebildeten ge- worden, wobei sie im Laufe der Zeit begreiflicherweise mancherlei Veränderungen erfahren hat, ohne daß doch zwischen dem heutigen Hochdeutsch und dem, das Luther schrieb, eine weite Kluft läge.

Mit der großen Zweiteilung der Sprache hängt auch der Haupt- unterschied zwischen Oberdeutschen und Niederdeutschen, zwischen Nord- deutschen und Süddeutschen zusammen.

Die Grenze zwischen Ober- und Niederdeutschen ist die Grenze zwischen Oberdeutsch und Plattdeutsch. Die oberdeutsche Mundart erstreckt ihr Gebiet von den Alpen nicht nur bis an den mittel- deutschen Gebirgszug, sondern großenteils noch weit darüber hinaus in das Flachland. Eine ganz scharfe Grenzbestimmung ist schwierig, da nicht nur hin und wieder Mischdialekte sich gebildet haben, sondern auch mitten in niederdeutschen Gegenden oberdeutsche Sprachinseln sich

finben, und andererseits das Niederdeutsche stellenweise weit in das Gebiet des Oberdeutschen seine Ranken getrieben hat.

Die Oberdeutschen oder Hochdeutschen zerfallen in vier Hauptstämme:

Die Schwaben sitzen zwischen Alpen, Wasgau und Lech, nördlich bis an den mittlern Neckar. Zu ihnen gehören die Alaman-
nen, welche in der oberrheinischen Tiefebene wohnen.

Die alamannische (oberrheinische) Mundart zwischen Wasgau
und Schwarzwald und in der deutschen Schweiz ist uns durch Hebels
treffliche Gedichte näher gerückt als viele andere. Sie charakterisiert
sich durch eine gewisse Rauheit der Aussprache, die sich besonders
bei dem immer tief in der Kehle gesprochenen ch, das meist auch an
die Stelle des k tritt (z. B. starch, Chnecht), bemerklich macht; ferner
lautet in den Verbindungen sp und st das s immer wie sch; nur
wenn zwischen s und t ein e ausgefallen ist und kein Konsonant
unmittelbar vorhergeht, ist dies nicht der Fall; g lautet überall hart
wie k.

Die eigentlich schwäbische Mundart herrscht zwischen Schwarzwald und Lech. Das rauhe algmannische ch findet sich in ihr nicht,
aber sie hat dieselbe Aussprache des sp und st und charakterisiert sich
ferner durch besondere Nasentöne und breite Aussprache. Die Silben
werden alle sehr gedehnt, viele einfache Vokale und Diphthonge verwandelt, dabei aber auch die Konsonanten gehäuft. Der Oberschwabe
wirft vor Zungenlauten regelmäßig das r weg, z. B. Heaz, Wiat,
Hiasch.

Anerkennung und Spott werden, je nachdem man oberflächlicher
oder tiefer in die Schwabennatur eindringt, hervorgerufen. Der in
sich gekehrte, träumerische, öfters in praktischen Mißgriffen starke
Schwab fordert den Scherz heraus: aber in ihm webt ein tiefsinniges
Wesen, zum Dichten und Denken geschaffen. Die Schwaben sind ein
poetisches Volk; ihnen gehört eine Menge älterer und neuerer Dichter
an. Scharfes und tiefes Denken über religiöse Fragen ist dem
Schwaben eigen: die geheimnisvolle Welt der Ahnungen und Wunder
zieht ihn unwiderstehlich an, darum ist Schwaben der Boden der
Sekten und Schwärmer und das Terrain der Geister. Grübelnd
und sinnend steht der Schwab auch vor politischen Zuständen und hat
eine Neigung, dieselben vom demokratischen Gesichtspunkte zu erfassen.
Bei dem allen sind die Schwaben nichts weniger als träumende
Ideologen. Sie entwickeln neben den erwähnten Eigentümlichkeiten
große Lebendigkeit, Gewandtheit und Rührigkeit; ihre Tapferkeit ist

von den türkenspaltenden Schwabenstreichen bis auf den heutigen Tag berühmt: „gar manchen Mann, gar manchen Held gebar das Schwabenland".

Die Bayern wohnen im Donaugebiet vom Lech bis zur Leitha, im eigentlichen Bayern, in der Oberpfalz, in Österreich, Steiermark, Kärnten. Ihre Mundart ist besonders in Altbayern noch breiter und näselnder als die schwäbische und verschluckt viele Laute; die Aussprache ist langsam und preßt die Laute wie mit Gewalt heraus. Die Aussprache des sp, st und g ist wie im Alamannischen. Das r wirft der Bayer noch öfter weg als der Schwabe, und nicht bloß vor Zungenlauten. Ebenso wird n oft weggeworfen und dann der vorhergehende Vokal durch die Nase gesprochen. Das a verwandelt sich sehr oft in einen Mischlaut zwischen a und o, das lange o lautet ungefähr wie ou.

Eine Abart der bayrischen Mundart ist die österreichische; die Tiroler Mundart steht zwischen der algmannischen und bayrischen.

Die Bayern, besonders auf der eigentlichen bayrischen Hochebene, sind ein Menschenschlag von untersetzter, stämmiger Figur mit rundem, kleinem Kopf, hochroter Gesichtsfarbe und ungemeiner Muskelkraft. Fern von schwäbischer Hagerkeit haben sie unter den deutschen Stämmen die meiste Neigung zum Starkwerden. Das Derbe, Tüchtige, Schwerfällige ihrer Erscheinung spricht sich auch in ihren materiellen Genüssen aus. Die schon in Schwaben im Deminutivum beliebten Spätzle und Knöpfle verwandeln sich in kompakte Knödel und Dampfnudeln, und das bayrische Bier hat die Welt erobert. Während unsere Alten die treuesten Untertanen des Gambrinus in den Sachsen erkannten, gelten heutzutage die Bayern als die größten Biertrinker der Welt. Jener Bayer, dem eine gütige Fee drei Wünsche verstattete, wünschte sich 1) Bier gnug, 2) Geld gnug, und nach einigem Nachdenken 3) noch a bisserl Bier. Das träge, phlegmatische Wesen des Bayern sieht der Norddeutsche leicht durch ein Vergrößerungsglas. In Wahrheit birgt die oft etwas materiellgewichtige Außenseite Drolligkeit und Humor; Lust an Spiel und Tanz ist allgemein, und grimmer Zorn, der auch Blut nicht scheut, nur zu oft das Ende lärmender Gelage. Aber Treue gegen den ererbten Glauben und das angestammte Fürstenhaus, eine offene Natürlichkeit, eine kaum zu erschöpfende Gutmütigkeit und Herzlichkeit sind den Bayern in hohem Maße eigen, und berühren den Fremden, der nicht bloß oberflächlich Bayerland durchfliegt, überaus wohltuend

Im ganzen Maingebiet, im Vogtlande und Erzgebirge, um den Mittelrhein und im Moselgebiet und in Hessen sitzen die Franken.

Die eigentliche fränkische Mundart unterscheidet sich schon vielfach von den bisher genannten. Die breite Aussprache des sp und st hört auf, die Nasentöne nehmen ab, die ganze Aussprache wird geschmeidig und spitzig, anstatt breit und aufgeblasen zu sein. Das g bekommt den zweifachen Laut, den es im Hochdeutschen hat. Dagegen wird s wie sch gesprochen, wenn r vorhergeht, wie z. B. Perschon, Wurscht. Die in den beiden erstern Mundarten so häufigen Doppellaute ie (ia), ue (ua) hören im Fränkischen auf und gehen in öi und ou über.

Franken und Schwaben werden von vielen für die lebenbigsten und bildsamsten Stämme gehalten. Damit würde stimmen, daß unsere größten Dichter diesen Stämmen zugehören. „Schiller erscheint ein empfindsamer, phantasiereicher, freidenkender Schwab, Goethe ein Franke mild, gemessen, heiter, strebsam, der tiefsten Bildung offen." Jedenfalls besitzen die Franken, alter Zeiten eingedenk und sich mancher Vorzüge bewußt, einen ausgebildeten Stammesstolz und sehen gern auf die Nachbarstämme, vor allem die Schwaben und Bayern, etwas von oben herunter. Leichten Blutes, heitern Sinnes und regen Geistes, rührig, geschmeidig und lebensklug, allen Eindrücken offen und zugänglich ist der Frankenstamm. Zu seinen Schattenseiten rechnet man eine gewisse Unbeständigkeit und Unverläßlichkeit, als wäre von den alten Franken nicht bloß Gutes vererbt worden, als bestehe zwischen Ostfranken und Westfranken noch jetzt eine geistige Verwandtschaft. Bei der großen Ausbreitung des Stammes treten selbstverständlich große Unterschiede auf. So bilden die Rheinländer eine besondere Gruppe, im Pfälzer ist fränkisches und alamannisches Blut, doch mit Vorwiegen des ersteren, gemischt.

Die Thüringer sind zwischen Harz, Saale und Rennstieg auf dem Thüringer Walde seßhaft. Ihre Mundart ist ein Gemisch von Ober= und Niederdeutsch, jedoch so, daß die oberdeutschen Elemente überwiegen. In den Gebirgsgegenden ist die Aussprache häufig singend. Östlich gegen die Saale und Elster geht die thüringische Mundart allmählich in die obersächsische oder meißnische über.

Man rühmt die Thüringer als offen an Verstand und Gemüt, regsam zu allem wackern Tun, treuherzig in Handel und Wandel. Der Grundzug des Thüringers, auch in den beschränktesten Verhältnissen, ist Biederkeit, Frohsinn und Gastfreundschaft. Bekannt ist seine große Liebe zur Musik und zum Gesang, und selten geht man durch einen Ort, wo man nicht Gesang und Musik hörte. Musik klingt durch alle Feste, häusliche wie kirchliche; Musik sammelt Tausende auf einen Punkt. Das sanglustige und lebensfrohe Thüringen hat von jeher gefeierte Sänger zu schätzen gewußt und die Dichter aus andern deutschen Stämmen in seinem Schoße versammelt. Bedeutsam und aufs glücklichste vermittelnd war es, bemerkt J. Grimm in seiner Schillerrede, daß Schiller und Goethe nach Thüringen gezogen wurden und in diesem freundlichen und anmutenden Lande ihr Leben zubrachten, gerade wie schon im Mittelalter der thüringische Hof deutsche Sänger aller Gegenden um sich versammelt, in Schutz und Pflege genommen hatte.

Die Nieder- oder Plattdeutschen zerfallen in zwei Hauptstämme, in die Sachsen und in die Friesen.

Die Sachsen wohnen zwischen Elbe, Harz und Weser, mit Ausnahme der von Friesen besetzten Küsten, in Westfalen, Lippe, Waldeck, dem westlichen Holstein und Südschleswig. Doch werden Westfalen und eigentliche Sachsen unterschieden.

Als charakteristisches Unterscheidungszeichen des niedersächsischen und westfälischen Dialekts kann die Aussprache der schriftdeutschen langen Vokale u, ü und i angesehen werden; diese lauten niedersächsisch o, ö und e, westfälisch au, eu und ei. Auch die Formen der persönlichen Fürwörter mich, dich, niedersächsisch mi, di, westfälisch meck, deck, sind bezeichnend. Für den westfälischen Dialekt ist noch eigentümlich die getrennte Aussprache des sch als st oder s-ch, und die des g als ch.

Nicht ohne Grund nennen unsere alten Historiker die Sachsen eine gens robustissima, steinern und hart wie ihr Name, und schreiben ihr eine ingenita feritas zu. Die Sachsen sind hochgewachsene, kraftvolle Gestalten. „Es ist," erzählt ein Schriftsteller von ihnen, „etwas so Gewöhnliches, daß man nie daran denkt, es für außergewöhnlich zu halten, daß die Landleute einen Sack mit zwei Tonnen Weizen (über 200 kg!) von der Tenne auf die Kornböden oder von diesen auf den Wagen tragen, auf welchen gewöhnlich fünf solcher Säcke hinter vier Pferde aufgeladen werden. Der Pferdeknecht, welcher diese Last nicht tragen könnte, würde für schwach gehalten werden. Im mittleren und südlichen Deutschland dagegen, wo die Landleute nicht so stark sind, haben sie an einem Doppelzentner volle Last. Am meisten kann man die Kraft einzelner in den norddeutschen Seestädten beim Abladen oder Aufladen der Rollwagen bewundern." Ein solch zyklopisches Aufladergeschlecht hat uns Freitag in seinem Roman „Soll und Haben" meisterhaft geschildert. Natürlich ist solch vierschrötiges Volk nicht aus nichts erwachsen. Der Grundsatz, daß der geheimnisvolle Zusammenhang zwischen Leib und Seele durch Essen und Trinken erhalten werde, ist eine sächsische Anschauung. Derbe Hülsenfrüchte mit Geräuchertem, westfälischer Schinken und Pumpernickel, pommersche Spickgänse bezeichnen den auf das solideste gerichteten Geschmack. Das Bewußtsein der Tüchtigkeit und Kraft erzeugt ein gewisses trotziges Selbständigkeitsgefühl, das andern gegenüber sich nicht eben seiner Formen befleißigt. „Wat frag ik nach de Lü, Gott helpet mi" — dieser Spruch an einem sächsischen Bauernhause ist charakteristisch und leitet uns auf die unter etwas rauher Schale liegenden hohen Vorzüge des Stammes. Nicht bloß der Leib, sondern auch der Geist ist tüchtiger Art, fest, ausdauernd und mächtig. Seinem Gott, seiner Obrigkeit, seiner Heimat, seinen Sitten und Bräuchen, auch seinen Rechten gegenüber hält der Sachse die goldene Treue, der sich schon Heinrich II. empfahl. Der tapfere Stamm leidet nimmer lange Unterdrückung, und wenn auch öfters ein langsames Sich-aufraffen zu bemerken gewesen, so haben doch zuletzt alle Feinde gerade von den Sachsen „deutsche Hiebe" in bester Qualität davongetragen.

Die Friesen dagegen wohnen im Rheindelta, überhaupt an der Nordseeküste von der Scheldemündung an, soweit es Marschen und Inseln gibt; denn die Friesen, spricht der Presbyter von Utrecht *), sind wie die Fische und wohnen im Wasser. Sie sind der deutsche Seestamm, gestählt im Kampf mit Sturm und Wellen, noch zäher und spröder im Festhalten des Alten, im Verteidigen der Freiheit, als die Sachsen, ein kerniges, tüchtiges Geschlecht.

Das eigentliche Altfriesische ist schon im 14. Jahrhundert zu Ende gegangen. Schon da drang mit Macht das Niederdeutsche und Niederländische vor. Aus der Mischung mit diesen Dialekten bildete sich das Neufriesische. Aber auch dieser Mischdialekt ist jetzt auf einen geringen Raum beschränkt, auf dem es sich noch gegen den Untergang in das Plattdeutsche wehrt: denn Sprachen haben ein zähes Leben und sterben erst nach einem Todeskampfe von Jahrhunderten. Das Neufriesische hat sich in einem Teile von Westfriesland behauptet; im Osten der Ems halten das Saterland, zum Teil

---

*) Anonymer Verfasser eines Lebens des heil. Bonifatius, lebte um 800.

die Gegend um Husum und Tondern, Silt (dänisch: Sylt), Norderney, Borkum, Wangerooge und Helgoland den vater=
ländischen Dialekt fest.

Das ganze östliche Deutschland, seit dem 6. Jahrhundert von Slaven besetzt, ist langsam durch Eroberung und Kolonisation wieder für das Deutschtum gewonnen worden. Infolgedessen haben die germanisierten Gegenden den Dialekt ihrer deutschen Kolonisten angenommen. So hat sich die oberſächſiſche Mundart vom Osterland und der alten Markgrafschaft Meißen auch über die Oberlausitz und Schlesien ausgebreitet. Sie bildet das Mittel= glied zwischen Oberdeutsch und Niederdeutsch, indem ihr Material oberdeutsch, ihr Bau und ihre Sprechweise niederdeutsch ist. Die Konsonanten von oberdeutscher Fügung sind großenteils erweicht und geschwächt,' so pf zu f oder p, f häufig zu w, t zu d und p zu b. Die Verwechselung der harten und weichen Konsonanten ist für das Ohr anderer Stämme lustig und auffallend. Der Oberfachse ist stolz darauf, daß G nicht in J zu verwandeln, aber im Eifer tut er zu viel und wandelt es in K, und nimmt sogar mit dem J diese Prozedur vor, so daß „zu Khanne" zu Johannis heißen soll. Eine singende Aussprache ist der oberfächsischen Mundart gewöhnlich. Merkwürdig ist dieselbe besonders auch deswegen, weil sie grammatisch reicher ist als die andern deutschen Dialekte, wie sie denn z. B. die Zeitformen am genauesten unter= scheidet.

Die Altmark, die nördlichen Striche vom Magdeburgischen und Anhalt, Brandenburg haben eine gemischte, aber vorherrschend sächsische Bevölkerung. Lauenburg, Mecklenburg und Pommern sind fast ausschließlich von Sachsen kolonisiert, so daß plattdeutsche Mundarten überall vorherrschend sind; und auch jetzt noch sind, Polen und Tschechen ausgenommen, die Slaven innerhalb des deutschen Landes in stets fortschreitender Germanisierung be= griffen.

5. Häuſer, Dörfer, Städte.

Die germanischen Völker, berichtet der Römer Tacitus, dulden keine Städte oder keine zu regelmäßigen Straßen verbundenen Woh= nungen. Sie wohnen vielmehr in kleine Gemeinschaften gesondert und bauen ihren Hof, wo eine Quelle oder ein Wald oder ein Rain ihnen gefällt. Sie richten ihre Dörfer nicht wie die Römer ein, daß

die Häuser aneinander stoßen und zusammenhängen. Jeder liebt es
vielmehr, seinen Hof mit einer Umzäunung zu umgeben, die ihn
vom Nachbar scheidet.

Wenn Germanen sich an einem Orte niederließen, so wurden die
Grenzen feierlich geweiht und jedem Hausvater eine Hofstatt zu Haus,
Hof und Garten angewiesen; die Flur, welche bebaut werden soll,
gehört allen gemeinsam. Die Art der Bewirtschaftung ist Feldgras=
wirtschaft. Der in den Wald gerodete Acker bleibt, nachdem er ein
Jahr Getreide getragen, als Weideland für das Vieh brach liegen.
Denn die Herde bildet das wertvollste Besitztum. Erst unter der
Einwirkung der römisch=gallischen Kultur kommt — zuerst im Westen —
die Dreifelderwirtschaft auf: zwei gleich große Ackerflächen tragen
abwechselnd Winter= und Sommerkorn und bleiben im dritten Jahre
brach. Alles zusammen hieß die Mark. Die Höfe vereinigten sich
zu Markgenossenschaften. Wurde nach einer Eroberung ein Land
verteilt, so bekam jedes Heerhundert einen Distrikt, dieser wurde
wieder in hundert oder so viele Anteile zerschlagen, als das Hundert
noch Glieder hatte. Sonach waren die ländliche und die kriegerische
Einteilung in Hunderte gleich.

Wir haben uns die alten deutschen Dörfer viel kleiner zu denken
als die jetzigen. Wie viele mochten nur aus einer Gruppe ver=
einzelter Gehöfte, sogar nur aus einem einzelnen Gehöft eines
freien Gutsbesitzers oder einem Hage bestehen. Demgemäß aber waren
auch die Dörfer vor alters viel zahlreicher als jetzt. Allein schon zu
Karls des Großen Zeit war eine Menge Dörfer eingegangen, und
dies hat sich durch das Mittelalter und bis in die Zeit des
Dreißigjährigen Krieges fortgesetzt. Jener unheilvolle Krieg hat aber
nicht allein die Zahl der Dörfer vermindert, sondern auch die bäuer=
lichen Verhältnisse nicht zum Guten verschoben. Die Güter werden
parzelliert, die starke Pferdezucht, die geschlossene Güter voraussetzt,
nimmt ab, die Zahl der Familien wächst, aber die Zahl der Häuser
nicht mit. „Vor jener Zeit wohnte fast jede Familie im eigenen
Haus, jetzt wohnt bereits eine bedeutende Anzahl zur Miete. Zur
Miete wohnen ist aber durchaus nicht bäuerlich; in einem recht=
schaffenen Dorfe muß jede Familie ihr eigenes Haus allein bewohnen,
und wäre es auch nur eine Hütte". Im Norden und Süden hat
sich das altbäuerliche Leben am ungestörtesten erhalten, und wiederum
sind die Reste uranfänglicher Gesittung vor allem in den abgelegenen
Waldbörfern zu suchen.

Den in der Bauart der deutschen Dörfer vorgegangenen Wand-
lungen nachzugehen, den verschiedenen Typus der Dorfkirchen und so
vieles andere mehr zu verfolgen, wäre von großem Interesse. Wir
müssen uns darauf beschränken, das Wichtigste über die Hauptformen
deutscher Bauerhäuser mitzuteilen.

Weitaus am meisten verbreitet ist die Form des fränkischen
Hauses. Es ist fast ausschließlich Wohnhaus und erfordert daher für
die Wirtschaft eine Anzahl Nebengebäude, Scheunen, Ställe und

Abb. 3. Das fränkische Haus. Nach „Meitzen, das deutsche Haus".

Schuppen. Seinen Eingang hat das Haus von der breiten Seite.
Derselbe führt in einen bis zur Rückwand durchgehenden Flur, in
welchem sich die Sommerküche befindet. Vom Flur aus liegt nach
dem der Dorfstraße zugewendeten Giebel eine beinahe quadratische
Stube und neben dieser eine ungefähr halb so breite Kammer. Die
Stube hat zwei Fenster nach der Straße und eben so viel nach dem
Hofe; die Kammer nur ein Fenster nach der Straße. In der Stube
steht ein Kochofen, der im Winter benutzt wird. In der Ecke zwischen
den Fenstern laufen Bänke entlang, davor steht der Familientisch. An
der entgegengesetzten Seite des Flures befinden sich meist einige Kammern. Das Gehöft bildet in der Regel, besonders in zerstreuten
Gebirgsdörfern, ein in Zäune geschlossenes Quadrat. Den Eingang
desselben bildet ein Torhaus mit Tür für Fußgänger, Torweg für
Wagen. Links steht das Wohnhaus, den Giebel der Straße zugekehrt, rechts liegen die Ställe und Gerätschuppen, dem Torhause
gegenüber die Scheune.

Sehr abweichend ist die Form des sächsischen Hauses, welche im nordwestlichen Deutschland und in Schleswig-Holstein herrscht. Es vereinigt sämtliche für die Wirtschaft erforderlichen Räumlich-

Abb. 4. Das sächsische Haus. Nach „Meitzen, das sächsische Haus".

keiten unter einem Dache. Die Mitte des Hauses bildet die Diele, zu welcher von der Giebelseite ein großes Eingangstor führt. Zu beiden Seiten der Diele sind die Pferde und Kühe untergebracht, doch so, daß sie von der Diele aus gefüttert werden. Über der Diele und den Viehständen bis zum Dachfirst wird die Ernte aufgespeichert. Der Hintergrund der Diele wird durch einen niedrigen Herd abgeschlossen, zu dessen beiden Seiten sich die Bettstätten der Familie in engen, erhöhten Wandschränken befinden, während die Knechte oberhalb der Pferde, die Mägde oberhalb der Kühe schlafen. Der Raum für die

Abb. 5. Das Alpenhaus. Nach „Meitzen, das deutsche Haus".

Hauswirtschaft reicht rechts und links vom Herde bis zu den Seiten-wänden des Hauses, durch welche je eine Glastür ins Freie führt.

Viel näher ist dem fränkischen das Alpenhaus verwandt, welches aus den Alpentälern nicht weit heraustritt. Es ist im

allgemeinen von quabratischer Form, welche, verbunden mit dem
Aufgang auf Freitreppen, eine große Mannigfaltigkeit der inneren
Einteilung gestattet. Namentlich ist die Lage des Feuerherdes sehr
wechselnd. Besonders charakteristisch ist das flache Dach mit breiten
Überhängen und den darunter fortlaufenden Galerien, welche unter
sich große Verschiedenheiten in der Anlage und Verwendung zeigen.

In den Weichselgegenden endlich begegnet uns die Form des
nordischen Hauses. Sie sondert ebenso wie die fränkische ein besonderes Wohngebäude aus den wirtschaftlichen Nebengebäuden aus.
Diese, wie auch jenes bestehen aus einem einzigen oder zwei hinter-

Abb. 6. Das nordische Haus. Nach „Meitzen, das deutsche Haus".

einander gelegenen Räumen, welche von der Giebelseite, und zwar
durch eine Vorhalle zugänglich sind und auf beiden Seiten durch
Fenster erhellt sind. Die Vorhallen sind meist offen und nur durch
einige Säulen getragen, kommen jedoch auch halb oder ganz geschlossen vor.

Sicherlich ist es kein Zufall, daß die fränkische Hausform die
verbreitetste ist und die andern allgemach verdrängt. Denn sie hat
in besonderem Grade eine Einrichtung, welche ein gebildeteres Familienleben fördert, Sauberkeit und Zurückhaltung gestattet, ohne dem Haus-
herrn die Übersicht über sein Hauswesen und ein tätiges Eingreifen
zu erschweren. So wird es ein Ausdruck gesteigerter Gesittung.

Wenn ein noch völlig unkultiviertes Land von menschlicher Kultur
in Angriff genommen, der Wald gerodet wird, so entsteht der Gegensatz von Feld und Wald. Er ist in Deutschland uralt. Später
hebt sich aus der allgemeinen Form der Siedelung der Gegensatz von
Stadt und Land heraus.

Ptolemäus, der im 2. Jahrhundert nach Christi Geburt lebte,
führt in seiner Geographie in Germanien 90 Städte auf, wahrscheinlich keltische Gründungen. Wenigstens finden viele Namen im Kel-
tischen ihre Erklärung; die Germanen haben wohl nicht alle diese

Städte zerstört. In den von Römern beherrschten Strichen wurden von den Römern Städte angelegt, zunächst zur militärischen Sicherstellung der Grenzen sowie als Ausgangspunkt für weiteres Vordringen feste Lagerplätze. Je sicherer dieselben vor feindlichen Angriffen der Deutschen gerade erschienen, um so mehr nahmen sie den vollständigen Charakter römischer Städte an, und hatten meist bei der späteren Verdrängung der Römer schon Bedeutung genug erlangt, um auch fernerhin ihre Existenz aufrecht zu erhalten. Die Deutschen zeigten damals aber noch wenig Neigung zur Erbauung von Städten, und erst Karl der Große fing an, wenigstens feste Plätze bei ihnen anzulegen. Das Christentum begünstigte allmählich die Entstehung von Städten durch das Zusammenströmen vieler Menschen bei Kirchen mit berühmter Heiligenverehrung, woran sich ein vielfacher Handelsverkehr knüpfte. Die anfänglich nur für solche Gelegenheiten errichteten Buden oder Zelte verwandelten sich unter Begünstigung der Bischöfe nach und nach in ständige Gebäude, und es entstand eine kleine Stadt. Das Gebiet derselben wurde unter den Schutz des Ortsheiligen und eines Gottesfriedens oder Weichfriedens gestellt und das geweihte Bild des Heiligen als des Beschützers an der Grenze aufgestellt. Daher hat Weichbild, d. i. geweihtes Bild, die Bedeutung von Stadtgebiet. Das nördliche Deutschland, das Land der Sachsen, hatte verhältnismäßig die wenigsten Städte. Erst Heinrichs I. Fürsorge für sein Stammland ließ zahlreiche Städte entstehen. Dieser König suchte auch in Sachsen und Thüringen eine Reihe befestigter Punkte herzustellen und gründete eine Anzahl fester Burgen, namentlich bei den königlichen und den eigenen Hausdomänen, sowie bei Bischofssitzen und wichtigen Klöstern. Diese festen Burgen sind später vielfach der Kern geworden, um den städtische Ansiedelungen sich bildeten.

Die Bevölkerung der Städte, welche ursprünglich aus adligen Geschlechtern und Freien bestand, vermehrte sich besonders durch Leibeigene, welche sich dem Drucke ihrer Herren zu entziehen strebten, indem sie Wohnrecht in einer Stadt erlangten, wo sie wenigstens persönlich frei, wenn auch den älteren Geschlechtern der Stadtbewohner an Rechten nicht gleichgestellt wurden. Die wachsende Bevölkerung der Städte beförderte ganz natürlich die Entwickelung des Handels und der Handwerke, und bald waren die Städte ein wichtiges Glied im Leben des deutschen Volkes geworden.

Wie die Bischöfe schon früher, so suchten auch die Fürsten seit dem 12. und 13. Jahrhundert die gerichtsherrliche Gewalt in den

Städten zu erlangen. Häufig gelang es ihnen; aber nicht wenige
Städte blieben doch unter der unmittelbaren Gerichtsherrlichkeit
des Kaisers und hießen Reichsstädte. Zur Ausübung ihrer Gerichts=
herrlichkeit ernannte der Gerichtsherr, Kaiser, Bischof oder Fürst,
einen Vogt. Der Landadel betrachtete mit Groll das Emporblühen
städtischer Macht und geriet vielfach in feindliche Berührung mit
den Städten, die auch vorzugsweise durch das sich mehr und mehr
ausbreitende ritterliche Raubhandwerk geschädigt wurden. Die
Fürsten waren meist mehr dem Adel als den Städten hold, und
so fanden sich bei den fortwährenden Kämpfen zwischen Kaiser und
Fürsten die Städte auf den Kaiser als natürlichen Bundesgenossen
angewiesen. Immer waren sie aber darauf bedacht, sich von der
Oberherrlichkeit, unter der sie standen, mehr und mehr unabhängig
zu machen, was ihnen bei den häufigen Geldverlegenheiten der
Fürsten und besonders der Kaiser oft auf friedlichem Wege durch
Geldzahlungen gelang; nicht selten auch, wenn sie sich stark genug
fühlten, wandten sie gegen Bischöfe und Fürsten Gewalt an. So
erstarkten, während die kaiserliche Macht ins Sinken geriet, die
Städte und schlossen, um gegen die gleichzeitig wachsende Herrsch=
sucht der Fürsten und den Übermut des Adels durch gegenseitige
Unterstützung die nötige Sicherheit zu finden, Bündnisse unter=
einander, von denen einige zu hoher Bedeutung gelangt sind.

Im 16. Jahrhundert halfen die Städte mit, die Bauernaufstände
zu bewältigen; aber bald sahen sie, daß sie damit die Fürsten zu
ihrem eigenen Nachteile gestärkt hatten. Immer suchten diese die
Freiheit ihrer Städte zu beschränken und kleinere Reichsstädte unter
ihre Herrschaft zu beugen, Bestrebungen, in denen sie jetzt auch von
den Kaisern eher begünstigt als gehemmt wurden, und denen die
veränderte Kriegsweise, die Anwendung des groben Geschützes, sehr
zu statten kam. Das 15. und 16. Jahrhundert sah eine Menge
solcher Kämpfe zwischen Fürsten und Städten, die häufig die letzteren
unter die Herrschaft jener brachten. Man brach das unabhängige
Bürgertum aus Staatsklugheit, wie man früher die Burgen des
Adels gebrochen hatte. Dennoch boten die Städte noch immer
den Eindruck eines kräftigen, selbstbewußten, reichen Bürgertums.

Ein tiefes Sinken der Städte hatte der Dreißigjährige Krieg zur
Folge; viele sonst wichtige Städte haben sich seit jener Periode nie
wieder erholt und sind zu Flecken herabgesunken. Aus jener Zeit
stammen die Ortschaften, bei denen man gar nicht mehr unterscheiden
kann, ob sie Dörfer oder Städte sind, zwitterhafte Denkmale politi=

scher Ohnmacht und sozialer Erschlaffung, Urkunden für die Ausgelebtheit des Landes und die Widernatürlichkeit seiner Zustände. Solche Dorf-Städte sind dann in der Regel nicht der Sitz der Bürgern und Bauern nebeneinander, sondern vielmehr von bürgerlichen und bäuerlichen Proletariern. Aus der Zeit absoluter Fürstenmacht nach dem großen Kriege stammen besonders in den süd- und mitteldeutschen Kleinstaaten die künstlichen Städte, die man, der Natur und Geschichte trotzend, dem Lande zu Stapelplätzen des geistigen und materiellen Verkehrs oktroyiert hat. In solchen Städten könnte man Karlsruhe im Gegensatz zu Mannheim und Konstanz, Stuttgart im Gegensatz zu Eßlingen, Reutlingen und Heilbronn, Darmstadt im Gegensatz zu Mainz und Frankfurt, Wiesbaden im Gegensatz zu Limburg u. s. w. zählen. Die neueste Zeit hat vornehmlich durch die anders gelegten Kommunikationswege und vor allem durch die Eisenbahnen gewaltige und folgenschwere Veränderungen im deutschen Städteleben herbeigeführt. Zahllose kleine Städte, volkreiche Flecken und Dörfer sind dem allmählichen Absterben ebenso sicher geweiht, wie die Städte mit innerem Leben kräftig gebeihen und überraschend schnell wachsen, woran natürlich die Wiederherstellung gesunder politischer Zustände in den deutschen Landen den größten Anteil hat.

Das Mittelalter kannte keine Hauptstädte in unserm Sinne des Wortes. Das Hoflager des Landesherrn war ein durchaus wandelndes, und wie die Regentin des Himmels im Jahreslaufe alle Sternbilder ihres Gebietes durchwandert, so zeigte auch der Landesvater bald dieser, bald jener Stadt sein Angesicht. Die Chroniken und Urkunden des alten Deutschen Reiches zeugen davon, wie die Kaiser hier das Geburtsfest des Herrn, dort die Ostern, an einem dritten Orte die Pfingsten gar würdig und prächtig gehalten. Das Gefühl, daß alle Landschaften gleiche Rechte auch an die persönliche Gegenwart des Monarchen hätten, war ein durchaus lebendiges. Der Wechsel des Hoflagers machte natürlich auch einen festen Sitz der obersten Staatsbehörden unmöglich, und ebenso tagten die Stände in den verschiedensten Städten des Landes. Es war ein Wanderleben der höchsten Gewalten und der Landesverwaltung. Ein Moment in den so zahlreichen und wichtigen Veränderungen, welche im Laufe des 16. Jahrhunderts im Staats- und Völkerleben eintraten, bildet das Emporkommen großer Hauptstädte, welche nun mit überraschender Schnelle ins Ungeheure wuchsen. Sie wurden entweder selbst die bleibende Residenz des Landesherrn, oder dieselbe wurde in ihre Nähe und in den Kreis ihrer sich immer mächtiger äußernden Wirkung ge-

3*

rückt. Für die Verwaltung aber kam im Laufe der Zeit immer mehr das Zentralisationssystem auf, nach welchem die Administration der Provinzen möglichst wenig selbständig gehalten, die Hauptstadt dagegen zum Sammel= und Mittelpunkte der höchsten Landesbehörden wird. Wie Fäden von allen Enden eines Kreises nach dem Mittelpunkte laufen und dort von einer Hand gefaßt in allen Richtungen die leitende Kraft des Zentrums empfinden lassen, so gestaltete sich fortan das Verhältnis der Hauptstädte zu den Provinzen. Sie begannen nun auch für andere als administrative Verhältnisse tonangebend zu werden. Dabei konnte es nicht fehlen, daß nach dem Mittelpunkte eine Menge auch unreiner Elemente hinströmten. In Deutschland sind Großstädte langsamer erwachsen als in vielen andern Ländern von Europa; aber auch hier haben sie sich einerseits als Herde sittlicher Korruption, auf der anderen Seite aber auch als großartige Sammel= plätze der Kultur, Kunst und Wissenschaft erwiesen.

Übrigens unterliegt Deutschland nicht in gleicher Weise wie Frankreich der Gefahr einer Zentralisation, welche das selbständige Leben der Provinzen zu töten vermöchte. Die politische Getrenntheit hat das individuelle Leben in gedeihlicher Weise gekräftigt, und auch jetzt, wo das Deutsche Reich eine Kaiserstadt besitzt, verlieren die andern deutschen Hauptstädte dadurch ihre Selbständigkeit nicht, ja selbst preußische Städte, wie Köln, Frankfurt a./M., Breslau, werden nie in gleicher Weise „Vorstädte von Berlin" werden, wie es Rouen, Nantes und andere französische Großstädte für Paris ge= worden sind. Es ist als ein Zug des deutschen Charakters festzuhalten, daß jeder Individualität die Freiheit selbständiger Entwickelung ge= worden sind. Denn der Deutsche hält darauf, daß jeder Individualität die Freiheit selbständiger Entwickelung gewahrt bleibe.

6. Deutſchlands Vergangenheit.

Vor den Germanen haben Kelten einen großen Teil Deutſch=
lands innegehabt. Im 6., 5. und 4. Jahrhundert vor Chriſti
ſtanden ſie auf der Höhe ihrer Macht. Aber aus der Urheimat
des indogermaniſchen Stammes, die wir denn doch wohl in Oſt=
europa, nicht in Aſien zu ſuchen haben, drangen Germanen
gegen ſie vor und drängten die Kelten allmählich über den Rhein
und die Donau. Durch die geheimen Bande der Religion, Sitte
und Sprache eng umſchloſſen und wiederum doch in eine ziem=
liche Anzahl beſonderer Stämme zerbröckelt, verlebten ſie in ihren
Gauen die erſten Jahrhunderte unſerer Zeitrechnung, mühſam
von den Römern von weiterem Vordringen abgehalten, bis die
Not der Völkerwanderung ſie erfaßte und gleich aufgeregten Wogen
weit über die Grenzen ihres Ländergebietes hinausführte. Zugleich
aber drangen in die oſtgermaniſchen Gegenden, deren Bevölkerung
durch die Auswandererzüge geſchwächt war, Slaven ein und
machten ſich zu Herren an der Weichſel, an der Oder, ja ſtrebten
der Elbe zu. Und erſt Jahrhunderte ſpäter iſt es den Germanen
wieder gelungen, dieſe altgermaniſchen Landſtriche, wenigſtens zum
größeren Teile, zurückzugewinnen.

Durch die Berührung mit andern Stämmen, inſonderheit
mit den untergehenden Kulturvölkern der Alten Welt, wankte
und brach deutſcher Glaube und deutſche Sitte. Es bedurfte
eines neuen ſchöpferiſchen Elementes, dem das Germanentum ſein
Zuſammenſchließen aufs neue verdanke. Dies Element lag im
Chriſtentum. Im Frankenreiche vereinigte ſich zuerſt die größere
Maſſe der zum Chriſtentume bekehrten germaniſchen Stämme, von
hier aus verpflanzte es ſich weiter, bereitete durch ſeine einigende
Kraft ein einziges Deutſches Reich vor, und brachte im Volke das,
was wir deutſches Weſen nennen, zur Entwickelung und Reife.

Das Weltreich Karls des Großen, in welchem die deutſchen
Gaue den weſentlichſten Teil einnahmen, zerfiel bald nach deſſen
Tode. 843 ward es zum erſten=, 870 im Vertrage von Merſen an
der Maaß zum zweitenmal geteilt, und von jetzt an ging Deutſch=
land ſeinen eigenen Entwickelungsgang.

Die Nachfolger Ludwigs des Deutſchen, des erſten Königs
des oſtfränkiſchen (oder deutſchen) Reichs, hatten ein ſtürmiſches und
unruhiges Leben. Bald waren ſie in argem Streite mit ihren weſt=
lichen Nachbarn, bald hatten ſie ſchwere Kämpfe mit den die Küſten

und Stromufer heimsuchenden Normannen zu bestehen, mit den
Slaven und später mit den Ungarn, die sechsmal in Deutschland ein-
fielen. Das waren zwar böse Zeiten; das Reich war in Gefahr, sich
in Herzogtümer aufzulösen; allein König Heinrich I. mußte mit
Kraft und vorsichtiger Nachgiebigkeit es zusammenzuhalten. Er hat
Lothringen auf 800 Jahre mit Deutschland vereinigt, der Macht der
Ungarn den ersten vernichtenden Stoß versetzt, die Slaven bezwungen,
das deutsche Kriegswesen verbessert, Schutzburgen gebaut und die
Nordgrenze des Reichs gesichert. Sein Sohn Otto I. der Große
(936—973), der Italien gewann, strahlt in neuem Glanze. Seit
962 ist die römische Kaiserkrone, die Karl der Große zu
Weihnacht 800 erneuert hatte, von keinem andern Haupte als dem
eines deutschen Königs getragen worden durch 844 Jahre.

Das Haus der Sachsenkaiser erlosch 1024. Sie hatten die
Kaiser-Idee gegen alles Sondergelüsten kraftvoll auf eine feste Grundlage gestellt. So kamen denn, einen neuen Kaiser zu wählen, nicht
etwa einzelne Wahlfürsten, sondern zahlreiche adelige kriegerische Mannen
aus allen deutschen Stämmen mit ihren weltlichen und geistlichen Obern
zusammen. Sie wählten Konrad II., den Franken. Er ist
ein kräftiger Kaiser gewesen und hat die Krone des schönen Königs-
reichs Burgund mit der des Deutschen Reichs vereinigt, so daß
die Macht des deutschen Königs bis gen Massilien am Mittelmeer
reichte. Noch größeren Umfang indes gab ihr zugleich mit
größerer Kraftfülle Konrads Sohn Heinrich III., welcher als
römischer Kaiser mit der deutschen die burgundische und die italische
Krone auf seinem Haupte vereinigte. Seiner Herrschaft südlichste
Marksteine standen an der Grenze des Reiches Neapel. Und wie
kräftig mußte Heinrich über Italien und Rom das Scepter zu
strecken! Wie hat er so entscheidend in die Wirren der Papstwahl einge-
griffen mit starker und weiser Kaiserhand, unwürdige Päpste entsetzt
und würdige erhoben, also daß die stolzen Römer selbst bekannten:
„In Gegenwart des Kaisers haben wir kein Recht zu wählen, und
wenn dieser nicht zugegen ist, so vertritt doch sein Patricius seine
Stelle. Wir haben gewählt, und da unsere Wahl Unwürdige getroffen
hat, so ist es jetzt Eure Sache, die Kirche der Apostel wieder einzurichten."

Im Westen schieden erst Rhone, Saone, Maas und Schelde von
Heinrichs Reiche ein schwaches und ohnmächtiges Frankreich. Sinnvoll und kräftiglich ist das damalige Verhältnis der beiden Staaten
in der Zusammenkunft ausgeprägt, die der deutsche Heinrich mit dem

französischen Heinrich zu Ivois am Flusse Chiers hatte. Als der Franzosenkönig dem Kaiser vorwarf, er habe ihn öfter hintergangen und seine Vorfahren hätten Lothringen listig und niederträchtig von Frankreich abgerissen: da warf unser Heinrich seinen Handschuh zuerst hin mit dem Bedeuten, er wolle sein gutes Recht durch einen Zwei= kampf mit dem fremden König dartun. Der aber entwich heimlich des Nachts in seine Grenzen. Im Norden galt, seitdem Konrad II. die Mark Schleswig aufgegeben, schon damals das Wort: „Die Eider des Reiches Grenze"; aber ganz Dänemark erkannte unweiger= lich sich als einen Lehnsstaat, wie im Osten Polen und Ungarn, dessen König 1045 zu Regensburg dem Kaiser Heinrich Treue schwur. Damals und noch zwei Jahrhunderte lang war wahrhaftig die Kaiser= idee kein leerer Traum; sie reichte in noch viel weitern Raum als die Kaiserherrschaft. Darum ist es dagewesen, daß Abgesandte des römisch=deutschen Kaisers einem Könige von Jerusalem an Palästinas Küste die Krone aufsetzten. Darum leistete ein Graf von Toulouse, ein französischer Vasall, noch 1235 dem Kaiser den Lehnseid und empfing von ihm den Ritterschlag; darum drohte das Konzil von Tours 1055 dem kastilischen Ferdinand mit dem Banne, weil er sich den Kaisertitel angemaßt und Kaiser Heinrich nicht als Oberherrn des ganzen römischen Reichs erkenne; darum schrieb König Heinrich II. von England an den Hohenstaufen Friedrich: „Unser Königreich und alles, was uns gehört, bieten wir Euch an und übergeben es Eurer Gewalt, damit dasselbe nach Euren Winken gelenkt werde. Es sei zwischen uns und zwischen unsern Völkern Einigkeit und sicherer Ver= kehr, doch so, daß Euch, dem Größeren, der Befehl verbleibe und uns der Gehorsam nicht fehle." Seit Friedrich I. auf dem Throne saß, verzichtete der stolze Kaiser von Byzanz auf alle Ansprüche einer Weltherrschaft und nannte sich nur noch Kaiser des neuen Rom.

Wenn man im 11. und 12. Jahrhundert einen deutschen Reichs= tag sah, so empfand man, daß die erste und mächtigste Nation der christlichen Erde tagte. Hier erscheinen dänische Königskinder, welche ihren Streit vor dem Kaiser schlichten, von ihm sich krönen lassen und eidlich versprechen, daß nie ein König im Dänenlande auf den Thron steigen solle ohne des römisch=deutschen Kaisers Bewilligung; dort der Polenherzog Boleslaw, der 500 Pfund Silber Tribut dar= bringt und allerlei Geschenke seiner Heimat, graues Pelzwerk und Marderfelle, und als Lehnsmann bei dem Kirchgange dem Kaiser das Schwert vorträgt. Hier der König von Ungarn, den Eid der Treue erneuernd; dort Gesandte vom griechischen Kaiser, die Purpurkleider

und köstliche Gewänder darbringen und um Hilfe bitten; dort ein
Bote des Sultans von Ikonium mit köstlichem orientalischen Balsam,
der für seinen Herrn, welcher die Taufe empfangen will, um eine
deutsche Kaisertochter wirbt. Ja, wer zählt sie alle die Gesandten,
die sich um den Thron des deutschen Kaisers drängen? Deutschland
hat kaum eine so ruhige Zeit gehabt wie unter Heinrich III., und
niemals ist es monarchischer Einheit näher gewesen. Aber Gott hat
es damals nicht gewollt: ganz unerwartet starb Heinrich im 39. Lebens=
jahre zu Bodfeld im Harze und empfahl den am Sterbelager stehenden
Fürsten und Papst Victor nur sein sechsjähriges Söhnlein, das schon
im dritten Jahre zum deutschen König geweihet war. „Er starb zu
früh," hat man gesagt, „wenn Deutschlands Verfassung wirklich zur
Monarchie umgestaltet werden sollte, zu spät, wenn wahres Königtum
ganz dem deutschen Nationalcharakter und der schon tief eingewurzelten
Macht der Stammesfürsten widerstritt."

Von jetzt an aber geht es abwärts mit dem Deutschen Reiche.
Der unter Heinrichs Sohn und Nachfolger, Heinrich IV., entbrannte
Riesenkampf zwischen Kaisertum und Papsttum erschütterte die kaiser=
liche Macht bis in ihre Grundfesten, vornehmlich dadurch, daß sie
den gern zur Opposition gegen den König bereiten Reichsfürsten einen
starken auswärtigen Bundesgenossen gab, der doch auch wieder ohne
sie wenig machtvoll gewesen sein würde. Bannflüche werden gegen
den König geschleudert, Gegenkönige gegen ihn aufgestellt. Wohl
hätten die Könige starke Bundesgenossen in den kräftig aufstrebenden
Städten finden können, wie es auch wirklich Heinrich IV. erstrebte,
aber die hohenstaufischen Könige gingen andere Wege. Friedrich I.,
Barbarossa, suchte sich auf den kleineren Reichsadel zu stützen, was
nur zu weiterer Zerstückelung Deutschlands führte. Heinrich VI.,
des Rotbarts Sohn, verlangte von den Ständen des Reichs, man
solle die Kaiserwürde in seinem Hause erblich machen. Dafür wollte
er Neapel und Sicilien, sein Erbreich, unabtrennlich mit dem Reiche
vereinen, die Erblichkeit aller Lehen einführen und allen Anrechten
auf den Nachlaß der Geistlichen und Bischöfe entsagen. Schon hatten
50 Fürsten unter Brief und Siegel eingewilligt, da ging herber
Widerspruch besonders von den sächsischen Fürsten aus, und die Ver=
einbarung kam nicht zustande.

Noch einen Schritt weiter ging der geniale Friedrich II. Die
großen Herzogtümer waren meist aufgelöst, die herzoglichen Rechte
an die bisher den Herzögen untergeordneten Stände verteilt. Er be=
stätigte feierlich die erworbene Landeshoheit der Stände auf dem

Reichstage zu Mainz 1235, ohne doch Deutschland zu einer festen Gestaltung bringen zu können. Und vollends nach dem traurigen Untergange des hohenstaufischen Hauses ging von den kaiserlichen Rechten so viel an die Fürsten verloren, daß das Kaisertum von da ab seine Herrlichkeit verlor und Deutschland schon damals mehr ein Bund von freien Staaten und Gemeinden als eine Monarchie zu nennen war.

Als eine Bestätigung der Rechte, welche die Kurfürsten seit den hohenstaufischen Zeiten dem deutschen Königtume abgewonnen hatten, ist die Goldene Bulle anzusehen, welche auf den Reichstagen von Nürnberg und Metz 1355 und 1356 als Grundlage der Reichsverfassung zu stande gebracht wurde. Es kann nicht in Abrede gestellt werden, daß darin sowohl die Regelung der Kaiserwahl für Deutschland, als auch die Not der Zeit in der Beschränkung des Fehderechts und in dem angebahnten Landfrieden Berücksichtigung fand; aber das, was man erwarten sollte, die Gewährung eines dauernden Reichsfriedens durch Herstellung einer im rechten Maße wirksamen Kaisergewalt mit genauer Bestimmung aller ständischen Rechte, das erfüllte sie in keiner Weise. Sie umgibt zwar den Kaiser mit großartigem Zeremoniell und Schein, wie denn dieser Nimbus ihn bis zu des Reiches Ende schimmernd umflossen hat; aber sie raubt seiner Macht das Wesen. Sie läßt die Kurfürsten demütig dienen, aber zugleich nehmen sie dem Kaiser das Scepter aus der Hand. Die Bulle verleiht den Kurfürsten so viele Rechte und Auszeichnungen, daß es im Reiche eigentlich nun sieben Könige gibt, die dasselbe unter dem Vorsitze eines mehr dem Range als der Macht nach über ihnen stehenden Kaisers regieren.

In so großer Bevorzugung der Fürsten lag übrigens nach Deutschlands Entwickelung eine große Unbill gegen die übrigen, gleichberechtigten Stände. Es entstand unter ihnen eine Verstimmung und eine Eifersucht, die nie ganz verschwunden ist. Von jetzt an entsteht ein allgemeines Wettrennen nach Unabhängigkeit, in welchem schließlich alle gewannen, nur der Kaiser verlor.

Das wurde auch nicht besser, als wieder (1438) eine machtvolle Dynastie in den dauernden Besitz der deutschen Königskrone (die burgundische und die italische waren den deutschen Königen schon seit dem 14. Jahrhundert abhanden gekommen) gelangte. 366 Jahre haben die Habsburger die deutsche Königs- und Kaiserkrone besessen, aber für die Erstarkung des deutschen Königtums nichts getan. Wohl klagte Maximilian, der am Ende des Mittelalters steht, unmutig, daß andere Könige Untertanen hätten, der deutsche Kaiser aber über Könige regiere, aber er begriff den entscheidenden Wende= punkt der Zeit nicht und hat darum einer Reform der Reichsver= fassung, wie sie der tüchtige Graf Berthold, seit 1486 Erzbischof und Kurfürst von Mainz, beabsichtigte, widerstanden. In kräftiger Aus= führung hätte diese Verfassung viel Unheil von Deutschland abge= wendet.

Noch bei Maximilians Lebzeiten bewarben sich zwei Könige um die Kaiserkrone. Franz von Frankreich war der eine, der andere „Werber um die Braut" war König Karl von Spanien, Maximilians Enkel, Erzherzog Philipps und der spanischen Johanna Sohn. Man erinnerte sich, daß in Karls Adern auch deutsches Blut rolle, und wählte unter dem Einflusse des Großvaters den Spanier; doch wollte man sich vor fremdem Einfluß sicher stellen, des Reiches Frei= heiten vor einem so mächtigen Monarchen wahren. Man legte dem Erwählten zum erstenmal eine Wahlkapitulation vor, welche von seinem Gesandten am 3. Juli 1519 angenommen und hernach von König Karl selbst bestätigt wurde.

Die Kapitulation enthielt viel Zweckmäßiges, aber von nun an ward jedem erwählten Kaiser eine Wahlkapitulation vorgelegt. Jede folgende war ausführlicher, jede zwackte mehr von den so schon schwächlichen kaiserlichen Rechten ab oder verklausulierte wenigstens bis zur Schwerfälligkeit und langsamen Ängstlichkeit das kaiserliche Tun.

Unter Karl V. wurde Deutschland Ausgangspunkt und Schau= platz des großartigsten Geisteskampfes, der je auf dem Gebiete der Kirche gefochten und bis jetzt noch nicht zu Ende geschlagen ist, der Reformation. Für die deutsche Reichsverfassung ist sie ver= hängnisvoll gewesen. Lutheraner, Calvinisten und Katholiken standen als deutsche Brüder von nun an sich vollkommen wie fremde Nationen gegenüber.

Das immer mehr auf Deutschlands Schwäche und Zerspaltung spekulierende Frankreich hat die Verhältnisse geschickt ausgebeutet, und leider kam eine „ausländernde Partei" unter den deutschen Fürsten ihm nur zu willig entgegen. Die Reformatoren sind an diesem Treiben außer Schuld. Während sich bald eine Partei von Juristen und Staatsmännern bildete, welche die Reformation politisch, der Fürstengewalt zum Nutzen, ausbeuten wollte, war es Luther un= zweifelhaft, man müsse dem Kaiser gehorchen in aller Weise, und ein Auflehnen gegen den Kaiser schien ihm so verwerflich und töricht, „als wenn der Bürgermeister von Torgau nicht seinem Kurfürsten gehorchen wolle". Mit derselben Festigkeit war er gegen jede Schild=

erhebung der zu Schmalkalden verbundenen Fürsten, gegen jeden Anschluß an Frankreich. Auch Melanchthon dachte nicht anders; er
hörte es mit tiefem Schmerz, wie Metz, Toul und Verdun den Franzosen als den Bundesgenossen des Kurfürsten Moritz, zur Beute
wurden.

Noch bei Karls Lebzeiten hatte der Religionsfriede zu Augsburg
1555 vorläufig das Zurechtbestehen der Lehre Augsburgischer Kon-
fession gesichert, aber noch genug Zündstoff zurückgelassen. Man
empfand auch nachher in Deutschland die ab und zu durch fernes
Grollen unterbrochene Schwüle, welche dem Ausbruche des Gewitters
vorausgeht. Auf eine Vereinigung beider Religionsparteien, die
Karl V. nie aufgegeben hatte, war nicht mehr zu rechnen. Beide
Teile sollten also gemeinsam im deutschen Vaterhause wohnen und
sich auseinandersetzen: ein schwieriges Werk für den immer zu neuen
Flammen emporflackernden Parteihaß. Zwischen dem allen erscheint
nun an tausend Stellen offen, an andern verdeckt, die alte Fürsten-
opposition gegen die noch gebliebene Kaisergewalt, nun emsig von
Frankreich geschürt. Man konnte den Ausbruch schrecklicher Wirren
voraussehen, sobald eine kräftige, in der alten Kaiseridee lebende
Persönlichkeit den deutschen Thron besteigen würde. Das geschah, als
1619 Ferdinand II. Kaiser ward. Ihm schwebte als Ziel die
Unterdrückung der Protestanten vor, um auf Grundlage der damit
wiederhergestellten Bekenntniseinheit Deutschland in ein habsburgisches
Erbreich zu verwandeln. Gegen solche Gefahr indes gelang es dem
Protestantismus und dem deutschen Fürstentum, wenn auch nur mit
Hilfe Schwedens und Frankreichs, in dem Dreißigjährigen Kriege sich
zu behaupten: wie es der Westfälische Friede zu klarem Ausdruck
bringt. In bezug auf Religions- und Verfassungsangelegenheiten
wurde der Augsburger Religionsfriede bestätigt und jetzt auch auf
die Reformierten ausgedehnt. In Religionssachen sollte künftig auf
Reichstagen nicht Stimmenmehrheit gelten, nur gütliche Unterhand-
lung. Für den Besitzstand der verschiedenen Konfessionen wurde der
1. Januar 1624 für die meisten Länder als Normaltag angenommen.
Das Reichskammergericht sollte eben so viele katholische wie evangelische Beisitzer haben.

Den Reichsständen wurden alle Territorialrechte, die sie bis
dahin erworben, verbürgt. Sie erhielten jetzt alle das Recht, Bündnisse mit Auswärtigen aufzurichten, vorbehaltlich der Rechte des
Kaisers und des Reichs. Ohne der Stände Beistimmung sollte kein
Gesetz vom Kaiser erlassen, keine Steuer ausgeschrieben, kein Krieg

erklärt werden dürfen. Die Souveränität des deutschen Territorial=
fürstentums wurde anerkannt.

Der Westfälische Friede bildete das Grundgesetz des schwachen
staatlichen Organismus, den man Heiliges Römisches Reich Deutscher
Nation nannte.

Immer rascher zerfiel nach dem Westfälischen Frieden das Reich;
immer gewaltiger trat der Partikularismus auf und verdrängte den
deutschen Nationalsinn. Wie das Franzosentum sich in unsere Sprache
und Literatur einnistete, so erschien auch französische Staatsweisheit
den deutschen Fürsten als das Höchste und der Absolutismus der
französischen Könige als ihr Ideal. Überall fast wurden die Rechte
unserer alten, nach deutscher Art und Vernunft zusammengesetzten
Landstände durch die Fürsten beseitigt oder geschmälert; es bereiteten
sich die Zustände vor, die hernach Unheil über Unheil gebracht haben.
Dem Auslande gegenüber erschien Deutschland als Reich schwach und
ohnmächtig, ratlos einem so mächtigen, von solchen Talenten im
Kabinett und im Felde unterstützten Eroberungskönige gegenüber, als
Ludwig XIV. war. In jedem seiner Kriege entriß er der schwachen
Krone Spanien einen Teil ihrer Niederlande und damit auch dem
Deutschen Reiche feste und herrliche Städte des burgundischen Kreises.
Der Friede von Nymwegen machte wieder ein spanisch=deutsches Land,
die Freigrafschaft Burgund mit der Stadt Bisanz, französisch; selbst
auf dem rechten Ufer ward Freiburg abgetreten. Immer höher stieg
der Fremden Frechheit. Auf Ludwigs Machtgebot untersuchten
Reunionskammern, was irgend je zu den Gebieten gehört habe, die
im Westfälischen Frieden der Krone Frankreich abgetreten worden;
dem unerhörten Richterspruche folgte rasche Exekution gegen eine
Menge deutscher Herrschaften und Städte. Am meisten gelüstete den
König nach Straßburg; am 28. September 1681 besetzte Frankreich
mitten im Frieden die deutsche Reichsstadt.

Wohl dient zur Entschuldigung des Reichs, daß mit den Fran=
zosen gleichzeitig die Türken die Ostgrenze bedrängten und sogar vor
Wien erschienen; wohl ist es erhebend, Ludwig von Baden-Baden und
Prinz Eugen, den edlen Ritter, herrliche Siege über den Halbmond
erfechten zu sehen. Aber so man den Blick wegwendet von den
Schlachtfeldern von Salankemen und Zentha, zeigt sich nichts als
schwächliche Ohnmacht. Der seit 1663 zu Regensburg permanente
Reichstag versank in Kleinlichkeit und langweilig schleppenden Formel=
kram. Während die Franzosen schon mitten im Reiche standen, beriet
man noch über des Heiligen Römischen Reiches Kriegserklärung.

Dem Artikel „Religionsbeschwerde" fehlte es nie an Stoff zu den bittersten und dabei kleinlichsten Zänkereien. Fast noch mehr nahm das Zeremoniell alle Gemüter in Anspruch. Man disputierte am Reichstage über das Prädikat Exzellenz zwischen kurfürstlichen und fürstlichen Gesandten, über Gesundheiten, über Maienstecken und einen Schritt mehr oder weniger. Im Jahre 1748 erschienen nicht weniger als zehn Staatsschriften wegen Tafelranges, über rote und grüne Sessel, goldene und silberne Bestecke, über Sitzen auf dem Teppiche, außer demselben oder doch auf den Fransen desselben.

Und das alles der drohendsten Gefahr gegenüber! „Ich weiß leider nur zu gut," lauten Worte Prinz Eugens aus dem Jahre 1714, „daß, nachdem die politischen Verhältnisse Europas nunmehr für alle künftigen Jahrhunderte verdorben worden, selbst der beste Friede mit Frankreich ein stummer Krieg ist. Es läßt sich sehr leicht berechnen, daß Frankreich bei der ersten Gelegenheit immer weiter gehen und den Rhein zur Grenze verlangen wird." — „Elsaß und Lothringen, vom Deutschen Reiche losgerissen," sagt Friedrich der Große, „haben die französische Herrschaft bis an den Rhein erweitert, und es wird nun gewünscht, sie diesen Strom entlang fortzuführen. Was tut die Staatskunst Frankreichs, um zur Universalmonarchie zu gelangen? Sie streut die Samenkörner der Zwietracht unter die Reichsfürsten, sie versteht es, die Freundschaft der Souveräne zu gewinnen, die sie braucht, und listigerweise die Interessen der Kleinen gegen die Mächtigen zu unterstützen. Die meisten der jetzigen Fürsten Europas sind so töricht wie einst die Griechen, die, eingeschläfert in verderbliche Sicherheit, es versäumten, sich mit ihren Nachbarn zu vereinen, und dadurch ihren sonst unvermeidlichen Untergang abzuwenden."

Indes in dem alterschwachen Reiche wuchs inzwischen ein jugendkräftiges Preußen auf; aber je mehr es in selbständiger Entwickelung die Glieder rührte, desto weiter krachte, durch kein innerliches Band mehr zusammengehalten, das morsche Reich auseinander.

Das Bewußtsein der Zusammengehörigkeit und die Einsicht, diese Gesamtheit gegenüber den mächtigen Nachbarstaaten mit vereinter Kraft zu wahren, fehlte: das ehrwürdige Gebäude des Deutschen Reiches mußte bei dem ersten kräftigen Anstoße in sich zusammenbrechen.

Der alte Feind Frankreich hat dem Reich in der Napoleonischen Zeit den Todesstoß gegeben.

Schon im Jahre 1805 hatte Napoleon eine Anzahl süddeutscher Fürsten vermocht, sich mit ihm zu verbünden. Im Juli 1806 ließen sich dann 16 deutsche Fürsten bestimmen, in einen engeren Bund, wie ihn vordem schon Mazarin ins Werk zu setzen gesucht hatte, in den Rheinbund, zusammenzutreten und Napoleon als Protektor anzuerkennen. Daraufhin gaben in einer Feriensitzung des Regens-burger Reichstags die Gesandten einiger der Rheinbundfürsten die Erklärung ab, daß ihre Herren "es ihrer Würde und der Reinheit ihrer Zwecke" für angemessen fänden, sich von dem Heiligen Römischen Reiche feierlich loszusagen. Der anwesende französische Gesandte fügte die Anzeige hinzu, daß Napoleon überhaupt das Reich nicht mehr anerkenne. Darauf antwortete der damalige Kaiser Franz II. am 6. August 1806 mit der Erklärung, daß er die deutsche Krone nieder-lege und daß "das reichsoberhauptliche Amt und Würde" erloschen sei. Das war das klägliche Ende des tausendjährigen römisch-deutschen Kaisertums!

Die nördlichen deutschen Staaten wollte Preußen in einem nörd-lichen Bunde unter seinem Protektorate sammeln. Nachdem Napoleon aber auch Preußen niedergeschlagen hatte, traten sie sämtlich außer Preußen zum Rheinbunde. Ihr Anschluß war weniger ein Werk des freien Willens als der Notwendigkeit.

Aus tiefster Erniedrigung wurde Preußen und mit ihm Deutsch-land in den Befreiungskriegen emporgerissen. Im gewaltigen Auf-schwunge hatte sich das preußische Volk gegen die Fremdherrschaft er-hoben; die ungeheuersten Opfer wurden von allen Seiten gebracht. Mehrere deutsche Staaten — wie Mecklenburg — schlossen alsbald sich an Preußen. Napoleon mußte erkennen, daß er nicht mehr mit den deutschen Höfen, sondern mit dem deutschen Volke zu kämpfen hatte; in solchem Kampfe unterlag er. Wie immer hatte in dem harten Strauß gegen den Gewaltigen die Hoffnung das deutsche Volk gestärkt und auf-recht gehalten. Man hoffte, daß dem alten Reichsfeinde wenigstens Elsaß und Lothringen als gerechte Beute abgenommen werde; man hoffte, daß Deutschland frei, stark und einig, Europas kräftiges Mittelreich werde; man hoffte, so manche schmerzliche Wunde, welche die Napo-leonische Zeit geschlagen, geheilt zu sehen; doch alles Hoffen war umsonst. An ein starkes Deutsches Reich war bei dem Widerstreben der deutschen Kleinstaaten unter der Führung Österreichs und bei der Abneigung der fremden Großmächte nicht zu denken. Allenthalben stießen die Pläne Preußens, Deutschland eine starke Verfassung zu geben, auf den stärksten Widerstand. Sieben Monate lang war die

Beratung der deutschen Bundesakte auf dem Wiener Kongresse verschleppt worden; schon dachte man an den Schluß des Kongresses; so wurde sie denn in 14 Tagen (vom 26. Mai bis 8. Juni 1815) rasch übers Knie gebrochen. Nur die ersten elf Artikel der Bundesakte wurden in die Schlußakte des Kongresses eingefügt und dadurch unter den Schutz sämtlicher Kongreßmächte gestellt. Dann wurden noch nachträglich mehrere Artikel hinzugefügt, und am 10. Juni unterzeichneten 36 souveräne deutsche Fürsten die auf diese Weise entstandene Bundesakte, das Grundgesetz des neu gebildeten Deutschen Bundes. Später traten auch die noch fehlenden drei hinzu.

Indes konnte eine so kümmerliche Schöpfung nach dem gewaltigen Aufschwunge der Befreiungskriege das deutsche Volk wirklich befriedigen? Sie hielt noch weniger, als sie versprach: deshalb warf sie der Revolutionssturm von 1848 schnell über den Haufen. Doch trotz aller Verhandlungen, die das Frankfurter Parlament, welches aus Abgeordneten des ganzen deutschen Volkes in jenem Jahre zusammengetreten war, führte, gelangte man nicht zu einer einheitlichen Ordnung. Mit dem Erstarken Österreichs nach den Revolutionsstürmen von 1848 und 1849 schwand die letzte Hoffnung: die alte klägliche Verfassung wurde wiederhergestellt, und der Bundestag begann seine Tätigkeit von neuem.

Aber die Sehnsucht nach einem einigen Deutschland blieb lebendig in den Herzen des Volkes; es wandte sein Auge auf Preußen, das schon in den Befreiungskriegen das glorreichste Beispiel der Erhebung und nationalen Opferfreudigkeit gegeben hatte. Hatte dieses schon seit 1819 versucht, im deutschen Zollverein die meisten kleineren Staaten enger mit sich dadurch zu verbinden, daß es sich gemeinschaftlich mit diesen zu einem einzigen Handelsgebiete vereinigte und die hemmenden Zollschranken unter sich aufhob, so nahm es infolge seiner Rührigkeit auf allen Gebieten des Handels, der Wissenschaft und der Industrie, vorzüglich aber infolge seiner ausgezeichneten militärischen Tüchtigkeit den Nachbarstaaten gegenüber eine tonangebende Stelle ein. Als es ferner aus dem Kampfe mit Österreich und dessen deutschen Verbündeten im Jahre 1866 siegreich hervorging, trat es mit sämtlichen deutschen Bundesstaaten nördlich vom Main nach Auflösung des alten Deutschen Bundes in einen fester gefügten, in den Norddeutschen Bund zusammen und übernahm von nun an, nachdem Österreich ausgeschieden war, die Führung in Deutschland. Denn auch die süddeutschen Staaten (Bayern, Württemberg, Baden und Heffen) schloffen mit dem Norddeutschen Bunde Schutz- und Trutzbündniffe und unterwarfen fich für den Kriegsfall dem Oberbefehle Preußens.

7. Das neue Deutsche Reich.

In überrafchend fchueller Weife haben fich nur wenige Jahre nach der Gründung des Norddeutschen Bundes die Hoffnungen derer erfüllt, die in den getroffenen Einrichtungen die Grundlagen zu einem einigen, großen und mächtigen Vaterlande fahen. Der gewaltige deutfch-franzöfifche Krieg, den der Kaifer der Franzofen Napoleon III. zunächft gegen Preußen heraufbefchworen hatte, war die mächtige Feuersglut, die die einzelnen deutfchen Stämme zum einigen Volke zufammenfchmiedete. Am 19. Juli 1870 begann mit der franzöfifchen Kriegserklärung an Preußen der Krieg, und als am 10. Mai 1871 der Friedensvertrag zu Frankfurt a. M. denfelben abfchloß. war bereits die deutfche Einheit ins Leben getreten; bereits beftand wieder ein Deutfches Reich; es waltete hochgeehrt wieder ein deutfcher Kaifer, und ein Reichstag, der außer Luxemburg und den deutfchen Provinzen Öfterreichs die Abgeordneten aller deutfchen Stämme in fich vereinigte, tagte in der neuen Kaiferftadt an der Spree.

Mit dem Beginn des Krieges war das gefamte deutfche Volk von einmütiger, ebenfo tatkräftiger als nachhaltiger Begeifterung für den Krieg gegen die Franzofen erfaßt worden. Unter der Oberleitung des Königs Wilhelm I. von Preußen und feines großen Kanzlers, des Fürften Otto von Bismarck, und unter der Führung großer Feldherren, die fich um den Grafen von Moltke, den Chef des norddeutfchen großen Generalftabes fcharten, erfochten nord- und füddeutfche Truppen unter ungeheueren Anftrengungen und fchweren Opfern mit begeifterter Hingebung und glänzender Tapferkeit eine in der Kriegsgefchichte geradezu beifpiellofe Reihe von Erfolgen, welche die deutfchen Armeen tief hinein nach Frankreich führten, die Hauptftadt Paris zur Ergebung nötigten und den für Deutfchland ruhm- und erfolgreichen Frankfurter Frieden herbeiführten.

Es war undenkbar, daß mit dem Friedensfchluffe die treuen Kampf- und Siegesgenoffen aus Nord und Süd wieder zu kühlen Nachbarn auseinandertreten könnten. Dies Gefühl war auf beiden Seiten gleich lebendig. Jetzt war der rechte Moment zur Wiederaufrichtung des deutfchen Kaifertums gekommen. Durch die Zu-

ficherung gewiffer Refervatrechte wurde der König von Bayern be=
ftimmt, die einleitenden Schritte zu tun: durch Sonderfchreiben lud
er die fämtlichen Regierungen Deutfchlands ein, den König von
Preußen um die Wiederherftellung des Deutfchen Reiches und die
Übernahme der deutfchen Kaiferwürde zu bitten. Sämtliche deutfche
Staaten ftimmten der Einladung zu; mit Jubel begrüßte fie das
ganze Volf.

So fand denn in der Spiegelgalerie des Schloffes von
Verfailles, wo fich damals das Große Hauptquartier der deutfchen
Armeen befand, am 18. Januar 1871, dem Gedenktage der Er=
hebung Preußens zum Königreiche, nach vorausgegangenem Gottes=
dienfte vor den verfammelten deutfchen Fürften und Prinzen, den
Generalen und Deputationen der vor Paris liegenden Regimenter
mit ihren Fahnen und Standarten, die feierliche Proklamierung
des neuen deutfchen Kaifertums ftatt.

Das Träumen und Sehnen des deutfchen Volfes war er=
füllt: Deutfchland hatte fich felbft wiedergewonnen. Ein Kaifer=
tum im Haufe der Hohenzollern war in Deutfchland aufgerichtet,
glänzender als das der Hohenftaufen, kraftvoller, als je eines in
deutfchen Landen gewefen war.

Das Deutfche Reich umfaßt mit feinen Einzelftaaten einen
Flächenraum von 540 743 qkm. Es nimmt daher nach feinem
Flächengehalt unter den europäifchen Staaten die dritte Stelle
(nur Rußland und Öfterreich find größer), nach feiner Einwohnerzahl
die zweite ein, denn diefelbe, welche im Jahre 1904 59 433 089 Be=
wohner betrug, wird nur von der Rußlands übertroffen. Seit
dem Jahre 1884 auch in die Reihe der Kolonialmächte eingetreten,
verfügt Deutfchland gegenwärtig über ein Schutzgebiet von
2 656 620 qkm mit gegen 14 Millionen Einwohnern.

Die Tapferkeit und Tüchtigkeit der deutfchen Heere hat das
Deutfche Kaiferreich gründen helfen, fie werden es auch in der Zu=
kunft behüten. Und was der greife Heldenkaifer in Verfailles am
18. Januar 1871 als Bitte und Wunfch ausfprach, daß Gott ihm
und feinen Nachfolgern an der Kaiferkrone verleihen wolle, allezeit
Mehrer des Deutfchen Reiches zu fein, nicht an kriegerifchen Ero=
rungen, fondern an den Gütern und Gaben des Friedens auf dem
Gebiete nationaler Wohlfahrt, Freiheit und Gefittung: das hat fich
bisher erfüllt und möge fich mit Gottes Beiftand auch unter feinen
glorreichen Nachfolgern erfüllen zum Heile deutfchen Namens!

Der Gipfel des Montblanc.

II. Das Alpenland.

1. Die Alpen und ihr Gerüst.

Wie ein Wolkengebilde, von gelblichem oder rötlichem Scheine angeflogen, nach rechts und links unabsehbar, in bläulichem Dufte verschwimmend, erscheinen schon in großer Ferne dem Nahenden die Alpen. Aber die schmale schimmernde Franse am Saume des Gesichtskreises hebt sich beim Nahen, sie wächst zu einer Felsenmauer empor; wir unterscheiden die wellenförmigen Umrißlinien mehrerer Gebirgskämme, die sich stufenförmig einer über den andern zu erheben scheinen, hie und da von einem silbern umkränzten Gebirgshaupte überragt. So bieten großartige Ausblicke der Peißenberg in Bayern, der Feldberg und der Belchen im Schwarzwalde, die Höhe südlich von Tuttlingen, der Frauenturm in München, der Pöstlingberg bei Linz. Der Jura scheint von der Natur selbst wie zum Schaugerüste vor die Alpen hingestellt. Vom Weißenstein bei Solothurn genießt man ein Alpenbild von 500 km Länge, von der Dauphiné bis Tirol. Das Panorama des Schafberges und des Rigi sind gefeiert. Aber hinein in den Formenreichtum des Gebirges lassen uns die vorgeschobenen Alpengipfel, wie das Faulhorn, blicken: die hohen Schneedome freilich verstecken sich hinter den Vorbergen, aber diese steigen als gewaltige Bergmassen mit zackigen Felsstirnen aus dem Wirrsal durcheinander laufender Linien auf. Ein wundervoller Blick tut sich von Interlaken aus auf. Im Vordergrunde, wenn wir das Auge südwärts auf den gewaltigen Alpenzug richten, lagern sich waldbedeckte, breite dunkle Höhenzüge, den Mittelgrund erfüllen kahle oder mit grünen Matten überkleidete Berge und im Hintergrunde des breiten Durchblickes, den die auseinander tretenden Berge

Abb. 7. Interlaken mit der Jungfrau.

eröffnen, baut sich die prachtvolle, weiß glitzernde, regelmäßige Pyramide der Jungfrau auf, in ruhiger Majestät, selbständig, bestimmt aus den sie umgebenden Firnmauern emporwachsend. Eine Eisenbahn auf den Jungfrau-Gipfel ist im Bau, um den wunderbaren Rundblick vom Gipfel mühelos jedem zugänglich zu machen.

4*

Wir treten näher heran. Auf der Wengenalp stehen wir vor der
Jungfrau, dem majestätischen Berge gerade gegenüber; das Auge
verfolgt die Falten ihres Schneemantels, wir sehen und hören von
ihren Hängen die Schneelawinen ins Tal donnern. — Herrlich ist
es, wenn dann die untergehende Sonne Felsen und Berge in dunkelrote Färbung taucht, bis sie nach Untergang der Sonne wie eine
Welt von hehren, blassen Geistern stumm und still vom Himmel
herabschauen. Aber nur selten wird dem Wanderer das erhabene
Schauspiel des Alpenglühens zu teil; dann überzieht der Sonnenuntergang die höchsten beschneiten Alpenspitzen mit einer lohenden
Glutröte, während ringsum die ganze Landschaft schon in dem blauen
Schatten der Dämmerung liegt.

Die Alpen, zwischen 43° und 48° n. Br. gelagert, liegen fast
genau in der Mitte zwischen Äquator und Nordpol und ziemlich
unter gleicher Breite mit dem Kaukasus. Indem sie zwischen 5°
und 17° ö. L. Gr. sich erstrecken, erscheinen sie nach des alten
Geschichtsschreibers Happel Ausdruck als mitten in Europa durch
sonderbare Vorsehung Gottes geordnet. Im Südwesten stehen sie
mit den Apenninen in Verbindung und berühren, ja umziehen den
Busen von Genua; im Osten endigt die Hauptkette an der Donau,
an der Grenze des Donautieflandes, die südöstlichen am Adriatischen Meere und am Quarnero-Busen und schließen sich an die
Gebirge der griechischen Halbinsel an. Faßt man, um die Gestalt des
Alpengebirges im ganzen und großen anzugeben, die südöstlichen Vor-
ketten in die Augen, so bilden die Alpen einen etwas schief gelegten
Halbmond, dessen offene Seite nach Italien sieht, während die geschlossene sich nach Frankreich, Deutschland und Österreich wendet.
Läßt man jene Südalpen für die Betrachtung beiseite, so bilden
die Alpen einen stumpfen Winkel von 110°, dessen Spitze in den
Montblanc fällt. Die höchsten Gipfel liegen da, wo beide Schenkel
sich nähern und zusammentreffen, als wenn dort die hebende Kraft
bei größerem Widerstande der zu durchbrechenden Masse am wirk-
samsten gewesen wäre. Die Breite ist gerade bei der Winkel-
spitze, der Montblancgruppe, am geringsten und beträgt dort nur
130 km. Der westliche Schenkel des Winkels, welcher deutsches
Gebiet nicht berührt, ist der kürzere; der östliche dagegen, an
dessen Nordseite sich deutsches Land anlehnt, ist der längere und mehr
ausgebreitete. Er wird, je weiter er sich entfaltet, desto niedriger
und entäußert sich auch sonst des Alpencharakters mehr und mehr,
während der westliche Schenkel durch Wildheit und Schroffheit ausgezeichnet und an Höhe der Gipfel dem erhabensten Teile des andern

gleich ift. Das ganze Oval der Alpen von Nizza bis Wien ift 1000 km lang, die mittlere Breite beträgt 220 km. Den Flächeninhalt des Gebietes (im engern Sinne) berechnet man auf 220 000 qkm. Demnach find die Alpen weder das längfte, noch das ausgedehntefte Gebirge von Europa: an Ausdehnung übertrifft fie das fkandinavifche Gebirge, an Länge der Ural; aber fie find das h ö ch ft e. Nicht nur, daß fie den höchften Gipfel Europas überhaupt enthalten, zeigen fie auch die größte m i t t l e r e Erhebung: eine Hoch= ebene, durch Ausfüllung der Vertiefungen vermittelft der Erhebungen aus den Alpen hergeftellt, würde eine Höhe von 1400 m haben, während fie, aus den fkandinavifchen Gebirgen in gleicher Weife ge= bildet, nur 650 m Höhe ergeben würde. Über die Oberfläche von ganz Europa verteilt, würden die Alpen diefelbe um 27 m erhöhen. Freilich mit den höchften Gebirgen Afiens und Amerikas verglichen, machen die Alpen immer noch einen fehr befcheidenen Eindruck.

Die Alpenmauer teilt Europa in feine großen natürlichen Pro= vinzen. Sie fcheidet feinen Lufthimmel, feine großen Klimate in einen Norden und Süden, Weften und Often. Sie fcheidet feine Strom= gebiete und Stufenländer, die Stämme, die Sprachen der Völker, die Staaten. Auch der Fauna und Flora fetzt fie ihre natürlichen Grenzen. Allein diefe Scheidung ift keine abfolute Trennung und Ifolierung, weder des Südens vom Norden, noch des Weftens vom Often. Denn überall führen teils zu den Seiten, teils mitten hin= durch Stromtäler, Talfchluchten Päffe und die verfchiedenften Arten natürlicher und künftlicher Kommunikationen. Denn bei feiner Höhe zeigt das Alpengebirge zugleich eine Geteiltheit und außerordentliche Eingefchnittenheit, welche es in ganz befonderem Grade wegfam und zugänglich macht; es trennt und verbindet zwei Welten, und ift doch eine Welt für fich. In feinen zahllofen Zerklüftungen und Ver= zweigungen eröffnet es einen Blick in die Erdrinde. In fich felbft ift das Gebirge ein nie fich wiederholendes; vielmehr ftellt es fich immer in neuen Bildern dar. Wie es auf dem gleichen Grundgeftell mit jedem Taufend von Metern feiner Erhebung ein anderes wird, fo auch fein Pflanzen= und Tierleben, feine Luft, feine Sonne, fein Klima, fein ganzer Charakter. Naturerfcheinungen, die zu ihrer Ent= ftehung auf dem Flachlande ungeheurer Entfernungen bedürfen, drängt das Gebirge in engem Raume zufammen und gibt eine große Maffe folcher, die nur ihm angehören und nur ihm möglich find, noch dazu.

Den großen Vorzug der Wegfamkeit verdanken die Alpen der befonderen Art ihres Baues. Die älteren Geographen ftellten die

Alpen als ein System paralleler Ketten dar, welche nach ihrer Höhe stockwerkartig geordnet seien, so daß immer die höchsten die Mitte einnehmen und die Wasserscheide bilden. Allein in Wahrheit sind die Alpen kein Kettengebirge. Das ursprüngliche Gebirge geschichteter Gesteine, meist Kalkgesteine, ist an etwa 36 Stellen von kristallinischen Gesteinen durchbrochen worden, welche beim Durchbruche ihre Felsmassen in Formen von Fächern auseinander legten, indem sie zugleich den Boden, aus welchem sie sich erheben, nach allen Seiten zurückdrängten. Dadurch sind die alten Sedimentschichten teils nur emporgehoben, teils steil aufgerichtet, teils zurückgeworfen, teils hoch aufgebauscht worden, je nach der Stärke des Widerstandes, den sie leisteten und der Gewalt des Durchbruchs. Inselartig erscheinen die kristallinischen Zentral=massen dem Gebirge eingefügt; meist umfassen sie die Stellen der höchsten Erhebung. Daher die unregelmäßige Lage der Hochgipfel in den Alpen, die ungleichmäßige Massenverteilung im Gebirge, die Zer=störung der Regelmäßigkeit der Streichungslinien.

Im allgemeinen nehmen die kristallinischen Massivs die mittlere Zone des Gebirges ein; die Seitenzonen bilden die Kalkalpen. Sie bestehen aus Kalkstein, Sandstein und Schiefer. Von ferne gesehen, erscheinen sie in lichterer Färbung und oft abenteuerlicher Gestaltung, als Vorwall der Hochfeste Europas. Wo diese Mittel=zone zu einer größern Höhe als die Kalkalpen aufsteigt, da erheben sich diese in dem Abstande einer Stunde vom tiefsten Einschnitte bis zur erhabensten Zinne, welche 3000 m absoluter Höhe und darüber erreicht. Auf den untersten steilsten Sockel folgt gewöhnlich eine mit Wiesen bedeckte Hochfläche, und das letzte Stück steigt wieder steil zum Gipfel. Die in der Mittelzone völlig fehlende Form der Hochfläche ist in den Kalkalpen vertreten. Die hohen Gipfel reihen sich öfters um eine Hochfläche von furchtbarster Öde. Die Namen „steinernes Meer“, „übergossene Alp“, „totes Gebirg“, „Höllengebirg“, „verwunschene Alm“ sind treffende Bezeichnungen. Dort ist ein Gewirr von schneidend scharfen Klippen, zahllosen kleinern und größern Spitzen und Zacken: ein wahres Chaos ohne Vegetation, hie und da durch Schneefelder unterbrochen. Die Trostlosigkeit der Wanderung wird durch den Mangel an Aussicht erhöht; auf stark betretenen Über=gängen ist der Weg durch kleine Steinhaufen („Tauben“) bezeichnet, denn bei Nebel und Regen irrt selbst der Kundigste. Unvergängliche Eisdecken, wie die Mittelzone sie in so weiten Gebieten aufweist, be=halten hier nur einzelne Gipfel. Auch Gletscher, deren Bildung der gewöhnliche Alpenkalk nicht begünstigt, sind viel seltener. An der Stelle dieser Schnee-Eisströme stürzen hier zwischen den Zinken und Nadeln des Kalkgebirges Steinströme herab auf die Fluren der Tiefe und ertöten alles Leben, bis nach langer Zeit auch auf diesen Stätten der Verwüstung, auf diesen gefüllten Betten eine Pflanzendecke sich entwickelt. Auch die Höhlenbildung und der Wechsel zwischen Wassermangel und mit Flußmächtigkeit hervorbrechenden Quellen ist ein charakteristisches Kennzeichen der Kalkalpen, der Zone wunderbarer und schroffer Gegensätze.

Die Verhältnisse des nördlichen und südlichen Kalkalpengürtels, der deutschen und italienischen Kalkalpen sind verschieden.

In abwechselnder Breite umgeben im Westen und Norden die Nebenzonen das Mittelgebirge von Marseille bis Wien. Nach Süden verzweigen sich die kristallinischen Gesteine der Mittelzone in größerer Breite, vom Monte Viso bis zum Langensee (Lago Maggiore) tritt man unmittelbar aus dem kristallinischen Gebirge in die Ebene. Südlich vom Monte Viso umwallen dagegen Kalkmauern das Gebirge, und östlich vom Langensee ist die Bildung mannigfaltiger. Auf die Mittelzone folgt die erste Kalkmauer mit den großartigen Dolomitbergen des südlichen Tirol. Im Süden der ersten Kalkmauer tritt kristallinisches Gebirg auf und ummauert sich gegen das Tiefland mit einem zweiten fast unersteiglichen Kalkwalle. Der nördliche und südliche Fuß der Alpen ist mit einer Schuttmasse umhüllt, welche teilweise durch einen Kitt zu festem Gestein (Molasse, Nagelflue) geworden, teilweise als jüngerer Niederschlag aus lockern Geschieben besteht.

Die Erhebung der kristallinischen Zentralmassivs hat, wie es scheint, während der Tertiärzeit der Erde stattgefunden. Aber fort und fort hat das Gebirge Umformungen und Umwälzungen mannigfacher Art erfahren und erfährt sie noch. Hoch gelegene Wasserbecken haben sich durch Querriegel gearbeitet und in untere entleert, andere wurden gebildet, indem zusammenstürzendes Felsgelände ein paar Wildbäche sperrte und aufstaute. Ungeheure, zusammenhängende Gebirgsstöcke barsten auseinander und zerspalteten sich, durch unterirdische Kräfte in Bewegung gesetzt, in neue Arme, während andere Gebiete, das Gleichgewicht der Ruhe suchend, hier sich langsam hoben, dort sich mählich senkten. Auf vulkanische Tätigkeit deuten heiße Quellen. Die zahlreichen Erdbeben dagegen (besonders heftig im 14. Jahrhundert zu Basel, 1855 im Visptale) scheinen lediglich dem Sichzurechtrücken der Bergmassen ihre Entstehung zu verdanken.

Auch in der Eiswelt sind Veränderungen vorgegangen. Sagen weisen in eine Zeit, wo die Region des Eises noch beschränkter war; viele sonst blühende Matten und glückliche Gelände sind jetzt übergletschert und nur noch dem Namen nach eine „Blümlis Alp", manche vor Zeiten vielbetretene Alpenstraßen jetzt unwegsam. So hatte der Monte Moro, der den kürzesten Übergang aus dem Wallis durch das Antrona- und Anzascatal nach dem Langensee bildet, einstmals für den Verkehr nach Italien größere Bedeutung als der benachbarte Simplon. Jetzt haben sich zu beiden Seiten des Joches so ausgedehnte Gletscher- massen abgelagert, daß der Fußgänger sie nur mit Anstrengung überschreitet. Von Gastein führte noch zu Anfang dieses Jahrhun- derts ein betretener Pfad über die Raurifer Tauern nach Heiligenblut. Jetzt ist er völlig vergletschert und ungangbar. Von Zermatt nach Evolena im Val d'Erin gingen kirchliche Prozessionen einst alljährlich über das Joch zwischen dem Dent blanche und dem Dent d'Erin, und die Walliser Protestanten verkehrten noch zu Ende des 16. Jahr- hunderts quer über die Hochgebirge des Berner Oberlandes auf einem Saumpfade mit ihren Glaubensgenossen in Grindelwald. Den An- fang und das Ende des Berges bezeichnete eine Kapelle, die hier wie dort nach der h. Petronella benannt war. Seit Jahrhunderten sind die Kapellen unter dem Eise verschwunden, und den einen oder den andern jener Bergübergänge zu versuchen, gilt jetzt für ein verwegenes Wagestück.

2. Die „Staffeln" der Alpen.

Die Hügelregion der Molasse, bis etwa 800 m gerechnet, aus welcher indes schon Berge über 1500 m aufsteigen, vermittelt das Gebirge mit dem Flachlande, ihre Tier- und Pflanzenwelt sind noch vorwiegend die der Niederung. Das Gebirge selbst teilt der Alpler nach Klima und Vegetation in vier Regionen oder Staffeln: in die unteren Staffeln, 800—1200 m hoch, in die mitt- leren Staffeln, 1200—1800 m hoch, in die oberen Staffeln, 1800— 2200 m hoch, und in die über 2200 m hoch liegende Schneeregion.

Freilich nicht allenthalben fällt das Gebirge in allen diesen Stufen zur Ebene. Am deutlichsten entfalten sich die Stufen auf dem Nordabhange, der sich allmählich zur Ebene abdacht. Nach der südlichen, italienischen Seite dagegen fällt das Gebirge steil ab. Wie dem Südfuße des Himalaya die Gangesniederung, so ist dem steilen Südhange der Alpen das Potal vorgelagert. Da wo der Übergang

der Ebene zu den Schneegipfeln am wenigsten vermittelt ist, durch=
mißt der Reisende in wenigen Stunden die verschiedensten Klima= und
Vegetationsgebiete. Wenige Wegstunden schließen zuweilen einen
Wechsel des wetterwendischen Klima von 35—40° C. ein, und führen
vom letzten Kastanienwalde, wo noch der italienische Skorpion am
Gemäuer klettert, zu den dürftigen Pflanzen= und Tierformen der
Polarwelt.

In der Hügelregion entfaltet sich das Naturleben in Üppig=
keit. In den Wäldern sind Buche und Fichte vorherrschend, am
südlichen Hange Kastanie und Hopfenbuche. Die Kultur von Obst
und Mais, sowie überhaupt der Ackerbau sind allgemein; der Nuß=
baum gedeiht vortrefflich und geht, obwohl weit empfindlicher als
die Obstbäume, nicht selten über die obere Grenze dieses Gürtels noch
hinaus. Im südlichen Tirol, im Veltlin, in Tessin sind die Sommer
heiß genug, um eine zweite Ernte von Hirse und Buchweizen möglich
zu machen. Mit Ausnahme der schwäbisch=bayrischen Hochebene um=
schlingt den Fuß der Alpen überall ein Kranz von Weinreben: ja,
der Weinstock wagt sich in weiten Tälern noch in die folgende
Region und steigt im Rheintal bis über Chur, im Eisacktal bis
Brixen. Der Wanderer bewundert noch im Dörflein Stalden (834 m)
am Zusammenflusse der beiden Vispbäche nicht nur die schönen Wein=
lauben, die sich über die Straße wölben, sondern auch einen mächti=
gen, baumstarken Weinrebenstamm, der sich um den reichlich sprudeln=
den Dorfbrunnen schlingt. Denn nicht nach der Höhe nur, sondern
auch nach dem untergelagerten Gestein richtet sich die Verbreitung
der Pflanzen.

Die Bergregion der unteren Staffeln, durch Seiten=
arme und Vorwerke des Hochgebirges gebildet, bietet eine Fülle der
herrlichsten Naturbilder. „Maiensäße" nennt sie der Volksmund;
denn hierher werden im Mai die Herden zur Weide getrieben. Hier
ist die Region der kräftigen Kulturwiesen und der Wälder, in denen
auf der Nordseite des Gebirges das Nadelholz (Rottanne und Weiß=
tanne) stärker vertreten ist als das Laubholz. Nur in wenigen
Strichen bilden die zu wenig geschonten Wälder noch zusammenhängende
Reviere. Gewöhnlich steigen sie von breiter, zusammenhängender
Basis an, verteilen, vereinzeln sich höher immer mehr und mehr und
reichen nur in schmalen Streifen, oft unterbrochen und zerpflückt, in
die höhere Region. Je weiter sie hinandringen, desto gewalttätiger
und sieghafter kämpft das Gebirge selbst gegen sie an. Steile Felsrücken
trennen sie, Schutthalden wehren ihrem Aufstreben, Lawinen brechen

breite Straßen durch sie hin. Der Winter tritt einige Wochen früher als im Flachlande ein und macht oft schon im Oktober Versuche, die Region einzuschneien. Von Sonne und Föhn wohl mehrmals verscheucht, haftet endlich doch der Schnee. Das ganze Gelände verliert die Details seiner Spitzen und Vorsprünge in den weichen allgemeinen Formen: das Tal wird eine einförmige glatte Wanne, die Bäche vereisen, die Wasserfälle erstarren in mächtigen Säulen an der kalten Felswand; nur hier und da bleibt eine sogenannte Staubecke, wo der Wind beständig am Berggrate anstößt, schneefrei. Die wieder steigende Sonne sucht das Schneelinnen zu zerstücken, ein langsames und mühsames Werk, wenn ihr nicht ein sonst gefährlicher Gesell zu Hilfe kommt. Von Afrika und von Westindien her fegt der Föhn, der italienische Scirocco, bis an die Eisgipfel der Alpen und streut Staub aus der Sahara auf ihre Schneefelder. Wohl möchte er über die Alpengipfel hoch hingehen, aber der Schnee kühlt einen Teil seiner Randwelle ab, so daß er sofort schwerer wird und in die Täler niederstürzt. Als rasender Orkan tobt er oft mehrere Tage und erfüllt Menschen und Tiere mit Bangen. Aber im Frühling wird er doch als der rechte Lenzbote mit Freuden begrüßt: er wirkt in 24 Stunden soviel als die Sonne in 14 Tagen. Nun werden die rieselnden, plätschernden, brausenden Wasser lebendig. Die Felsen tropfen, die Bäche haben sich durch die Schneebrücken und Eistrümmer gefressen; neue Zuflüsse rinnen von jeder Terrasse, von jedem Schneelager nach. An den jähen Wänden krachen die Eissäulen des Wasserfalles, von frischen Güssen überströmt, und stürzen mit donnerähnlichem Getöse zusammen in das tiefausgewühlte Bett. Eisblöcke, vom frischen Wasser untersägt, rasseln ihnen über die Felswand herunter nach. Dazu kommen die donnernden Höhen mit ihren dumpf hinrollenden Lawinen und krachenden Gletschern; die polternden Steine, die der Frost in den Fugen der Felswand gehoben und die Feuchtigkeit gelöst hat, das Zusammenbrechen der unterhöhlten Schneebänke: der Frühling kündigt den Einzug seiner jungen Lebensmächte tausendtönig an. Fast drei Wochen braucht er, von dem untersten Kirschbaum, den er mit Blüten schmückt, zu dem obersten hinan zu steigen; und so wird es über Mitte Mai, bis er an der obern Grenze (1200 m) anlangt. Noch später gelingt ihm die völlige Belaubung der Buchen. Auf der Höhe der Region ist daher das Leben des Laubwaldes auf etwa 100 Tage beschränkt, während es in der Tiefe 150 Tage dauert. Von den Schrecknissen der Alpenwelt suchen diese Region im Sommer und Herbst die

Runsen heim, durch Gewitter oder Föhn angeschwollene Bergwasser, aus schmalen Wasserstreifen in breiten Kiesbetten in wilde Ströme gewandelt, welche mit unwiderstehlicher Gewalt alles fortreißen, die Steindämme oder Wuhren oft überfluten und die schönsten Wiesen und Äcker durch Schlamm und Steingerölle für die Kultur unbrauchbar machen. Nur von einem Naturphänomen werden die Runsen an Schrecknissen übertroffen, von den Bergstürzen. Im kleinen Maßstabe (Bergschlüpfe) häufig, sind sie zum Glück in größerer Verderblichkeit selten. 1618 begrub der Conto den Flecken Plürs, der Roßberg 1806 die Goldue Au mit ihren Dörfern. Beide, Schlüpfe wie Stürze, sind Folgen der langsam, aber unaufhörlich fortschreitenden Verwitterung und Zerbröckelung der Alpenmauer.

Das Mittelgebiet zwischen der Bergregion und dem schneereiche bildet das ausgedehnte Revier der Alpenregion, der mittleren und oberen Staffeln. Hier werden alle Bildungsformen strenger und ernster. Gletscher, deren größter Verbreitungsbezirk indes die Schneeregion ist, bedecken große Flächen des Mittelgürtels. Weithin strecken sich Karren- und Schrattenfelder, kahle Kalkfelsenfelder von verschiedener Böschung, die durch Verwitterung so zerrissen und zerfressen sind, daß sie bald einem wunderlich ausgefurchten Steinfelde gleichen, bald unabsehbaren Reihen scharfer Felsgrate, die teils ganz nahe aneinander gereiht liegen, teils fuß- und klafterweit und noch weiter abstehen und so bald bloße Rinnsale, bald tiefe Löcher, Höhlen, Schächte und Gänge bilden. Aber Gletscher und Schratten lassen dem frischen Leben noch Raum übrig. Die Hauptmasse des tierischen und pflanzlichen Hochgebirgslebens erscheint in der Alpenregion. Die Pflanzendecke, obwohl aus viel weniger Arten zusammengesetzt als im Tale und in der Bergregion, hat an Freundlichkeit, Farbenfrische und Fülle doch nichts eingebüßt. Die neuen Pflanzengruppen wiegen den Mangel an Arten durch Schönheit, Duft, Eigenart und kräftiges Kolorit auf. Alle zeichnen sich durch Kleinheit und gedrungenen festen Bau, kurze, aber kräftig genährte Stengel und Blätter und sehr kompaktes kleines Wurzelwerk vor den tiefer stehenden Pflanzen aus. Dazu kommt eine viel intensivere Färbung der gedrängt stehenden Blüten; das Weiß derselben ist strahlend rein; Blau und feuriges Rosarot erscheinen in einer so brennenden Farbentiefe wie selten im Tieflande, und das Grün der Blätter ist oft so gesättigt und scharf, wie es in den unteren Regionen nur nach einem erfrischenden Regen, noch naß, im stechendsten Sonnenschein sich bisweilen zeigt. Der Alpenblumenflor zeichnet sich auch zum Teil durch balsamischen

Wohlgeruch aus. Jene Matten sind es, „wo von der Genziane und Anemon' umblüht, auf seidnem Rasenplane die Alpenrose glüht". Die vielbesungene Alpenrose (Rhododendron hirsutum), in den Blättern und Blüten den Azaleen und dem Oleander ähnlich, ist ein reizender Schmuck der alpinen Region. Bald glüht sie als einzelne Rosenflamme über dem zischenden Sturz des Eisbaches, bald über= zieht sie die ganze Fläche des Berges, der sich mit seinem Purpur= teppich im Spiegel des Alpensees malt. Die Wälder bilden nicht mehr so große zusammenhängende Bestände, sondern ziehen sich in einzelnen Partien, oft unterbrochen, der Höhe zu. Die Tannen der Bergregion werden von den Lärchen, diese höher hinauf von Bergkiefern und

Zwergkiefer (Knieholz).   Abb. 8.   Arve (Zirbelkiefer).

Zirbelkiefern (Arven) abgelöst. Sie kehren die Äste bergabwärts, vom Ansturme der Lawine wie eine Wetterfahne gerichtet. Einzelne Wagehälse von Arven kommen noch über 2300 m vor. Das Knie= holz unterläuft den Sturm und klettert noch über 2300 m hinauf.

Die Tierwelt zeigt in den höheren Staffeln kräftige und gewal= tige Bildungen. Unter den Vögeln steht voran der Lämmergeier, der größte europäische Raubvogel, und der Steinadler. Auch die Schnee= region ist ihnen untertan; aber in den mittleren Regionen nisten sie am häufigsten und haben da ihr eigentliches Nahrungsfeld. Die Welt der Säugetiere ist arm, aber durch schöne oder eigentümliche Typen vertreten. Die Alpenspitzmaus und der Alpenhase sind solche Formen. Zwischen 1200 und 2600 m wohnt das Murmeltier; in vielen Strichen fast ausgerottet, findet es sich noch im Tessiner=, Walliser= und Bündnerlande zahlreich, wo den Bergsteigern in ge=

wissen Höhen das Pfeifen der sich ängstlich versteckenden Tierchen auf allen Seiten entgegentönt. In gleicher Höhe mit ihnen weiden die flüchtigen Rudel der Gemsen auf hohen Grasbändern, grünen Stellen zwischen steilen Klippen und freien Platten, selten mitten auf weiten Alptriften, sondern fast immer auf gut gedeckten, stein= und felsen=

Abb. 9.   Steinbock.   Gemse.   Murmeltier.

reichen oder buschigen Plätzen, welche die unteren Gegenden beherrschen und nach mehreren Seiten hin freie Flucht gewähren, meist in der Nähe schwer zugänglicher Felsenlabyrinthe. Die rauhe Jahreszeit treibt sie tief in die Bergregion, zuweilen bis in die Täler hinab. Ihre Zahl hat sich gegen frühere Jahrhunderte beträchtlich vermin= dert; aber in neuerer Zeit hat die Gelegenheit, durch den Aufschwung der Industrie ein sichereres und reichlicheres Brot zu erwerben, viele Leute von der Gemsenjagd abgezogen: die bloßen Liebhaber, die jähr=

lich ein paarmal auf Gemsen gehen, sind dem Wildstande nicht allzu
gefährlich. Die alpine Region nährt daher immer noch zahlreiche
Gemsenherden, wie der Wanderer schon aus dem häufig angebotenen
Gemsbraten schließen kann, wenn auch nicht allzu selten das Braten-
stück nur einer Ziege angehört hat. Neben der Gemse, der einzigen
Antilopenart Europas, haben in dieser Region die großen Raubtiere
der Alpen ihre Horste und Verstecke ungleich über verschiedene Striche
verteilt. Luchse und Wölfe sind nicht selten; Bären umschnobern
nächtlich Hürden und Ställe, „sie werden im Alpgebirg groß, stark
und für andere frewbig".

Der Sommer ist in den höheren Staffeln natürlich auf einen
kürzeren Raum gedrängt als in den unteren. Sonst sind die Verhältnisse ähnlich. Auch hier zeigt sich der lange Kampf zwischen
Winter und Frühling, der erst im Mai zu gunsten des Lenzes entschieden wird. Den langen Winter treiben auch neben dem Föhn die
schneefressenden Nebel weg, welche das nächtliche Gefrieren des Auf-
getauten verhindern; mehr noch die Lawinen, welche zahllose
Millionen Zentner Schnee, deren Schmelzen bis tief in den Sommer
dauern würde, in raschem Sturze beseitigen. Sie donnern den dann
in überraschender Schnelligkeit vorschreitenden Frühling ein: in einer
einzigen Stunde eines warmen Frühlingstages kann man unter günstigen Verhältnissen 12 bis 16 Fälle beobachten, von denen jeder seine
eigentümliche Gestalt und Schönheit hat. Man nimmt keinen Anstand,
diese Lawinen für überwiegend wohltätige Naturphänomene zu erklären. So groß auch in einzelnen Fällen ihre Verheerungen sein
mögen, so hängt doch von ihnen die Möglichkeit einer Vegetation in
großen Gebirgsteilen ganz ab. Wälder, Erd- und Steinwälle schützen
gegen rollende Schneeberge, ja in Wallis nagelt man die Lawinen
fest, indem die Leute im Vorfrühlinge zu den bekannten Lawinenbruch-
stellen, an die Quellen der Schneeströme hinaufsteigen, und dort auf
der ganzen geneigten Fläche Pflöcke in den Boden treiben, damit bei
der Schneeschmelze nicht das ganze Lager in Gang gerate. So furchtbar und unaufhaltsam der entwickelte Sturz ist, mit so kleinen Gegen-
mitteln kann doch sein Beginnen verhindert werden. Gefährlicher sind
die zum Glück seltenen Schlammlawinen und Schlammströme und die
großen Gletscherbrüche, die beim Einsturz eines ganzen Gletscher-
gebirges entstehen.

Die Schneeregion der Hochalpen endlich von 2200 m bis
zu den höchsten Spitzen wird durch zerrissene Berggestelle und mehr
oder minder steil sich giebelnde Bergkämme und abschüssige Mittel-

arme formiert, zwischen denen hier und da einförmige, zugedeckte Trümmertäler sich ausbuchten. Sie zerfällt in zwei Reviere: das untere von 2200 bis 2700 m ist noch in den Kampf zwischen Winter und Sommer, der sich hier auf den August beschränkt, hineingezogen; der September reicht schon wieder in den Winter hinein. Nur einzelne zerstreute Schneeplätze bleiben unangefochten. Der ganze Temperaturcharakter des Jahres wirkt natürlich auf diesen Streit mächtig ein: in heißen Sommern werden Gipfel und Spitzen schneefrei, die man jahrzehntelang im weißen Mantel gesehen hatte. Solche selige Jahre verlängern das Leben der Pflanzen- und Tierwelt um ein Dritteil, während ungünstige Sommer sie kaum zur Entwickelung kommen lassen. Aber selbst nach langjährigem Winter erstirbt das Leben in diesen lieblichen Oasen der Schneeregion nicht. „Nur wieder warme kräftige Sonnenblicke, und das langverwahrte Samenkorn beginnt zu keimen; das Ei, die Larve zuckt, und in wenigen Tagen grünt und blüht es aus den dürren Gräsern heraus, als hätte es keinen vieljährigen Winter gegeben. Die Frühlingsinsekten umsummen die eben erschlossenen Blütenkelche, die Falter wiegen sich behaglich im Sonnenschein und Blumenduft des sommerlichen Eilandes; Spinnen und Läuse, Käfer und Milben, Infusorien, vielleicht ein umherschweifendes Mäuschen, ein schöner Steinbock, eine leichtfüßige Gemse durchwandern die junge Vegetation." Die Flora des Reviers hat noch über 200 Arten. Die ständige Tierwelt zählt 24 Arten; Schneekrähen, Schneehühner, Schneemäuse, Murmeltiere und die jetzt nur in dem Alpenzuge zwischen Wallis und Piemont, besonders um den Monte Rosa vorhandenen Steinböcke sind Bewohner der unteren Schneezone. Früher waren die Steinböcke durch die ganzen Alpen in der Alpenregion verbreitet: 1690 zählte man z. B. im Zillertale noch deren 181; 1706 wurden nur noch 6 gefangen und um 1738 galt das Steinwild als „ausgegangen". Jetzt kommt es nur noch in schwachen Rudeln oder in versprengten einzelnen Exemplaren vor; jedoch in den zu Italien gehörigen Alpenstöcken finden sich, dank der Fürsorge der italienischen Regierung, Steinböcke in größerer Zahl. Der Steinbock gehört zum Ziegengeschlechte. Ausgewachsen hat er eine Körperlänge von 1¹/₂ m und ein Gewicht von mehr als 100 kg. Seine Hörner, oft 1 m lang, vierkantig, sichelförmig gebogen, vorn mit starken Querwülsten besetzt, sind eine seltene, aber um so höher geschätzte Jagdtrophäe.

Der Mensch sucht die vorgeschobenen winzigen Grasstreifen zwischen ewigem Eis und Schnee: wo auch der Fuß der verwegensten

Geiß nicht mehr haftet, am schmalen, zwischen Schnee und jähem
Abgrund sich hinstreckenden Felsengrat, da lockt noch eine lebens=
gefährliche Ernte die Sichel des Wildheuers,

> Der überm Abgrund weg das freie Gras
> Abmähet von den schroffen Felsenwänden,
> Wohin das Vieh sich nicht getraut zu steigen.

Dies untere Revier der Schneezone ist das eigentliche Revier
der Gletscher. Höher hinauf reichen nur noch ihre obersten Teile,
die sogenannten Firngletscher, abwärts gehen sie bis in die Alpen=
region, in einzelnen Fällen bis in die Bergregion. So steigt der
untere Grindelwaldgletscher bis 1024 m herab. Einst war das ganze
Alpengebirge und die ebene Schweiz vergletschert. Es reichte der
Rhonegletscher durch das ganze Wallis, über den Genfer See bis zum
Jura; der Aargletscher bedeckte die Becken des Brienzer und Thuner
Sees und breitete sich noch nördlich von Thun über das Land; der
Linthgletscher überzog einen großen Teil des Kantons Zürich mit
seinem Eismantel. Die Gletscher des Montblanc reichten die Täler
der Dora, Stura und anderer Flüsse hinab bis Turin. Die Gruppen
des Montblanc, des Monte Rosa, des Finsteraarhorn, des Bernina,
des Ortler, der Ötztaler Ferner und der Hohen Tauern sind in der
Gegenwart die Hauptgletscherreiche; wohl am besuchtesten ist das M e r
d e G l a c e, ein bis ins Chamonixtal herabhängender Gletscher der
Montblanc=Gruppe. Von dem Vorsprunge des Montanvert hat man
einen prächtigen Niederblick auf den zwischen gewaltigen Bergen ein=
gezwängten, wie eine riesige Schlange sich hinabwindenden, 2 km
breiten Gletscher. In ungleichmäßigen Eiswellen scheint er sich hin=
zuziehen; wenn man aber zu ihm hinabsteigt, so wachsen die Wellen
zu ganzen Hügeln empor. Zu Eisstacheln, breiten Rücken, Krystall=
klippen gestaltet sich die bewegte Oberfläche; hie und da ragt ein
ganzer Eisturm empor. Zahllose, in der Tiefe blau schimmernde
Spalten zerreißen die Oberfläche, so daß es kundiger Führung bedarf,
um das „Eismeer" zu überschreiten.

Viel größer, der größte Gletscher der Alpen, ja Europas ist der
Aletschgletscher. Aus den Firnwüsten der Jungfrau zieht er sich,
etwas über 2 km breit, fast 20 km hinab, fast durchweg zwischen
kahle, bräunliche Felswände eingesenkt. Der Abtau seines unteren
Endes bildet zu den Füßen des Eggischhornes einen ansehnlichen See,
den Märgelensee, auf dessen schwarzblauem Spiegel man häufig
herabgestürzte Eisblöcke schwimmen sieht.

Überhaupt zählt man in den Alpen über 600 größere Gletscher

von sehr verschiedener Länge und Mächtigkeit. Sie bedecken etwa 3850 qkm Landes, der großen Mehrzahl nach auf den Nordabhängen des Gebirges gelegen. Ihr Eis ist von einer großen Zahl noch wenig bekannter organischer Körper bewohnt. Der Protococcus, eine Alge, überzieht öfters weite Schneestrecken rot. Selbst in den Eis-

Abb. 10. Mer de Glace.

spalten herrscht noch organisches Leben; der Gletscherfloh, eine Podurelle oder Springschwanz, zwei Millimeter groß, lebt in den Haarspalten der Gletscher zu Tausenden.

Das obere Revier der Schneezone geht über 2700 m hinaus. Im Hochsommer leckt die Sonne aber selbst noch über der Schneelinie kleine Felsenpartieen an steilen Kuppen und Hängen nackt; an

Abb. 11. Der große Aletschgletscher.

einzelnen Felswänden, wie des Finsteraarhorns und Eigers, der Jungfrau und der Wetterhörner, ja des Bernina und des Monte Rosa haftet der Schnee auch im Winter nur sehr kurze Zeit, und nur wenn er bei günstigem Winde feucht anfällt. Über 4000 m hinauf, hört aller Unterschied der Jahreszeiten in ewigem Winter auf, die obersten Hörner sind mit ewigem Schnee bedeckt. „Drauf schießet die Sonne die Pfeile von Licht, sie vergolden sie nur und erwärmen sie nicht." Der Schnee, der in dieser Zone fällt, ist in der Form von dem gewöhnlichen großflockigen Winterschnee der Ebene meistens verschieden; er ist bei der großen Kälte, Reinheit und Trockenheit der Luft selber trockener, leichter, feinkörnig und kommt meist in Form feiner Eisnadeln oder harter, drei- bis sechseckiger Sterne, auch in Kristallen als Riesel- und Staubschnee, sehr selten in eigentlichen Flocken auf den Boden. Durch oberflächliches Schmelzen und Wiedergefrieren verliert der Hochschnee seine ursprünglich kristallinische Bildung und unterliegt, je nach Höhe und Sonnenlage, einer Reihe von Verwandlungen. Er wird in der Wärme des Tages nicht sehr feucht, sondern bloß sandartig locker, ohne sich ballen zu lassen, während der nächtliche Frost die Körner wieder bindet, und so geht der Prozeß in der ganzen warmen Jahreszeit ununterbrochen fort. Aus dem Schnee ist so Firn geworden, eine kompakte, zusammengebackene Masse, in der die einzelnen Körner durch ein eisiges Bindemittel fest zusammengehalten werden. In Mulden aufgehäufter Firn bildet den obersten Teil der Gletscher oder streicht auch horizontal als Eismeer hin. Durch den gewaltigen Druck höherer nachdrängender Schneemassen wird der Firn immer luftfreier und damit eisartig durchscheinender: so werden aus ihm weiter abwärts die riesenhaften Eisströme der Gletscher, die zwischen den Felswänden an den Abhängen des Gebirges sich hinabziehen. So sehen wir am Haupte des Ortler, des höchsten Berges (3902 m), den ganz Österreich aufzuweisen hat, aus dem Firn den mächtigen Tabarettagletscher sich bilden. Aber der König aller ist doch der Aletschgletscher an der Südseite der Jungfrau.

Auch der starren Welt des Eises fehlt das Leben nicht völlig. Die Flora zählt noch 24 Phanerogamen und 30 Kryptogamen. Steinbrech- und Genzianenarten, Chrysanthemum alpinum und andere sind rüstige Steiger: als die am höchsten steigende Blütenpflanze fanden die Gebrüder Schlagintweit am Monte Rosa bei 3823 m Meereshöhe Cherleria sedoides. Desor pflückte am Schreckhorn, 3570 m, einen Ranunculus glacialis, und dicht unter dem Gipfel der Jungfrau, 4125 m, wurde eine Flechte gefunden und der Bergriesin zu Ehren Umbilicaria virginis genannt. Die Tierwelt ist durch 32 ständige Arten vertreten: 18 Insekten, 13 Spinnen und eine Schnecke. Die Spinnen gehen am höchsten, und eine Weberknechts- oder Zimmermannsspinne (Phalangium) wurde

5*

als letzter Vertreter des hochalpinischen Tierlebens bei 3700 m aufgefunden. Auch verirrte Tiere unterer Striche sind bei Bergbestei-
gungen beobachtet worden. Hugi fand auf dem Finsteraarhorn bei
3900 m eine lebende Schneemaus, auf dem Monte Rosa bei 4500 m
begegnete Zumstein einer Gattung silberfarbiger, halbtoter Schmetter-
linge, dem Perlmuttervogel ähnlich, und selbst bei 4555 m einem roten
Falter, der über die Zumsteinspitze wegflog, während auf dem Schnee
tote und sterbende Mücken lagen. Die Gebrüder Schlagintweit
brachten im August 1851 von der Vincentpyramide, 4200 m, und
vom Weißtorpaß, 3618 m, erdige Substanzen mit, die Prof. Ehren-
berg in Berlin erst im Mai 1853 mikroskopisch untersuchte und als
eine Unzahl von Rädertierchen, Bärentierchen und Älchen erkannte,
von denen ein Fünfteil nach beinahe zweijähriger Trockenheit im
Wasser wieder Leben gewann.

Doch diese schwachen Spuren des Pflanzen- und Tierlebens
ändern den Totaleindruck jener obersten Zone nicht. Ein geheimnis-
volles Schauergefühl majestätischer Öde weht von diesen kalten, weißen,
schweigenden Gipfeln den Bergsteiger an, der doch sich von diesen
silberglänzenden Kuppeln, Hörnern und Eispyramiden wunderbar angezogen fühlt. So bringt er wenigstens in kühnen Streifzügen in
ihr Geheimnis, das noch lange nicht allseitig erschlossen ist. Gewaltige
Gebirgsmassen sind noch von keinem Menschenfuße betreten und erheben namenlose Hörner in die Luft, die nie eines Menschen Stimme,
nur der sausende Flügelschlag des königlichen Bartgeiers bewegt hat.
Stundenlange Eismeere wölben ihre ehernen Fluten, die nie ein Wanderer berührt oder nur gesehen. Manches in den zerrissenen Armen
der Hochalpen ruhende Tal hat kaum eines Jägers, eines Wurzel-
sammlers oder Kristallgräbers Fuß betreten; es ist unbekannter als
die Küste der entlegensten Inselgruppen oder als das Uferland des
afrikanischen Kongo.

3. Eine Besteigung des Montblanc.

Von Chamonix brechen wir, lange bevor die Sonne in das
Tal herabkommt, mit unseren Führern und Trägern, welche alles für
die Besteigung des Bergriesen uns nötige tragen, auf. Nachdem
wir die Arve überschritten und zwei Stunden zurückgelegt haben,
halten wir Musterung. Der Zugführer findet endlich alles in Ordnung und ruft uns zu: „Jetzt, meine Herren, wenn's gefällig ist,
steigen Sie auf Ihre Maultiere; wir haben acht Uhr, und es ist hohe

Zeit." Wir fangen an zu steigen. Der erste Abschnitt des Weges geht zwischen Felsen, Rasen und kleinen Waldstrecken aufwärts, bis wir etwa zwei Stunden nach dem Aufbruch auf die letzte menschliche Wohnung, den Pavillon de Pierre Pointue, 2040 m, treffen. Nach= dem wir, vier Stunden nach unserm Aufbruche, das Ende des Saum= pfades erreicht, heißt es: nun Adieu, Maultiere! Denn der weitere Weg muß zu Fuße zurückgelegt werden. Indes um den Mut wieder etwas zu beleben, ist es gerade Zeit, den Eßkorb zu öffnen und eine gründliche Erfrischung zu sich zu nehmen. Die nötigen Anstalten zur Weiterfahrt sind getroffen, und jedes Herz schlägt lauter; keiner ist mutlos; alle sind bereit, dem Zugführer zu folgen, wohin er uns führt. Er aber traut keinem Unerfahrenen, stellt vielmehr jeden Reisenden zwischen zwei Führer, die ihn an der Hand nehmen und zum Anfang des Felsenpfades führen. Und hier heißen sie ihn an den Rand hinaustreten und in den gähnenden Abgrund hinabschauen. „Standhaft!" reden sie ihm zu; „wie's Ihnen dabei auch werden= mag, schauen Sie immer zu!" „Nun, können Sie's aushalten?" wird's Ihnen nicht schwindlig? denn wenn wir einmal auf dem Wege sind, können wir nicht mehr zurück." Die scharfe Probe wird bestanden, und der Kapitän fragt den Führer wie ein kaltblütiger General nach dem Mute seiner Truppen. „Tout va bien," ist die Antwort. „Dann setzt den Alpenstock auf= und vorwärts!" Der Rand= pfad ist hier noch nicht einen halben Meter breit, an einigen Stellen sogar noch schmäler, während es auf der rechten Seite volle 150 m senkrecht in die Schlucht hinabgeht. Um das Gleichgewicht nicht zu verlieren, müssen wir seitwärts gehen; aber die gefährliche Strecke ist nur eine Viertelstunde lang. Einige von der Gesellschaft sind ihrer selbst so Herr, daß sie ein einzelnes Blümchen am Wege abpflücken, andere haben Fassung genug, ein wenig still zu halten und schnell eine Skizze der erhabenen Umgebung aufzunehmen. Der Zugführer heißt nun die Träger die Leiter zusammensetzen, und alsbald ist der Glacier (Gletscher) des Bossons vor uns, über den wir ohne Aufschub hinüber müssen. Der Zugführer bindet drei Führer zusammen, jeden 4—5 m von dem andern entfernt, und schickt sie auf Untersuchung voraus; denn der Gletscher nimmt jeden Tag eine andere Gestalt an. Indes der Bericht der Kundschafter ist günstig, und unter ihrer An= führung wagen wir uns vorwärts. Sobald wir den Gletscher er= reicht haben, wird ein Pistol abgefeuert, um durch die Lufterschütterung jede lockere Schneemasse, die uns sonst verschütten könnte, zum Fallen zu bringen. In völligem Stillschweigen schreiten wir voran unter

der schauerlichen Aiguille du Midi. Der Zugführer versichert uns,
wir werden alle Besinnung nötig haben, und ermahnt, wir sollen
uns gegenseitig verbindlich machen, einander im Augenblick der

Fig. 12. Überschreitung eines Gletschers.

Gefahr nicht zu verlassen. Dies geschieht, und abermals schreiten wir
weiter. Gewaltige Schneemassen kreuzen unseren Pfad; wir müssen
uns mit einem Beil den Weg bahnen. Ein andermal gähnt ein
tiefer Spalt vor uns; die Leiter wird übergelegt, und wir klettern
auf allen vieren darüber hin. Zuweilen ist der Spalt zu breit für

unsere Leiter, und dann gehen wir am Rande desselben hin, bis er enger wird, oder bis sich etwa ein Vorsprung findet, auf dem unsere Notbrücke aufliegen kann; beim Übersetzen über solche Spalten sind schon viele Unglücksfälle vorgekommen. — Jetzt sind wir an eine gewaltige Kluft gekommen, die quer über den ganzen Gletscher hinüberreicht. Sie ist voller Felsen; zu denen müssen wir hinuntersteigen und auf der anderen Seite wieder hinauf. Allein, nun fangen die Schwächsten der Reisegesellschaft — es ist bereits der Tag gesunken — an zu ermatten. Nur mutig vorwärts! Jene Felsen, die wir dort vor uns haben, sind die Grands Mulets, wo wir die Nacht zubringen

Abb. 13. Eine Schneebrücke über Spalten.

sollen; und wenn wir uns noch eine halbe Stunde über den Gebirgskamm hinübergearbeitet haben, erreichen wir sie. Um sechs Uhr abends, gerade zwölf Stunden nach dem Aufbruch, sind wir richtig bei den Grands Mulets angelangt, wo unser Nachtlager aufgeschlagen werden soll. Nachdem wir ein wenig ausgeruht, macht sich alles an die Arbeit. Feuer werden angezündet, Lebensmittel ausgepackt, Betten zugerüstet, und während wir zu Nacht essen, steigen die Führer auf den Felsen, fegen den Schnee weg, machen das Lager zurecht und befestigen Teppiche auf Alpstöcken am Felsen zur Bedachung.

Wir sind auf der ersten Hochplatte 3050 m hoch, in der Region des ewigen Schnees, der furchtbaren Lawinen und der erhabensten Alpenaussichten. Durch ein Fernrohr können wir das Signal in

Chamonix erblicken, daß sie uns alle wohlbehalten ankommen sehen. Die Nacht bricht ein, und welch ein Himmel über uns! Er ist fast schwarz, und der Jupiter steigt auf, strahlend gleich dem Mond. „Nun, meine Herren," sagt der Kapitän, klettern Sie in Ihre Koje; rücken Sie dicht zusammen; denn es ist grimmig kalt, und das Alpen= schlafzimmer ist kein ganz behagliches Nest!" Der Umhang wird vor= gezogen, und der Führer ruft uns sein „Gute Nacht!" herauf.

Es ist drei Uhr morgens. Die Führer rüsten schnell alles für den letzten Anlauf, der uns volle sechs Stunden kosten wird und mehr Anstrengung als sonst eine Fußreise von fünfzehn Stunden in einem Tage. Aber, obwohl mancher hier umkehrt, wir nicht. Der Kapitän ruft uns zu: „Nehmen Sie ein leichtes Frühstück; legen Sie alle entbehrlichen Kleider ab; ziehen Sie Ihre dicken, nägelbeschlagenen Stiefel an, und binden Sie Ihre grünen Schleier fest übers Gesicht. So, jetzt mögen Sie sich in Gesellschaften von drei bis sechs Personen zusammenbinden. Fassen Sie guten Mut und folgen Sie mir!"

Die ganze Nacht hindurch haben wir die donnernden Lawinen gehört. Jetzt sehen wir sie; dort oben links hängen sie schauerlich an der Aiguille du Midi, und schweigend eilen wir vorüber, bis wir aus ihrem Bereiche sind. — Wir sind nun in ein Eistal gegen den Dôme du Goûté eingetreten, und die Ersteigung desselben, über Krümmungen und Abfälle von 30 bis 60 Grad Ansteigung, also jäher als ein Dach, über staubigen Schnee, der mit dünnem Eis be= deckt ist, macht uns tüchtig zu schaffen; oft muß das Beil des Führers uns erst einen Tritt für den Fuß hauen. Jetzt will der Atem aus= gehen; jedermann keucht und steht alle 15—20 Schritte still; die meisten von uns haben ordentlich Fieber. Auch der Appetit ist weg, und niemand von uns will etwas essen, bis wir wieder herunter sind.

Wir sind auf dem Grand Plateau (3932 m) angekommen. Hier wird eine halbe Stunde Halt gemacht, teils, um Atem zu holen, teils, um die immer großartiger werdende Aussicht zu genießen. Doch wir müssen weiter; in einer Stunde haben wir die letzte Hochplatte er= reicht, und nun — welch ein freudiger Anblick! — sehen wir den Gipfel, der noch fast 900 m höher ist. Wir wenden uns links und schreiten mit größter Vorsicht weiter; denn der Pfad ist steil, auf beiden Seiten abschüssig, und hat viele gefährliche Spalten. Man kämpft, man keucht, man fällt auch zuweilen, man hat über 100 Puls= schläge in der Minute; aber man kommt endlich zu den Rochers rouges, einem gefährlichen Platze, der vor einiger Zeit drei Führern das Leben gekostet hat. Wir arbeiten uns immer weiter, und nach=

dem wir das Grand Plateau zwei Stunden unter uns haben, ist die ganze Partie oben angelangt. „Hurra!" oder „Gottlob!" ruft, wer noch rufen kann. Einige Augenblicke lang liegt alles atemlos auf dem Boden, einige sicher mit dankbarem Lobe Gottes auf den Lippen; dann steht man auf und blickt umher auf ein Schauspiel, wie es etwa ein Engel genießt, der eine himmlische Botschaft auf die Erde bringt.

Der Montblanc ist der höchste Punkt von Europa, und alle benachbarten Alpen stehen wie Trabanten in Reih und Glied um den Monarchen her. Dort in weiter Ferne hinter dem Mont Cenis steigen aus dem Meere die Seealpen; an sie schließt sich die ganze Kette der südlichen Alpen bis herauf zu den eisbedeckten Gipfeln von Savoyen; drüben liegt die Kette des Jura von einem Ende bis zum anderen, zwischen beiden in der Tiefe der Genfer See; dann im Nordost und Ost türmen sich die beiden schneeigen Alpenketten der Berner und der Walliser Alpen, dort die Jungfrau, das Finster=aarhorn, dann die Furke, der St. Gotthard, hier die prachtvollen Gipfel in der Nähe, der Combin, das Matterhorn, der schöne Monte Rosa, die Alpen von Piemont, zu ihren Füßen das Potal. Weiterhin sieht man die Apenninenkette, das Gebirge von Toskana tief in Italien, ebenso tief in Frankreich hinein bis Lyon; und alle die Täler und Ebenen zwischen den Alpenketten und zu ihren Füßen, und die Gletschermeere umher, die unzähligen Scharen zusammengehäufter Gebirge, die viele hundert Meter tiefe Eis=, Schnee= und Klippenwüste; und daraus hervor erhebt sich der pracht=volle Dom des Berges hinauf in das weite, tiefblaue Himmelsgewölbe. In der Tat ein majestätischer Anblick, der für alle Anstrengungen entschädigt. Man sieht ein Stück der hehrsten Schöpfung Gottes, wie sie in der Urzeit, von der Hand des Allmächtigen berührt, empor=stieg aus den Tiefen des Chaos in majestätischer Gestaltung und Schönheit, während die übrige Natur durch Schweigen huldigte.

Der Gipfel des Berges (4810 m) ist ein schmaler Rücken, auf welchem es der Bergsteiger nur kurze Zeit aushalten kann. Wir müssen sehen, wie wir wieder herunterkommen. Der Kapitän treibt zur Eile; denn er sieht drunten einen Sturm im Anzug. Es ist zehn Uhr vorbei, und alle haben starkes Fieber. Einige von den Führern setzen sich nieder; jeder nimmt einen Reisenden vor oder hinter sich, und so schießen wir über die steile Schneefläche hinunter. In der Regel leiten die Führer die Fahrt sehr pünktlich mittelst ihres Alpenstocks. Wir erreichen die Grands Mulets im vierten Teil der Zeit, die wir zum Hinaufsteigen gebraucht hatten.

Mit der Luftveränderung ist auch wieder mehr Kraftgefühl eingetreten. Die grünen Schleier werden abgelegt; aber trotz ihres Schutzes haben sich doch alle Gesichter abgehäutet. Einige fühlen auch ihre Augen von dem weißen Schneeglanze angegriffen, daß ihnen bereits vor der Schneeblindheit bange wird, die bei solchen Bergfahrten so leicht eintritt. Jedermann ist froh bei der schnell bereiteten Mahlzeit; aber der Kapitän, der schon lange bedenklich ausgesehen, heißt uns schnell hinter der nächsten besten Felsklippe Schutz suchen; denn der Sturm bricht gerade herein. „La tourmente! la tourmente!" rufen die Führer, „legt euch platt aufs Gesicht, und „haltet euch fest am Felsen, wo ihr könnt!" Der Orkan treibt den Schnee wie dicke Rauchwolken auf; die Luft wird ganz verfinstert. Schützt eure Gesichter!" rufen die Führer; und in der Tat, diese Schnee- und Eissplitterchen fahren einem auf die Haut wie glühend heißer Sand. Der Blitz hat eine Felsklippe getroffen, und die Splitter werden gleich Federn durch die Luft geschleudert. Der Donner widerhallt an den Bergwänden in hundertfältigem Echo. Jetzt wird die Luft durch das Krachen einer Lawine zerrissen, welcher noch eine und noch eine folgt. Der Donner von tausend Kanonen ist nur ein Kinderspiel gegen diesen Höllenlärm.

Doch strenge Herren regieren nicht lange. In einer halben Stunde ist die Wut des Sturmes vorüber, und die Führer erheben sich, um ihres Amtes zu warten. Die meisten von uns liegen unter einer leichten Schneedecke, und einige sind darunter wahrhaftig eingeschlafen; doch wird keiner vermißt, und keiner ist verletzt. Die Führer beraten sich über die Anzeichen in der Höhe und in der Tiefe, und das Resultat ist: es werde noch mehr Sturmwetter kommen, aber wahrscheinlich nicht vor Sonnenuntergang. Mittag ist vorüber; sie dringen in uns, möglichst zu eilen; denn der Schlittenrutsch auf dem Gletscher würde bei einem solchen Sturme sehr gefährlich sein. Wir ziehen daher unsere Schleier wieder über, binden uns zu dreien zusammen und fahren oft über steile Abschüsse hinunter. Aber was sind das für Töne da drunten? — „Vorwärts! vorwärts!" ruft der Kapitän; denn er kennt sie nur zu gut. Ehe wir die Mitte erreicht haben, hat das Splittern begonnen, und es bilden sich blaue Spalten von unergründlicher Tiefe. Bis jetzt konnten wir noch über alle setzen; aber sie werden mit jedem Augenblick breiter, und wir eilen daher eifrig vorwärts, fallen oft und glitschen ein Stück weit den Abhang hinunter, bis unser Seil uns aufhält. Nach zwei Stunden haben wir das Ende des Gletschers erreicht und haben wieder feſten Felſenboden unter unſeren Füßen. Ei, wie tut das ſo wohl, nachdem man ſtundenlang jeden Augenblick in Gefahr geweſen iſt, in eine verborgene Kluft hinabzuſtürzen!

Um vier Uhr haben wir die Maultiere wieder erreicht. Hier muß Halt gemacht werden. Die Proviantkörbe werden zum letzten= mal geöffnet und ihres Inhalts entledigt. Die Tiſchgeſpräche aber unterbricht der Kapitän, indem er auf den brauſenden Sturm in der Höhe weiſt und uns verſichert, wenn wir ſäumen wollten, ſo würden wir von demſelben ereilt werden. Alſo die Maultiere beſtiegen und aufgebrochen. Lange bevor wir die Häuſer erreichen, treffen wir auf die Weiber und Freunde unſerer Führer, die ſich von ihrer glück= lichen Zurückkunft überzeugen. Und drunten in Chamonix emp= fängt uns Glockengeläute und Muſik, und die ganze Einwohner= ſchaft iſt verſammelt, uns ein fröhliches „Willkomm!" zuzurufen.

Der Montblanc iſt zum erſtenmal im Jahre 1786 von dem Dr. Paccard unter der Führung des Jacques Balmat erſtiegen und ſeitdem das Reiſeziel unzähliger mutiger Touriſten geworden. Es gibt heute zwölf verſchiedene Wege, die zum Gipfel führen. Der in unſerer Schilderung beſchriebene iſt der am häufigſten ge= wählte. Er hat jedoch den größeren Teil ſeiner Gefahren ver= loren und erfordert mehr Ausdauer als Mut, da die Tour des zweiten Tages von den Grands Mulets bis zum Gipfel aus einer ſiebenſtündigen Schneewanderung beſteht, an die ſich dann der immer noch fünf Stunden in Anſpruch nehmende Abſtieg anſchließt. Übrigens iſt dem Montblancbeſteiger das Übernachten im Freien heute erſpart. Die bewirtſchaftete Kabane auf den Grands Mulets bietet in einer Höhe von 3050 m allen Komfort, den man in dieſen Regionen erwarten kann, und außerdem, was der Bergſteiger kaum genug zu ſchätzen weiß, gute Betten! Eine Montblancbeſteigung iſt allerdings immer noch ein teures Ver= gnügen. Die beiden Führer erhalten je 100 Fr., die Unterkunft und Verpflegung in den Grands Mulets koſtet 75 Fr., und die Böllerſchüſſe, mit denen die Hausknechte und Portiers in Cha= monix den zurückkehrenden Wanderer begrüßen, ſind auch nicht umſonſt zu haben. So koſten die zwei Tage, die zur Beſteigung nötig ſind, immer den Reiſenden über 300 Fr.

4. Die Dolomiten im Ampezzotal.

Man kann auch ohne Beſchwerde Großartiges in den Alpen ſehen. Am Bahnhofe in Toblach hielten Einſpänner, um uns in das Ampezzotal, das die gewaltigen Massen der Dolomitfelsen durchschneidet, hineinzuführen. „Auf kunstvoll angelegter Straße, wie man sie in so abgeschiedener Bergeinsamkeit wohl nicht er= warten möchte, geht es in mäßiger Steigung gegen Süden. Rechterhand hüpft die untwillige Rienz an uns vorbei. Sie kommt eben frisch gebadet aus den grünen Wellen des Toblacher Sees, der sich, halb verhüllt vom Geäste zartnadeliger Lärchen, zwischen Straße und Bergwand ausdehnt, ein Bild schwermütigen Sinnes gegenüber der trotzigen Furchtbarkeit der nachbarlichen Dolomitmassen. In zwei Stunden ist das erste Haus auf dieser ganzen Strecke erreicht, Landro oder Höhlenstein. Einst ein ver= lassenes Gasthaus mit einer Schmiede, ist es nunmehr ein Hotel ersten Ranges geworden. ‚So sind wir denn,‘ um mit dem Touristen zu reden, ‚inmitten der Dolomiten‘, dieser wirklich wunderbaren Berggebilde der Alpen, dieser himmelanstrebenden nackten Kolosse, welche das schon an die 1200 m hohe Tal noch um nahezu 2000 m überragen.

Am anderen Morgen ist das erste, was man in Höhlenstein tut, vor die Türe zu gehen und die Gegend zu betrachten. Diese ist eine steinübersäte Wiese, über welche der Monte Cristallo auf= ragt, ein Berg, der, 3244 m hoch, von der höchsten Bedeutung und den wundersamsten Formen ist. Abends sieht er leichenblaß und gespensterhaft aus; am sonnigen Morgen aber steigt er vor uns auf wie eine stundenbreite Flamme, welche zu Stein ge= worden und über das Tal noch 1800 m emporragt. Unten ein schmaler Saum des dunkeln Waldes, über diesem kein Gras= halm mehr. Nur zwei schmale Gletscher haben sich an des Felsen Leib gelegt. Oben züngelt er in hundert Zacken auf, in Zacken, die alle denkbaren Gestalten zeigen, von der breiten Zunge bis zur spitzigen Nadel. Übrigens braucht kaum gesagt zu werden, daß auf beiden Seiten des Tales noch dieselben phantastischen Dolomitreihen stehen, durch die man des Abends vorher hereingewandert; allein hier sieht man sich wenig nach diesen um; denn der Monte Cristallo schlägt sie alle tot.

Die Ampezzaner Straße führt von Höhlenstein am Ufer eines seichten, blauen Sees weiter. Es ist das ein ‚verlogener‘ See, der Dürrensee, welcher das Winterhalbjahr hindurch trockenliegt; erst im Frühjahr füllt sich das flache Becken wieder mit Wasser, in dem sich dann die Berge ringsum, auch der große Monte Cristallo, abspiegeln.

In einer kleinen Stunde kommt man nach Schluderbach, dem letzten deutschen Dorfe, welches nach seinem Gründer, der hier

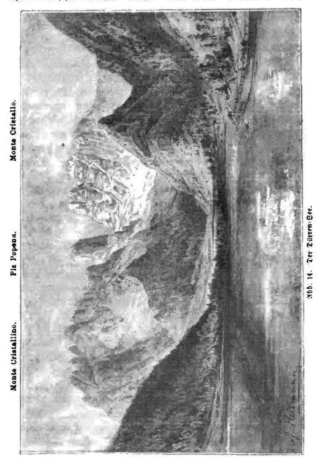

Monte Cristallo.

Piz Popena.

Monte Cristallino.

Abb. 14. Der Dürren-See.

1836 ein Gasthaus erbaute und der Schluderbacher hieß, zum ewigen Andenken so benannt ist.

Die Ampezzaner Straße zieht in stattlicher Breite durch das öde Tal, steigt nur selten so, daß es merklich wird, hat manche

örtlichen Hindernisse kunstreich überwunden und ist gegen die Wut
der Wildbäche und die Gefahr der Lawinen allenthalben aus=
giebig geschützt. Sie ist für diese Gegenden ein großer Segen
geworden und hat namentlich den Wohlstand von Ampezzo be=
deutend gehoben.

Wenn der Reisende die Art und Weise der Menschen kennen
will, sie aber unterwegs nicht trifft, so bleibt ihm nichts übrig,
als ins Wirtshaus zu gehen. Dort findet er wenigstens den
Herrn, die Frau oder die Kellnerin, die ihm einstweilen als Ver=
treter des Volksschlags gelten können. Aus diesem Grunde kehrt
man, wenn auch erst eine oder zwei Stunden über Schluderbach
hinausgekommen, in dem kümmerlichen Wirtshaus zu Ospitale
ein. Es ist das erste welsche Haus an der Straße von dürftigem
Aussehen: übrigens eine uralte Herberge. Da hat schon Kaiser
Max gezecht, vielleicht schon vor ihm mancher andere Herrscher,
und jedenfalls vor und nach ihm Landsknechte, Schmuggler und
Wildschützen ohne Zahl. Der Name Ospitale, Hospital, bedeutet
ja selber schon, daß hier vor alters eine Pilgerherberge gewesen.
Ebenso alt wie die Schenke ist das Bethäuslein daneben, ein
gotischer Bau, dessen Altarbild man dem im nahen Pieve di Cadore
geborenen Tizian zuschreibt.

Eine halbe Stunde von Ospitale liegt die Ruine von Peutel=
stein in enger, wilder Gegend am gleichnamigen Passe. Das
Kastell soll bereits 820 als deutsche Grenzwacht gegen die Welschen
erbaut worden sein. Im 14. Jahrhundert saß in der Feste ein
deutscher Herr, Degen von Villanders, was bei Klausen am Eisack
liegt. Ihm hatte ihre Hut Kaiser Karl IV. verliehen. Bald aber
fiel sie in die Hände der Venetianer, welche sie behielten, bis
Kaiser Max 1516 sie samt dem Ampezzaner Tal wieder für Tirol
eroberte. Seit dieser Zeit residierte in der Burg ein tirolischer
Schloßhauptmann mit Kaplan, Köchin und ‚acht redlichen Knechten‘.
Er war auch Statthalter von Ampezzo. Erst Kaiser Joseph II.
hob die Schloßmannschaft auf und ließ die Burg mit den Gütern
verkaufen; seitdem verfiel sie und wurde 1866 abgebrochen.

Der Paß ist hier wirklich sehr eng und wild. Unten im
unsichtbaren Felsenbette stürzt der Bach dahin; zu beiden Seiten
starren die Dolomiten auf, in allerlei Farben und Gestalten. Wenn
man sie auch unterwegs auf dem langen Passe zur Genüge ge=
nossen hat, hier in der Landschaft von Ampezzo nehmen sie wieder
einen neuen Aufschwung. Das sind wohl die phantastischsten Linien,

welche man in der Alpenwelt sehen kann. Niemand begreift, warum diese welschen Berge das löbliche Herkommen und ehrenhaft solide Aussehen ihrer deutschen Brüder so vollkommen aufgeben, sich so absonderlich und ungebärdig gestaltet haben. Es erscheinen da, wie am Monte Cristallo, Zungen, Stangen, Spitzen, Nägel und neben diesen schmächtigen Figuren auch wieder ungeheure, dicke, schwerfällige Massen von furchtbarer Höhe. Eine davon sieht einem Pferde mit abgehauenem Kopfe sehr ähnlich, es ist der Becco di mezzodì — zu deutsch das ‚Mittagshorn‘. Zur linken Hand steht die mächtige Pyramide des Monte Antelao, deren Spitze sich 3264 m über das Meer erhebt, rechts der ungeheure Monte Tofana, zwischen beiden der steile Monte Pelmo. Alle diese Dolomiten sind kahl, bis auf die niederen Vorberge herab, — an ihren schauerlichen Wänden scheint sich keine Aurikel, keine Edelraute halten zu können.

Mitten in diesem märchenhaften Kranze von Zacken und Zinnen blüht das Dorf Ampezzo, welches die deutschen Puster-taler ‚auf der Heiden‘ nennen. Es besteht zunächst aus einem stattlichen Kerne, der enger zusammengebaut an der Straße liegt und Cortina heißt. Dort findet sich die Pfarrkirche, im vorigen Jahrhundert vollendet, groß, aber ohne Merkwürdigkeiten, außer etwa einigen schönen Schnitzarbeiten. Frei neben der Kirche steht der 76 m hohe Campanile, dem 1902 eingestürzten Turme von S. Marko in Venedig getreu nachgebildet. Um die Kirche herum haben sich Dechant- und Schulhaus gestellt, ebenso das ansehn-liche Palazzo des Bezirksgerichts, sowie mehrere Gast- und Wohn-häuser, alle sehr gut erhalten.

Dieser Hauptort und Sammelplatz der Gemeinde ist von zahlreichen kleineren Ansiedlungen umgeben. Jene, die sich gegen Aufgang gelagert haben, sitzen auf dem Gebirge, das da rasch emporsteigt, sind zum Teil in seinen Schluchten verborgen und fallen weniger ins Auge; die anderen aber gegen Abend liegen über eine weite und breite grüne Halde hin, welche bis an den gewaltigen Monte Tofana reicht. Die Häuser sind meist in kleinen Gruppen zusammengestellt, zwischen denen einzelne Bäume ihr Laubdach ausbreiten. Hin und wieder ragt ein kleiner Kirchturm hervor. Die Schindeldächer glänzen im Sonnenschein. Die Häuser sind zwei- und dreistöckig, säuberlich geweißt, mit Laubengängen verziert und mit der reichbefensterten Vorder-seite alle gegen den Hauptort gerichtet. Die ganze Halde sieht

ungemein anmutig aus. In der Kirche befinden sich einige alte
Schlachtenbilder, welche auf eine sagenhafte Überlieferung des Tales
hinweisen. Am Fuße des Monte Antelao sollen in längstvergangenen
Tagen Ampezzaner und Longobarden miteinander gekämpft haben. Die
ersteren aber riefen die Mutter Gottes an, welche alsbald einen dichten
Nebel auf die Feinde herabsenkte, so daß diese sich selbst nicht mehr
erkannten und gegenseitig niedermetzelten. Als die Ampezzaner zum
Danke hierauf eine Kirche zu bauen gelobt, wies ihnen ihre Retterin
selbst die Stelle an, indem sie in einer Sommernacht Schnee vom
Himmel fallen ließ, welcher Platz und Umfang des Gotteshauses genau
bezeichnete. So entstand die Kirche alla Madonna della difesa.
In den Bildern des Gewölbes sind die kämpfenden Krieger dar-
gestellt. Am 19. Januar wird auch noch alle Jahre der Tag der
Rettung gefeiert."

5. Die Alpengewässer.

Ein charakteristischer Vorzug der Alpen ist die große Zahl und
Mannigfaltigkeit der Talbildungen. Wo sich dieselbe Gesteinschicht
hohl faltet, entstehen Muldentäler deren Seitenwände meist hoch
emporgebogen sind. Wo die kristallinischen Gesteine mit den geschichteten zusammenstoßen, bilden die Furchen Längenspaltentäler
oder Comben. Wird aber dieselbe Gesteinschicht quer durchrissen, so
entstehen Querspalten ler, oder Klusen mit symmetrischen Seiten-
wänden, die namentlich in dem kristallinischen Gestein schroff und
wild emporsteigen.

Die Täler weisen dem überschwenglichen Wasserreichtum den
Weg von der Höhe zur Tiefe hinab. Nur durch das Mittelmeer
getrennt, liegt nicht fern im Süden der heißeste und trockenste Erdteil,
Afrika; der von diesem ausströmende Gluthauch vermag auf seinem
Wege über das Meer eine große Menge Wasser als Dampf aufzunehmen. An den kalten Felsstirnen der Alpen kühlt er sich ab,
und die bisher unsichtbaren Dünste verwandeln sich nicht nur in
Wolken, sondern ergießen sich bei ihrer Überfülle auch zum Teil sofort
in reichlichen Regenströmen. Auch die weiten Eisfelder machen die
Alpen zu unerschöpflichen Wasserkammern: sie sind die Wassermagazine
in trockenen Sommern; denn je anhaltender die Hitze ist, desto reich-
licher entströmen ihren Eishallen die Bergwasser. Die in so reicher
Fülle dahinstürzenden Wasser, das Gießen und Fließen von allen
Wänden, aus allen Schluchten und Gründen hebt das Herz des

Alpenwanderers: es will ihn bedünken, ein einziges mächtiges Alpen-
wasser könnte alle Bäche und Flüßlein eines durstigen Mittelgebirges
überflüssig speisen.

Die Alpenregion ist die Geburtsstätte der Alpengewässer. Ihre
Wiegen sind aber sehr verschiedenartig. Bald entspinnen die jungen
Ströme sich aus Moorwiesen, bald entfließen sie kleinen Bergseeen
oder großen Gletschern; manchmal sind sie ursprünglich bloß zusammen-
gesickerte Felsenausschwitzungen, oder sie entsprudeln als reiche Quellen
dem Boden und bilden sofort ordentliche Bäche. Die den Gletschern
entströmenden Bäche sind bald von milchicht weißer, bald von grünlicher, schwärzlicher und grauer Färbung. Wo der Bach heraustritt,
da überwölbt ihn oft ein mächtiges Eisportal bis zu 20 und 30 m
hoch. Weiß und glänzend, in ihren Klüften und Tiefen vom schönsten,
ins Grüne spielenden Blau, versenkt sich die Eisgrotte tief in die Eingeweide des Gletschers, und schäumend und brausend drängt sich der
Bach aus jenen nächtigen Schatten hervor an das warme Sonnenlicht. An manchen Stellen bleibt zwischen Wasser und Eis ein
schmaler Pfad, um eine Strecke weit in den Hintergrund jener Grotte
einzudringen, und wahrlich ist es ein wunderbarer Anblick, hinauf-
zuschauen auf das düstere Blau der Decke, auf die wassertriefenden
Wände von Eis und nieder auf den unheimlich tobenden Fluß.
Andere Wasser laufen auf der Oberfläche der Gletscher hin, stürzen
schäumend herab und vereinigen sich mit den vorigen. Viele kommen
aus dem obern lockern Schnee her. Aller Orten rauscht es herab.
Schon ein wenig gesammelt, taumeln die Wasser auf scharf geneigte
verwitterte Granitblöcke, teilen sich und stürzen in vielen Strahlen, in
Schaum aufgelöst, in den Abgrund. Manche der Strahlen scheinen
sich fast zu verirren, ungewiß zu sein, wohin sie sich wenden wollen, und
sich vor der Tiefe zu fürchten, bis auch sie irgendwo seitwärts hinab
müssen. Wieder andere Wasser treten klar aus den tiefgrünen, blauen
oder wirklich grauen Hochseeen. Reichlich sind dieselben über die
untere Schnee- und die Alpenregion gestreut. Es sind nur ganz
kleine, gewöhnlich ovale Wasserschalen, meist mit höchst zerklüftetem
Felsenrande. Die obersten Wassersammler, die sich meistens von
großen Gletscherfeldern nähren und an ihrem Rande keinen Baum,
höchstens etliche magere Weiden-, Heckenkirschen-, Alpenrosen- und
Erlenbüsche nähren, oder auch ganz tot zwischen grauen Geschiebe-
revieren und Felsenwänden lagern, haben ein düsteres und tief ernstes
Ansehen. Manche haben, wenn sie ihre Nahrung unmittelbar von
den Gletschern empfangen, ganz weißes Wasser, und sind riesigen

Milchkübeln zu vergleichen. Gewöhnlich ohne alle Wellenbewegung stimmen sie zum Geiste der Felsenlandschaft. Kein Nachen hat sie je berührt, keine Seerose ihre Blätter auf dem Spiegel gewiegt; kein Fisch zieht durch die grünen Tiefen, kein Wasservogel, oft nicht einmal ein Frosch sitzt an den steinichten Ufern. Den größten Teil des Jahres deckt sie Schnee und Eis, und manches flachere Becken friert bis auf den Grund. Mühsam und langsam taut der Frühling oder Sommer sie auf, und kleine Eisfelder oder Blöcke schwimmen noch auf ihnen, wenn schon die Alpenrosenbüsche ihrer Felsen in fröhlicher Blüte stehen. Hin und wieder wirft noch eine späte Lawine haushohe Schneemassen in ihre Becken, oder ein später Frost überzieht die kaum geschmolzene Flut mit einer klaren, aus Krystallnadeln gewobenen Decke. Einige der höchstgelegenen Seeen sind der beim St. Bernhard-Hospiz, 2472 m, eine Viertelstunde im Umfange, nur wenige Monate, 1816 gar nicht aufgetaut. Und doch sprießen während des kurzen Sommers Veilchen an seinem Ufer. In seiner Nachbarschaft liegen die kleinen Seen des Col de la Fenêtre (2680 m), neben dem östlich vom Rawylpasse gelegenen kleinen Hochsee (2673 m) vielleicht die höchsten europäischen Wasserbecken, die oft jahrelang nicht auftauen. Eine große Anzahl der Hochseeen hat keinen sichtbaren Abfluß. Das Wasser fällt in einen oft durch schwach kreisende Wellenbewegung angedeuteten Trichter, arbeitet sich kürzere oder längere Strecken durch die Kanäle im Innern des Gebirges fort und springt oft erst in großer Entfernung wieder zu Tage. Manche Seeen haben auch keinen sichtbaren Zufluß und nähren sich von unterirdischen Quellen. Phantastische Sagen erzeugt das unheimliche Dunkel, das über ihren stillen Fluten schwebt.

Die obersten Talenden sind in der Regel ausgeweitete Wannen, die in sanfter Steigung rechts und links gegen die Schneeregion anstreben, während der Hintergrund entweder von vergletscherten Kuppen geschlossen ist, oder kaum merklich in ein anderes Hochtal übergeht. Im ganzen obern Alpenrevier bis zur Baumgrenze hin bieten sie einen ernsten, einförmigen Anblick, der indes durch das saftige Grün der Wiesen und das weidende Vieh im Sommer gemildert wird. Viele sind mit Felsen besäet. Die Wasserfälle sind noch nicht wasserreich, aber sehr zahlreich und oft außerordentlich kühn. In allen höheren Revieren sieht man diese schwankenden Schaumfäden an den Felsen hängen oder hört die jungen Bäche über die großen Stufen ihrer Schluchten hinunterplätschern. Der Charakter der Täler ändert

sich in der untern Alpenzone. Dunkle, uralte Wälder mit vielen ab=
gestorbenen Stämmen ziehen sich in den Bergflanken hin; schroffe,
turmhohe Zinnen stürzen unmittelbar in die Talsohle ab; über
Kalk= und Granitblöcke braust der Wildbach. Daher ist der Lauf der
Flüsse in der Alpenregion nur kurz; der Inn jedoch wird in ihr
zum starken Flusse.

Die Täler der Bergregion sind mannigfaltiger entwickelt und
bieten einen raschen Wechsel des landschaftlichen Charakters. Wenn
der Wanderer an dem öden Felsenbette eines schäumenden, grünlichen,
Bergwassers hingegangen, wo rechts und links von den steil ab=
stürzenden Alpenzinnen nur Geröllhalden, trockene Flußbetten, mit
spärlichen Büschen besetzt, und einzelne halbübermooste Felsblöcke zu
sehen sind, wenn der Weg immer steiler und rauher wird und die
Felsen immer enger zusammenrücken — plötzlich auf der Höhe des
Passes öffnet und weitet sich Himmel und Erde. Einem Idyll gleich
liegt das hellgrüne Tal mit dem dunkelgrünen See vor ihm. Wie
aus Ehrerbietung vor dem stillen Ernst der Landschaft sind rings im
Kreise die kahlen Pyramiden der Berge zurückgetreten. Dunkle Buchen=
und Tannenwälder reichen hin und wieder an das Wasser, das ihre
Bilder und die der Berge mit den einzelnen Schneefeldern dankbar
und klar nachzeichnet. Hinter dem See erhebt sich eine duftige
Mattenwelt mit leuchtendem Grün in leichten Übergängen an den
Alpen aufsteigend, die im Hintergrunde die Landschaft schließen. Diese
mittleren Seeen unterscheiden sich vielfach von den Hochseeen. Sie
sind fast nach allen Seiten hin malerisch und reizend geschmückt.
Ihre Färbung ist nicht beständig und nicht erklärt: oft sind sie tief
blau, oft dunkel=, oft hellgrün, oft trübe weißlich. Die Bergbewoh=
ner rühmen ihren Seeen gern eine unergründliche Tiefe nach und be=
leben diese, dem Zuge der Natur zum Geheimnisvollen und Wunder=
baren folgend, mit abenteuerlichen Fischgestalten. Von den Hängen
der nahen Felsenmauern brausen bald wilde Runsen in das Becken
des stillen Sees und ziehen weithin schmutziggelbe Streifen in die
Fluten; bald schwanken die flatternden Schleier dünner Wasserfälle
am Felsufer und rieseln dann als klare und stete Bäche farblos in
dem geebneten Wellenreich hin. Einzelne Hügelvorsprünge oder
felsige Fortsetzungen des Gebirgszuges ragen in die Beckenmündung
hinein und bilden verborgene, trauliche Buchten, seltener grüne
Inseln. Einzelne Hirten= oder Fischerwohnungen, manchmal kleine
Dörfer beleben das Gestade.

6*

Ein besonders malerisches Beispiel kann uns der Achensee sein. Die tiefblaue Farbe seines Wassers unterscheidet ihn von den meisten Mittelseen der Alpen, die in der Regel eine meergrüne Farbe haben. Sie deutet seine große Tiefe an. In ernster Feierlichkeit bauen sich die mächtigen Felswände auf, zwischen welche er, etwas über 1 km breit, eingesenkt liegt. Zumal im Hintergrunde der lachend-anmutigen Pertisau am westlichen Gestade erheben sich ernst-erhabene Felsgrate und weiterhin dann bis zum Stallner Joch, wo die Wände der Seekar- und Rabenspitze so steil in den See abfallen, daß selbst für den schmalsten Fußpfad kein Raum mehr bleibt. Aber auch am östlichen Ufer zieht unter den Abhängen des Unnütz und des Sonnenwendgebirges nur mühselig, oft in den See hineingebaut, die Straße nordwärts ins Inntal dahin.

Abb. 15. Die Pertisau am Achensee.

Die Bergzone der untern Staffeln ist die Region der reicheren Wasserfälle; häufig stürzen sich aus sekundären Quertälern kommende Bäche von einer Felswand herab in das tiefere Haupttal. „Sie sind in Formen, Farben und Tönen wahre Individualitäten, jeder mit ausgeprägter Eigentümlichkeit, eigenem Rauschen, eigentümlichen Dekorationen, Wassermassen, Beleuchtungen u. s. w. Der eine rauscht melancholisch dumpf in einer grottenartigen Vertiefung mit starkem Gewässer: er hat sich einen tiefen Kessel ausgefressen, den er halb ausfüllt und halb durchsägt für seinen Abfluß. Die untere

Hälfte des Falles trifft nie ein Sonnenstrahl. Während die obere in der glühenden Abendbeleuchtung wie ein goldener Lavastrom daherstürzt, strebt die untere mit grauen Nebelgebilden, die der eigene Luftzug phantastisch an dem Berge hinjagt, aus der triefenden Schlucht auf. Ein anderer Sturz ist tief im Fichtenwalde verborgen; plötzlich öffnet sich dieser, und über der breiten Felswand spannt der starke Bergbach zwei- oder dreiteilig seine feuchten Gewänder aus. Ein anderer Fall hängt ganz in der Luft, wie der Staubbach bei Lauterbrunn. Eine vorspringende Schieferplatte weist die daherstürzenden Gewässer weit über den Felsen hinaus. Die Wand ist hoch, der Bach kann seine Wellen nicht zusammenhalten; sie lösen sich in ein Netz von schimmernden Nebelperlen auf, das scheinbar mit Mühe den Boden erreicht, dort sich rasch sammelt und nach dem ungeheuren Sprunge, in dem er sich allen Lüften geopfert hat, wieder als ein munterer, kompakter Bach weiter geht. Von fern nehmen sich diese Staubbäche ganz geisterhaft aus, besonders des Nachts. Dann flattern sie gleich Offianischen Schatten unstät in ewig sich verändernden Formen, grauweiß mit hohlen, säuselnden Tönen am Felsen hin und her. Oft auch stürzen junge Ströme mit mutiger Kraft von Absatz zu Absatz die Felsenterrassen herunter; sie bilden zwei, drei und mehr einzelne Stürze, von denen jeder in Breite, Tiefe und Umgebung auch ein eignes Ganze ist, während sie in ihrem Zusammenhange ein bewundernswertes Schauspiel darstellen. Oft breitet sich der Sturz in ganzer Fülle vor dem Auge aus, oft verhüllt einen Teil der schwarze Tannenwald, oft ein vorspringender Fels, ein Busch; — keiner von den tausend Fällen gleicht dem andern."

Den Fuß des Gebirges schmückt ein Kranz von Seeen. Sie sind meist das Erzeugnis von Aushöhlungen, welche bei der Erhebung der Alpen durch den Andrang großer Wassermassen geschaffen wurden. Nicht selten ragen sie mit einem Ende in ein Klusental hinein und gewinnen dadurch neben der Anmut auch schroffe Großartigkeit der Uferbildung. Mit Recht hat man sie die Läuterungsbecken der Gewässer genannt. Wild tobend und bis dahin oft nur zerstörend, stürzt sich mit seinen geschiebereichen, unklaren Gewässern der Alpenstrom in den See, — in seiner Farbe geläutert und verklärt, in klarem Smaragdgrün, in seiner Eile gezügelt, gemäßigten Ganges, setzt er aus ihm heraus seinen Lauf fort.

Die Seeen sind die schönste Zier der unteren Alpenlandschaft. Nach seinen heimischen Seeen sehnt sich der Älpler in der Fremde vornehmlich, und der Bewohner der ferneren Ebene ist entzückt über

die Mannigfaltigkeit ihrer Ufer, an denen feierliche Hoheit mit lieblicher Heiterkeit, gigantische Wildheit mit idyllischem Frieden wechseln;
er staunt die Färbung an, die vom dunkelsten Blaugrün bis zum
durchsichtigsten, zartesten und tiefdunkelsten Blau spielt. „Es ist der
Kontrast der Form und Farbe, der flüssigen Ruhe und versteinerten Bewegung, den sie mit der Gebirgsmasse bilden. Indem nämlich zu ihnen
das leidenschaftliche, unruhige Element des Wassers, wie in übermütiger
Kraftfülle häufig die Alpenflüsse es zeigen, zur ebenmäßigsten und
anmutigsten Ruhe gelangt ist, bieten sie eine vollkommen ebene Fläche
mitten in der Zerklüftung, Aufstürmung, Überstürzung und finstern
Faltung der Berge ringsum. Im Gegensatze zu diesen, hier gewissermaßen dem Elemente der Unruhe und leidenschaftlichen Auf-
regung, gewähren sie der Seele den Dienst der Beruhigung und
paaren das Milde mit dem Rauhen. Und neben dieser Sanftmut
und Zartheit entfalten sie zugleich die Natur der Beweglichkeit und
Erregbarkeit, die allerdings auch bisweilen durch wilde Stürme bis
zu einem erschreckenden Grade gesteigert wird. Endlich übernimmt die
Natur in den Seeen gleichsam die Rolle der Maler und Akteure.
Sie zeigt uns feste Berge und Dörfer und Wolken in der Tiefe, wo
wir in der Tat nichts als Wasser finden."

An den niederen Seeen der Alpen herrscht mildes Klima; hier
schlägt der Frühling seine erste Stätte auf; hier grünt und blüht die
üppigste Vegetation. Sie waren daher schon in uralter Zeit die vornehmsten Sammelplätze der Bevölkerung, die beweglichen Straßen
wichtigen Handelsverkehrs, an denen blühende Städte aufwuchsen.
Aber auch die Seeen, wie die Alpen, die sich in ihnen spiegeln, sind
dem Gesetze der Vergänglichkeit unterworfen. Unablässig arbeiten die
Bergwasser daran, durch die Geröllmassen, welche sie hineinführen,
die Wassertiefen auszufüllen und den Abfluß tiefer auszusägen, bis
das Seebecken trocken liegt, ob auch Jahrhunderte darüber hingehen.

6. Vater Rhein in seinen Jugendtagen.

Der Rhein ist der höchstgeborene unter den deutschen Strömen.
An der nordöstlichen Wand der Gotthard-Gruppe, aus welcher der
Sixmadun und die Cima del Badus hervorragen, liegt zwischen steilen
Felsenwänden und öden Trümmerfeldern der kleine, dunkelgrün klare
Tomasee, 2352 m hoch, der durch drei Gletscherbäche gespeist wird.
Aus demselben fließt etwa in Meterbreite der Rhein von Toma
heraus, die oberste und stärkste Quelle des Vorderrheins. So-

gleich vergrößert links ein Seitenbach vom Crispalt, rechts einer vom
Cornera den neugebornen Rhein. Nach Nordosten gerichtet, gestärkt
durch andere Rheine, fließt er durch das 15 km lange Tavetscher
Tal. Vom Lucmanier strömt aus einem engen, „sehrohrähnlichen"
Tale, unweit des Fleckens und des Benediktinerklosters Dissentis, ihm
der Rhein von Medels zu, von den Fremden der Mittelrhein
genannt. Bis Jlanz, der ersten Rheinstadt, bleibt er einem mäch=
tigen Gletscherbache ähnlich, der sich über große Felsstücke schäumend
dahinwälzt.

40 km abwärts empfängt der junge, durchsichtig grüne Strom,
den nun schon sechzig Bäche vergrößert haben, unter der Brücke des
Dorfes Reichenau rechts den am Rheinwaldgletscher, 1870 m hoch
entspringenden Domleschger Rhein, der alle bisherigen Zuflüsse
bei weitem übertrifft und unter dem Namen Hinterrhein nicht
mit Unrecht als des Rheins eigentlicher Hauptquellstrom angesehen
wird. Seine Wassermasse ist bei normalem Stande zwar der des
Vorderrheins nicht überlegen, aber sein Stromsystem ist mehr ent=
wickelt. Von rechts gehen starke Wasser ihm zu: das Averser
Wasser vom Septimer und die durch den Oberhalbsteiner Rhein
vom Julier und das Davoser Landwasser verstärkte Albula. Ihr
gegenüber mündet auf dem linken Ufer die kleine, aber durch die oft
von ihr bewirkten Verheerungen schreckliche Nolla, ein „wütendes
Wässerle".

Der vereinigte, nun 54 m breite Rhein trägt Flöße und strömt
nordöstlich „mit girigem lauff" weiter, immer noch ein böses Wild=
wasser, das oft urplötzlich die Ufer übersteigt und die Matten weithin
mit Geröll überschüttet. Jetzt kurzweg „Rhein" geheißen, empfängt
er rechts bei Chur die Plessur, und ist nun imstande, Schiffe von
200—300 Ctr. Ladungsfähigkeit zu tragen.

Bei Chur macht der Rhein einen Winkel und setzt bis zum
Bodensee in nördliche Richtung um. Das 70 km lange Längental
wird zum Quertal, in Fortsetzung des Hinterrheintales, aber mit
breiter und ebener Sohle. Die ersten größeren Zuflüsse, die ihm in
der neuen Richtung zugehen, sind rechts die Landquart und links
bei Ragatz die wilde Tamina.

Zwischen dem Fläschberge rechts und dem Schollberge mit der
Hohen Wand links, unterhalb Meyenfeld und oberhalb Sargaus,
tritt der Strom in den zweiten Abschnitt seines obersten Beckens, in
das nördlich zum Bodensee gerichtete 50 km lange Quertal. Einst
hat er hier einen ganz andern Weg eingeschlagen. Da schlossen der
Rhätikon und die Kette der Kurfirsten den obersten Quellenkessel des

Rheins völlig zu, und der Rhein mußte sich nach Nordwesten wenden: er durchfloß den Wallen= und den Züricher See und strömte in der jetzigen Linmatfurche mit der Aare zusammen.

Das Gefäll des Rheins ist vom Durchbruch bis zum Bodensee gering, die Sohle des Tales eben und bis zu 14 km breit, mit Ackerfeldern, Wiesengründen und Sumpfflächen bedeckt. In breitem Bette fließend, bildet der Fluß, von niedrigen, mit Bäumen und Buschwerk bestandenen Ufern eingefaßt, nicht selten Werder und Kies= bänke. Gegen die Mündung hin, unterhalb Rheineck, das noch im 4. Jahrhundert n. Chr. an der Mündung selbst lag, erweitert sich das Tal zu 20 km. Die Menge zufließender Bäche, ein dichtes Netz von Gräben und Wasserläufen, bilden ein Delta, in dem das Geschiebe, das der Rhein mitbringt, fortwährend an der allmählichen Ausfüllung des Seebeckens arbeitet. Seit 1893 hat man den Rhein selbst fast in gerader Richtung in die Fußacher Bucht geleitet.

Links gestatten die dem Flusse nahen Glarner und Appenzeller Alpen nicht die Gestaltung größerer Wasserläufe. Von rechts kommt die bedeutende Jll, welche, wie die Landquart den südlichen, so den nördlichen Abfall des Rhätikon begleitet. Vor Zeiten hat aber die Jll nicht in den Rhein, sondern in den Bodensee gemündet, der bis an den Gebirgsgürtel von Sargans flutete.

Der Bodensee oder das Schwäbische Meer, der König der deutschen Seeen, 395 m über dem Meere, ist mit seinen Neben= seeen 540 qkm groß. Den leeren Seekessel zu füllen würde der Rhein 2 Jahre und 20 Tage gebrauchen. Der See besteht aus zwei Becken, deren größeres, in die Bucht von Überlingen auslaufend, 276 m Tiefe hat, während das kleinere Westbecken, der Untersee, nur 20 m tief ist.

Beginnt mit dem Juni Schnee und Eis auf den Hochgebirgen zu schmelzen, so steigt alsbald auch der See, manchmal in einem Tage um 32 cm, ja nicht selten erhebt er sich volle 3 m über seinen niedersten Wasserstand. Die niederen Uferränder werden dann weit= hin überschwemmt. Hören vom August an die Gletscher und Schnee= felder auf zu schmelzen, so fällt der See 3 m, denn die Zuflüsse sind nicht stark genug, um die tägliche Verdunstung zu ersetzen. So hat der See zwar keine tägliche, aber eine jährliche Flut und Ebbe. Selten und unregelmäßig ist die Erscheinung des Ruß ß, bei welchem das Wasser ohne erkennbare Ursache plötzlich anschwillt, ebenso schnell wieder sinkt und wieder in die Höhe steigt.

Diesen periodischen Veränderungen der Wassermenge geht eine

langsame allmähliche Abnahme der Wasserfülle zur Seite. Die einmündenden Flüsse führen immer mehr Gerölle und Geschiebe in den
See. Die Kalksteinflöße und Sandhügel am Seerande mit ihren
zahllosen Versteinerungen zeigen noch deutlich die ehemaligen Gestade
und beweisen, daß der See einst weit höher gestanden als jetzt. Seine
östlichen und südöstlichen Wasser drangen tief in das Innere der
Alpen ein.

Der blaßgrünliche oder bläuliche Wasserspiegel des Sees, der oft
vollkommen ruhig und eben sich ausbreitet, verändert sich bei dem
früh talaufwärts wehenden Ostwinde und dem nach Mittag talabwärts wehenden Unterwinde; in den größten Aufruhr jedoch gerät
der See, wenn der Föhn mit dem Nordwestwinde oder Ostwinde
kämpft. Dann wird das Wasser bis 6 m tief aufgewühlt; die
Wogen türmen sich hoch auf, kein Segelschiff wagt sich hinaus,
und wehe dem Nachen, der allzuweit von der Küste sich entfernt
hat. Selbst die Dampfschiffe müssen dann zuweilen die Fahrt
einstellen.

An ruhigeren Tagen jedoch ist der See durch Schiffe und Fahr=
zeuge reich belebt. Zahlreiche Dampfschiffe (seit 1824) vermitteln den
Verkehr, größere Segelschiffe und mächtige Trajektboote, die ganze
Eisenbahnzüge aufnehmen, den Warentransport, Fischer in kleinen
Kähnen schleppen, nicht ohne Unwillen über die Dampfer, welche das
schuppige Volk der Tiefe vertreiben sollen, ihre Netze; denn der See
hegt treffliche Fische: Grund= und Lachsforellen, Welse und be=
sonders die Blaufelchen, die, wie Heringe gesalzen und geräuchert,
als Gangfische in den Handel kommen. Nur selten hemmt der Winter
ganz den Verkehr. Der Untersee friert zwar fast jeden Winter zu, der
Obersee hat dagegen selten, seit dem Jahre 1259 elfmal, zum letzten=
mal 1880 eine zusammenhängende Eisdecke gezeigt. Am 2. Februar
1830 gingen zum letztenmal Menschen über das Eis, und am 3. trafen
39 Zentner Kaufmannsgüter auf fünf von Menschen gezogenen
Schlitten, von Fußach kommend, in Lindau ein. Im letztgenannten
Jahre feierten die Umwohner das Vorhandensein der Eisdecke als
ein Fest, das keiner zum zweitenmal erleben würde, und man fuhr
in Schlitten und Wagen zum Vergnügen über den See. Da nun
auch niemals ein zu niedriger Wasserstand die Schiffahrt hindert,
so hat der See von alters her einem bedeutenden Transporte von
Waren aus Osten nach Westen, aus den Donauländern nach der
Schweiz, aus Graubünden, Tirol und Italien rheinabwärts gedient.
Schon die Römer fanden hier Schiffe und hielten eine Flottille, und

im Mittelalter blühten Konstanz und Lindau als Handelsstädte.
Mit Augsburg und den Donaustädten sind sie gesunken; aber
mit den am See zusammentreffenden, ja den See umgürtenden
Schienenwegen gehen sie neuer Blüte entgegen.

Die Ufer des Sees sind an einigen Stellen steil, bei der Ein=
mündung des Rheins und der Stockach jedoch morastig. Meist um=
zieht den See sanft aufsteigendes Gelände, mit Obstgärten und
Rebenhügeln bedeckt.

Das nördliche flachere Gestade bietet schöne Blicke auf die den
südlichen und südöstlichen Ufern nicht fernen Alpen. Der Säntis
tritt vor allem imposant hervor. Mit Recht wird die Aussicht vom
Steindamm von Friedrichshafen gerühmt, vornehmlich „wenn der
Vollmond über den Arlberg hervorschwebt und sein sanftes Silber=
licht von Langenargen und den stummen Mauern des einst so belebten
Schlosses Montfort den See hinab die glitzernde Straße ziehen läßt.“
Noch viel herrlicher gestaltet sich der Blick von dem Dörfchen Berg
über Friedrichshafen; doch von Lindau aus betrachtet, erscheint die
Berggruppierung am großartigsten.

Auf dem pittoresken Vorsprunge des Pfändlers, 1060 m, wo
früher Schloß Pfannenberg gestanden, ist dem auf dieser Burg ge=
borenen heil. Gebhard 1723 ein Kirchlein errichtet. Er war 980
bis 996 Bischof von Konstanz und vornehmlich am 27. August
wird fleißig zu seinem Kirchlein gewallfahrtet. Von hier aus gesehen
entfaltet der Bodensee alles Schöne, was ihn vor den Schweizer
Seeen auszeichnet: die meerartige Weite — wie denn von hier aus
gesehen die Abendsonne im Meere unterzugehen scheint — die freie,
offene Aussicht des Landsees vereinigt mit der prachtvollen Berg=
scenerie, die am obern Teile des Sees großartig herantritt, aber
doch noch fern genug bleibt, um den Blick auf die mannigfaltigsten,
in Terrassen sich abstufenden Berggruppen nicht zu beschränken. Wie
eine Landkarte liegt der See ausgebreitet. Rechts schwimmt Lindau,
die Inselstadt, in der Flut, links fällt der Blick in die überraschende
Tiefe der Bregenzer Ache. Nach Süden gegen Feldkirch und Alt=
stetten dehnt sich die fruchtbare Aue mit zahlreichen Dörfern, deren
ganze Fläche einstmals Seespiegel war, während jetzt der Rhein nur
als ein silberglänzendes Band sich hindurchschlängelt.

Auch die Bodensee-Ansicht vom Friedbergischen Schlosse Heiligen=
berg ist mit Recht gefeiert und wird gewöhnlich aus den Fenstern
des großen Saales genossen. „Da erscheinen dem Blicke das uralte
Wasserburg, Langenargen mit dem Schlosse des Grafen von Mont=

fort, die schlanken Türme von Friedrichshafen, das getürmte Mörs=
burg, Überlingen, dann in dem tief landeinwärts eindringenden See=
busen die Burg Hohenfels und das sagenreiche Schloß Bodmann,

Abb. 10. Blick von Lindau auf den Bodensee.

links etwas mehr im Vordergrunde die alte Stadt Konstanz." Eine
wundervolle Alpenansicht schließt den Hintergrund.

Der Überlinger See, vom Untersee durch eine hügelige, 120

bis 240 m hohe Halbinsel getrennt, eine fünf Stunden lange und eine Stunde breite Seebucht, einem breiten Strome ähnlich, hat seinen Namen von der am nördlichen Ufer gelegenen alten Reichsstadt Überlingen. Ihn speisen mehrere Achen, vornehmlich die Stockach; ihn ziert da, wo er mit dem großen Seebecken zusammenfließt, die Perle des Bodensees, die deutsche isola bella, das reizende, ³/₄ Stunden im Umfang haltende badische Inselchen Mainau, durch eine 600 Schritt lange hölzerne Brücke mit dem Festlande verbunden. Früher gebot hier ein Komtur des Deutschen Ordens, und sein von gezirkeltem Gartenwerk umgebenes Schloß war wegen des

Abb. 17. Die Insel Mainau.

weinreichen Kellers und der schönen Aussicht auf den See, Mörsburg und die Appenzeller Alpen gefeiert; Kaiser Wilhelm I. pflegte hier oft Gast der großherzoglichen Familie zu sein.

Jahrhundertelang ist der Bodensee der Mittelpunkt des schwäbischen Landes gewesen, wo das geistige Leben Deutschlands in den kirchlichen Stiftungen, wie zu Konstanz, Reichenau, vornehmlich aber in dem unfern gelegenen St. Gallen, seinen eigentlichen Sitz hatte; wo sich zuerst die deutsche Sprache in dem oberdeutschen Dialekte entwickelte, und wo die Heimat zahlreicher Minnesänger zu suchen ist, durch welche das Zeitalter der Hohenstaufen verherrlicht wurde. Diesen See im Auge hat Gottfried von Straßburg gesungen: „Meiner Sünden, der sind meh, denn Wogen in dem Bodensee."

Von Lindau aus gesehen, scheint sich quer durch den See eine Rasenbrücke zu ziehen. Das ist das flache Ufer des Rheindelta, dort tritt der Rhein 65 m breit mit trüber Flut in den Bodensee; noch auf eine gute Strecke hin sind seine Wasser von den klaren Wellen des Sees zu unterscheiden. Der Bodensee ist das Läuterungsbecken des jungen Rhein, in dem er alles mitgebrachte Geröll absetzt. Schön grün und klar tritt der Fluß bei Konstanz aus dem See, um nach einstündigem Lauf unterhalb Gottlieben in ein zweites kleineres Seebecken einzutreten.

Der Untersee ist wie der Obersee von Südosten nach Nordwesten gestreckt, aber nur 14 km lang. Am Nordwestende streckt sich von Radolfzell in den See, der hier der Zellersee genannt wird, eine Zunge hinein; in der Richtung derselben südöstlich liegt die Insel Reichenau, die außer drei Dörfern auch die Gebäude der ehemaligen 724 vom heiligen Pirminius gestifteten Benediktiner-abtei trägt. Früher war sie ein freies Reichsstift, seit dem 16. Jahrhundert aber mit dem Hochstift Konstanz vereinigt. Das Stift rühmte sich, trotz Venedig, den Leib des heiligen Marcus zu besitzen. In ihm fand Kaiser Karl der Dicke seine letzte Zuflucht und sein Grab.

Der Untersee mit seiner geringen Tiefe und seinem oft seichten Wasserstande weiß nicht, ob er See oder Fluß ist; endlich entscheidet er sich dafür, gegen Südosten sich ausstreckend, wieder Fluß zu werden.

Bei Stein, das unter dem stattlichen alten Schlosse Hohenklingen sich lagert, ist der Rhein wieder ein 80 m breiter Fluß, und bei großer und gleichmäßiger Tiefe, bei ansehnlicher Breite und ruhiger Bewegung trägt er noch bis 20 km von Schaffhausen Schiffe von 2000 Zentner Last wie auf dem Bodensee. Aber nun wird's anders; der Fluß wird auf 90 km hin wieder zum wilden Bergwasser, das keine größeren Fahrzeuge leidet; denn dem bequemen Sichgehenlassen in erweitertem Seebecken folgt pressende Einengung und harte Arbeit. Es beginnt der Durchbruch durch den Schweizer Jura, der erste, den der Rhein zu bestehen hat. Gleich unterhalb Schaffhausen wird die Schiffahrt durch einen Kalkfelsendamm gehemmt, der bei niederm Wasserstande sichtbar hervorragt. Schon entwickelt sich durch die immer mehr sinkende Abdachung des felsigen Flußbettes jene kochende, wirbelnde und schäumende Bewegtheit des ungeduldig forteilenden Flusses. Aber gewaltiges Toben und Brausen aus der Ferne kündet Größeres an. Der Strom muß sich in ein enges Felsenbett zwängen lassen, aus dem zahllose Klippen emporstarren. Schauerlich tosend und mit starkem Falle schießt er der großen Katastrophe entgegen, von bis zum Städtchen Rheinfelden stehen wieder Felsenklippen im Strom. Man nennt die ganze Flußstrecke „im Gewild", und eine der bedeutendsten Stromschnellen „den Höllhacken". Bei Rheinfelden selbst liegt jener große Kalkblock im Flusse, auf dem einst die berühmte Burg „der Stein bei Rheinfelden" stand. „Darauf wird der Strom von den großen Steinen und hohen Felsen nicht mehr also vexieret, beginnt sich zu begütigen und lauffet ganz gelinde und mit großer Zufriedenheit bis nach Basel." 2104 m Gefälle hat er bis Basel überwunden: gemäßigten Laufes schwenkt er daher jetzt nach Norden um.

7. Aare, Reuß und Limmat.

Die Aare, der größte aller Nebenflüsse des obern Rheines, strömt im Herzen des Alpenlandes aus den starken Bächen des Oberaar-, Finsteraar- und Lauteraargletschers zusammen. Rasch gewinnt der junge Fluß eine bedeutende Stärke durch die Zuflüsse aus all den finstern Eistälern die er in wilder Eile durchströmt; dann geht er ruhig durch die trostlos öde Trümmersohle des Aarboden. Bis dahin nach Nordosten gerichtet, schwingt dem Grimselkessel gegenüber die Aare sich um und geht in ein nach Nordnordwesten gerichtetes Quertal, das Oberhasli und Unterhasli, über, in dem der Saumpfad nach der Grimsel heraufzieht. Durch eine Schluchtenwildnis stürzt die Aare über Felsenblöcke und polierte Granitmassen, bis sie wieder etwas beruhigt über die Alp Räterichsboden, einen trocken gelegten See, wie deren mehrere im Haslitale übereinander liegen, dahin fließt. Nach einer Stunde, von der Grimsel an gerechnet, erreicht der Fluß die Handeck, 1434 m, und bildet einen Fall, der nach dem der Tosa für den schönsten der Alpen gilt. Der schon starke Strom stürzt 85 m tief in eine Felsenschlucht; von links schießt ein Gletscherbach entgegen und sein fallender Strahl trifft im Kessel selbst mit dem Sturze der Aare zusammen, die noch eine Strecke lang sich durch die Felsen einen schmalen, schaurigen Spalt gerissen hat, in dem sie fast unterirdisch fortströmt. Dazu kommt großartige Gebirgsöde umher und ergreifende Natureinsamkeit.

Die Aare verläßt bald nach diesem mächtigen Sturze die Alpenregion, geht über Guttannen, nachdem sie den Kirchet, einen durchsetzenden Quersattel, in der finstern Schlauche durchwoschen, nach Meyringen, dem Hauptorte des im untern Teile mit schönen Wiesengründen geschmückten Hasli. Von beiden Talwänden stürzen schöne

Fälle. Den bedeutendsten bildet der Reichenbach, von der Faul=
hornkette, der den Abfluß des wunderbar klaren Rosenlaui=Gletschers
aufgenommen hat. Mit schöner Wasserfülle stürzt er in mehreren
Absätzen, jeder in eigentümlicher Form und Erscheinung, herab.

Am Ende des
Haslitales tritt die
Aare in den sehr tiefen
Brienzer See. Das
südwestliche Ufer ist
steil. Dort fällt der
vom Schwarzhorn und
Faulhorn kommende
Gießbach über vier=
zehn Stufen in Schaum
aufgelöst in den See.
Am südöstlichen Ende
des Sees mündet durch
einen künstlichen Kanal
die Lütschine. Die
Schwarze Lüt=
schine strömt aus
dem 15 km langen
und etwa 6 km breiten
Tale von Grindel=
wald, die Weiße
Lütschine aus dem
engen Tale von Lau=
terbrunnen, in das
mächtige Bergriesen
hinabschauen. Im Hin=
tergrunde desselben
stürzt rechts der
Schmadribach aus
dem Tschingelgletscher
herab und unweit des

Abb. 19. Der Staubbach bei Lauterbrunnen.

Hauptortes von der linken Seitenwand 265 m tief der berühmte
Staubbach (Pletschbach), der weiter oben schon ebenso tief
herabgefallen ist. „Der Wandrer sieht erstaunt am Himmel Ströme
fließen, Die aus den Wolken fliehn und sich in Wolken gießen.“

Zwei Stromarme bilden den herrlichen Wasserfall. Über die

senkrecht abfallende Felsenwand hinausspringend, vereinigen sie sich; in
schimmernden Regenstaub löst sich im Fallen das Wasser auf, das
milchweiß aus der Höhe herabbrängt; wie ein wallender Schleier
schwankt im Luftzuge, Regenbogen werfend, der weiche Nebel, bis er
unten in einem tiefen Wasserbecken sich wieder sammelt. Dieser Anblick war es, der Goethe zu dem Gesange der Geister über den
Wassern anregte. Man hört ein leises, zartes Säuseln, das von dem
duftigen, schimmernden Bilde herübertönt; ganz nimmt uns der
poetische Eindruck gefangen — wir mögen nicht glauben, daß auch
der lieblich-sanfte Staubbach seine bösen Tage hat, wo er, vom Hoch-
gewitter geschwellt, schwarzgrau gefärbt, entwurzelte Bäume und Felstrümmer aus der Höhe herabschleudert und zu einem wirren Walle
an dem Fuß der Felswand auftürmt.

Einst bildeten der Brienzer- und Thunersee ein Wasserbecken.
Jetzt ist der Isthmus von Alluvialboden, „das Bödeli", dazwischen,
eine überaus fruchtbare Strecke.

Hier lag vordem Kloster Interlaken (inter lacus); heute ist der
Ort mit seinen Reihen von Hotels und Pensionaten, seinen reizenden
Spaziergängen und Aussichtspunkten, vornehmlich auf die Jungfrau,
zu dem besuchtesten Kurorte der Schweiz geworden. Mit Interlaken
ist das unterhalb gelegene Unterseen schon zusammengewachsen.

Die Aare schleicht durch das Bödeli in einem schmalen, etwas
über eine Stunde langen Kanal in den Thunersee, welcher mit
seinem nordwestlichen Ende schon in die Voralpen hineinreicht. Eine
kleine Strecke vom See, zum Teil auf einer kleinen Insel der Aare,
liegt Thun, das dem See den Namen gab, ein uraltes Städtchen mit
lebhaftem Verkehr; darüber thront ein altes Schloß.

Der Fluß schlägt nunmehr bis zur Vereinigung mit der Saane,
die von Sanetsch her das Gsteigtal und das Saanetal durchströmt,
die Richtung nach Nordwesten ein. Das Tal ist jetzt sehr breit,
zum Teil sumpfig, von niederen Berghöhen begrenzt; unterhalb Bern
durchbricht der Fluß die letzten Voralpen und empfängt durch die
Zihl im Abfluß der westlichen Seengruppe des Jura.

Aber jetzt stellt sich ihrem Laufe der Jura entgegen; der Fluß
wird nach Nordosten gedrängt und begleitet nun das Gebirge bis zur
Mündung. Das Bett wird breit und inselreich; nur unterhalb Aarau
verengt sich das Tal noch einmal; dann wendet sich der Fluß nördlich und tritt in sein breites Mündungstal. Unterhalb des Dorfes
Koblenz ergießt er sich in den Rhein.

Auf dem linken Ufer der nordöstlichen Strecke strömen der Aare
nur unbedeutende Jurabäche zu, auf dem rechten aber mächtige
Alpenflüsse, welche ihr die Wasserschätze einer reichen Seeen-

Abb. 20. Am Vierwaldstätter See: der Urner See (nach H. Leubner).

gruppe zuführen. Die bedeutendsten derselben sind die in kurzem Abstand unweit Brugg mündenden Zwillingströme Reuß und Limmat. Die Reuß, einer der wildesten Alpenflüsse, fließt aus zwei Quellbächen zusammen. Der südliche entsteht aus dem Lucendro=See auf der Höhe des St. Gotthard, der westliche, die Urjeren=Reuß, strömt zwischen Mutthorn und Fibia herab durch ein Längental über Realp 1532 m. Beide vereinigen sich bei Hospenthal und strömen durch ein Quertal nach Norden zum Vierwaldstätter See. In ihrem Tale zieht sich die Gotthardsstraße aufwärts. Von rechts münden bei Andermatt der Oberalpbach und oberhalb Altdorf rechts der Schächen, dessen Wildheit zum Sprichwort geworden. In seinem Tale liegt Bürglen, das für das Geburtsdorf Tells gilt; seine angebliche Wohnstätte bezeichnet eine schon 1522 erbaute Kapelle.

Erst 7 km von dem See öffnet sich das Reußtal, die Felshänge entfernen sich von dem ruhig fließenden Wasser, das sich über eine fast 1 km breite, fruchtbare Talsohle dem See zuwendet.

Der Vierwaldstätter See hat eine durchaus unregelmäßige Gestalt, da in ihm ein Klusen= oder Rundtal mit einem Comben= oder Quertal zusammentrifft, während sein nördliches Ende ein Auswaschungssee ist. Daher der so überaus mannigfaltige Reiz seiner Ufer. Wir gehen in Flüelen zu Schiffe. Hier inmitten der Urkantone ist der Hauptschauplatz der Tellsage. Am Mythensteine lesen wir die Inschrift: „Dem Sänger Tells F. Schiller die Urkantone 1859."

Von Flüelen kommen wir an den 260 m tiefen Urner See, den man auch den obern nennen mag. Die Ufer tragen den Charakter wilder Erhabenheit: Felsenwände senken sich jähtrotzig in die Tiefe.

..... Wenn der Sturm
In dieser Wasserkluft sich verfangen,
Dann rast er um sich mit des Raubtiers Angst,
Das an des Gitters Eisenstäbe schlägt!
Die Pforte sucht er heulend sich vergebens:
Denn ringsum schränken ihn die Felsen ein,
Die himmelhoch den engen Paß vermauern.

Rechts liegt der Axenberg und die Tellenplatte, ein Felsenriff, „das abgeplattet vorspringt in den See". Da war es, wo Tell sich hinaufschwang aus Geßlers Schiffe und mit gewaltigem Fußstoß das Schifflein hinter sich in den Schlund der Wasser zurückschleuderte. Jetzt steht auf der Platte eine Kapelle, in der jährlich einmal Gottesdienst gehalten wird. Hoch darüber am See entlang führt die Axenstraße. 1863 und 1864 zum Anschlusse an die St. Gotthardsstraße erbaut, zieht sie sich unter dem Frohnalpstock dahin. Ihre interessanteste Stelle ist der Tunnel am Axeneck. Denn hier senkrecht über

7*

dem See in den Felsen eingesprengt, bietet sie fort und fort aus den
weiten Öffnungen ihrer Galerieen die herrlichsten Ausblicke auf den
See in der Tiefe und auf die malerischen, schroffen Felswände des
westlichen Ufers, welche ihren Fuß in der dunkelgrünen Flut baden,
während tief unter uns die St. Gotthardbahn dahinzieht.

Weiterhin erhebt sich auf dieser Seite der Seelisberg, an dessen
Abhange, 213 m über dem See, das bekannte Grütli oder Rütli
liegt, „eine Matte heimlich im Gehölz," auf dem 1307 der Schweizer-
bund beschworen wurde. Gegenüber ist Brunnen, „wo die Kauf-

Abb. 21.　Die Axenstraße.

mannsschiffe landen," mit lebhaftem Handel und Verkehr. 1315 wurde
hier der erste Bund geschlossen; das Bild der drei Männer, die für
ihre Kantone ihn abschlossen, prangt uns riesengroß von einer Haus-
wand entgegen. Man sieht in das Muottatal hinauf und Schwyz
unter seinen Zwillingshörnern liegen.

Jetzt werden die Ufer niedriger. Rechts an den See geklemmt,
winkt unter Kastanien- und Obsthainen das stattlich-freundliche Gersau,
bis 1798 ein Duodez-Freistaat. Links zeigen sich in Unterwalden
die Orte Beckenried und Buochs.

Die Ufer nähern sich in den „Nasen", zwei Bergvorsprüngen,
durch die der See stromartig eingeengt erscheint. Hindurch segeln wir
in den „Kreuztrichter", der aus vier ziemlich gleich langen Armen be-

steht. Wir haben nun zur Rechten den Abhang des Rigi, dessen Gipfel den Blicken sich entzieht. An seinem Fuße liegen Vitznau mit dem Bahnhof der Rigibahn und Weggis; links tut sich der Querbalken des Stanser Sees auf, mit Stansstad, dem Hafen des Unterwaldner Hauptfleckens Stans. Eine schmale Straße führt in den fast ganz abgeschlossenen Alpnacher See, an dessen Ufer sich der 870 m hohe Roßberg oder Rozberg, auf dem „der Landenberger" saß, erhebt. Der gezackte Pilatus, zu dem seit d. J. 1888 eine Zahnradbahn mit streckenweise 48 % Steigung emporführt, schaut aus den Nebelwolken, die wie ein Hut sein Haupt umschweben, zu uns herüber.

Abb. 22. Luzern.

Rechts öffnet sich der Querbalken des Sees von Küßnacht. Das Standbild Tells auf dem Brunnen verkündet neue dem Schweizer heilige Stätten. Eine Viertelstunde von dem Flecken stößt man auf Trümmer, die für Überreste der Burg Geßlers gelten. Von Immensee am Zuger See führt kein andrer Weg nach Küßnacht als die „hohle Gasse". Aber nichts enttäuscht den Reisenden mehr als sie. Statt einer von hohen Felswänden eingezwängten Gasse finden wir einen etwas eingeschnittenen Landweg, von Gebüschen eingefaßt. Eine Kapelle bezeichnet die Stelle, wo der Schuß Tells soll gefallen sein.

Die nordwestliche Bucht dagegen führt uns bald nach Luzern. Anmutig wie wenige Schweizer Städte liegt die Stadt. In großem Bogen umzieht eine Reihe kühn gestalteter Vorberge die nördlichen Seearme; und im Vordergrunde breitet sich der herrliche See aus, dem hier durchsichtig grün die Reuß entströmt. Kräftigen Laufes durchschneidet die rasche Tochter des Hochgebirges die niedrigen Höhen der Voralpen und empfängt noch manchen bedeutenden Zufluß, bevor sie in die Aare sich ergießt.

Die Limmat erinnert mit ihren zwei nicht weit voneinander entfernten Seeen an die Aare, Linth genannt, entspringt sie am Tödi, durchfließt nördlich gerichtet ein Quertal der Glarner Alpen, in dem sie auf einem Laufe von 7 km 1000 m Gefäll überwindet, und mündet in den Wallensee.

Der Walen= oder Wallenstädter See gilt nächst dem Urnersee für den wildesten und imposantesten der ganzen Gebirgsschweiz, aber bei Sturm auch für den gefährlichsten. Gegen Norden schließen ihn die Kurfirsten ein, gegen Süden die Glarner Alpen. Jäh stürzen auf beiden Seiten seine Ufer in die Tiefen des lauchgrünen Wassers; nur an den Enden verlaufen sie flach ins Land. Ein furchtbar wütender Sturm, der zeitweise unangekündigt über die Kurfirsten hereinbricht, und durch die einbohrende Gewalt seines Luftdruckes die Wellen in wilder Brandung an die unwirtlichen Felsenwände schleudert, ist der sogenannte Bätlifer. Jetzt zieht eine Eisenbahn mit zahlreichen Tunnels und Galerieen, oft in den Felsen eingehauen, oft auf Strebemauern in den See gebaut, längs des südlichen Ufers dahin.

Menschenkunst hat in dieser Gegend, dem alten Bette des Rheins, die Wasserläufe geändert. Die Linth mündete 2 km unterhalb Weesen in den alten Abfluß des Walensees, die Maag, und verwandelte mit ihr das weite Gelände in einen großen Sumpf. Diese große öde Fläche, weder See noch Land, war von Modergeruch und Froschgeschrei erfüllt, die Dörfer voll Fieberkranker, die Orte im Frühjahr Pfuhle voll Morast und Wasser, in deren Straßen man mit Kähnen umherfuhr. Auf Eschers „von der Linth" Vorschlag wurde indes 1807 bis 1822 die Linth mit ihrem Geschiebe in den Wallensee geleitet und der ganze Linthlauf vom Wallen= bis zum Züricher See tiefer gelegt, was zur Folge hatte, daß 300 qkm Landes entsumpft und für den Pflug gewonnen wurden.

Der 3—4 km breite, aber zehnmal so lange Züricher See macht den Eindruck eines Stromes. An der schmalsten Stelle liegt malerisch die alte Stadt Rapperswyl. Hier führt seit 1878 der 931 m lange „Seedamm" mit einer 14 m langen eisernen Drehbrücke über den See. Die Strecke östlich von Rapperswyl heißt der Obersee, jene von Rapperswyl nach Zürich der Untersee. Im Untersee liegen die

Inseln Ufnau mit dem Grabe Ulrichs von Hutten und Lützelau. Die sanft ansteigenden Ufer sind mit Häusern und Ortschaften übersäet; fast scheint eine zusammenhängende Stadt den See zu umschließen. Dampfschiffe fahren täglich an beiden Ufern; auch die Nachen= schiffahrt ist auf keinem anderen Schweizersee so lebhaft. Schon Klopstock pries in seiner Ode: „Schön ist, Mutter Natur, deiner Erfindung Pracht" den Zürcher See, und mit Recht bemerkt Börne: „Was Schiller im Tell sagt: Es lächelt der See, das lernt man erst verstehen, wenn man den Zürich=See gesehen."

Bei Zürich tritt kristallhell der Fluß, der jetzt erst L i m m a t heißt, aus dem See, empfängt bald darauf links die S i h l und wendet sich dann nordwestlich zur ansehnlicheren A a r e.

Abb. 23. Die Habsburg.

Die Stelle, wo Aare, Reuß und Limmat zusammenfließen, ist ein wichtiges geschichtliches Zentrum für Verteidigung und Angriff, für Handel und Verkehr, für Herrschaft über die Umgegend. Darum legten einst hier zwischen Reuß und Aare die Römer Vindonissa als Standquartier einer römischen Legion an, von dem Spuren bei dem Dorfe Windisch noch vorhanden sind.

Hier steht auch, nur 2 km von Schinznach entfernt, 514 m über dem Meere, auf dem waldbedeckten Wülpelsberge die H a b s = b u r g, das Stammschloß des hochberühmten Herrscherhauses der Habsburger. Zwar, nur hier und da nachgebessert, macht der Bau fast mehr den Eindruck einer Ruine als eines Schlosses. Die Turmmauern sind 2½ m dick, aus wenig behauenen Steinen auf=

geführt und vielfach dicht von Efeu umwuchert. Doch sind im mittleren Teile noch einige alte Zimmer erhalten, in denen einst Graf Rudolf gewohnt haben soll, bis ihn die Wahl der Kurfürsten auf den deutschen Königsthron berief. Der Rundblick, den er von seiner Burg hatte, ist anziehend und weit reichend, so daß er unwillkürlich die Gedanken in die Ferne lockt. In der Tiefe liegt da das Kloster Königsfelden, weiterhin das Birsfeld, auf dem einst Cäsar die Helvetier besiegte, und das feste Römerlager Vindonissa; aber nach Süden umzieht wie eine Schranke die Alpenkette von St. Gallen bis nach Savoyen das Gesichtsfeld, die sinnenden Gedanken nach Norden gen Deutschland verweisend.

8. Die Straßen und Pässe der Alpen.

Die Wegsamkeit der Alpen ist ein großer Vorzug, den das Ge- birge seiner besonderen Bauart verdankt. Stets sucht der Verkehr, wie das fließende Wasser, seinen Weg durch die tiefsten Stellen zu nehmen: es sind zumal die Klusentäler, welche das Gebirge auf- schließen. Aber zur Verbindung mit dem jenseits der Höhen gelegenen Lande dienen auch die Gletscher. So führen zwischen der Gemmi und Grimsel vom Berner Oberland nach Wallis, zwischen dem Bernhard und Simplon aus Wallis nach Piemont, zwischen dem Breuner und den Radstädter Tauern aus dem Pinzgau nach dem Pusterthale zahlreiche, im Sommer vielbetretene Gletscherpässe. Jedoch gehören diese Wege entweder als Fußwege bloß dem örtlichen Verkehr zwischen den Gebirgsbewohnern, oder sie sind Pirschwege der Gemsjäger und Kristallsucher oder endlich Pfade, auf denen die Herden emporsteigen, das Vieh zum Verkauf getrieben wird, das Saumtier seine Waren trägt (Saumwege). Anders verhält es sich dagegen mit den wenig zahlreichen Alpenübergängen, welche durch besonders markierte Ein- sattelungen des Hauptrückens in einem direkten, zu jeder Zeit gang- baren Wege von dem diesseitigen Kulturlande hinüberführen in das jenseitige. Es ist ihnen gemeinsam, daß sie bloß eine Mauer der Alpenkette zu überwinden haben. Das Gebirge ist gleichsam zu- sammengeschnürt, und die Kulturentwickelungen beider Seiten treten eben darum an diesen Stellen besonders nahe an den Gebirgskörper heran. Allein eben weil hier das Gebirge als Mauer emporsteigt, nicht als mehrfach gestufter Wall, eben darum drängen sich hier auch alle Gebirgsschrecken nicht nur auf kürzestem Raum, sondern gleichsam in verbündeter Feindschaft ihrer Gewalten zusammen.

Ein Umschleichen und Vermeiden des Widerstandes der elementaren Mächte ist hier unmöglich. Menschengeist und Menschenwitz muß die Herausforderung der widerstrebenden Naturgewalten annehmen. Wahre Wunderwerke hat die Menschenkraft in diesen breitgebahnten, glatt-geebneten Weltpässen geschaffen und weiß durch stets bessernde Sorgfalt sie trotz des Widerstreites der Naturmächte auch zu erhalten. So riß am 27. August 1834 die kleine Lira auf mehrere Weg-stunden die gesamte Splügenstraße mit allen kunstreichen Bauten voll-ständig fort, so daß sie nach einem völlig veränderten Plane ganz neu gebaut werden mußte. Gleiches geschah im Jahre 1839 mit dem südlichen Teile der Simplonstraße.

Eine Alpenstraße zeigt so deutlich wie kein anderes Menschen-werk den dauernden Kampf des Geistes mit der Natur. Am roman-tischsten ist die Straße über den Splügen, berühmter jedoch die-jenige über den Großen St. Bernhard. Die erstere, 1821 voll-endet, beginnt in weiter Senke bei Thusis am Hinterrhein, 709 m hoch. Den mächtigen Gebirgswall, der sich hier vorschiebt, hat der Rhein in einer gewaltigen Spalte durchsägt. Am Eingange der Schlucht stehen die Ruinen der Burg Hohen-Rätien oder Realt (Hoch-Rialt), der ältesten Burg der Schweiz. Nur gewandte Fußgänger konnten ehemals neben dem Rheine fortkommen; der Hauptstraßenzug führte über die Höhen. Die Warenzüge des Mittelalters, die Pilger und Kreuzfahrer, die nach dem Süden zogen, die deutschen Kaiser auf ihren Römerzügen mußten sich hier bei Thusis an den schroffen Bergwänden erheben, um über den ungeheuren Felsenriegel hinweg zu den oberen Tälern zu gelangen. Man nannte dies den „guten Weg"; den Gemsjägersteig aber unten im Tale fort durch das Bohrloch des Rheins den „schlechten Weg", und den ganzen Spalt selbst, der fast gar nicht benutzt werden konnte, das „verlorene Loch". Allmählich jedoch stieg der Verkehr in die Tiefe hinab. Im Laufe von Jahrhunderten wurden wiederholt Versuche angestellt, einzelne Teile des Talbodens wegbar zu machen, doch blieb bis 1818 die Straße ein Saumpfad. Seit 1821 zieht eine wundervolle Straße durch, die, so gut sie ist, doch innerhalb der schlimmsten Strecke den Namen Via mala beibehielt. Es ist unmöglich gewesen, mit der Straße so weit in die Tiefe hinabzugehen, wie der Fluß selbst. Sie schlängelt sich daher in der Mitte der Höhe der Schlucht längs der Wände des Spaltes hin. Bald hängt sie sich auf dieser, bald auf jener Seite des Flusses an, bald setzt sie auf wundervollen Brücken über den Abgrund, bald gräbt sie sich durch Felsenriegel, Tore und

Höhlengänge, bald tritt sie auf Vorsprünge und Absätze frei hinaus, bald schwebt sie auf künstlichen Mauergewölben am Abhange. Der grüne Rhein ist über 100 m tiefer in dämmernder Tiefe versteckt. Zuweilen sieht man frei auf seine schäumende Oberfläche hinab. Zuweilen aber kann man selbst von den Brücken herab zwischen all den vortretenden Felsenköpfen, die sich von beiden Seiten her ineinander verzahnen, nur ein grünes oder weißes Streifchen von ihm erkennen. Man fährt nahe an zwei Stunden aufwärts, bis dann auf einmal der Rhein sich aus der Tiefe wieder hervorhebt, die Schlucht sich rechts und links erweitert und ein flacher Talboden sich ausbreitet, auf dem man bequem hineinrollt in das weidenreiche Schamser Tal (Andeer, der Hauptort, 949 m.) Der eine Stunde lange Paß der Roflen, durch den man aus dem Schams ins Rheinwaldthal hinauf= geht, ist, der Via mala ähnlich, ein Gebirgsdurchbruch von einer Tal= stufe zur andern. Der Rhein setzt zuweilen in schönen Kaskaden, zu= weilen in tiefen Klüften schäumend, zuweilen ungesehen, doch überall gehört, hindurch. Zuletzt kommt man durch ein Felsentor, Sasaplana genannt, und schreitet dann endlich wieder in einem oberen Tale fort, dem alten Tale der „Freien am Rheyn“. So nannten sich die deutschen Bewohner dieses alleräußersten Rheintales, des sogenannten Rheinwaldes. Sie wohnen bis zu den Quellen des Rheins, bis zum Hinterrheingletscher hinauf; ihr Hauptort ist Splügen. Sie wollen von einer uralten Kolonie Deutscher abstammen, welche Kaiser Friedrich der Rotbart hier am Splügen als treue Wächter des Passes ange= siedelt, in ihren Dörfern Splügen, Megels, Hinterrhein u. s. w. rund= um durch romantische Täler von den übrigen Deutschen gesondert. Von dem Dorfe Splügen, 1449 m, wo sich die Wege über den Bernhardin und den Splügen teilen, führt in lang sich streckendem Zickzack durch öde Täler und Felswüsteneien, mitten zwischen hoch= getürmten Berggipfeln die Straße allmählich auf die Höhe des Passes selbst (2116 m), der 1160 m unter dem steilen Tambo= oder Schnee= horn liegt.

Auf der Südseite sind die Scenerien noch wilder, die Täler tiefer ausgegraben, die Bergwände länger, die Klüfte und Spalten jäher, die Straßenbauten daher auch schwieriger und erstaunlicher. Die Natur hat vom Splügen herab einen tiefen Schlund ausgehöhlt, den sogenannten Cardinel, der auf dem kürzesten Wege ins Tal führt. Statt aber, wie bei der Via mala, in diesen Schlund hinab= zusteigen, hat man vorgezogen, die Straße über die Berge zu führen und erst später in das mit ungeheuren Gneistrümmern übersäete Tal

Abb. 24. Die Via mala.

Glacomo hinabzugehen. Durch eine Reihe von Galerieen, auf allerlei künstlichen Unterbauten, Gewölben und Brücken, auf zahllosen Zickzackwegen, die überall mit Brustmauern geschützt und garniert sind, rollt man von einer Stufe der östlichen Talwand zur andern hinab. Der Madesimo stürzt 230 m tief ins Tal. Bei jeder Wendung fürchtet man, geradezu in unermeßliche Abgründe hinabzuschießen, und bei jeder Wendung erhält man von neuem die Zuversicht, daß man ohne Gefahr und ganz bequem hier schreiten, traben, galoppieren kann, wie in einer Reitbahn. Man sieht die kühne Linie auf einer Reihe übereinander getürmter Terrassen fast zehnmal verschwinden und zehnmal wieder erscheinen. Auch oberwärts sieht man Bruchstücke der Straße mit den durchfahrenen Galerieen an den Bergen sich hinziehen. Bei Campo Dolcino unten ist alles italienisch, die Menschen, die Bauart der Häuser, die Bäume und Pflanzen. Italien stößt hier dichter mit Deutschland zusammen als an anderen Alpenpunkten, wo eine Art Mischung zwischen deutscher und italienischer Wirtschaft, deutschen und italienischen Sitten zwischen beiden Ländern stattfindet. Jetzt erweitert sich das Tal, und da, wo das Jakobstal seine Gewässer der aus dem Bergell hervorrauschenden Maira zusendet, liegt, 332 m hoch, das erste italienische Städtchen, das seine Erbauer mit Recht als einen Schlüssel zu jenen beiden Tälern betrachteten, und es darum Kläven oder Chiavenna, d. i. Schlüsselburg, nannten. —

In den westlichen Alpen ist von allen Pässen im Altertum bis weit ins Mittelalter keiner häufiger benutzt worden, als die Straße über den Großen St. Bernhard. Schon die Römer kannten sie und bauten dem Jupiter Penninus auf der Paßhöhe einen Tempel; vielleicht war die Straße damals weniger rauh und vergletschert als jetzt. Bis in die neueste Zeit hinein bildete zwischen dem Ende des fahrbaren Talweges in der Schweiz bei Cantine de Proz und seinem Wiederbeginn auf der piemontesischen Seite bei St. Remy ein Saumpfad von mehreren Stunden Länge die einzige Verbindung, jährlich von mehr als 20 000 Wanderern betreten. Da nun von beiden Seiten her auch die letzten Dörfer verhältnismäßig weit in der Tiefe zurückbleiben, so würde überhaupt die Passage, außer etwa in den drei Monaten des Hochsommers, fast nur in Karawanen möglich gewesen sein, wenn nicht die christliche Menschenliebe ein Hospiz auf der Paßhöhe begründet hätte. Schon in der Mitte des 9. Jahrhunderts gedenken die Annalen der Bischöfe von Lausanne eines Klosters auf dem St. Bernhard, dessen Gründung Karl dem Großen oder Ludwig dem Frommen zugeschrieben wird. Indessen wurde es vom Kaiser Arnulf verwüstet. Im Jahre 962 stiftete St. Bernhard von Menthon

(† 1008) ein neues Hospiz, das durch vierlerlei Schenkungen zu be=
trächtlichem Grundbesitz gelangte. Zweimal durch Feuersbrünste zer=
stört, erstand es in seinem heutigen Umfange erst um die Mitte des
16. Jahrhunderts. Heute verbindet eine im Jahre 1904 vollendete
Poststraße Bourg St. Pierre mit St. Remy, die natürlich den früher
so gefürchteten Übergang ungemein erleichtert hat.

Aus dem Wallis kommend, steigt man die Drance, das Val
d'Entremont hinauf bis zur Paßhöhe. Neben dem Hospiz steht die
jetzt vermauerte Totenkapelle, in welcher die Leichname der Ver=
unglückten beigesetzt wurden. Umhängt mit den Kleidern, welche sie
trugen, damit etwaige Bekannte oder Anverwandte die Namenlosen
eher erkennen konnten, sind sie dort aufbewahrt. Die kalte Trockenheit
der Luft verhinderte ihre Verwesung; aber sie schrumpften mumien=
artig zusammen. Das alte Hospiz, ein dreistöckiger schwerer Stein=
bau, liegt in einem engen Felsenkessel noch auf wallisischem Gebiet,
2472 m hoch, so daß seine mittlere Jahrestemperatur — 1° C. der=
jenigen des Südkaps von Spitzbergen gleichkommt. Das Erdgeschoß
ist ganz von Ställen und Vorratskammern eingenommen. Im ersten
Stock leuchtet von dem mächtigen Herde der Küche im Sommer wie
im Winter, bei Tag wie bei Nacht, ein helles Feuer, um welches
ebenso ununterbrochen Wanderer der verschiedensten Nationen grup=
piert sind, meist Arbeiter, welche die Gastfreundschaft des Hospizes
in Anspruch nehmen. Die Bewirtung wird den Dürftigen ohne jede
Entschädigung gewährt; selbst von zahlungsfähigen Reisenden wird
durchaus keine Bezahlung angenommen. Für diejenigen, die zu den
Mitteln beizutragen wünschen, welche dem Kloster so großartige Gast=
lichkeit möglich machen, steht in der Kirche ein verschlossener Opfer=
stock. In dem oberen Stockwerk des Hospizes befinden sich die Zimmer
der Augustiner=Chorherren und Betten für die Reisenden. Im Not=
falle — und dieser tritt unter den hiesigen Verhältnissen nicht gar zu
selten ein — können jedoch die Räume des alten Hospizes allein bis zu
400 Menschen beherbergen. Neben dem alten Hospiz und mit diesem
durch einen bedeckten Gang verbunden, erhebt sich das neue ‚Gasthaus‘,
das 200 Reisenden Unterkunft gewährt. 25000 Reisende werden hier
jetzt alljährlich beherbergt, von denen kaum 2000 etwas bezahlen.

Aber nicht auf dieses Herbergen im sicheren Gelaß beschränkt
sich die Liebestätigkeit der Mönche. An den Straßenkehren sind
Schutzhütten errichtet, die mit dem Hospiz telephonisch verbunden sind
und dem erschöpften Wanderer ermöglichen, Hilfe vom Kloster
zu erbitten. Außerdem gehen bei Schneestürmen dienende Kloster=
brüder, von Hunden begleitet, über die gefährlichsten Stellen des

Passes vom Hospiz bis zu den untersten Sennhütten, und ebenso je
zwei von da herauf. Bei Unwettern und Lawinenbrüchen wird die
Zahl der Sucher, sowie die der Streifzüge vervielfältigt; Rettungs-
instrumente und Erfrischungen werden mitgenommen. Auch die eigentlichen Chorherren, deren 10—12 das Hospiz besorgen, sind von
diesem gefährlichen Dienste nicht befreit. So überleben denn auch die
wenigsten von ihnen, obgleich sie als Zwanziger einzutreten pflegen,
die auf 15 Jahre übernommene Verpflichtung zu diesem menschen-
freundlichen Dienste. Wer nicht im Hilfsdienste selbst, auf dem ehren-
vollsten Felde der Ehre bleibt, den rafft gewöhnlich das Übermaß der
Anstrengungen und die Rauheit des Klimas dahin. Denn wenn solche
Streifzüge bei Unwettern stattfinden, dann wird jede verdächtige Spur
ohne Rücksicht auf eigene Gefahr verfolgt; stets ertönen Signale,
damit der Gefährdete oder Verirrte die menschliche Nähe vernehme
und anrufe; die Hunde, welche Menschen auf halbstündige Entfernung wittern sollen, werden sorgsam beobachtet. Oft streichen diese
jedoch auch ohne menschliche Führung durch alle Pfade und Schluchten
des Gebirges. Sobald sie die Spur eines Erstarrten oder Ver-
schütteten entdecken, rennen sie eiligst nach dem Hospiz zurück, bellen
die stets marsch- und bissbereiten Mönche heraus und leiten sie nach
der Unglücksstelle. Auch die Tierwelt scheint in dieser Eisregion für
den Dienst der Liebe gewonnen. Die alte Rasse der St. Gotthards-
hunde, welche dadurch entstanden war, daß ein neapolitanischer Graf
Mazzini eine dänische Dogge aus dem hohen Norden mit wallisischen
Schäferhunden gekreuzt hatte, ist wieder ausgestorben. Der berühmteste
des Geschlechts, Barry, der Retter von mehr als 40 Menschenleben, wird ausgestopft im Nationalmuseum zu Bern aufbewahrt.
Die heutigen Bernhardsdoggen, den alten im Äußern wie in ihren
Eigenschaften nahe verwandt, sind groß von Gestalt, starkknochig, mit
breiter Brust und kurzer, gewaltiger Schnauze, flughaarig, rauh, mit
langem Behang, von außerordentlicher Feinheit aller Sinne, unermüd-
lich, unwandelbar treu.

Auf einem kleinen Plan unter dem Hospiz, der im Hochsommer
sich mit Rosen und Veilchen mit sprossender Blüte überzieht, soll der
Tempel des Jupiter gestanden haben. Dann folgt ein öder Engpaß,
am Ende ein Zufluchtshaus, dann eine schöne, dem Hospiz gehörige
Alpenwiese, und nun geht es auf dem auch hier viel steileren Südabhange rasch hinunter in das Tal von Aosta.

Eine Alpenfahrt nach Italien galt lange als überaus gefährlich.
Haller, der Alpendichter, warnte: „Über die Alpen geht kein Rad!"

Bis zu Napoleons Zeit gab es nur zwei über niedrige Pässe der östlichen Alpen führende Straßen, die zur Not für Fuhrwerk brauchbar waren, über den Brenner und über den Semmering, von denen der letztere überdies erst seit 1726 fahrbar war. Auf allen anderen Alpenpässen mußten

Abb. 25. Unterfahrung der Fella (Tauernbahn). Nach C. Hehn.

die Wagen der Reisenden am Fuße der Paßhöhen auseinander genommen und stückweise auf Maultieren oder Pferden hinüber geschafft werden. Napoleon aber erbaute oder erweiterte sieben Heer- und Fahrstraßen über die Alpen nach Italien, und schuf den alten Weg über den Col di Tenda gänzlich um. Und auch nach Napoleons Sturz ist für den

Bau von Straßen über die mittleren und östlichen Teile der Alpen
viel geschehen.

In großartiger Weise hat die Kühnheit des Menschen selbst
Eisenbahnen über und durch die Alpen geführt. Nachdem der
menschliche Erfindungsgeist die Lokomotiven in solcher Weise verbessert
hatte, daß dieselben starke Steigungen zu überwinden imstande waren,

Abb. 26. Die St. Gotthardbahn (von Göschenen bis Airolo).

und nachdem man sinnreiche Vorrichtungen erfunden hatte, um aller
Schwierigkeiten bei der Anlage längerer Tunnels Herr zu werden, ist
eine Reihe von Alpenbahnen vollendet worden. Den Anfang machte
die 1854 vollendete, 40 km lange Semmeringbahn. An steilen
Felswänden hin führt sie durch 16 Tunnels und über ebenso viele
Brücken. Mit einem 280 m langen Viadukt auf neun Bogen setzt
sie über das Reichenauer Tal und zieht dann an der südlichen Talwand hin. Bei Gloggnitz durchbohrt sie mit einem 1½ km langen

Tunnel in 881 m Meereshöhe den Semmering, steigt dann noch 370 m empor und fällt fast um ebenso viel nach Mürzzuschlag zu. Leichter gelangt sie über den Karst, von dessen Höhe sie nach Triest hinabsteigt. — Weiter westwärts folgt die Tauernbahn, welche die kürzeste Verbindung zwischen Wien und Pontebba (Venedig) darbietet. Sie steigt aus dem Tal der Drau in das des Tagliamento hinüber; das Hemmnis, welches die Fella, ein reißender Nebenfluß des Tagliamento, ihr entgegenstellt, überwindet sie durch einen Tunnel, der unter dem Flußbette hindurchführt. Von Thörl an häufen sich die Schwierigkeiten: es geht durch Schluchten, auf Dämmen, durch Berge hindurch, über Flüsse weg; endlich ein 510 m langer Tunnel, und das anmutige Tal von Tarvis liegt frei vor dem Blicke. — Über den Brennerpaß geht die 1867 vollendete Brennerbahn. Mit 27 Tunnels steigt sie in kühn geschwungenen Kurven von Innsbruck (468 m) zu der 1350 m hohen Paßhöhe empor und von da nach Brixen (571 m) wieder hinab. Ihr schließt sich in Innsbruck die Arlbergbahn an, welche, 1882 eröffnet, von Bregenz am Bodensee beginnt und in großartigen Bauten über Abgründe hinweg, durch Berge hindurch aus dem Rheintal in das Inntal hinüberführt. Durch die längsten Tunnels indes sind ausgezeichnet die 1871 vollendete Cenisbahn, welche in einer Meereshöhe von 1295 m durch den Mont Frejus hindurchführt, und vollends die St. Gotthardbahn. Denn diese, 1882 dem Verkehr übergeben, durchbohrt mit einem 15 km langen Tunnel von Göschenen bis Airolo (S. 112) in 1154 m Scheitelhöhe das Massiv des St. Gotthard: 20 Minuten braucht der Schnellzug, um diesen längsten Tunnel der Erde zu durchfahren. Es ist ein wahrhaft ergreifender Moment, wenn aus den wallenden Nebeln, die nur allzu oft den Vierwaldstätter See und das Reußtal überlagern, aus dem schwarzen, rauchigen Tunnel plötzlich das Auge frei zu den lachenden Fluren des sonnigen Tessiner Landes hinabschweift!

9. Suworows Marsch über den St. Gotthard.

Es war im Kriege der zweiten Koalition gegen Frankreich. Dem Feldmarschall Suworow, der mit seinen Russen in Italien stand, war „in Asti der Befehl zugegangen, sich in der Schweiz mit der zweiten russischen Armee unter Rimski-Korssakow, welche bestimmt war, den Erzherzog Karl dort abzulösen, zu vereinigen. Der alte

Held murrte, daß damit ganz Italien dem österreichischen Eigennutze preisgegeben würde; aber da schon der Erzherzog Karl mit dem größten Teile seines Heeres nach dem Rheine abgezogen war, so daß nur noch die Korps von Hotze und Limken zur Unterstützung Korssakows in der Schweiz standen, so wäre die Schweiz sicherlich für die Verbündeten verloren gewesen, wenn er nicht ohne viel Säumen dem Befehle nachkam. So entwarf er denn den Plan, seinen Anmarsch so einzurichten, daß von den verbündeten Truppen Massena auf dem Albis völlig umklammert und erdrückt würde: Korssakow sollte die Limmat überschreiten, Limken und Hotze zwischen dem Zuger und Züricher See vordringen; er selbst wollte dann von Süden den Ring schließen. Zu dem Ende wählte er den kürzesten, wenn auch schwierigsten Weg, den Saumpfad über den St. Gotthard, unbekümmert darum, daß die Franzosen unter dem gebirgskundigen Lecourbe ihn besetzt hatten, daß der Pfad die Mitnahme von Geschütz unmöglich machte und die allergrößten Terrainschwierigkeiten bot, zumal die Jahreszeit schon bedenklich weit vorgeschritten war.

Die Straße, welche — damals ein schmaler und höchst schwieriger Saumpfad — über den mächtigen Gebirgsstock des St. Gotthard nach Italien hinüberführt, hebt bei Flüelen bei der Einmündung der Reuß in den Vierwaldstätter See an. In mäßiger Ansteigung steigt sie über Altdorf, Amsteg und Wasen im Tal der Reuß empor; von Göschenen an wird sie steiler und schwieriger; bald sucht sie sich den Raum hoch über dem brausenden Flusse an der rechten, bald an der linken Felsböschung, bis der verwegen geschwungene Bogen der Teufelsbrücke in schwindelnder Höhe über die schäumende Reuß auf das rechte Ufer zurückführt; nun bringt sie in der Felsgalerie des Urner Loches empor, aus welcher der Wanderer plötzlich in die Wiesen des Hochthales von Andermatt hinaustritt. Hier zweigt sich nach Osten über die Oberalp und Tavetsch der Pfad zum Tale des Vorderrheins ab, während bald hinter Andermatt bei Hospenthal die Furkastraße in das Rhonetal hinüberführt. Die Gotthardstraße aber steigt südwärts an der Talwand der Reuß in langsamem Anstieg zu der breiten Einsattelung des St. Gotthard empor, auf der für die ermatteten Wanderer Kapuzinermönche ihr Hospiz offen halten. An der Südseite führt der Weg sehr steil in zahllosen Windungen in dem Val Tremola hinab, welches nicht weit von Airolo in das Tal des mächtig rauschenden Tessin ausmündet.

Noch über Airolo hinaus bis zum großen Zollhause am Tessin hatte Lecourbe seine Vorposten geschoben, während Suworow mit

seinen 20000 Russen im Tale des Tessin aufwärts marschierte. Der
Regen fiel in Strömen, ein eisiger Wind fuhr von den schneebedeckten
Bergspitzen das Tal hinab, die Straße war steinig und schlüpfrig.
Am Abend des 23. September 1799 war endlich das Zollhaus er-
reicht: die Franzosen wichen schnell bis zum Eingange des Val
Tremola zurück. Von Bellinzona schon hatte Suworow das Korps
des Generals Rosenberg über den Lukmanier-Paß in das Tal des
Vorderrheins gesandt, um von dort über Tavetsch den Franzosen in
die Flanke zu fallen. Jetzt mußte Bagration mit kühner Schar die
steilen Felsen zur Rechten erklettern, um den Franzosen im Val
Tremola den Rückweg zu verlegen. Gegen Mittag des 24. September
war Suworow selbst am Eingange dieses Tales angelangt; hinter
Felsvorsprüngen und Steinblöcken hervor empfingen die Franzosen die
anrückenden Russen mit mörderischem Gewehrfeuer. Es schien unmöglich, den schmalen Zugang des Tales zu gewinnen; selbst die alten
Grenadiere konnten sich nicht entschließen, auf den unsichtbaren Feind
loszugehen. Da ließ der große Held eine Grube ausschaufeln und
rief ihnen zu, das sei sein Grab, wenn sie, seine Kinder, zurückwichen.
Voll grimmiger Kampfbegierde rückten sie jetzt mit gefälltem Bajonett
vor und stachen hinter den Felsecken von Franzosen nieder, was sich
nicht schleunigst das Tal hinauf rettete. Allein bei der nächsten
Biegung des Weges setzten sich die Franzosen wieder fest: wieder
krachten die Salven, bis die Russen, an der Felswand emporklim-
mend, die Biegung abschnitten und ihnen in die Seite fielen. So
ging es fort unter ununterbrochenen Gefechten, immer weiter das Tal
hinauf: endlich um 4 Uhr war das Hospiz erreicht. Da stieg Bagration von der Höhe herab und zwang Lecourbe, schleunigst weiter
die Reuß hinab zu entweichen. Die Kapuziner bewirteten den Feldmarschall zweier Kaiser mit Kartoffelbrei und Erbsen; das war alles,
was sie hatten.

Nach kurzer Rast ging es wieder hinter den Franzosen her, die
von neuem vor Hospenthal sich festgesetzt hatten und den Russen den
Weg verlegten. Schon senkte sich trüb der Abend herab, als Flinten-
schüsse im Rücken der Franzosen fielen. Es war Rosenberg, welcher
die ihm entgegenstehenden Franzosen vor sich hertrieb und beim Einbruch der Nacht mit Sturm das Dorf Andermatt einnahm. Lecourbe
war zwischen zwei Feuer geraten. Unter dem Schutze der Nacht zog
er sich seitwärts auf den Furkapaß zu aus der Gefahr. Ganz erschöpft und ausgehungert trafen Suworows wackere Bataillone in
Andermatt ein. Die Kosakenpferde mit dem Proviant waren weit

8*

zurück; in Andermatt hatten die Franzosen aufgezehrt, was es von
Lebensmitteln dort gegeben hatte. So kochten sich denn die Russen
ihr Mahl, wie es eben anging. Gedörrte Tierfelle wurden gebraten,
und ein Block Seife, der sich in einer Vorratskammer vorfand, mit
großer Befriedigung bis auf die letzte Krume verzehrt.

Der Marsch durch den Furkapaß hätte das ganze Reußtal in
die Hand Suworows gegeben. Das war jedoch nicht die Meinung
Lecourbes. Von der Nacht gedeckt, kletterte er mit seinen Scharen
an der steilen Wand des Petzberges hinauf und gelangte unter den
allergrößten Schwierigkeiten so wieder in das Reußtal hinab. Mit
dem größten Teil seiner Bataillone marschierte er nun schleunigst nach
Flüelen zu, um die dort ankernden Schiffe vor den Russen zu sichern;
nur zwei Bataillone ließ er zur Verteidigung des Urner Loches zurück.
Sie leisteten den Russen, als diese am Morgen wieder vorrückten, so
erfolgreichen Widerstand, daß sie erst wichen, als eine russische Schar,
an einzelne Zacken der Felswand sich anklammernd, in das Tal der
Reuß hinabstieg und so den Verteidigern der Felsengalerie in den
Rücken kam. Aber schon an der Teufelsbrücke faßten sie von neuem
festen Fuß. Wieder kletterten die Russen in das Flußtal hinunter,
durchwateten, bis an den Gürtel im Wasser, den reißenden Fluß und
klommen im Rücken der Franzosen wieder empor. Da zerstörten
diese einen Teil der Brücke und zogen sich dann in guter Ordnung
weiter talabwärts. Aus Baumstämmen, die mit dem Lederzeug der
Mannschaft und mit den Schärpen der Offiziere zusammengebunden
wurden, stellten die Russen rasch die Brücke wieder her und setzten
dann den abziehenden Franzosen nach. Bei Wasen ereilte sie der
Abend. Am folgenden Tage aber erreichten sie bei Amsteg Lecourbe,
der vor ihnen bis an den Vierwaldstätter See zurückwich, wo er sich,
nachdem er alle Schiffe mit sich genommen, bei Seedorf verschanzte,
während Suworow am rechten Ufer der Reuß in Altdorf und Flüelen
sich einquartierte. Der See war erreicht: wie aber jetzt ohne Schiffe
hinüberkommen? Das war die Frage: indessen auch darauf mußte
der alte Held die Antwort zu finden. —

10. Mit der Eisenbahn auf den Rigi.

In Vitznau am Vierwaldstätter See besteigen wir den aus der
Lokomotive und aus einem Wagen bestehenden Zug, welcher uns zu
der Höhe des Rigi emporführen soll. Wir sind so glücklich Plätze
auf der Seeseite zu erhalten, die wegen der besseren Aussicht vor-

gezogen werden, obgleich die zweckmäßige Einrichtung des Wagens einen nach allen Seiten freien Überblick gestattet. Anfänglich aber steigt die Bahn bald steil in die Höhe, so daß die Mehrzahl der Reisenden sich kaum eines ängstlichen Gefühls erwehren kann. Wir glauben auf den meisten Gesichtern eine bange Spannung, eine furchtsame Erwartung zu bemerken, die jedoch bald dem Ausdruck von Bewunderung und Befriedigung Platz macht. In der Tat ist das gebotene Schauspiel im höchsten Grade überraschend, jeder Beschreibung spottend. Wie eine bewegliche Theaterdekoration, die aus der Versenkung emporsteigt, taucht die Landschaft nach und nach in immer wachsender Schönheit auf. Zu unsern Füßen liegt das reizende Vitznau mit seinen freundlichen Häusern, seinen edlen Kastanienwäldern und prächtigen Nußbäumen, deren grüne Kronen und hohe Wipfel der Zug fast streift. Wir steigen immer höher die steile Notwand hinan, von der sich die herrlichste Aussicht zeigt. In der Tiefe liegt der Vierwaldstätter See mit seinen bald anmutig-idyllischen, bald wild-romantischen Ufern wie ein glänzender Spiegel in kostbarem Rahmen. Über ihm ragt der stolze Pilatus empor, das kühne zerklüftete Haupt von lichten Wolken wie von einem silbernen Schleier umgeben. Vor unsern Blicken dehnt sich der sogenannte „Kreuztrichter" des Sees mit den charakteristischen „Nasen" — zwei grüne malerische Vorsprünge, aus. Das Dampfboot, welches nach Flüelen fährt, erscheint wie ein kleiner Kahn und die Kähne auf dem Wasser wie tanzende Nußschalen. Vor allen aber entzückt uns die herrliche Beleuchtung, das wechselnde Farbenspiel, die im grünlichen und bläulichen Schimmer aufblitzende Flut, von silbernen und goldenen Furchen durchzogen, die rötlich glänzenden Felsen, die auf den bewaldeten Höhen aufflammenden Wälder und die in Licht getauchten sanften Matten. Immer weiter rollt der Zug, vorüber an dem Häuschen des Arbeiters, vor dem ein kleines Kind uns seine Arme entgegenstreckt, vorüber an den saftigen Wiesen mit ihren weidenden Kühen und Ziegen, die uns verwundert nachschauen, vorüber an der stolzen Edeltanne, von deren dunkeln Zweigen die erschrockenen Vögel verstört auffflattern. Jetzt umfängt uns der schattige Kastanienwald, und im nächsten Augenblick eröffnet sich die wunderbarste freie Aussicht über den grünen See, die lachenden Ufer und die ihn umgebenden Berge. Plötzlich wird es tiefe Nacht, und wir fahren durch den schauerlichen Tunnel, aus dem wir wohlbehalten wieder herauskommen, um den überraschendsten Anblick zu genießen. Vor uns steigen die Riesen des Berner Oberlandes mit ihren Gletschern und blitzenden Schneefeldern

auf. Hell strahlt die unsterbliche Jungfrau im weißen Silbermantel,
die reine Stirn mit funkelndem Diadem gekrönt; finster starren der
dunkle Mönch und der gigantische Eiger zum Himmel empor, ein
überwältigendes, unvergeßliches Schauspiel, ein großartiges Gedicht
der Dichterin Natur, welche Felsen und Wasser, grüne Matten und
weiße Schneegefilde, Tod und Leben, die kühnsten Gegensätze in
Harmonie auflöst. Ein Ausruf der höchsten Bewunderung entringt
sich unwillkürlich unsern Lippen. Dann fährt der Zug über die
donnernde Brücke, welche über das wilde „Schnurtobel" führt.

Abb. 27. Aiglbahn. Die Brücke über das Schnurtobel.

Mit Grauen und Entsetzen blicken wir in die zerrissene Schlucht,
aus deren Tiefen die unterirdischen Gewässer zu uns emporrauschen
und mit unheimlichen Geisterstimmen uns zu warnen scheinen. Selbst
den Mutigen erfaßt Furcht, und der Gedanke an die mögliche Gefahr
läßt das Blut einen Moment zu Eis erstarren. Aber so leicht und
luftig auch die Brücke scheint, so fest und sicher ruht sie auf ihren
beiden eisernen Pfeilern, unerschütterlich und jeder Gefahr trotzend.
Beruhigt fahren wir über den furchtbaren Abgrund, und bald ver=
gessen wir die Beklemmung über dem Anblick der Landschaft, die sich
immer schöner, immer malerischer vor unsern Augen entwickelt: nackte

Felswände, brausende Wasserfälle in der Nähe, und in der Ferne die hohen Berge mit ihren glänzenden Schnee- und Eiskronen. Zugleich kündigt der spärliche Baumwuchs und die schärfere, aber wunderbar reine und nervenstärkende Luft die Nähe der Alpenregion an. Statt des üppigen Laubwaldes und der prächtigen Edeltannen erblicken wir nur noch vereinzelte Legföhren und verkümmertes Nadelholz. Dagegen breiten sich die grünen Matten wie geschorene Samtteppiche aus, von dem Duft der würzigen Blumen und Kräuter erfüllt. An- heimelnd tönt das melodische Geläut der weidenden Rinder, die helleren Glöckchen der munteren Ziegen, die frischen Jodler der Hirten und Sennen. Die Lokomotive aber scheint sich ausruhen zu wollen, und von neuem beschleicht uns die natürliche Besorgnis, ob nicht der Maschine ein Unfall zugestoßen, da der Aufenthalt sich über die Ge- bühr verzögert. Diesmal handelt es sich aber nur darum, die durstige Maschine mit dem nötigen Wasser zu versehen, zu welchem Behufe auf der Höhe ein besonderes Reservoir eingerichtet ist. Während die Lokomotive ihren Bedarf einnimmt, schaut eine junge Kuh ihr neu- gierig zu. Als aber die Maschine mit einem grellen Pfiff sich wieder in Bewegung setzt, stürzt die erschrockene Tochter der Herde eiligst zu ihren Brüdern und Schwestern auf die nahe Alp zurück, um ihnen vielleicht das erlebte Abenteuer und ihre Begegnung mit dem furcht- baren Ungetüm zu berichten. Noch eine kurze Strecke und wir er- reichen in wenig Minuten die Station „Rigi-Kaltbad", wo uns mitten in der idyllischen Alpenwelt ein nichts weniger als idyllisches Schauspiel erwartet. Mit einem Schlage sehen wir uns in das Leben und Treiben einer großen Stadt versetzt, die wir eben verlassen haben. Vor dem großartigen Hotel mit seiner prächtigen Veranda empfängt uns die hier weilende Gesellschaft von eleganten Herren und Damen aus allen Ländern. Man könnte glauben, in Berlin unter den Linden oder in Baden-Baden auf der Promenade sich zu be- finden. Im nächsten Augenblick aber ist alles wieder wie eine Fata Morgana in der Wüste verschwunden, und wenige Schritte davon entfernt weiden die Kühe und Ziegen, jodeln die Hirten, keuchen die Arbeiter unter der schweren Last. Von neuem setzt der Zug sich in Bewegung, und nach kurzer Fahrt halten wir in Rigi-Kulm, dicht unterhalb der Kuppe des schönsten Belvedere der schönsten Berge der Welt, von dessen Höhe herab der Blick ein Dutzend grüner Schweizer- seeen umfaßt, die schneeflimmernden Gipfel der unabsehbaren Alpen- züge und zu den Füßen rings die lachendste, herrlichste Berglandschaft.

11. Auf die Jugspitze, 2964 m.

„Partenkirchen! Alles aussteigen!" Wir durchschreiten die niedrige, dunkle Bahnhofshalle, und vor uns liegt der Talkessel von Garmisch-Partenkirchen (ca. 800 m hoch) mit den steilen Kalkwänden des Wettersteingebirges im Hintergrunde. Wie eine Mauer erheben sie sich mehr als 2000 m über dem Talkessel. In der Abendsonne erscheinen die Schrofen in rosenroter Färbung. Bei Mondbeleuchtung sind sie wie mit einem grünen Schleier magisch umflossen, welcher dem Anblicke dieses Gebirges einen unvergleichlichen Zauber verleiht. So hatte ich sie vor Jahren mal gesehen. „Auf diese Wände sollen wir hinauf? Das ist doch unmöglich!" meinte staunend mein Begleiter.

Vor dem Bahnhofe halten die Hotelwagen, von erwartungs= vollen Portiers und Hausdienern flankiert; Führer mit blankem Schilde an der Brust bieten stumm ihre Dienste an. Touristen, vom gefährlich anzuschauenden „Spitzenfresser" mit Pickel und Steigeisen bis zum harmlosen „Jochfinken" mit antediluvianischer Reisetasche an der Seite, und eine Unzahl Sommerfrischler mit Gebirgen von Koffern und Hutschachteln und Wäldern von Schirmen und Stöcken wimmeln durcheinander: wir sind in einem Charing cross der Alpenwelt, an einem der Tore zu der Herr= lichkeit ihrer Gipfel und Gletscher! Auf beinah schattenloser Straße geht's zur Stadt. Zu beiden Seiten des Weges Villen mit schön gepflegten Vorgärten, an verschiedenen Fenstern Zettel mit der Inschrift: „Hier sind Sommerwohnungen zu vermieten", zum Zeichen, daß das Angebot immer noch größer als die Nach= frage ist. Damen rauschen in prächtigen Toiletten, Herrn zeigen ihre frischgewaschenen Lawn=Tennis=Anzüge; Automobile fauchen vorbei, Radfahrer klingeln, der Postillon bläst ein lustiges Stückchen. —

In Partenkirchen kehren wir ein und lassen uns Weißwurst und „a Moaß" gut schmecken. Wir verweilen nicht in dem Zimmer für die Fremden, sondern in der Gaststube. Dort sitzen die Männer und die Burschen, Gestalten, wie sie Defregger malt, in kleidsamer oberbayrischer Tracht: lederne Kniehosen, grünliche Joppe, Hut mit Spielhahnfeder. Jeder hat einen Maßkrug vor sich. Aus der lebhaften lauten Unterhaltung zu schließen, hatte ihr echt bayrischer Durst schon bedenklich lange vorgehalten. Nach kurzer Rast geht es weiter; wir wollen noch Vordergraseck er=

reichen, um den Weg nach der Knorrhütte für morgen etwas abzukürzen. Auf dem Wege nach Vordergraseck überschreitet man blumige Wiesen. Ab und zu sieht man dort kleine Blockhäuser, sogenannte Heustadeln, die zum Aufbewahren des duftenden Heus dienen. An der von Erlen und Weiden eingesäumten Partnach liegen die Elektrizitätswerke, durch welche Garmisch-Partenkirchen mit Licht und Kraft für Maschinen versorgt wird. Wir steigen hinauf zur Partnachklamm. Es dunkelt schon, als wir hinein= gehen. Am Eingang steht: „Nur für Schwindelfreie!" Auf einem ca. 1 m breiten Holzsteg, der sich an der einen Felswand ungefähr 2—3 m über der brausenden, donnernden Partnach be= findet, geht es entlang. An der Felswand ist zur Sicherheit noch ein Drahtseil angebracht. Wir müssen die Lodenmäntel über= hängen; denn es tröpfelt ununterbrochen von den Kalkwänden. Die Partnach hat die Felsenwand ca. 70 m tief und 6—8 m breit durchsägt. Da donnert und braust und schäumt der Bach mit ungeheurer Kraft hindurch, so laut, daß man sein eigenes Wort nicht verstehen kann. Es kollert und poltert am Grunde: der Bach wälzt Steine hinab in die Ebene. Jahrtausende kämpfen Wasser und Schwerkraft vereint gegen das Gestein, und noch immer dauert der Kampf fort. An einigen Stellen sieht man über sich durch einen schmalen Spalt den Himmel. Nach ca. 15 Minuten erreichen wir das Ende der Klamm; dort liegen einige recht an= sehnliche Felsblöcke. Die Partnachklamm bietet Aufschlüsse über den Bau des Wettersteingebirges: Muschelkalk, Partnach= und Raibler=Schichten sind durchschnitten worden.

Nun steigen wir in ¼ Stunde nach Vordergraseck hinauf. Inmitten grüner Matten und schattiger Bäume liegt das reizende Forsthaus. Dort finden wir — wir hatten uns von Partenkirchen aus telephonisch angemeldet — ein behagliches Quartier, gute Verpflegung und lustige Unterhaltung mit dem Förster, zwei Forst= referendaren und einem urkomischen Waldwärter. Leider gingen uns die Hauptschlager der Unterhaltung wegen des bayrischen Dialektes verloren. Der Waldwärter hatte nämlich eine unheim= liche Angst vor dem kommenden Tag; er sollte zwecks Vermessungen auf einen Grat in der Nähe des Dreitorgipfels. „Ma Test'ment hab' i halt schon g'macht." Die anderen malten ihm aus, wie lustig es bei seinem Begräbnis hergehen sollte. Er scheint aber mit heilen Knochen davon gekommen zu sein; denn über seinen Absturz ist nichts berichtet.

Am anderen Morgen in frühester Frühe krochen wir aus den
Federn. Die Nebel lagen noch auf dem Schachen und hingen
an den Felswänden und auf den Zinken. Es ging wieder hin=
unter ins Tal der Partnach, das flußaufwärts den Namen Raintal
führt. Die Partnach ist zwar oberhalb der Klamm ein munterer
Wildbach, aber von der Wildheit wie in der Klamm ist nichts
zu merken. Allmählich steigt der Weg empor. In schattigen,
hochstämmigen Lärchenwäldern führt der Saumpfad entlang. Mäch=.
tige Felsblöcke liegen in den Wäldern. Bunte Orchideen blühen
in ihrem Schatten.

Die Nebel verzogen sich nicht, sondern senkten sich, und bald
regnete es; erst langsam, dann immer heftiger. Die wasserdichten
Lodenmäntel wurden umgehängt. Sie ließen den Regen zwar
nicht hindurch, aber sie wurden ungemütlich schwer. Der Regen
rann, die Partnach rauschte.

Wir kamen zu der oberen Klamm. Dieselbe ist nicht zu=
gänglich gemacht, man kann nur von oben in dieselbe hinunter=
sehen. Senkrecht fallen die Wände ab. Unten tost der Wildbach
und nagt am Gestein. Jenseits erheben sich die steilen Felswände
über 1000 m hoch. An verschiedenen Stellen sind mächtige Muren
herniedergegangen. Am Fuße der Felswände liegen noch graue
Schneemassen. Nach drei Stunden erreichten wir die Bockhütte,
eine Sennhütte am Wege. Bläulicher Rauch stieg empor. Der
Seppi oder Hansi war also in der Hütte, aus deren Tür ein
rötlicher Feuerschein in den regengrauen Tag zitterte. Wir traten
ein. An der Erde in der Mitte der Hütte brannte ein offenes
Feuer. Darüber hing ein Kessel mit kochendem Wasser. Der Senn
hieß uns willkommen. Wir hingen unsere Mäntel in die Nähe
des Feuers, setzten uns auf die Bank, und auf unsere Bitte braute
uns der Seppi Tee zurecht. Anfänglich waren wir etwas miß=
trauisch gegen dies Getränk; es war aber wirklich Tee. Die
Bockhütte hatte heute viel Zuspruch. Denn nach uns kam noch
eine Anzahl Touristen. Alle Schemel, Holzklötze, sogar die Lager=
statt war besetzt. Jeder suchte so nahe als möglich am Feuer zu
sitzen. Rechte Regenstimmung herrschte in der Hütte. Auf das
Wetter wurde geschimpft. Die meisten blickten träumerisch in das
helle Feuer oder sehnsüchtig nach dem grauen Himmel.

Endlich ließ der Regen etwas nach. Da brachen die meisten
Touristen auf, um weiter der Knorrhütte zuzuwandern. Immer
geht es in und an Lärchenwäldern entlang. Nach ¹/₂ Stunde

erreichten wir die „Unteren blauen Gumpen" und nach nochmal
20 Minuten die „Oberen blauen Gumpen". Die Gumpen sind Über=
reste ehemaliger Stauseen. Die beiden „Augen der Alpen" zeigen
eine tief blaugrüne Färbung. Die oberen Gumpen sind beinahe
vermurt.

Die Bäume wurden kleiner; wir erreichten die Latschen (die
Zwergkiefer, das Krummholz). Nun wurden auch auf der rechten
Seite die starren Felswände sichtbar, und stellenweise ging der
Weg über Schotterhalden, Gesteinstrümmer, die durch Bergstürze,
Regengüsse und Lawinen mit heruntergenommen sind und nach
dem Talbecken an Breite zunehmen. In den Latschen, die wie
ein grüner Teppich die Felswände auf der linken Seite bedecken,
erblickten wir eine Gemse und bewunderten längere Zeit ihre
Kletterkunststücke.

Das obere Raintal ist terrassenförmig. Vor jeder Terrasse
hat man die Hoffnung: Nun kommen wir wohl bald an die Hütte.
So erstiegen wir wieder einen solchen Talriegel und erblickten
endlich die Angerhütte (1366 m). Dort kehrten wir durstig ein.
Die Angerhütte liegt auf einem flachen Talboden, dem Anger,
wohl ehemals auch ein Stausee, aber viel größer als die Gumpen.
Die Hütte gehört der Sektion München des Deutsch=Österreichischen
Alpenvereins (D. Ö. A. V.). Die Angerhütte steht in telephoni=
scher Verbindung mit Partenkirchen, mit der Knorrhütte und mit
dem Münchener Haus auf der Zugspitze. Ein Maaß „Pschorr"
und leider noch ein Maaßl; dann ging es nach kurzer Rast weiter.
Es geht jetzt durch einen Wald mit niedrigen Nadelbäumen, über
Schotterhalden, über den grünen Anger. Geläut der Herden=
glocken und das dumpfe Brüllen der Rinder klang über den Anger.
Links oben kommt aus einer Felsenmauer, die hinter dem Anger
emporragt, die Partnach mannesstark hervorgebraust und bildet
bei ihrer Quelle gleich einen mächtigen Wasserfall.

Als wir den Anger überschritten, brach die Sonne hervor.
Vom Anger ging es im Zickzack, in Serpentinen durch einen
Latschenwald hinauf. Jetzt wird die Steigung, die bisher nur
unbedeutend war, größer. Sonne und Pschorrbräu brachten uns
in Schweiß. An einer Felswand ist eine kleine Schutzhütte. Dort
rasteten wir; 1¼ Stunde waren wir von der Angerhütte schon
wieder gestiegen. Zwischen den Steinen floß ein klares Wasser.
Wir tauchten einige Stücke Zucker hinein; die löschten den Durst
besser als vorher das Bier. Hier kamen auch die „Muli" (Maul=

tiere) mit ihrem Führer vorbei. Alle Nahrungsmittel und Getränke (bis auf Wasser) müssen die Muli zur Knorrhütte und auch bis zur Platthütte auf dem Plattachferner tragen. Von der Platthütte schleppen Träger täglich mehrmals die vollen, schweren Kraxen nach dem Münchener Haus.

Bald begann nun der unangenehmste Teil des heutigen Aufstiegs. Auf einer kahlen Sandreiße (Schutthalde) geht es in ca. 30 Serpentinen hinauf zur Knorrhütte. Immer hin und her! An jedem westlichen Scheitelpunkt einer Serpentine erblickt man die Knorrhütte und glaubt: Nun sind wir wohl in einigen Minuten dort. Aber endlos wird der Weg. Oberhalb der Sandreiße erhebt sich drohend der Brunnentalkopf. All das Geröll, all die Felsblöcke waren einst Teile des trotzigen Berges. In jedem Jahre kollern in wilden Sprüngen mächtige Blöcke auf der Schotterhalde hinunter. Die Sonne brannte uns auf den Rücken, der Schweiß floß. Von dem westlichen Felsen kam eine kleine dunkle Wolke auf uns zu gezogen. Plötzlich ein Blitz und ein kurzer harter Schlag: wir standen unwillkürlich alle still. Das Echo rollte noch lange in den Felsen weiter. Dann fielen Graupelkörner hernieder und kitzelten unangenehm das erhitzte Gesicht. Endlich erreichten wir die Knorrhütte. Dicht bei derselben sprudelt ein Quell aus dem Felsen hervor. Wir ließen uns ein Zimmer mit Betten geben, wuschen den ganzen Körper und wechselten das Unterzeug, das naß zum Auswringen war.

Als dies für den äußeren Menschen notwendige Werk vollendet war, ging es wieder zurück zum Gastzimmer der Hütte; denn die Schlafräume befinden sich in einem besonderen Gebäude. Ein Trümmerfeld von Konservenbüchsen usw. liegt auf dem Abhang unterhalb der Hütte. Alpendohlen umkreisen kreischend die Hütte. Manch ein Brocken fällt hier für sie ab.

Nun wurde für den innern Menschen gesorgt. Zunächst kam die unvermeidliche Erbswurstsuppe an die Reihe, dann Kaiserfleisch und zum Schluß Schmarren. Dann ein Moaß! Dann eine Zigarre in Brand! Wir gingen hinaus und beobachteten etwas schadenfroh vom Eingang der Hütte aus, wie sich verschiedene Touristen, zum Teil unter äußerster Anstrengung — von Partenkirchen bis zur Knorrhütte sind es 8—9 Wegstunden —, die letzten Serpentinen hinaufquälten. Und allerlei spöttische Bemerkungen mußten sich die schwitzenden, fauchenden Gestalten gefallen lassen.

Mancher wurde zwar grantig; aber alle waren froh, daß sie den endlosen Weg hinter sich hatten.

Wir gingen nach der anderen Seite der Hütte, setzten uns auf die Felsen und ließen die großartige Umgebung auf uns einwirken. Die Knorrhütte liegt an einem ziemlich ebenen Plateau, dem Platt. In Hufeisenform umgeben die Riesen des Wettersteingebirges das alte Gletscherbett. Während der Eiszeit war das ganze obere Raintal vergletschert. Von hier aus hätte man den großartigen Gletscherabsturz mit seinem Spaltengewirr erblickt. — In drohender Nähe ragt der Brunnentalkopf empor; die mächtigen Felsblöcke in der Nähe der Hütte hat er wahrscheinlich einst abgeschüttelt. Dahinter liegen im Norden die Höllentalspitzen und die Zugspitze; die letztere ist von der Hütte nicht zu sehen. Im Westen erblickt man über dem Schnee das Zugspitzeck, das Schneeferneck, die Wetterspitzen usw. In den Felswänden im Süden zeigt sich eine kleine fensterartige Öffnung, das „Fensterl", und doch ist dasselbe so groß, daß ein Mann bequem aufrecht darin stehen kann. All die Spitzen erheben sich 700—900 m über der Knorrhütte, die 2052 m hoch liegt. Im Süden liegt auch das „Gatterl"; dort senken sich die Schrofen. Dort ist der Übergang ins Österreichische: nach dem Gaistal, nach Ehrwald, nach der Leutasch, nach der Mieminger Kette. Vom Gatterl zieht sich hoch oben auf dem Wettersteinkamm bis zum Grat der Zugspitze die Grenze zwischen Österreich und Deutschland entlang. Im Süden erblickt man auch die großartige Plattenbildung. Die Schichten des Triasgesteins, die ehemals wagerecht lagen, liegen jetzt schräg. Sie sind bei dem großen Faltungsprozeß, den die Alpen im Tertiär durchmachen mußten, aufgerichtet worden. Sie sind ein Schrecken der Bergsteiger: glattgewaschen vom Regen, bieten sie Nagelschuhen und Eisaxt nirgends Halt. Ganz wunderbar macht sich im Süden inmitten des blendendhellen Wettersteinkalkes der Rotberg mit seinen roten und grauen Erdschichten, Mergel aus der Kreidezeit. Als die Sonne hinter dem Zugspitzeck verschwand, wurde es bald empfindlich kalt. Die Spitzen im Osten von uns waren noch von der Sonne bestrahlt, aber die Schatten stiegen schnell an den Bergwänden in die Höhe. Wir pflückten noch einige tiefblaue Enzianblüten und legten sie ins Notizbuch; dann gingen wir zurück ins Gastzimmer. Da saßen die Touristen: aßen, tranken, rauchten, studierten das Fremdenbuch, beobachteten das Barometer, spielten Skat, schrieben Ansichtspostkarten usw.

Über dem geheizten Ofen hingen an langen Stecken die Wetter=
mäntel, die Lodenjoppen, Strümpfe usw.; in der Nähe standen
die nägelbeschlagenen Schuhe in Reih und Glied. Dunst und
Rauch erfüllten den engen Raum. In der Küche saßen die Führer
und qualmten ihre kurzen Pfeifen.

Wir setzten uns an den schweren eichenen Tisch und tranken
Kaffee mit kondensierter Milch. „Liesel, was gibt's zum Abend=
brot?" „„A Kalbsbraten, Kaiserfleisch, Gulasch, Schinken, Rührei,
Spiegelei, Schmarrn."" „Mir einen Kalbsbraten!" „Mir auch!"
„Ich möchte Kaiserfleisch!" „Bitte, mir Gulasch!" So tönte es
durcheinander. Die Köchin bekam genug zu tun, und der bärtige
Wirt schmunzelte. Die Lampen wurden angezündet und brachten
recht trauliches Licht. Nach dem Abendbrot kam recht vergnügte
Stimmung in die Gesellschaft. Auch die Führer kamen herein
und spielten auf der Zither. Lied auf Lied erscholl.

Von alter Burschenherrlichkeit,
Von der Lindenwirtin, der jungen,
Von sonniger, wonniger Maienzeit,
Vom Ringlein, das zersprungen,
Vom schlanken Mädchen am Rhein, am Rhein,
Vom Jäger im wilden Forste,
Vom fröhlichen Herrn von Rodenstein
Mit dörfermordendem Dorste,
Dom heilgen Veit vom Staffelstein,
Wohlauf die Luft geht frisch und rein,

wie es in einem Obergurgler Fremdenbuche heißt.

Schließlich vereinigen sich die Wanderer, die aus allen Gauen
des deutschen Vaterlandes gekommen, die Wunder der Alpen=
welt zu schauen in dem Liede:

„Deutschland, Deutschland über alles."

Ein Herr hält eine Rede auf den D. Ö. A. V., preist seine
Verdienste für die Erschließung der hehren Alpenwelt, und be=
geistert klingt zum Schluß der Rede das Hoch auf den D. Ö. A. V.
Die Fidelitas nimmt nach dieser Rede noch zu. „Schnabahüpfeln"
werden gesungen. Tanzweisen ertönen auf der Zither, die jüngeren
Touristen schwingen Kellnerin und Köchin im Walzertakt, Führer
und Kellnerin tanzen „Schuhplatterl", daß die Hütte dröhnt!

Es war elf Uhr, als wir zu Bett gingen. Zuvor noch ein
Blick auf das Barometer: Es stand fest. „Morgen wird das
Wetter besser!" Es war bitter kalt. In den Betten wurden wir

anfangs nicht recht warm, obgleich wir uns in zwei wollene Decken wickelten. In der Nebenkammer, die nur durch eine dünne Bretterwand von uns getrennt war, begann ein harmonisches Schnarchkonzert. Draußen heulte der Wind. Endlich umfing uns ein angenehmer Halbschlummer. Aber nicht lange! Um 3 Uhr erhoben sich einige Touristen von ihrem Lager. Laut dröhnten die Schritte durch die Hütte. Nebenan wurde laut geflucht. Bald verließen auch wir unser Lager, machten schnell Toilette und eilten nach dem Gastzimmer. Der Duft von frischem Kaffee strömte uns entgegen. Gerade rückte die erste Partie aus. In der Hand trug der Führer eine brennende Laterne. Auch wir nahmen unseren Kaffee ein. Auf frische Backwaren muß verzichtet werden. Dafür gab es aber guten Zwieback und Cakes. Der Rucksack war bald gepackt. Um 5 Uhr rückten wir ab: fünf Touristen. Einen Führer hatten wir nicht bei uns. Dämmerung lag noch auf dem Platt. „In den Tälern wird es früh Nacht und spät Tag." Langsam stiegen wir empor. Man hörte nur das feste Aufsetzen der Bergstöcke und Eispickel. Bald lag die Knorrhütte einige hundert Meter unter uns. Durch die kalte Morgenluft erscholl es: „Bäh, bäh!" Vor uns standen einige Schafe und glotzten uns verwundert an. Die Schafe grasen den Sommer hindurch hier oben auf dem Platt. Eine Schutzhütte gibt es nicht für sie. Bald erreichten wir die ersten Schneefelder. Soldanellen steckten neugierig ihre roten Glöckchen heraus und sehnten wie wir die Sonne herbei. Wir überschritten den Plattachferner. Hinter uns lag das Reich des Lebens. „Hier ist das Reich des Todes. Hier gibt es kein Erwachen und kein Ersterben der Natur. Ob unten das Korn reift und die Rebe blüht, ob der Maiwind rauscht oder das bunte Laub zu Boden kreist, hier bleibt alles starr, weiß und tot, ob in seltenen Wochen die Sonne darüber lacht oder der Rest des Jahres durch regelloses Wolkentreiben der Sturmwind seine heulende Bahn treibt."

In dieses geheimnisvolle Reich drangen wir ein. Aber wenig sahen wir, Nebel, nichts als Nebel um uns her. Nach 1½ Stunde erreichten wir die „Große Reißen", darüber wieder steile Fels= wände, scheinbar jeden Augenblick bereit, herniederzustürzen. In diesem Jahre war der ganze Hang mit Schnee bedeckt. Wieder Serpentinen bis an die Felsen! Senkrecht steigen die Felsen auf der einen Seite des schmalen Pfades empor, steil fallen sie auf der anderen hinab, und das Auge blickt in die

grausige Tiefe. Und wären hier nicht Drahtseile und Eisenstifte,
wohl mancher Wanderer gäbe das Weitersteigen auf und kehrte
zur Knorrhütte zurück. So aber ist es nur eine angenehme vor-
sichtige Kletterei. Das Eisen war übereist. Wir bedauerten, daß
wir keine Handschuhe bei uns hatten. Nach einiger Zeit fing
es noch tüchtig an zu schneien. Im Juli ein Flockengewimmel
wie im Januar!

> „Sommer war's, die roten Rosen blühten,
> Hoch auf den Bergen lag der weiße Schnee.“

Wir waren bisher immer auf der Ostseite der Felsen gewesen. Als wir den Grat erreichten, blies uns ein heftiger Wind
entgegen. Nun wußten wir, weshalb Deutschlands höchste Berg

Abb. 28. Das „Münchener Haus“ auf der Zugspitze.

den Namen „Zugspitze“ führt. Im Bart hingen lange Eiszapfen.
Nur noch einige Schneeflocken flogen uns ins Gesicht. Die ganze
Welt schien ein graues Nebelkleid angezogen zu haben. Noch ein
kurzer steiler Aufstieg auf dem Grat entlang, dann ragte aus
dem Nebel eine würfelförmige dunkle Masse empor. Wir hatten
die meteorologische Station und das „Münchener Haus“ erreicht.
Fest verankert durch Drahtseile, liegt dort oben die gastliche Hütte.
Um 7¹/₂ Uhr betraten wir das Gastzimmer. Die „Zugspitzursel“,
die allzeit freundliche, fidele Kellnerin, brachte auch uns bald
die — Erbswurstsuppe.

Das Fremdenbuch belehrte uns, daß schon über 500 Touristen
die Zugspitze vor uns in diesem Jahre besucht hatten. Am Tisch

saß auch der Metereologe. Seinem Vorgänger, Dr. Enzensperger,
dem leider so früh auf den Kerguelen Verstorbenen, hat man auf
der Zugspitze eine Gedenktafel errichtet. Den ganzen Winter hindurch weilen die Metereologen einsam auf dem Gipfel, nur telephonisch mit der Kulturwelt in Verbindung. Für heute wurde
uns noch gutes Wetter prophezeit. Ab und zu ging ein Tourist
hinaus, um nach dem Wetter zu sehen; aber immer kam die
Meldung: „Grau in Grau!" —

Beim Aufstieg hatten wir ein paar Kalkstückchen am Grat
losgebrochen. Sie saßen voller Gyroporellen, Kalkalgen. Als vor
vielen Millionen Jahren einst das Triasmeer nördlich und südlich
von den Zentralalpen flutete, da war auch die Zugspitze vom
Meere bedeckt. Damals lagerte sich all das Kalkgestein ab, aus
dem das Wettersteingebirge besteht. Dann hob sich das Land:
die Zugspitze ragte als Insel hervor. Aber noch während der
Kreidezeit befand sich südlich von den Wettersteinwänden rau-
schendes Meer. Die Ablagerungen im Gaistal entstanden in
dieser Zeit.

„Die Nebel sinken!" meldete ein Führer. Da eilten alle
hinaus auf den kleinen Platz vor der Hütte. Der Ostgipfel und
die nächsten Spitzen nur sahen aus dem Wolkenmeer hervor, und
die Sonne lachte auf die überzuckerten Gipfel: überall lag Neu-
schnee. Noch war nicht viel von der Welt zu sehen. Ab und zu
zerriß schon der Wolkenschleier, und das Auge erblickte irgend-
eine grüne Matte oder ein Stück dunklen Waldes in der Tiefe.

Nach einer Stunde hatten sich die Nebel zum großen Teil
verzogen. Da lag nun die „Alpenwelt, die wunderbare, große,
vor unsern Blicken aufgehellt".

Unter uns in unheimlicher Tiefe lag der grüne Eibsee, umrahmt von dunklen Nadelwäldern. Hell leuchtete das Hotel aus
dem dunklen Grün. Im Raintal brauten noch die Nebel. Hin
und her wogten die Wolken wie die Wellen eines sturmbewegten
Meeres. Aber all die Kalkschrofen des Wettersteingebirges, die
Spitzen der Mieminger Kette, die grünen Vorberge der Alpen
waren sichtbar. Im fernen Süden erblickte staunend das Auge,
das in ungemessene Weiten schweift, die schneebedeckten Riesen der
Ötztaler und Stubaier Alpen. „Das ist die Wildspitze! Dort das
Zuckerhütl, dort die Weißkugel!" erklärte ein Führer. Herrlich
wie am ersten Tag liegt die Welt vor uns, und die Berge raunen
uns zu: „Seit Jahrtausenden schauen wir dem bunten Spiele zu.

Die Völker kommen und gehen. Es ebben und fluten die Zeiten.
Es drängen sich die Dinge. Nichts ist beständig als der Tod.
Nichts bleibend als der Wechsel. Das wissen wir, die ewig
Dauernden, die Leblosen. Winzig und vergänglich ist alles, was
ihr Menschen da unten treibt, — töricht euer Tun und Hoffen,
ein Nebeldunst das alles, was euch da unten groß und gewaltig
erscheint, und ihr selbst ein armseliges, im Tage vergehendes, im
Tage verwehendes Geschlecht." Wer einen solchen Anblick je gehabt, dem bleibt er unvergeßlich; immer zieht ihn ein Sehnen
zurück nach den Wundern der Bergwelt.

Einige Besucher der Zugspitze stiegen hinüber nach dem Ostgipfel, der mit einem vergoldeten Kreuz gekrönt ist. Von dort
hat man eine großartige Aussicht in das wilde Höllental, das
Böcklin das Motiv zu seiner Drachenschlucht gab. Im Höllental
entlang liegt auch das Kabel des Blitzableiters vom Zugspitzhaus.
Diese Anlage kostete 8000 Mk. Leider hat das Höllental schon
manches Opfer gefordert; fast alljährlich stürzen einige Touristen
ab, die führerlos dort den Aufstieg wagen.

Wir beglichen unsere Rechnung; die war zwar ziemlich hoch,
aber den Verhältnissen entsprechend. Quellwasser gibt es dort
eben nicht. Schnee und Regenwasser sind nicht trinkbar: sie sind
zu rein. Wir stiegen ab. Jetzt erst sahen wir vom Grat aus
die ungeheure Tiefe zu beiden Seiten. Der Plattachferner auf
der Westseite und das österreichische Schneekar auf der Ostseite
schienen senkrecht unter uns zu liegen. Das Auge wagt kaum in
die Tiefe zu schauen und darf es auch nicht, sondern muß vorsichtig auf den nächsten Schritt achten. Aus Schnee, Eis und
Regen war eine glitschige Masse geworden. Nur langsam tastend
ging es abwärts. Ein Windstoß nahm den Hut eines Touristen
mit. In kurzer Zeit lag der Hut ca. 300—400 m tiefer, als wir
standen. Zu haben war er nicht wieder. Einer der Reisegenossen
hatte noch eine Reisemütze im Rucksack: die wurde dem Hutlosen
verehrt. Glücklich kamen wir wieder an die Drahtseile. Ein
kurzes Stück geht es auf der Südseite des Grates entlang, dann
wieder auf dem schmalen Grat. Einige passierten die schwierigsten
Stellen auf allen Vieren. Das Auge muß immer hinuntersehen
in die Schründe und Kamine. In den Spalten, auf den schrägen
Hängen liegen die Trümmer der Zugspitze. Niederschläge, Sonne
und Schwerkraft sind Feinde des Hochstrebenden. Unaufhörlich
und unmerklich arbeiten sie an ihrem Zerstörungswerk. Nur die

Verwitterungsprodukte erblickt der Mensch. Nur zu oft wird ein Bergsteiger das Opfer dieses Zerstörungswerkes. Der gelockerte Felsvorsprung bricht ab, auf den der Wanderer vertrauend den Fuß gesetzt, und er stürzt mit in die Tiefe.

Tief unter uns lag die Wiener-Neustädter Hütte, so groß wie eine Streichholzschachtel. Die Sonne hatte den Schnee auf dieser Seite schon fortgenommen. „Immer vorsichtig!" hieß es. Auf diesen Hängen lagen viele Felstrümmer. Als wir einige hundert Meter abwärts gestiegen waren, erscholl der Ruf: „Achtung, Stein=schlag!" Von oben kamen einige Steine in mächtigen Sprüngen herunter. Wir standen hinter einem schützenden Felsvorsprung; in nächster Nähe sausten die Steine an uns vorbei in die Tiefe;

Abb. 29. Wiener-Neustädter Hütte, 2216 m üb. d. M.

wir hörten noch einige Male ihr dumpfes Aufschlagen; endlich kamen sie in einer Schneerinne zur Ruhe. Wir eilten aus dem Bereich des Steinschlags. Nun ging es auf schrägen Platten entlang; die gefährlichsten Stellen sind durch Drahtseile, Eisen=stifte, Eisenklammern gesichert. An einigen Stellen kamen wir uns vor wie Dachdecker an einem Kirchturm. Schwindelfreiheit und Trittsicherheit sind bei diesem Abstieg erforderlich. Es steigt sich hier, wie fast überall, besser „aufi" wie „abi". Beim Aufstieg sieht man nicht in die Tiefe, und der Fuß hat festeren Halt. Wir mußten auch einen breiten Kamin durchklettern. Ehe wir in den Kamin einstiegen, tönte aus der Tiefe ein wundervoller, glockenrein zweistimmiger Jodler zu uns hinauf — die Wirtin der Hütte und ihre Tochter sandten einen Willkommgruß —. Wir

9 *

versuchten auch zu jodeln, aber wie! Unter dem Kamin ging es
noch auf einer eisernen Leiter hinunter, und wir standen auf dem
österreichischen Schneekar, und nach zehn Minuten waren wir in
der Hütte, die inmitten eines mächtigen Trümmerfeldes liegt.
Als wir den Blick nach der Zugspitze zurückwandten, wollte es
uns kaum für möglich scheinen, daß wir an der steilen Felswand
heruntergekommen waren. Im Gebirge schätzt man den Böschungs-
winkel meistens zu groß ein. In der W.-N. Hütte hielten wir
kurze Rast: ein Viertel roten Tiroler Landweins, trocken Brot und
Landjäger mundeten nach der Kletterei sehr gut.

Dann ging es über einen Hang hinunter zu einem schmalen
Felsensteig, der sich an den Felswänden entlang zieht, rechts zunächst ein schräger Hang und dahinter der Steilabfall. Im Frühjahr waren hier zwei Studenten 400 m tief abgestürzt. Sie
waren auf eine Schneewächte geraten, und mit dieser waren sie
in die Tiefe gesaust und unten zerschmettert angekommen. Dann
auf einer langen Sandreiße in Serpentinen hinab. Wir aber fuhren
den Schotterhang ab. Bergstock und Eisart fest nach hinten auf den
Schotter gepreßt, mit der Rechten draufgedrückt, den Oberkörper
weit zurück, die Hacken in das Geröll und dann: Los! So ging
es schnell in die Tiefe, und neidisch blickten die hinaufsteigenden
Touristen uns nach. Als der Abhang nicht mehr steil genug war,
hörte die lustige Fahrt auf. Als wir uns umsahen, erblickten
wir unsere Reisegenossen, die den Abstieg auf diese Weise nicht
gewagt hatten, noch hoch oben auf der Sandreiße. Noch einige
Serpentinen, dann durch Lärchenwälder, über Almen, über Wiesen
nach dem freundlichen Ehrwald, das am Rande eines auffallend
großen Beckens, wahrscheinlich tektonischen Ursprungs, liegt. Schutt
erfüllt jetzt den Talkessel, der wohl einst von Wasser bedeckt war,
worauf die moorigen Gründe in demselben zu deuten sind. In
dem Lauchenwaldbach, der durch Ehrwald fließt, findet sich zwischen
dem Schutt und Geröll von grauen Mergeln, Juragesteinen, rotem
und grünem Lias und Wettersteinkalk das einzige vulkanische Gestein
innerhalb der nördlichen Kalkalpen. Dieses schwarze Eruptivgestein,
das weiter aufwärts die Kreideschichten durchbricht, gehört zu den
Basalten und führt den Namen Ehrwaldit.

Vor uns türmten sich die Riesen der Mieminger Kette auf.
Reck und kühn strebt die Sonnenspitz empor. Dorthin geht es morgen.
Heute aber geht es nach dem „Gasthaus zur Sonnenspitz".

12. Der Alt-Weißtor-Paß, 3576 m *).

Am 8. Juli, morgens um 1 Uhr, verließ ich mit meinen beiden Führern das freundliche Monte-Rosa-Hotel in Macugnaga. Wir überschritten anfangs üppige Matten, darauf ein Labyrinth von Felsblöcken, welche die Anza mit sich fortgeführt hatte, und gewannen bald auf steilem, schmalem Fußpfad die oberen Rasenhänge, welche sich am Fuße der steilen, von einer Schneewächte gekrönten Felswände ausdehnen, in welchen die Cima di Jazzi nach Osten abstürzt. Die großartigen Berge, welche das Tal von Macugnaga umschließen und einen unvergleichlichen Kranz von Hochzinnen bilden, waren noch von jener gespensterhaften Blässe, wie sie den Hochgipfeln dicht vor Sonnenauf- und bald nach Sonnenuntergang eigen ist; aber im Osten, über dem Tale der Anza, verkündete schon ein heller Schimmer das Nahen des Tagesgestirns.

Um 3 Uhr 20 Min. gelangten wir zu den Sennhütten der Jazzi-Alp, von wo man eine herrliche Aussicht genießt, und wo wir eine kurze Rast machten, um den Sonnenaufgang abzuwarten. Zu unseren Füßen befand sich der mächtige Macugnagagletscher, umkränzt vom zierlichen Pizzo Bianco, dem schönen Schneegrat des Col delle Loccie und den vier höchsten Gipfeln des Monte Rosa; der Signalkuppe, Zumstein-, Dufour- und Nordendspitze, welche in einer einzigen gewaltigen, aus Eis und Fels bestehenden Wand von etwa 2600 m Höhe zum Gletscher abstürzen. Die Wirkung, welche die ersten Sonnenstrahlen auf diese hervorbrachten, war unbeschreiblich schön. Zuerst flammten die vier höchsten Gipfel nahezu gleichzeitig in leichtem Rosa auf, das sich bald in ein tiefes, gesättigtes Rot verwandelte. Zusehends wuchsen die rosigen Kronen derselben; jetzt strahlten auch die unteren Schneehänge in ungeahntem Glanze, während das Rot der höchsten Zinnen schon schwächer wurde, und bald war alles, Schnee, Fels und Gletscher, von den Strahlen der siegreichen Königin des Tages gleichmäßig erhellt.

Um 3 Uhr 40 Min. brachen wir wieder auf und stiegen zunächst über zahlreiche Lawinentrümmer ein wenig ab, um die mächtige linke Seitenmoräne des Macugnagagletschers zu erreichen. Wir folgten ihrem Kamme eine Zeitlang, immer die furchtbare Ostwand des Monte Rosa bewundernd; dann wandten wir uns plötzlich nach rechts und stiegen zu den Sennhütten der Füllaralp hinan.

*) Mit Bewilligung des Verfassers aus: Wolterstorff, Aus dem Hochgebirge. Erinnerungen eines Bergsteigers.

Hier angekommen, bekam ich zuerst einen richtigen Begriff vom Alt=Weißtor. Zwischen der großen Fillarkuppe, 3679 m, und der Cima di Jazzi, 3818 m, befindet sich eine starke Einsenkung. Aus der Mitte derselben ragt ein nackter Felskopf, den Herr Professor Schulz Jazzikopf genannt hat, und der in südlicher Richtung in steilen Felswänden zum Fillargletscher dergestalt abläuft, daß er einen auf beiden Seiten von einer sehr steilen Schneekehle begrenzten Felsgrat bildet. Der Schneegrat, welcher die linke Schneekehle (von Macugnaga aus gesehen) oben abschließt, trägt auf der Dufour=Karte den sehr bezeichnenden Namen „Alt=Weißtor". Die beiden Schneekehlen bilden die Fortsetzung des oberen Teiles des Fillargletschers und führen diesem sicher alljährlich reichliche Schneelawinen zu. Aus der Mitte des unteren Teiles des Fillargletschers erhebt sich eine kleine Felseninsel, welche, wenn ich nicht irre, den Namen Castel Franco führt.

Nachdem wir das Seil angelegt, betraten wir die linke Seite des Fillar= (Dufour=Karte) oder besser Jazzi=Gletschers (in der Richtung auf Macugnaga gesehen, d. h. dem Laufe des Gletschers folgend). Sein Neigungswinkel ist ziemlich groß; doch hat er keine Spalten, und der Schnee ist gut. Wir stiegen zuerst im Zickzack aufwärts, dann wandten wir uns nach links und erreichten die kleine Felseninsel (Castel Franco), welche ich oben erwähnt habe. Hier machten wir eine kurze Rast, während welcher uns ein Engländer mit zwei Führern, den Gebrüdern Payot aus Chamonir, überholte. Sie wollten gleich uns das Alte Weißtor überschreiten und verschwanden bald in den Felsen des Jazzikopfes, welche sich gerade über uns aus dem Gletscher erhoben, und die, von hier aus gesehen, ganz unzugänglich erschienen. Wir verfolgten die Spuren dieser Reisenden und stiegen auf der rechten Seite (s. die obige Bemerkung) des Jazzi=Gletschers bis zu dem Punkte, wo die steile Schneekehle zwischen dem Jazzikopf und der Großen Fillarkuppe in den Gletscher mündet. An dieser Stelle wurde Professor Tyndall von furchtbaren Steinschlägen überrascht. Glücklicherweise blieben wir davon verschont; indes sahen wir im Schnee zahlreiche Steine, ein Beweis, daß die von Steinschlägen drohende Gefahr in dieser Schneekehle dieselbe geblieben ist.

Wir verließen hier den Gletscher, um die Felsen zu unserer Rechten in Angriff zu nehmen, welche den Fuß des Jazzikopfes bilden, und deren Neigungswinkel durchschnittlich 60° beträgt. Anfangs begegneten wir keinen ernstlichen Schwierigkeiten; hier

Abb. 30. Traversierung des Alt-Weißtor-Passes.

mußten Felsblöcke mit Händen und Füßen erklettert werden, dort
waren kleine Schneefelder zu überschreiten, auf denen sich zahlreiche
frische Gemsspuren zeigten. Nach Aussage meiner Führer ziehen
die Gemsen das alte Weißtor dem neuen bei weitem vor, weil
das erstere viel seltener besucht wird. Wenn ich meinen Führern
glauben darf, so nennen sogar die Landbewohner das Weißtor in
jenem halb französischen, halb deutschen Kauderwelsch, das öfter
bei den Walliser Führern anzutreffen ist, den Chamoispaß.

Indes, je höher wir kamen, um so größer wurden die
Schwierigkeiten; der Eispickel wurde sehr lästig; denn wir ge=
brauchten fast immer unsere Hände, um uns auf die Felsblöcke
hinaufzuziehen, welche unseren Weg versperrten. Auf diese Weise
kletternd, hatten wir schon eine beträchtliche Höhe erreicht (leider
führte ich kein Aneroidbarometer mit mir), als wir plötzlich
Stimmen über uns vernahmen.

Wir überwinden noch einige Felsen und erblicken unseren
Engländer mit seinen Führern, die nicht mehr wissen, wie sie weiter=
kommen sollen, und die auf uns gewartet haben, um meine Führer
um Auskunft zu bitten; es ist morgens 5 Uhr 50 Minuten; wir
befinden uns alle in einer sehr eigentümlichen Lage: dicht an=
einandergedrängt stehen wir auf einer kleinen Plattform, von den
Führern „auf dem Fels" genannt, welche senkrecht zu der Schnee=
kehle im Norden des Jazzikopfes abstürzt. Über dieser Plattform
erhebt sich eine fast senkrechte, breite Platte aus nacktem Fels von
etwa 8 m Höhe. Es ist unmöglich, dieselbe zu umgehen, weder
nach rechts noch nach links. Wir müssen sie überwinden oder
nach Macugnaga zurückkehren. Über dieser Platte erheben sich
senkrechte Felsblöcke, und die beiden Payot wissen nicht, an
welchem Punkte die oberen Felsen zugänglich sind, und in welcher
Richtung die Platte am besten zu überqueren sei.

Meine Führer, welche das Alte Weißtor schon überschritten
haben, zeigen ihnen gerade über uns einen Felsblock, den man
zum Zielpunkt nehmen muß. Unterhalb dieses Felsblocks ist in der
Platte ein schmaler Riß von wenigen Fuß Länge; aber abgesehen
davon, bildet sie eine ganz glatte Fläche, die auf den ersten Blick
nirgends Halt für Hände oder Füße zu bieten scheint. Bevor die
Platte in Angriff genommen wird, wird der Engländer vom
Seile gebunden, während die beiden Payot durch dasselbe ver=
knüpft bleiben. Der eine derselben beginnt die Kletterei vorsichtig
auf allen Vieren und benutzt geschickt den geringsten Vorsprung,

den die Platte bietet. Er erreicht glücklich das untere Ende des
kleinen Risses, wo seine Hand und auch sein Fuß einen guten
Stützpunkt finden, und bald schwingt er sich auf den über unserer
Platte aufsteigenden Felsblock. Als ich ihn klettern sah (übrigens
ein etwas aufregender Anblick), mußte ich unwillkürlich an eine
Spinne oder an einen Specht denken; er nahm die Platte wirk=
lich mit vollendetem Geschick, und man sah, daß er in den Fels=
nadeln der Mont = Blanc = Gruppe das Klettern gründlich gelernt
hatte. Oben angekommen, hißt er zuerst unsere Tornister und
unsere Eisbeile hinauf. Die Reihe, zu klettern, ist nunmehr an dem
Engländer, und er macht seine Sache nicht übel. An das Seil
gebunden und von Zeit zu Zeit durch den ersten Payot, von dem
man nur Kopf und Arme sieht, aufwärts gehißt, kommt er glück=
lich und unversehrt ans Ziel. Der zweite Payot folgt ihm auf
dieselbe Weise. Auf meine dringenden Bitten benutzt auch Burgener
das Seil der Payot. Sobald er oben angelangt ist, setzen die
beiden Payot mit ihrem Engländer ihren Marsch fort.

Es ist nunmehr die Reihe an mir, die Platte zu nehmen.
Burgener läßt zuerst mein eigenes, geprüftes Seil herab; Furrer
bindet mich daran, und ich fange an zu klettern. Wenn ich die
Wahrheit sagen soll, so benahm ich mich dabei ziemlich ungeschickt;
anstatt mich nämlich auf die Knie zu legen, wie die übrigen getan,
streckte ich mich in meiner ganzen Länge aus, in der Hoffnung, auf
diese Weise leichter zum Ziel zu kommen. Da die Platte jedoch
für meine Füße so gut wie keine Stützpunkte bot, war ich fast
außerstande, mir selbst zu helfen. Indes dank meinem Seil und
dem starken Arm Burgeners erreichte ich glücklich, wenn auch außer
Atem, den oberen Rand der Platte und den Felsblock, hinter dem
Payot und später Burgener festen Stand genommen hatten.

Freilich war hier oben nicht allzuviel Platz; denn wir be=
fanden uns auf einem schmalen Felsbande, welches unsere Platte
beherrschte. Während Furrer von Alois über die Platte hinauf=
gehißt wurde, ruhte ich ein wenig aus, und zwar mit dem Gesicht
gegen die Wand gekehrt. Ich hatte einige recht unbehagliche
Minuten verlebt. Meine Führer versicherten mich, es gebe am
Matterhorn keine so böse Stelle wie diejenige, welche wir eben
passiert hätten. „Am Matterhorn gibt es zwar auch schlimme
Stellen zu überwinden," sagten sie, „aber da hat man Seile und
Griffe angebracht, an denen man sich halten kann, während hier
der nackte Fels überklettert werden muß." —

Nach zehn Minuten setzten wir unseren Marsch fort; es waren zwar immer noch Schwierigkeiten zu überwinden, aber verglichen mit dem, was wir soeben gemacht haben, erschien mir die Kletterei leicht. Oft hatte ich Gelegenheit, den Instinkt Burgeners zu bewundern, der stets einen Weg zu finden wußte, um unzugängliche Felsen zu umgehen.

Die berüchtigte Platte ist schon tief unter uns, und ich freue mich darauf, bald auf der Paßhöhe zu stehen, als sich eine neue Schwierigkeit zeigt. Über uns erheben sich senkrechte Felsen, zu unserer Linken stürzen die Felsen steil ab, und zu unserer Rechten, unterhalb von etwas überhängenden Felsen, befindet sich ein Schneefeld von entsetzlicher Steilheit. Dasselbe ist nur 10 bis 12 m breit und etwa 70 m lang. Am unteren Rande desselben sieht man einige schwarze Felsen aus dem Schnee ragen; darunter gähnt ein furchtbarer Abgrund. Der Engländer und seine Führer haben diesen „mauvais pas" schon überschritten; aber die tiefen Spuren, welche sie gelassen haben, beweisen uns, daß der Schnee infolge der vorgerückten Stunde anfängt, weich zu werden, und daß Gefahr für uns da ist, beim Überschreiten des Schneefeldes eine Lawine zu bilden und auf kürzestem Wege in die Talsohle von Macugnaga zurückbefördert zu werden. Die Lage war kritisch, und ich merkte, daß auch den Führern nicht ganz wohl zumute war. Indes, an eine Umkehr wurde nicht gedacht; auch würde uns die Platte beim Absteigen noch größere Schwierigkeiten gemacht haben als beim Anstieg. Zunächst werde ich vom Seile losgebunden und Alois, von Furrer gehalten, beginnt das Schneefeld zu überschreiten. Vorsichtig in die Stufen der Payot tretend, und den linken Arm bis an den Ellbogen in den Schnee stoßend, um so noch etwas Halt zu haben (man kann aus diesem Umstande einen Schluß auf die Steilheit des Schneefeldes machen), erreicht er glücklich den entgegengesetzten Rand des Schneefeldes, wo er auf einem vorspringenden Felsen festen Fuß faßt. Von neuem an das Seil gebunden und von meinen Führern dringend gebeten, doch ja recht vorsichtig zu gehen und keinen Fehltritt zu tun, der an dieser Stelle unheilvolle Folgen haben könnte, beginne ich meinerseits, das Schneefeld zu überschreiten. Indem ich es genau so mache wie Alois, und die Füße vorsichtig in die Stufen meiner Vorgänger setze (ich sank dabei bis an die Knie in das Schneefeld), während ich den linken Arm bis an den Ellbogen in den Schnee stoße, erreiche ich, wenn auch mit klopfendem Herzen, den gegenüberliegenden Rand des Schneefeldes,

148

wo mir Alois mit den Worten: „Sehr gut gemacht, Herr," warm
die Hand drückt (vgl. die nach einer rohen Skizze des Verfassers
entworfene Zeichnung von E. T. Compton, welche den Charakter
der Landschaft wie die Situation meisterhaft wiedergibt). Darauf
werde ich von neuem vom Seile losgebunden; dasselbe wird
Furrer zugeworfen, und dieser trifft bald bei uns ein.

Meine Führer sagen mir jetzt, daß es im allgemeinen an
dieser Stelle keinen Schnee gebe, es seien vielmehr unter dem
Schnee Felsplatten verborgen; das Schneefeld, welches wir überschritten hatten, werde über kurz oder lang als Lawine zu Tal
gehen. Des Schillerschen Wortes gedenkend: „Und willst Du die
schlafende Löwin nicht wecken, so wandle still die Straße der
Schrecken", und froh, unversehrt bis hierher gelangt zu sein, setzten
wir unseren Weg fort. Während wir rüstig aufwärts kletterten,
wurden uns von der Cima di Jazzi, von welcher uns nur die
obenerwähnte Schneekehle trennt, einige Juchzer zugesandt. Endlich erblicke ich über uns einige mit einer Schneehaube bedeckte
Felsen: es ist die Paßhöhe. Noch einige schwierige Felsen sind
zu überklettern, und wir stehen auf dem Alt-Weißtor. Die Engländer und seine Führer, die kurze Zeit vor uns angekommen sind,
begrüßen uns herzlich. Es ist 11 Uhr 45 Min., d. h. seit unserem
Aufbruch von Macugnaga sind 10 St. 45 Min. verflossen. Freilich hatte uns die Überwindung der Platte und die Überschreitung
des Schneefeldes viel Zeit gekostet.

Es war ein schöner Augenblick, als wir uns nach guter, alter
Sitte die Hände schüttelten; denn die Schwierigkeiten lagen hinter
uns, und der Weg über den Findelengletscher nach Zermatt, den
wir noch vor uns hatten, kam uns wie die große Heerstraße vor
im Hinblick auf die Schwierigkeiten, die uns der Aufstieg von
Macugnaga aus gemacht hatte. Einige schneefreie Felsen boten
bequeme Sitze dar. Die Aussicht war herrlich; freilich hatte sich
der Talkessel von Macugnaga schon mit Nebel gefüllt, aber die
Berge waren ganz klar. Mit Freuden begrüßte ich die Zermatter
Berge, das starre Matterhorn, die schlanke Felszinke des Zinal-
Rothorn, die einzig schöne Firnpyramide des Weißhorn und die
mannigfach gezackte Kette des Saasgrates. In nächster Nähe von
uns (nordöstlich) erhob sich die Cima di Jazzi; auf der entgegengesetzten Seite (südwestlich) fiel unser Blick auf die jähen Eis-
abstürze der Fillarkuppe, über welcher sich das Schwarze Jäger-
horn und die firnstrahlende Nordendspitze abhoben. —

13. Die Bewohner der Alpen.

Den Fuß des Gebirges gürtet fast überall eine reich entwickelte Kultur. Die Vorberge, die mittleren und oberen Täler des Gebirges sind mit Weilern und Höfen bedeckt. Die höchsten menschlichen Wohnungen in den Alpen sind das Wirtshaus am Faulhorngipfel 2672 m, das Posthaus auf dem Stilfser Joche 2760 m, Sommerhäuschen auf der Höhe des Theobulpasses 3322 m und das Becherhaus 3173 m.

Die Bevölkerung der Alpen beträgt 7—8 Millionen. In die offenen Täler sind von der Ebene her die Bewohner eingedrungen: erst die Höhe scheidet die Nationalitäten. Der Monte Rosa bildet die Marke zwischen den Deutschen, Franzosen und Italienern; der hohe Tauern trennt die Deutschen und die Slaven. Doch ist nicht selten die natürliche Grenze von den einen oder den andern überschritten worden.

Im allgemeinen jedoch kann man die Westalpen als romanische, die Zentralalpen als germanische, die Ostalpen als slavische Alpen bezeichnen.

Allen ihren Bewohnern sind die Alpen ein Erziehungshaus mit strenger Zucht; und es kann nicht fehlen, daß die Gleichartigkeit des Bodens ihnen bei aller nationalen Verschiedenheit doch nicht wenige gemeinsame Züge aufgeprägt hat. So bleibt sich in den Häusern der Hauptcharakter der Bauart in den meisten Gegenden gleich. In Dörfern und Märkten hat das Haus ein flachgiebeliges, weit vorspringendes Dach, mit Schindeln gedeckt, die ohne Nägel durch darauf gelegte Steine festgehalten werden. Gewöhnlich ist das Haus aus Holz gezimmert, indem übereinanderliegende Balken an den Ecken ineinander gefügt sind. Ein hölzerner Altan läuft um das Haus an mehreren Seiten, der Giebel ist mit Schnitzwerk geziert. In der vordern Hälfte des Hauses ist die Wohnung, die hintere enthält unten die Viehställe, darüber die Scheune, zu der eine flache Brücke hinauf führt. Die Fenster sind klein, von quadratischer Gestalt, durch zwei diagonale Eisenstäbe geschützt. Unter dem vorspringenden Dache wird das Holz für den Winter dicht am Hause in die Höhe geschichtet; der ebenfalls von dem Dache geschützte Altan dient zum Trocknen von Früchten, Wäsche und zu häuslichen Verrichtungen. In eisenreicheren Gegenden, wie namentlich in Steiermark, werden die Dachschindeln aufgenagelt, und das Dach erhält eine mehr spitzige Gestalt; denn die flachen Dächer sind in den Alpen eben durch die Rücksicht auf die losen Schindeln bedingt. Im untern Vorarlberg und zum

Teil im Allgäu findet man häufig auch Ziegeldächer. Die besonders in den höheren Gegenden meist zerstreut liegenden Wohnungen werden fast immer nur auf der Sonnenseite der Täler angebracht und kehren auch womöglich ihre Front nach Süden.

Auch die Tracht der Älpler zeigt manche gleichartigen Momente. Beiden Geschlechtern gemeinsam ist der Hut, mag derselbe auch nach Form und Farbe in verschiedenen Gegenden sehr verschieden sein. Die Männer bekleidet ein graubrauner Rock aus grobem Wollengewebe (Loden), die Hose ist von Gems- oder Ziegenleder oder auch von Loden, reicht kurz über die Hüften und läßt die Kniee frei. Der Hosenträger und der Gürtel von Leder, mit Namenszügen und Figuren gestickt, bilden einen wichtigen Teil der Bekleidung. Die Zipfel des lose umgeschlungenen Halstuches werden durch einen Ring gezogen. Bis zum Kniee reichende Strümpfe und Schuhe mit dicken benagelten Sohlen vollenden den Anzug. Die weibliche Kleidung hat mehr Abweichendes und ist in manchen Gegenden sehr unschön, besonders durch das hinten kurze Mieder und die fast bis zum Nacken hinauf- gezogene Taille.

Abb. 31. Dorfstraße im Berner Oberlande.

Die Beschäf- tigungen auf den Alpen sind mancher- lei Art. Obenan steht jedoch die Alpen- wirtschaft. Die zahl- reichen Matten sind von der Natur selbst zur Viehweide be- stimmt und können auch von Menschen nur als solche ver- wertet werden. Der zwar kurze, aber dichte und besonders gewürzhafte Gras- und Kräuterwuchs derselben gibt ihnen einen bedeutenden Vorzug vor allen Wiesen und Weiden des niedern Landes.

Aber die Niedrigkeit des Grases, die weite Abgelegenheit und die vielfach von Felsenriffen durchsetzte oder mit Steingeröll überstreute Oberfläche macht das Abmähen und Trocknen zu Heu meist untunlich. Daher hat denn der Bergbewohner seit undenklichen Zeiten den Brauch gehabt, zur Sommerzeit das Vieh unter der Obhut eines Hirten (Sennen) die entfernteren Matten (Alpen) abweiden zu lassen. Zu diesem Zweck ist auf jeder Alp eine Hütte errichtet, worin der Senne wohnt, das Vieh melkt, Butter und Käse bereitet, auch das Vieh selbst zur Not Unterkunft findet. In der Regel hat die Hütte zwei Abteilungen: die kleinere ist Stube, Kammer und Küche zugleich, die größere Stall. Der Auszug (die Auffahrt) der Herde auf die Alp beim Beginn des Sommers ist ein besonderes Fest für Menschen und Tiere. Die Kühe kennen die Bedeutung dieses Auszugs sehr gut und sind voll Lust, sobald sie nur den Ton der Glocke hören, welche der am meisten bevorzugten Kuh umgehängt wird. Diese schreitet stolz an der Spitze des Zuges vorauf, und man sagt, daß eine solche Führerin, wenn man bei einer spätern Auffahrt die Glocke einer andern Kuh umhinge, sich tot grämen würde. Der Stier (Munri) mit dem einbeinigen Melkstuhl auf den Hörnern beschließt den Zug. Der Senne bleibt während der ganzen Weidezeit ununterbrochen bei der Herde auf der Alp; seine Bedürfnisse werden ihm von Zeit zu Zeit hinaufgebracht, und dagegen mit hinabgenommen, was er an Butter und Käse fabriziert hat. Die Rückkehr von der Alp im Herbst ist ein ebenso bedeutendes Fest für die Älpler wie der Auszug. Matten, auf denen das Heumachen tunlich ist, werden nicht abgeweidet, sondern gemäht und müssen das Winterfutter liefern. Desgleichen sucht man von jedem Plätzchen, das dem Vieh unzugänglich ist, oft mit Lebensgefahr jede Handvoll Heu zu gewinnen. Das Alpenheu ist weit nahrhafter als das der Ebenen, weshalb das Vieh mit einer weit geringeren Menge sehr gut unterhalten werden kann, und seine aromatischen Kräuter geben der Milch der Kühe einen besondern Wohlgeschmack. Ziegen werden auch in beträchtlicher Zahl gehalten; teils gehen sie im Sommer mit auf die Alp, teils bleiben sie bei den Wohnungen, um den täglichen Milchbedarf zu liefern. Die Schafe sind besonders dadurch wichtig, daß sie ihre Nahrung noch da finden, wohin keine Kuh sich wagt, und dabei dem Älpler den Stoff zu seinem Lodenrocke und Fleisch zur Nahrung liefern. In manchen Gegenden werden höhere Alpen als Weide für fremde Schafe vermietet; so kommen besonders die Bergamasker Schafherden jeden Sommer auf gemietete Weiden.

In den östlichen Alpen wohnen Sennerinnen (Schwaigerinnen) auf der Alm. Begleiten wir sie aus dem Dorfe dorthin. Der längste Tag des Jahres ist vorüber, das Gras „unten" ist schon gemäht und als Heu eingebracht, der Johannistag ist gekommen, und mit ihm die Zeit des „Auftriebs". Alle Vorbereitungen zum Auszuge sind getroffen; die Almerin hängt der Leitkuh die Almglocke um, und sobald sie ertönt, gerät alles Vieh in freudige unruhige Bewegung; es drängt in Hast nach der Tür, um ins Freie zu kommen, und brüllt aus voller Kehle. Das ist gleichsam der erste Gruß an die fette Weide. Alle Hausbewohner sind versammelt; der Vater, dem die Tränen in die Augen treten, weil er sich von den lieben Kühen trennen muß, auf welchen sein Wohlstand beruht, giebt der Magd gute Lehren und Weisungen, die sie schluchzend anhört. Endlich wird die ungeduldige Herde mit Dreikönigswasser besprengt, zieht munter hinauf, und im Bauernhofe kehrt nun auf Monate eine tiefe Ruhe ein; die Ställe sind leer.

Um so regsamer wird es auf der Alm, wo das Vieh auf weiter Weide sich die würzige Kost sucht. Dort herrscht die Almerin oder Schwaigerin. Sie versteht sich auf die Almwirtschaft aus dem Grunde, sorgt für die ihr anvertrauten Geschöpfe, ist zuverlässig, dem Hause treu ergeben und sehr genügsam. Ihre Hütte ist ein Viereck aus be= hauenen Baumstämmen, die über= und ineinander gefügt sind; die Lücken hat man mit Moos gefüllt, das Bretterdach mit Steinen be= schwert. Nur eine einzige Tür ist vorhanden; die Almerin und die Kühe wohnen nicht nur unter demselben Dache, sondern oft auch zwischen denselben Wänden; aber gewöhnlich hat die Hirtin doch ein Kämmerchen mit einem Herd in der Mitte; an einer Seite befindet sich die feste Bettstatt, an den Wänden hängen einige Heiligenbilder.

Den ganzen Tag über hat die Almerin vollauf zu arbeiten. Der Morgen graut; die Tiere verlangen nach frischem Tau, der auf der Höhe so reichlich fällt und namentlich in den Alchemillenblättern große Tropfen bildet. Die Schwaigerin ergreift die Melkkübel und öffnet einer Kuh nach der andern die Tür. Bald sind sie alle gemolken und auf der Weide; die Almerin sammelt nun Grünfutter auf geeig= neten Grasplätzen, klettert an den Felshalden umher oder holt von Eschen, Ahorn und Buchen Laub herab, das als Leckerbissen dient. So kommt der Mittag heran, und die „Rinderschaft" ist allmählich der Hütte wieder näher gerückt. Hirschel und Gamsel, Braunäugel und Leberl, die schwarze Mahm, das Dockerl und Wachterl, und wie die Kühe weiter heißen, liegen wiederkäuend im Schatten und gehen zur

Mellerin, sobald sie ihren Namen ruft. Diese trägt den schäumenden Kübel der Hütte zu und darf nun erst an ihr Mittagsmahl denken, das aus Brot, Milch, „Topfen", Butter und „Läuterkoch" besteht, dann und wann auch aus Fleisch, das man ihr „von unten hinauf" bringt: denn in Zwischenräumen erscheint ein Hausgenosse, um die von der Schwaigerin bereitete Butter abzuholen. Abends findet sich die Schar der Rinder zur Nachtruhe ein: sie weiß, daß sie Grünfutter als Abendkost erhält und zum drittenmal gemolken wird. Ist dies vorüber, so herrscht tiefe Ruhe in der Hütte und auf der Alm; nur die Bergamsel flötet schlaftrunken im Busche.

Wohl ist es schön auf der Alm, „wenn's klare Tage hat und 's Vieh g'sund ist"; aber ängstlich wird es der einsamen Bewohnerin der Hütte, wenn die Sonnenschwüle donnernde Gewitter erzeugt und zuckende Blitze die Herde bedrohen. Und wenn dann gar die Nebel herangezogen kommen! Schwer lagern sich die kalten, grauen Dünste oft tagelang über die Alm und weichen erst, wenn sie sich in kalten Regen auflösen, während auf den Berggipfeln Schnee fällt und der Sturm Flocken und Wolken vor sich her treibt. Dann läßt das Vieh den Kopf hängen und die Schwaigerin ist „völlig zag". Sie möchte lieber unten in der Kirche oder beim Tanze sein. Nur Geduld; der Michaelistag rückt immer näher heran, mit ihm geht die Almzeit zu Ende; man denkt ans „Absödeln" und an den Heimtrieb, und geht es endlich talein, so trägt jede Kuh Blumenkränze auf den Hörnern. Allgemach breitet sich der Winter ins Tal, und die Schwaigerin sitzt in den langen Abenden beim Kienspan am Spinnrocken, oft in Gesellschaft befreundeter Almerinnen aus der Nachbarschaft. Sie singen Almlieder und erzählen einander, was sie in der Sommerzeit erlebten.

Da hat der einen oder andern einmal der „Ameisler" Grüße von der und von jenem gebracht, und in der Hütte „Unterstand" gefunden. Der Ameisler ist eine Charakterfigur im Gebirge. Er durchstreift die Wälder, in denen die schwarze Ameise Abfälle von Nadelholz und Pflanzenteilen in solcher Menge zusammenträgt, daß diese Haufen eine Höhe mitunter von einem Meter erreichen. In ihnen birgt das Tier seine Puppen, die sogenannten Ameiseneier. Diese sucht der Ameisler auf, und seine Ausbeute ist in manchen Sommern so beträchtlich, daß die Händler aus Wien sie ihm mit 200 fl. bezahlen. Aber der Mann versteht sich auch auf sein Geschäft. Er breitet ein großes Leintuch aus, dessen Ränder durch Stützen in die Höhe gehalten werden, und legt in die Ecken Fichtenreisig. Dann

geht er mit einem Getreidesacke, in dessen Öffnung er ein weites Sieb
angebracht hat, von einem Ameisenhaufen zum andern, faßt ihn in
das Sieb, durch welches Puppen und Ameisen in den Sack fallen,
und schüttet diesen Inhalt auf das Leintuch. Sogleich tragen die
Tiere ihre Puppen unter das an den Ecken liegende Reisig zusammen,
und der Ameisler hat nun seinen Zweck erreicht. Er wischt mit einem
Lappen über die Ameisen hin, welche an der rauhen Fläche desselben
haften bleiben, schüttelt sie dann ins Gras, und die Puppen sind sein.
Oft kann er auf derselben Stelle schon nach vierzehn Tagen oder
drei Wochen wieder eine Ernte halten.

Das Betreiben der Alpenwirtschaft setzt schon einen gewissen
Wohlstand voraus. Die minder begüterten Alpenbewohner haben
vielerlei andere Erwerbszweige. Bei ihrem natürlichen Talente zu
mechanischen Arbeiten werden viele kunstreiche Schnitzer, geschickte
Drechsler: Beschäftigungen, zu denen ihnen die höheren Alpenwälder
das geschätzte Holz der Zirbelkiefer liefern; andere machen Flechtwerk
aus Stroh und anderem Material, oder sammeln Arzneikräuter, seltene
Steine, Pech und was sich sonst verwerten läßt. In manchen Gegenden, wie in Tirol, ist Hausierhandel eine Hauptbeschäftigung vieler
Bewohner; fast jedes Tal in Tirol hat seinen besondern Handels-
zweig oder sein Gewerbe, mit dem sich ein Teil seiner Angehörigen
den Sommer über umherziehend beschäftigt. Der Pustertaler wandert
als Teppichhändler, der Lechtaler mit Schnittwaren und Sehenswürdigkeiten, der Zillertaler mit Lederwaren, der Vorarlberger wandert
als Maurer oder Stuccaturarbeiter u. s. w. Auch das Schlagen des
Holzes in den Wäldern beschäftigt eine große Anzahl Alpenbewohner.
Die Holzschläger (Holzknechte) bringen gleich den Sennen den Sommer
fern von ihren Wohnungen zu, nur daß sie an Sonntagen dieselben
besuchen können, da ihre Stämme nicht wie die Herden einer steten
Beaufsichtigung bedürfen. Eine Lieblingsbeschäftigung des Alplers ist
die Jagd, früher vornehmlich die Gemsenjagd; unzählige betrieben sie
des Vergnügens wegen, viele als Erwerb, obwohl der Ertrag gering,
die Gefahren dabei groß waren. Ganz besonders lockenden Verdienst bietet sich aber dem Alpensohne, den Beruf, Körperkraft und
Neigung geschickt gemacht haben, den zu Tausenden alljährlich in
die Alpen ziehenden Hochtouristen als Führer und Träger zu dienen.
Eine einigermaßen günstige „Saison" wirft dem autorisierten, d. h.
von einer Kommission des Alpenvereines geprüften Führer einen
klingenden Lohn ab, der ihm leicht einige Wintermonate gemächlicher
Ruhe gestattet. So enthält ein Führer auf ben Montblanc 100 Fr.

für zwei Tage, ein Träger 50 Fr., und selbst in dem billigeren Tirol verdient ein Führer auf schwierigeren Touren bis 10 Gulden den Tag.

Dem Charakter der Älpler gibt Gebirgsluft und Gebirgs= leben seine Eigenart. Sehr viele Geschäfte, die im Flachlande ohne Mühe verrichtet werden, erfordern in den Alpen große Anstrengung und sind mit mannigfachen Gefahren verbunden. Die Elemente drohen beständig mit der Vernichtung alles dessen, was mühseliger Fleiß geschaffen und errungen hat; ein einziges Gewitter kann die Felder fußhoch mit Steingeröllen überschütten, so daß die Arbeit vieler Jahre nötig ist, um den Schaden wieder gutzumachen. Aber der Alpenbewohner leistet diese Arbeit unverdrossen, und ver= zagt nicht bei dem Gedanken, daß auch diese Mühe wieder vereitelt werden könne. Die nötigsten Arbeiten für den Haushalt sind oft mit Lebensgefahr verbunden. Wenn ein Älpler nach dem nächsten Dorfe über ein Bergjoch geht, so mag er jedesmal denken, daß dies vielleicht sein letzter Gang sei: ein Gewitter, ein Nebel, ein Schneegestöber, das ihn überrascht, kann ihn ins Verderben stürzen. Darum ist er vor jedem Geschäfte bedacht, sich seinem Schöpfer zu empfehlen, und die äußerlichen Erinnerungszeichen an diese Pflicht, an denen es in den Bergen nicht fehlt, Kreuze, Heligenbilder, Kapellen, verfehlen ihre Wirkung nicht. Die Stärke und Gewandt= heit, die er im steten Kampfe mit den mächtigen Naturgewalten sich aneignet, sind ebenfalls lebhaft in seinem Bewußtsein, und darin liegt der Grund der unter den Alpenbewohnern sehr ver= breiteten Rauflust. Auch das mechanische Talent der Alpen= bewohner findet häufig in ihren die Aufbietung aller und jeder Tätigkeit beanspruchenden Lebensverhältnissen einen Sporn, der sie zu allerlei sinnreichen Erfindungen treibt. Das Wasser, das aus dem Brunnen läuft, treibt ein kleines Rad und bewegt so durch ein Gestränge die Wiege in der Stube, wozu der Mutter die Zeit fehlt.

Die Frische, die Lebensfreudigkeit der Älpler offenbart sich in ihrer Gesangeslust. In vielen Gegenden ertönt aus der niedrigsten Hütte Gesang und Zitherspiel. Und welchen fremden Wanderer erfreut nicht jenes weithinschallende Jauchzen und Jodeln aus dem Munde des Sennen und der Sennerin, das von den saftgrünen Matten und sonnigen Grashängen ihm entgegenschallt?

III. Das oberdeutsche Donauland.

1. Die schwäbisch=bayrische Hochebene mit dem Jura.

Dem Nordfuße der Alpen, aus Alpengeröll aufgeschüttet, ist die oberdeutsche Hochebene vorgelagert. Wie in der ähnlich gestalteten Schweizer Hochebene, so sammelt sich auch in ihr alle Bewässerung in einer einzigen, am fernsten Rand liegenden Furche, der Donau. Und erst jenseits dieser Randfurche umzieht sie die Fortsetzung des schweizer Jura, der schwäbische und fränkische Jura. Der schwäbische Jura, in seinem höchsten Teile vom Volke rauhe oder schwäbische Alb genannt, ist in seinem Südwestende mit dem schweizer Jura und dem Schwarzwald verknotet. Nur die verschiedene geognostische Natur zieht zwischen Schwarzwald und Jura die Grenze. Im Norden des Rheindurchbruches, bei Schaffhausen, erhebt sich das bergige Land des Klettgau und Hegau. Der Hohe Randen, 922 m. zwischen Schaffhausen und Stühlingen, zieht von Südwesten nach Nordosten, fällt steil zum Wutachtal ab und tritt südlich mit einem Vorsprunge an das rechte Rheinufer bei Schaffhausen. Die breite, von tief eingreifenden Schluchten zerrissene Tafelmasse ist ein treues Modell der schwäbischen Alb. Im Hegau liegt eine Gruppe kegelförmiger Trappberge, die wie Inseln aus dem umgebenden Nagelflue= und Geröllgebilde hervorragen, die Hohen=höwen mit dem Schlosse Stetten, der Hohenstoffeln, der auf seinem Rücken drei Hügel mit Burgruinen gleich einer dreifachen Krone trägt, der Hohenkrähen und der schwer zugängliche Hohentwiel, der wie eine kolossale Pyramide weit über das Land ragt. Vielleicht schon seit Römerzeiten stand hier eine Festung; seit 1538 war sie in Württembergs Besitz gekommen. In ihr hielt sich im Dreißig=jährigen Kriege der wackere Oberst Wiederholt glücklich gegen alle Feinde.

Weiter nach Nordosten gewinnen die hochwelligen Rücken bestimmte Umrisse und werden zu einer 20—30 km breiten, im Mittel 650 m hohen kahlen Kalkfläche. Sie wird von zwei auf dieser Strecke nach gleicher Richtung gehenden Flüssen eingefaßt; im Nordwesten vom Neckar, im Süd-

osten von der Donau. Gegen das tiefe Neckartal setzt sich die Hochfläche ungemein steil und schroff, stellenweise wandartig ab. Doch schießen aus der Wand Kalkflötze als Vorgebirge hervor und endigen öfters mit steilen Kuppen und Kegeln, die nur durch schmale Grate mit der Hauptkette in Verbindung stehen. Gegen das höhere Tal der Donau dagegen ist der Abfall sanft und terrassenförmig, doch so, daß die untere Stufe häufig steile Talränder und mannigfache Vorgebirge und Einbuchtungen bildet. Die höchste Erhebung bildet am Südwestende der Heuberg, eine kahle, steinichte Hochfläche, die durch den breiten Hochrücken der Baar sich eng mit dem Schwarzwalde verbindet.

Der Rücken der Rauhen Alb gilt für einen der traurigsten Striche im deutschen Lande. Rauhes Klima, vielfach zerklüftetes Gestein und Kalkgrus, nur an einzelnen Stellen eine dünne Ackerkrume, spärliche und meist arme Ortschaften kennzeichnen sie. Zahllose blendend weiße Steintrümmer liegen auf den Äckern, dünne Halme drängen sich

Abb. 82. Nordabhang des schwäbischen Jura (nach Alts geogr. Silberlateln).

zwischen den Steinen hervor. Oft trifft man wohl auf weit sich hinziehende Täler, aber kein Wasser fließt darin; nirgends ist ein Flußbett auf dem einförmigen Grasboden sichtbar; schnell verliert sich der Niederschlag zwischen den Steintrümmern in Gänge und Höhlen, mit denen das ganze Gebirge durchsetzt ist; dagegen brechen

10 *

Flüsse am Fuße der Berge hervor. Aber die kalte, öde Hochfläche besitzt auch ihre eigentümlichen Reize, ein hoher Genuß wird dem auf der Höhe pilgernden Wanderer durch den ungeahnten Gegensatz

Abb. 33. Die Burg Lichtenstein.

bereitet, wenn er plötzlich in eins der kleinen Täler gerät, die bei ihrer Enge oben auf dem breiten Gebirgsrücken nicht bemerkt wurden. Auf einmal steht er mitten in einer andern Natur: statt der Öde und Dürftigkeit, Eintönigkeit und Langweiligkeit oben umgibt ihn jetzt eine Fülle anziehender Naturbilder und behaglichen Lebens: hier wechseln anmutige Dorfschaften mit reizenden Obsthainen und Gärten ab, dort zwischen herrlichen Buchen- und Eichengehölzen kühne Dolomitfelsen mit Ritterburgen, und dort wieder frische Wiesen mit klaren, ruhig dahingleitenden Bächen. So liegt auf einer steil abstürzenden Kuppe, die in das Echaztal springt, 290 m über der Talsohle, das Schloß Lichtenstein, das Graf Wilhelm von Württemberg im Stil einer mittelalterlichen Burg hat erbauen lassen. Auch die Gemächer des Innern sind altertümlich eingerichtet. 1842 vollendet, bietet das Schloß von seinem Turm eine weite Rundsicht, die an hellen Tagen bis an die Vorberge der Alpen trägt. In seinem trefflichen Romane „Lichtenstein" hat Wilhelm Hauff die alte Burg, welche vordem hier stand, verherrlicht: dankbares Gedenken hat dem Dichter darum auf einem nahen Felsvorsprunge ein Denkmal gesetzt.

Wanderungen in die Alb und ihre Täler aus den Flachgegenden sind eine alte Sitte; sie geschehen meist im Frühjahre zur Zeit der Kirschblüte. Denn dann ist der üppige, reich bewässerte, mit einem Walde von Obstbäumen besetzte Wiesengrund wie von einem Blütenmeere übergossen, aus dem die Dörfer freundlich wie Inseln hervortauchen.

In zahlreichen Höhlen öffnet das Gebirge sein Inneres. So liegt eine Stunde von Lichtenstein die gleichfalls durch Hauffs Schilderung berühmt gewordene Nebelhöhle. Sie ist ein mächtiges Felsengewölbe von 23 m Höhe, in welchem aus Tropfstein sich mannigfaltige wunderliche Gestaltungen gebildet haben. Alljährlich am Pfingstmontage wird in der Höhle bei Fackelschein ein großes Volksfest gefeiert; aber der Qualm der Fackeln hat sich an dem Gestein niedergeschlagen und allen Glanz ihm geraubt, so daß die Höhle dadurch eines großen Reizes verlustig gegangen ist. Dagegen in unversehrtem Glanze des Tropfgesteins strahlt die Karlshöhle bei Pfullingen. Sie besteht aus zwei Hauptabteilungen, der untern und der obern Höhle; die erstere teilt sich wieder in die 102 m lange vordere und die 73 m lange hintere Höhle. Eine Treppe von 68 Stufen führt in die vordere Höhle, in der die schönsten Tropfsteinfiguren und mehrere stehende Wasser sich befinden. Die obere kleinere Höhle ist schwer zugänglich; auch sie besteht aus mehreren Gängen und Gewölben mit Tropfsteingebilden.

Zum besondern Schmuck gereichen der rauhen Alb die isolierten meist mit Burgruinen gekrönten Kegelberge aus Basalt und Phonolith, welche der nördlichen Steilwand vorgelagert sind.

Der Hohe Zollern, eine Stunde südlich von Hechingen, 855 m hoch, trägt die Stammburg der Hohenzollern. Der erste Burgbau mit dem Kirchlein St. Michael fällt in das 11. Jahrhundert. Hier siedelte sich der jüngere Zweig des alten Grafenhauses der „Zolre" an, als er sich 1227 von der fränkischen Hauptlinie getrennt hatte. 1423 zerstörte der schwäbische Städtebund nach einjähriger Belagerung die Burg bis auf den Grund. Nur die Kapelle blieb stehen. Graf Niklas von Zollern unternahm den Neubau; die

Abb. 84. Das Stammschloß Hohenzollern.

brandenburgischen Stammvettern halfen den Wiederaufbau vermitteln und erleichtern. Markgraf Albrecht Achilles trug am 21. Oktober 1454 einen schweren Stein bis auf die Spitze und legte den Grund zu dem Turme, der noch heute der Markgrafenturm heißt. Am 29. September 1461 wurde die neue Burg mit dem Kirchlein eingeweiht. Im Laufe der Jahrhunderte indes kam die Burg in Verfall und wurde 1823 fast ganz abgebrochen. 1846 verband sich Friedrich Wilhelm IV. mit den hohenzollernschen Fürsten zu ihrer völligen Wiederherstellung. Nach 21 Jahren konnte am 3. Oktober 1867 König Wilhelm I. von Preußen die Schlüssel der wiedergeborenen Burg in Empfang nehmen und die Einweihung des Ganzen und der beiden Burgkapellen feiern. Von dem Baue des 11. Jahrhunderts ist nur die Kapelle St. Michael übrig. Auch eine evangelische

Kapelle ist vorhanden, eine Kaserne für eine Kompanie Gardeschützen
und die Bedienungsmannschaften der Geschütze. Malerisch ragen die
Mauern der Kaserne, des Schlosses und der beiden Kapellen mit
ihren vielen Erkern und Turmspitzen vor dem Auge empor. Im
Burghofe grünt eine uralte Linde, die Königslinde genannt. Schon
der mit Schanzen und Bastionen versehene Wall bietet eine schöne
Aussicht, noch weitere der runde, neuerbaute Wartturm. Im Osten
türmen sich die reichbewaldeten Bergesmassen der rauhen Alb.
Malerisch auf einem Felsenvorsprunge gegen den Zollern schauend
steht das Kirchlein Maria Zell. Nördlich zieht sich bis Hechingen
eine fruchtbare Ebene mit dem Heiligkreuzkirchlein und dem Kloster
Stetten, welches mit der Burg durch einen unterirdischen Gang verbunden gewesen sein soll. Die in einem Obstbaumwalde verborgene
Stadt Hechingen im Norden begrenzend, erhebt sich am Abhange
eines Hügels das Franciskanerkloster St. Luzen; und darüber dehnt
sich die Aussicht bis gegen den Hohen Staufen und den Rechberg.
Westwärts tritt das Lustschloß Lindich mit seinen malerischen Baumgruppen hervor, im Hintergrunde die blauen Höhen des Schwarzwaldes mit dem weit hervorragenden Gebirgsgrat des Kniebis; südlich
über der Hochebene von Rottweil erheben sich die steilen Höhen von
St. Georgen, die bis tief in den Sommer hinein im Schneeglanze
stehen.

Auf den Hohen Staufen bei Göppingen, 690 m, baute sich
Friedrich von Büren 1080 eine Burg; seine Nachkommen nannten
sich nach ihr Hohenstaufen. Die Burg überbauerte das Geschlecht;
sie wurde erst 1525 im Bauernkriege zerstört, so daß nur noch
der Grundriß zu erkennen ist; aber am Berglegel liegt ein Dorf
Hohenstaufen. Über einer Seitentür der alten kleinen Pfarrkirche
verkündet noch jetzt eine Inschrift, daß sie einst vom Kaiser
Friedrich durchschritten worden sei. Die Tür ist zugemauert, als
sollte nach dem Kaiser niemand mehr durch dieselbe eingehen;
auf die Mauer ist das Bildnis des Kaisers gemalt.

Der Hohe Rechberg mit seinen zwei Gipfeln, die durch
eine Brücke verbunden sind, erhebt sich im Süden von Gmünd
707 m hoch. Auf dem niedrigeren steht das Schloß der noch
blühenden Grafen von Rechberg und Rothenlöwen und auf dem
höheren eine neu erbaute katholische Kirche mit der Wohnung des
Pfarrers und Meßners. Die Wallfahrt aber zum „wundertätigen
Bilde der schönen Marie" ist uralt.

Das fruchtbare Tal des Ries, wohl das Bett eines früheren

Sees, und das Wörnitztal scheiden von dem schwäbischen Jura
den fränkischen.

Der weite, sanftgeschwungene Bogen des fränkischen
Jura beginnt am Wörnitzdurchbruch und endigt am Obermain.
In seinem östlichen Zuge erreicht er die Donau in der Gegend
von Regensburg, wo Naab und Regen münden.

Der nördliche Zug, im engeren Sinne der Franken-Jura ge-
nannt, endigt bei Lichtenfels in der keilförmigen Spitze des
Staffelbergs. Der grotesk geformte Berg und der nahe
Wallfahrtsort Vierzehnheiligen sind von den Höhen des Thüringer
Waldes aus sichtbar, wo das Auge nach der anderen Seite auf dem
Brocken ruht. Der Osthang geht sehr allmählich zu den höheren
Flächen (350 m) an der tief eingeschnittenen Naab über. Daher erscheint der fränkische Jura, von Osten nach Süden betrachtet, nicht
in der Form eines Gebirges, aber, aus dem Rednitz-Regnitztale ge-
sehen, wie eine steile Wand mit zahlreichen Einbiegungen und Vor-
sprüngen. Nirgends erreicht sein gipfelarmer Scheitel die Höhe von
700 m. Das Auftreten des Dolomits gibt ihm indes eigentümliche
Formung. Auf der größten Höhe steigen wunderbare Felsen auf, teils
aneinandergereiht, teils in phantastischen Formen, wie Ruinen von
Burgen, Türmen, wie Obelisken oder freistehende Mauern anzusehen.

Der anmutigste und von Reisenden am häufigsten besuchte
Teil des Zuges ist die sogenannte Fränkische Schweiz, das
Tal der Wiesent mit seinen Nebentälern.

Der fränkische Jura wird in seiner ganzen Breite von mehreren
Flüssen durchschnitten, welche ihre Quelle fern davon im flachen
Hügellande haben, wie die Wörnitz, Altmühl, Pegnitz. „Die Haupt-
gewässer fließen nicht von dem Gebirge, sondern durch das Gebirge." Es ist ein auffallender Anblick, wenn man sich diesen Durch-
brüchen nähert. Der Fluß läuft einer weißen Mauer zu, welche sich
seinem Fortlaufe entgegenstellt. Nirgends ist ein Spalt zu sehen;
erst wenn man die Wand selbst fast berührt, zerteilen sich die Felsen
und lassen das Wasser in schmaler Spalte fort bis zum jenseitigen
Abhange fließen. Ähnliche Lücken mit jenseitigen Mauern zur Seite
und mit flacher Sohle, Kanälen gleich, durchsetzen das Gebirge nach
allen Richtungen, und dadurch entstehen Straßen, tiefe Buchten,
Einfahrten von der wunderbarsten Form.

Mit der auf dem linken Donauufer ausgebreiteten Hochfläche
der Oberpfalz, der Kreidebucht der Naab, reicht die Hochebene
an das Fichtelgebirge, den Hauptkamm des deutschen Mittelgebirges,

heran und schließt dann im südöstlichen Zuge den Böhmerwald ab, dessen Vorhöhen sich mit denen der Alpen an der Donau begegnen.

Die schwäbisch-bayrische Hochfläche bildet die Riesenbrücke zwischen den Alpen und dem binnenländischen Gebirge; nur namenlose Hügel, welche die Talfurche der Donau umsäumen, unterbrechen die weite Fläche. Nach der Mitte zu ist es am ebensten, denn mit der Annäherung an das Alpengebirge beginnt wieder eine gewisse Unruhe in der Ebene sich kundzugeben: sie erscheint wellig bewegt, dann tauchen einzelne Höhen auf, zuletzt ein stark zerteiltes Hügel- und Bergland, die Vorstufe der Alpen. Jeder Fernblick gegen Süden wird begrenzt durch ihre am Horizonte verschwimmenden Spitzen. Die mittlere Höhe der Ebene beträgt 500—650 m; sie ist demnach die höchste Hochfläche in Deutschland und im nördlichen Europa überhaupt. Wenn im Frühling und Herbst Südwinde wehen, ist die Luft durchsichtig wie in Italien, und die von der Sonne beschienenen Schneepyramiden glänzen wundervoll.

Von den Alpen stürzen mit starkem Gefälle die größeren Flüsse herab. Die Hochebene ist mit Seeen geschmückt, den Resten jener großen Wasserflut, welche noch in der tertiären Periode die ganze Ebene bedeckte. In dem ganzen Hügellande links der Isar vom Kochelsee bis zum Ammersee mit seinen nordöstlichen kleinen Nachbarn ist es, als ob eine zertrümmerte oder unfertige Bodenbildung den zahlreichen Quellen und Bächen ihren natürlichen Abfluß gewehrt hätte. Regellose Hügelgruppen mit kleinen Trockentälern und Becken kreuzen sich und führen selbst den mit der besten Landkarte gerüsteten Wanderer irre, so daß man die vielen Seeen innerhalb dieses Striches und die großen Sumpf- und Moorflächen vor demselben als ein notwendiges Ergebnis dieser wunderlichen Bodenbildung begreift. Diese Riede, in Bayern Moose genannt, findet man aber nicht bloß in den Niederungen, sondern auch an den Bergabhängen. Im bayrischen Gebirge und Hochlande ist kaum ein Fluß, dessen Säume nicht irgendwo Moosgrund aufweisen. Eins der ausgedehntesten ist das Dachauer Moos, dessen Abfluß, die Würm, sich in die Isar ergießt. Durch Kanalisierung, durch Torfstiche sucht man die Moose trocken zu legen, aber noch immer hat Bayern „mit ihrer Urbarmachung innerhalb seiner Grenzen ein nicht unbedeutendes Fürstentum zu erobern". Die Alpenmauer hat mit Trümmerstücken den Boden der Hochebene ausgelegt. Alle Gesteine, aus denen im Innern der alpinischen Bezirke Berge und Felsen aufgebaut sind, liegen an ihrem Fuße zu kleinen Geschieben abgerundet bunt über- und nebeneinander; nur sind

die Molaſſeſchichten, aus denen der Boden der oberdeutſchen Hochebene großenteils beſteht, vielfach bedeckt von Kiesablagerungen und
den Senkſtoffen der Flüſſe. Die ganze Hochfläche iſt, abgerechnet den
Berg- und Hügelſaum vor den Alpen, keineswegs durch Wechſel und
Anmut der Oberflächenformen anziehend. Ufer und Waſſerlauf gleichen
ſich täuſchend faſt bei allen Flüſſen; die meiſten ſtrömen in gleicher
Richtung von Südweſt nach Nordoſt. In den Kalkalpen geboren,
hat ihr Blaugrün durch den Zuſatz der aufgelöſten Kalkerde eine
weißliche, ſeifenartige Tinte erhalten; bei ſtarken Regengüſſen und

Abb. 85. Dachauer Moos (nach Geiſtbeck).

Gewittern gewinnt dieſer weiße Zuſatz die Oberhand und verdrängt
das Blaugrün faſt ganz. Die Ufer zeigen nicht ein Bild bunten
Lebens und konzentrierter Siedelung. Oft ſind ſie unwegſam und
ſumpfig, oft ſteile, zerklüftete Ränder, welche die Wildnis des Hochgebirges tief in die Ebene führen. Darum entwickeln ſich Dörfer und
Straßen vielmehr ſeitab der Flüſſe. Auch ſonſt gibt es eine Zahl
unfruchtbarer, von Sand und Kalkgrus bedeckter Striche. Doch
auch recht ergiebige Gegenden, beſonders in mehreren Niederungen,
fehlen nicht, z. B. jenes berühmte Ackerland, welches ſich von Regensburg über Straubing als eine weite Ebene bis gegen die Mündung

des Inn zieht. Sie sind die Kornkammern nicht bloß für Bayern, sondern auch für einen großen Teil von Oberdeutschland überhaupt.

Nach vielen Seiten ist die Ähnlichkeit des bayrischen Hochlandes mit dem norddeutschen Tieflande überraschend. Erinnerten nicht andere Erscheinungen, insbesondere nicht hier und da der Anblick der Alpen, ferner die Raschheit, Mächtigkeit und die grünliche Farbe der aus ihnen der Donau zuströmenden größeren Flüsse daran, daß man tief in Süddeutschland sich befindet; so würde man weit eher in der Nähe der Nord- und Ostsee zu weilen glauben. Ein Holsteiner oder Mecklenburger könnte vom Heimweh überwältigt werden, wenn er an den kleinen Seeen zwischen dem Ammer- und Starnbergersee wandert, durch diese Buchenhaine von so tief gesättigtem, saftigem Grün, wie es nur die Nähe des Meeres oder der Alpen erzeugen kann, über diese smaragdfarbigen Triften, wie sie nur dem äußersten Norden und dem äußersten Süden unseres Vaterlandes eigen sind. Die Moose erinnern an die Moore der untern Ems. Selbst der derbe, kräftige Menschenschlag scheut die Parallele keineswegs; ist doch der Bayer der süddeutsche Pommer genannt worden. Die Armut an Bruchsteinen hat in beiden Strichen die Backsteinbauten hervorgerufen. Weite Länderstrecken liegen trennend zwischen diesen beiden Polen Deutschlands, nirgends ist eine örtliche Vermittelung, ein Übergang; und doch baute man zu München in derselben, weil dem Volksgeiste, dem Boden und dem Material entsprechenden Weise, wie an der Ostseeküste.

Die Hochfläche ist seit länger als einem Jahrtausend ein großes Schlachtfeld gewesen, ist aber arm an historischen Resten. Die zahlreichen Burgen des linken Lechufers sind fast alle bis auf die Grundmauern weggetilgt. „Mehr als ein bloßer Zufall ist es, daß in den Gauen, wo die äußeren historischen Denkmale am reichsten bewahrt sind, der historische Charakter des Volkes am meisten erloschen ist, während in den von monumentalen Trümmern so arg entblößten großen Landstrichen des Südens und Nordens das lebende Denkmal der historischen Einrichtungen und Sitten am festesten sich erhalten hat."

2. München.

In der Mitte der Hochebene am bayrischen Nationalflusse, der Isar, liegt Bayerns Hauptstadt München. Wohl wird der Ort schon 1102 erwähnt, aber die Stadt ist wie das nordische Lübeck eine Schöpfung Heinrichs des Löwen, der den Beeinträchtigungen, die der bayrische Salzhandel durch den Zoll des Bischofs von Freising in Föhring erfuhr, dadurch ein Ende machte, daß er 1156 die dortige Brücke verbrannte, die Zoll= und Münzstätte, die der Bischof angelegt hatte, zerstörte und diese einträglichen Anstalten nach München verlegte. So bekam München eine Brücke, eine Salzniederlage, ein Zollhaus, eine Münzstätte, und die Reichenhaller Salzstraße wurde hierher geführt. Nun bildete sich eine Gemeinde, und bald war München mit Mauern und Gräben umzogen. Doch gedieh die neue Stadt, obwohl schon Hauptstadt des bayrischen Oberlandes, nur langsam, da die Herzöge teils auf ihren Schlössern, teils in Landshut residierten, bis Otto der Erlauchte, 1231—1253, seinen Sitz in München aufschlug. Die Gestalt der damaligen Stadt war oval; sie hatte vier Hauptstraßen und ebensoviele Tore, nämlich das Wilprechtstor, das am jetzigen Polizeigebäude die Weinstraße schloß, das Talbrucktor, wo der jetzige Rathausturm steht, das obere Tor, später der schöne Turm, am westlichen Ende der Kaufinger Gasse, und das Sendlinger Tor, später Ruffiniturm am Anfange der jetzigen Sendlinger Gasse. In der zweiten Hälfte des 13. Jahrhunderts hatte München schon eine Gemeindeverfassung und wurde von seinen Fürsten, besonders Ludwig dem Bayern, dem es in aller Not treu angehangen, mit immer größeren Freiheiten begabt. Die Ansiedlungen, welche sich an die Klöster vor der Stadt anschlossen, erweiterten sich zu Vorstädten, man zog diese in den Bereich der Stadt und umgab sie mit einer zweiten Mauer. Dadurch bildete sich die äußere Stadt, wie sie sich in ihrer Anlage in der jetzigen alten Stadt noch deutlich zeigt. Auf diese Art erweitert, hatte die Stadt bereits unter Ludwig dem Bayern vier Haupttore, das Neuhauser=, Schwabinger=, Sendlinger= und Isartor, und fünf Nebentore, das Kosttor, das Neuvesttor, den Einlaß, das Angertor und das Maxtor, wodurch der ganze Umfang der jetzigen alten Stadt umschrieben ist. Gestalt und Umfang der Stadt war nun gegeben und änderte sich im allgemeinen bis zum Ende des 18. Jahrhunderts nicht mehr; aber die Bevölkerung, der Wohlstand, die Betriebsamkeit der Stadt waren in stetem Wachsen.

Nach kurzem Schwanken stellte sich Bayern im 16. Jahrhundert entschieden auf die Seite der alten Kirche. München wurde der Mittelpunkt des Katholizismus in Süddeutschland. Der Dreißigjährige Krieg und die habsburgischen Erbfolgekriege wirkten hemmend auch auf die Entwicklung Münchens ein. Da begann unter Karl Theodor eine neue Epoche, und eine Menge Verschönerungen und Erweiterungen legten den Grund zu dem neuen München. Die alten Befestigungen wurden im Laufe der Zeit abgetragen; aus der Festung sollte die prächtige Hauptstadt eines Königreichs erwachsen. Doch erst König Ludwig wurde seit 1825 der eigentliche Schöpfer von Neu-München; er hat wahr gemacht, was er als Kronprinz einst in Rom verheißen: „Ich will aus München eine Stadt machen, die Deutschland so zur Zierde gereichen soll, daß keiner Deutschland kennt, wenn er München nicht gesehen hat!" Er ließ eine Reihe von Bauten aufführen, welche die Bestimmung haben, teils ältere und neuere Kunstschätze, teils den religiösen Kultus, teils Institute des Staates aufzunehmen. In jedem Hauptbaustil ist ein vollendetes Denkmal aufgeführt und ebenso reich und geschmackvoll ausgeschmückt. München errang aber auch den Ruhm der Wiedergeburt der Fresko- und Glasmalerei und des Erzgusses, ja es ist überhaupt ein Mittelpunkt deutscher Kunst geworden. Eine Reihe ausgezeichneter Künstler wurde nach München gezogen, mit großen Arbeiten beschäftigt; andere zog der Trieb zu lernen oder zu erwerben nach. Es mag nur an die Maler Cornelius, Kaulbach, Schnorr, Schwind, sowie an den Bildhauer Schwanthaler erinnert werden. Wie aber die Periode des Königs Ludwig im wesentlichen durchaus dem Klassizismus angehört, so begann mit dem Regierungsantritt des Königs Max das Überwiegen der realistischen Richtung in der Kunst. Es sollte nach des Königs Wunsch etwas Neues, Naturwüchsiges geschaffen werden, während die vorhergehende Zeit sich vorzugsweise in der Nachahmung klassischer Muster gefallen.

Maximilians hauptsächlichstes Bestreben ging dahin, den Wissenschaften zu sein, was sein Vater Ludwig den Künsten gewesen war. Selbst Gelehrter und Literat, besonders auf dem Gebiete der Historie, versammelte er einen Kreis angesehenster Gelehrten in seiner Residenz, rief wissenschaftliche Anstalten ins Leben, baute Museen und veranlaßte die Herausgabe wissenschaftlicher Sammelwerke von hervorragender Bedeutung. Das Maximilianeum und das seit 1900 allerdings der Münchener Künstlergenossenschaft überlassene alte Nationalmuseum sind die bezeichnenden Denksteine seiner 16jährigen Regierung. Der unglückliche Ludwig II., der einsame Träumer auf dem Throne der Wittelsbacher, wandte sein Interesse mehr dem Bau und der Ausschmückung seiner zum Teil in Weltabgeschiedenheit liegenden Königsschlösser Neuschwanstein, Linderhof und Herrenchimsee zu als der Entwicklung seiner Hauptstadt; nur das Kunstgewerbe und das Musikleben Münchens verdankt ihm Anregung und Förderung. Unter der Regierung des Prinzregenten Luitpold ist die Einwohnerzahl Münchens von

230 000 auf 562 000 im Jahre 1904 angewachsen, und ein
glänzender Aufschwung in jeder Beziehung, der besonders in
einer großen Zahl eigenartiger und von feinem Empfinden für
eine zeitgemäße Entwicklung der überkommenen Formen, besonders
des Barocks und der Gotik, zeugender Bauten seinen Ausdruck
findet. Thierschs Justizpalast, Seibls neues Nationalmuseum,
Hocheders und Th. Fischers Volksbäder und Schulen, Hauberrissers
neues Rathaus, Littmanns Prinzregenten=Theater und Hofbräuhaus,
und eine große Zahl sich glücklich an diese Muster anlehnender
Privatbauten haben München gegenwärtig zu der architektonisch
schönsten und interessantesten Stadt Deutschlands gemacht, und
Moritz Carrière hat unzweifelhaft recht, wenn er sagt: „Ein Gang
durch München gibt ein Bild der Bau= und Kunstgeschichte von
zwei Jahrtausenden."

Eine Wanderung durch München gibt uns ein Bild seiner
Baugeschichte. Die eigentliche alte Stadt München, unregelmäßig,
mit breiten Hauptstraßen, aber vielen krummen und engen Seiten=
gassen, hohen Häusern und lebhaftem Verkehr, bildet einen auf
dem linken Isarufer gelagerten Halbkreis. Dem Flusse nähert er
sich durch den zum Isartore vorspringenden Straßenzug, berührt
ihn aber nirgends. Zwischen der alten Stadt und der Isar liegen
unterhalb der Haupt=Isarbrücke die Vorstadt St. Anna oder der
Lehel, oberhalb die Isar=Vorstadt. Um die Peripherie des
Halbkreises ist nun Neu=München gelagert: zunächst nördlich vom
Lehel die Schönfeld=Vorstadt, durch den Englischen Garten
von der Isar getrennt; im Norden der Stadt die Maximilians=
Vorstadt, im Westen die Ludwigs=Vorstadt. 1854 legte
Maximilian II. die nach ihm benannte Straße an, die von der
Residenz östlich über die Maximilians=Brücke zum Maximilianeum
führt und dem Verkehr eine neue Richtung wies.

Der neuesten Zeit entstammt die Prinzregenten=Straße. Sie
erschließt die neuen eleganten Stadtteile auf dem rechten Isarufer
und überschreitet den Fluß auf der nach ihrem Einsturz beim Hoch=
wasser 1899 neuerrichteten Luitpold=Brücke, einem Geschenke des
Prinzregenten an die Stadt. Sie führt an dem 1898 errichteten
imposanten Friedensdenkmal vorbei und endet vorläufig bei dem
neuen, im strengsten Renaissancestil erbauten Prinzregenten=Theater.

Über die Isar führen sieben Brücken: am meisten unterhalb
die vom Englischen Garten nach Bogenhausen führende Max=Josef=
Brücke, dann folgen die neue Luitpold=Brücke, die Maximilians=

Brücke, die große Isarbrücke, die Cornelius-Brücke, die Reichenbacher Brücke und am weitesten stromaufwärts die Wittelsbacher Brücke. Noch rechnet man gewöhnlich zu München die auf dem rechten Isarufer gelegene, zu Anfang des 15. Jahrhunderts angelegte Au, welche mit dem unterhalb auf einer Anhöhe gelegenen Haidhausen zusammengewachsen ist. Seit dem 1. Oktober 1854 sind München, Au, Haidhausen und Giesing zu einer Gemeinde vereinigt.

Die eigentliche Stadt ist ganz offen; nur einzelne Torbauten sind stehengeblieben (Isar-, Sendlinger-, Karlstor). Ihren Mittel=punkt bildet noch heute der mit hohen Häusern umsetzte Marien=platz, der frühere Schrannenplatz. Auf diesem Platze befindet sich

Abb. 36. Das neue Rathaus in München.

das neue Rathaus mit der Hauptwache, ein imponierender Backstein=Rohbau, dessen vorspringender Mittelbau des Ostflügels in der Höhe mit den Statuen der vier Bürgertugenden geschmückt ist, während der Westflügel von einem 60 m hohen Turme überragt wird. In der Mitte steht eine von Kurfürst Maximilian I. zum Andenken des Sieges am Weißen Berge bei Prag (1620) gestiftete Mariensäule.

In der Vorstadt Au zieht vor allem die 1831—1839 im gotischen Stil aufgeführte Pfarrkirche Maria Hilf die Aufmerk=samkeit auf sich. Der Turm in durchbrochener Steinmetzarbeit ist 79 m hoch; das Innere entfaltet allen Schmuck des gotischen Stils in den geschmackvollsten Formen: das Holzschnitzwerk der Altäre und die 19 Fenster von 16 m Höhe mit den schönsten Glasmalereien

(Leiden und Freuden der Jungfrau Maria) ziehen besonders den
Blick auf sich. Zwischen Isar=Vorstadt und Anna=Vorstadt auf der
Zweibrückenstraße gelangen wir zum Isartore, das an eine angel=
sächsische Burgeinfahrt erinnert. Gegründet vom Kaiser Ludwig dem
Bayer, hat es 1835 Gärtner restauriert und mit Freskobildern ge=
schmückt, die den Einzug des Gründers nach der Schlacht bei Mühl=
dorf 1322, ferner eine Madonna und den heiligen Benno darstellen.
Die zwei Bogenpfeiler sind mit den Statuen St. Michaels und
St. Georgs aus Sandstein geschmückt.

Auf dem Frauenplatz steht die Metropolitankirche zu
Unserer Lieben Frau. 1468—1488 im späten gotischen Stil
erbaut, ein kolossaler Backsteinbau, der hoch über die Stadt aufragt
und mit seiner Größe den in kleinerem Maßstab angelegten Werken
der neuern Baukunst gleichsam trotzt. Die zwei gegen 100 m hohen
Türme, mit abgestumpften Kuppelhauben bedeckt, sind weit in die
bayrische Ebene hin sichtbar und gelten als Wahrzeichen der Stadt.
Das Innere der Kirche ist nach Wegräumung vieles störenden Bei=
werkes jetzt in rein gotischem Stil restauriert, so daß der edle Bau
nun in großartiger Einfachheit dasteht. Hochaltar und Kanzel sind
Meisterwerke, die sich würdig dem Stil der alten Chorstühle an=
schließen, deren Schönheit nach ihrer Wiederherstellung erst recht zu
erkennen ist. Auch die Seitenaltäre sind allesamt auf das geschmack=
vollste restauriert. Im Chor ist das Grabmal Ludwigs des Bayern,
1622 über dem viel ältern Grabstein aufgeführt. Die Kirche bewahrt
seit 1580 die Gebeine des heiligen Benno (Bischofs von Meißen), des
Schutzpatrons der Stadt. In der Gruft sind die Herzöge Bayerns
von 1295—1602 beigesetzt.

Vor dem Sendlinger Tore erhebt sich auf der weiten The=
resienwiese, dem Schauplatz bayrischer Volksfeste, seit 1843 die
bayrische Ruhmeshalle, dazu bestimmt, die Büsten aller Bayern
aufzunehmen, die sich um ihr Vaterland verdient gemacht haben. Von
Klenze erbaut, bildet sie eine nach der Stadt hin offene Halle in Huf=
eisenform, 72 m lang, mit zwei vortretenden Flügeln zu 32 m, von
48 kühnen Säulen dorischer Ordnung aus Unterberger Marmor ge=
tragen. Die Marmorreliefs in den Giebeln und Metopen sind von
Schwanthaler. Vor derselben ragt seit 1850 das kolossale eherne Stand=
bild der Bavaria mit einem Löwen zur Seite empor. Die gigantische
Gestalt ist 17 m hoch, bis zur äußersten Spitze des emporgehobenen
(100 Zentner schweren) Kranzes 19 m; sie ruht auf einem 10 m hohen
Piedestal, zu dem von der Theresienwiese aus 40 steinerne Stufen empor=
führen. Das Gewicht des ganzen Standbildes beträgt 1560 Zentner.

Auf 66 Stufen steigt man durch das Fußgestell bis zur Figur, und in
dieser auf 60 eisernen Stiegen bis in den Kopf, in welchem mehrere
Menschen sitzen können. Wir genießen durch die Schaulöcher eine
umfassende Aussicht. Rechts nach Süden erblickt man die Spitzen
der Alpen, ihre phantastischen Hörner ragen mächtig empor am blauen
Horizont, ihr Schnee glänzt herüber, die Unterberge legen sich in
blauen Umrissen vor sie. Links nach Norden erstreckt sich die Stadt,
mit ihren Türmen, Kirchen und Palästen und ihren Häuserrethen,
zwischen denen allerwärts das Baumwerk seine grünen Zweige hervorhebt. Näher an das Sendlinger Tor herangekommen, werden wir
erinnert, daß aller Ruhm der Erde Staub und Asche ist. Links liegt
uns das allgemeine Krankenhaus, rechts der Begräbnis-
platz. Er enthält, wie sich in München erwarten läßt, auch viele
künstlerisch ausgezeichnete Grabdenkmäler. Daran schließt sich der neue
Gottesacker, von Arkaden umgeben, wie die italienischen Campi santi.

Der Max Josephs-Platz ist seit 1835 mit einem herrlichen
Monument des Königs Maximilian I. geziert, welches aus einer
bronzenen 4 m hohen Statue dieses Königs in sitzender Stellung besteht, die auf einem mit altertümlichen Waffen geschmückten Würfel
ruht. Die Ostseite des Platzes nimmt das Hoftheater mit korin-
thischer Tempelfassade, die Nordseite der Königsbau, ein Teil der
königlichen Residenzgebäude ein. Sie bestehen aus drei Teilen, in der
Mitte liegt die von außen unansehnliche, im Innern prächtige Alte
Residenz. Zu ihren vornehmlichen Sehenswürdigkeiten gehört die
reiche Kapelle. Sie wölbt sich zu einer blauen Kuppel mit Zieraten
und Figuren aus vergoldeter Bronze; der Fußboden ist Mosaikarbeit aus kostbaren Steinen; die Wände sind von Florentiner Mosaik
und Marmor. Unzählige Edelsteine und Perlen sind überall über
massives Gold ausgestreut. Der ganze Altar, die Leuchter, die Statuen
der 12 Apostel, 12 Vasen, 12 Blumenbüsche in Gefäßen von Achat,
eine mit Diamanten, Rubinen und Perlen übersäete Monstranz, ein
aus der Mitte der blauen Kuppel herabhängender, vergoldeter, mit
Rubinen und Smaragden besetzter achtarmiger Leuchter — alles dies
ist aus massivem Silber. Die Schatzkammer enthält unter anderm
die Kronen Friedrichs V. von der Pfalz und Kaisers Heinrich II.
und seiner Gemahlin Kunigunde, die Kronen des Königs und der
Königin (1806 in Paris gemacht), den großen blauen Haus-
diamanten u. a. Die Neue Residenz oder der Königsbau,
1826—1835 erbaut, mit einer 140 m langen Front, im Äußern
dem Palast Pitti in Florenz ähnlich, ist im Innern auf das
reichste mit Marmorbildwerken und Fresken geschmückt. Das

Geogr. Charakterbilder I. Das deutsche Land.   11

große Stiegenhaus enthält die allegorischen Gestalten der acht Landschaften Bayerns. Im Erdgeschosse befinden sich Schnorrs Nibelungenfresken, im ersten Stock die Zimmer des Königs mit Bildern aus griechischen, die der Königin aus deutschen Dichtern. Zum Königsbau gehört die Allerheiligen=Kapelle, unter Leitung Klenzes in byzantinischem Stile gebaut. Die Emporkirchen werden von acht Marmorsäulen und vier Pfeilern getragen; die Kapitäler sind vergoldet, die Wände von Stuckmarmormosaik, alles reich mit Gold verziert, die oberen Räume mit Gemälden geschmückt, in den drei Kuppeln die heilige Dreieinigkeit, in der ersten Gott als Weltschöpfer, in der zweiten Christus mit den Jüngern, in der Chornische die Wirkungen des heiligen Geistes: alles auf Goldgrund, „ein Schmuck= kästchen von Geschmack und harmonischer Pracht". Alle Künste reichen sich im Königsbau die Hände, um das Vollendetste zu schaffen, was Pracht, vereint mit reicher Kenntnis der Plastik, der Freske, der Enkaustik hervorzubringen vermögen. Der Saalbau oder der Neue Flügel, mit einer 233 m langen Fassade im venetianischen Stil dem Hofgarten zugekehrt, ist 1832—1842 aufgeführt. Die Säle im untern Stockwerk sind mit Bildern nach Homers Odyssee geschmückt. Im Hauptgeschoß ist der prachtvolle Thronsaal, mit 14 kolossalen, von Schwanthaler modellierten, von Stiglmair gegossenen, vergoldeten Bronzestatuen bayrischer Fürsten unter einer von 20 korinthischen Säulen getragenen Galerie. Der nördlichen Front der Residenz gegenüber liegt der von zwei Seiten mit offenen Arkaden umgebene Hofgarten. Die mit der Residenz verbundenen Arkaden sind mit herrlichen Fresken geschmückt, darunter die allegorischen Darstellungen der Donau, des Rheins, der Isar und des Mains. Zu den übrigen Gemälden ist der Stoff teils der bayrischen Geschichte und dem griechischen Freiheitskampfe entlehnt, teils bestehen sie in landschaftlichen Tableaus, Gegenden aus Italien und Sicilien darstellend. Die darunter stehen= den Verse sind von König Ludwig. An die Westseite der Arkaden grenzt der Bazar, dessen nördliche Seite, unter den Räumen der alten Bildergalerie, mit Arabesken und enkaustischen Gemälden aus dem griechischen Freiheitskampfe geschmückt ist.

Die Fortsetzung der Theatinerstraße mit der Theatinerkirche, welche die jetzige Regentengruft birgt, ist die breite und lange, von lauter Prachtgebänden eingefaßte Ludwigsstraße. Ihr südliches Ende wird durch die Feldherrenhalle begrenzt, die nach dem Muster der Loggia dei Lanzi in Florenz aufgeführt ist. Gleich am Anfange tritt die linke Straßenseite etwas zurück; dadurch entsteht der Odeonsplatz mit dem für Konzerte bestimmten Odeon. Davor steht das Monument, welches die Stadt dem König Ludwig I. gesetzt hat. Der Monarch erscheint zu Pferde mit geschwungenem Scepter; zwei Pagen, die auf Tafeln des Königs Wahlspruch: „Gerecht, beharrlich", dem Volke zeigen, geben ihm zur Seite; am Sockel sind die Allegorien der Religion, Poesie, Kunst und Industrie angebracht. Weiter abwärts steht das großartige Gebäude der Bibliothek, die über 1300000 Bände und über 40000 Handschriften besonders aus dem Gebiete der Theologie, der Kunst und der Architektur enthält und nächst der Berliner die reichste ist, die es in Deutschland gibt. Die kostbarsten Handschriften sind unter Glaskasten in dem Fürstensaale ausgestellt, darunter viele für die alte deutsche Literatur von einzigem Wert (Wessobrunner Gebet, Heliand, Otfried, Nibelungenlied, Tristan und Isolde, Parzival). Die Ludwigstraße führt nach dem durch zwei Springbrunnen geschmückten Universitätsplatze und findet in dem Siegestor, einer Nachbildung des Konstantinbogens zu Rom, ihren würdigen Abschluß.

Weitab vom Getümmel des lauten Marktes, auf reizenden Wiesenplätzen und von duftenden Büschen umgeben, erheben sich in lautloser Stille die Tempel der Kunst, die allein schon hinreichend sind, um die Fremden aus allen Fernen nach München zu ziehen. Die alte Pinakothek, ein prachtvolles Gebäude mit zwei Flügeln, zeigt die geschmackvolle Anwendung der antiken Formen, wie sie in Rom die Raffaelsche Zeit übte. Diese Gemäldegalerie besteht aus einer Auswahl von 1400 Gemälden. Sie steht der Dresdner Bildergalerie an Zahl und Trefflichkeit der Gemälde nach, hat aber den Vorzug, daß sie die altdeutsche Malerschule besonders würdig vertritt. Nördlich von der alten liegt die neue Pinakothek, ein Werk Veits, 1846—1853 aufgeführt, der Malerei des 19. Jahrhunderts gewidmet. Die Glyptothek ist das Museum antiker Bildwerke. Eine ionische Vorhalle ladet zum Eintritt ein; Statuen der Bildhauer und Kunstbeschützer in den Nischen veranschaulichen den Zweck des Gebäudes, das im Altertum kein Vorbild hat, für das aber griechische Formen rein und sinnvoll verwertet sind. Der Glyptothek gegenüber erhebt sich in der Gestalt eines korinthischen Tempels das Kunstausstellungsgebäude, und zwischen ihm und der Glyptothek öffnen sich die 1862 vollendeten Propyläen, ein prächtiger Torbau mit einer breiten Durchfahrt in der Mitte und Kolonnaden zur Seite, sechs dorischen Säulen nach außen und sechzehn korinthischen im Inneren, zu vier Paaren nach links und rechts

11*

hin. Neben den Seiten ragen zwei 35 m hohe Türme. In den
Giebelfeldern findet man Darstellungen, welche sich auf den grie=
chischen Freiheitskampf und die Gründung der bayrisch=griechischen
Dynastie beziehen; denn dieser Tatsache zum Gedächtnis ließ König
Ludwig I. den Bau nach einem Plane Klenzes ausführen. In der
Nähe steht die Basilika des heiligen Bonifatius, 1835—50
nach dem Vorbilde römischer Basiliken aus dem 5. und 6. Jahr=
hundert durch Ziebland aufgeführt. 66 Säulenmonolithen aus
Tiroler Marmor teilen das Innere in fünf Schiffe. Die Seiten=
wände des Hauptschiffes und den Chor schmücken Freskogemälde
aus dem Leben des heiligen Bonifatius. In der Chornische ist
Christus, umgeben von einer Glorie von Engeln, mit Maria,
Johannes dem Täufer und denjenigen Heiligen dargestellt, welche
für die Verbreitung des Christentums in Bayern mitgewirkt haben.
Ungehindert bringt das Auge vom Eingange bis zum Chor, unter
welchem sich das Grabgewölbe für die Benediktiner befindet.

Das „neueste München" bilden die im Nordosten der Stadt
entstehenden Viertel, zu beiden Seiten der Isar belegen und von der
prächtigen Prinzregenten=Straße durchquert. Hier erhebt sich auch,
von einer Reihe anderer Staatsgebäude umgeben, das mit dem
Schlusse des vorigen Jahrhunderts nach Gabriel Seidls Plänen voll=
endete herrliche Nationalmuseum, das in seinem Äußeren schon
die Entwicklung der deutschen Kunst harmonisch zum Ausdruck bringt,
indem es die verschiedenen Zeiten angehörenden Formen diskret an=
klingen läßt. In seinem Innern enthält es in mehr als 80 Sälen
die herrlichsten Schätze aus allen Perioden deutscher Kunst und
deutschen Handwerkes, natürlich unter Bevorzugung des dem bay=
rischen Volke besonders Eigentümlichen. An die Prinzregenten=
Straße stößt auch der „Englische Garten". In der Zeit der Oppo=
sition gegen den Geschmack des ancien régime im Jahr 1800
angelegt, von Nebenflüßchen der Isar durchströmt, bietet der 237 ha
große Park mit seinen herrlichen alten Bäumen, die in malerischen
Gruppen oder schattigen Alleen vereint sind, eine Fülle reizender
Landschaftsbilder und an heißen Sommertagen reichliche Gelegen=
heit, in Waldeskühle oder an Bachesrand Erfrischung zu suchen.

Die mittlere Temperatur Münchens ist niedriger als die von
Berlin, das Klima oft rasch wechselnd, nicht selten rauh. Damit
hängt ohne Zweifel die Leidenschaft des Münchners für das Bier
zusammen, das freilich hier in ganz besonderer Trefflichkeit gebraut
wird. Er verzichtet dabei auf allen Komfort, sitzt auf Brettern und

Fässern in Hausfluren oder schmutzigen Schankstuben: wenn das
Bier nur gut ist. Der Anstich des Salvatorbieres im März ist für
den Münchner geradezu ein Volksfest. Nichts gleicht dem Bilde,
welches sich dann auf dem Salvatorkeller beim Zacherl entfaltet.
Eine unabsehbare, sich stoßende, drängende, hebende, schiebende
Menge füllt jeden Raum, Männer, Frauen, Kinder, jeder mit dem
Maßkrug bewaffnet. Hüben und drüben kleine Musikkapellen, welche
beliebte Weisen spielen. Unaufhörliches Hochrufen erschüttert die
Luft; fliegende Händler, die „Radi", Käse, Eier, Brezeln feilbieten,
erhöhen den Lärm. Eine Unterhaltung mit den Nachbarn ist unmöglich; jeder sinnt auch nur daran, möglichst viel von dem edlen
Bockbräu zu vertilgen. Der von Jahr zu Jahr zunehmende Fremden-
verkehr hat jedoch neuerdings einen Wechsel im Geschmack des
Müncheners hervorgebracht. Die alten Münchner Bierstuben mit
ihrer oft mehr als einfachen Einrichtung werden immer mehr von
wohnlicheren und eleganteren Schankstätten verdrängt. Große
Brauereien, wie das Hofbräuhaus, Pschorr und Sedlmayer, haben
palastartige Gebäude errichtet, die mit Werken vornehmer Kunst
geschmückt sind, und — was das Wunderbarste ist — ein großer
Teil des in München produzierten Bieres wird heute „nach
Pilsner Art", d. h. stark gehopft, gebraut und von den Münchnern
getrunken!

Andere eigentümliche Volksfeste sind der Metzgersprung und
der Schäfflertanz. Bei jenem bringen die Metzger am Fastnachts-
montage in jedem dritten Jahre in feierlichem Aufzuge dem Könige
mit einem großen Humpen einen Willkommen in der Residenz, während ihre losgesprochenen Lehrlinge in weißen, mit Kälberschwänzen
besetzten Hosen und Jacken in den Fischbrunnen am Markte springen
und Nüsse herauswerfen und die danach haschenden Kinder mit
Wasser bespritzen. Der Schäfflertanz dagegen findet nur alle
sieben Jahre statt: ihn führen 16—20 Böttgergesellen, mit grünen
Samtbaretts geschmückt und Reisen tragend, die sich vielfach ver-
schlingen, auf der Straße mit Musik, als Umfrager, Vortänzer, Nach-
tänzer, Reifenschwinger, Spaßmacher aus. Auf der Theresienwiese
wird seit 1811 jährlich vom 1. Oktober an das Zentral-Land-
wirtschaftsfest oder Oktoberfest als ein wahres Volksfest in
Gegenwart des ganzen königlichen Hauses gefeiert, wobei die Volksmenge oft 100 000 übersteigt. Dann ist die ganze Ebene und das große
natürliche Amphitheater um dieselbe mit Menschen bedeckt. Die ganze
dem Haupttage folgende Woche ist diesem Volksfeste gewidmet; reger

Lebensgenuß herrscht dabei allerwärts; an allen Enden ertönt Musik. Stoß- und Kugelbahnen, Tanz und Ge- sang, Zelte und Buden mit Speisen und Getränken ver- einigen sich, zu Genüssen der verschiedensten Art ein- ladend. Ein Pferderennen findet am letzten Tage statt, und ein Feuerwerk beschließt das ganze Fest.

Die Umgebung der Stadt ist öde Hochfläche mit zer- rissenem Kiesboden. Gustav Adolf nannte darum Mün- chen einen goldnen Sattel auf dürrem Klepper. Doch fehlt es der Umgebung keineswegs ganz an land- schaftlichem Reize. Am rech- ten Isarufer fallen mäßige Anhöhen steil ab. Das Isar- tal ist ein Naturpark voll lieblichen Wechsels: der Blick auf die Alpen hebt den Geist über die reizlose Ebene hinaus, die Häuser und Gärten an den Hebungen und Senkungen des Isarufers erscheinen malerisch und ein- ladend, und die grünen Flu- ten der Isar rauschen wie ein Gruß aus dem Gebirge.

Sehr lohnend ist auch ein kurzer Ausflug südwärts an den nahen Starnberger oder Würm-See. Denn wenn auch schon ganz der bayrischen Hochfläche ange- hörend, bildet der 55 qkm große See doch mit seinen reizenden Ufern und Um-

177

gebungen und dem großartigen Hintergrunde, welchen ihm nach Süden hin die Kette der Alpen verleiht, ein anmutiges Idyll. Zumal an der Nordseite reihen sich Landhäuser und Dörfer, Parkanlagen und Schlösser in dichtem Kranze um den See. Stiller ist das östliche Gestade; an ihm liegt Schloß Berg, wo König Ludwig II. in den Fluten des Sees ein tieftragisches Ende fand. Zahlreiche Schiffe und Dampfboote beleben zu jeder Zeit die blaue Flut, über welche die Rottmannshöhe unweit des Dorfes Leoni den schönsten Ausblick bis hinab zu den trotzigen Alpenvorbergen gewährt.

3. Das G'spiel zu Oberammergau.

Weit hinten im bayrischen Hochlande, in einem hohen Tale, das gute Wiesen, aber unergiebige Felder hat, liegt Oberammergau, am Fuße der seltsam zerklüfteten Felswand des Kofel, wo einst in den Zeiten der Römerherrschaft, den Gebirgseingang zu schützen, an der von Verona heraufführenden uralten Straße ein festes Kastell gestanden hat. Jetzt zählt das Dorf an die 1400 Einwohner; ihre Kunst ist die Holzschnitzerei, und ihre Schnitzarbeiten gehen in alle Welt. Aber alle zehn Jahre kommt alle Welt nach Oberammergau, das „G'spiel" dort anzusehen, eine dramatische Aufführung der Passion Christi, zu der die Oberammergauer in Pestnot im Jahre 1633 sich verpflichtet haben.

So ziemlich das ganze Dorf wirkt mit. Früher schlug auch ein Oberammergauer Zimmermann jedesmal das Theater auf, wie auch alle äußeren Verrichtungen, wie das Malen der Dekorationen, die Anfertigung der Kostüme, soweit möglich, von Oberammergauern geleistet wurden. Heute hat man schon gelernt, sich den Ansprüchen der alle zehn Jahre in großen Scharen in das Tal strömenden zahlungsfähigen Fremden an Komfort und Ausstattung eines Theaters anzupassen, und schon für das Festspiel 1900 ein großes festes Theater mit 4200 bequemen Sitzplätzen errichtet.

Die Bühne zerfällt in sechs verschiedene Teile. Die eigentliche Mittelbühne ist durch einen Vorhang geschlossen, oben gedeckt, und hat gleich andern Theatern wandelbare Dekorationen. Auf ihr spielen alle Scenen, bei denen der Wechsel des Schauplatzes durch die Veränderung der Dekoration vergegenwärtigt wird. Dieser Mittelbühne schließen sich rechts und links schmale Häuser mit Balkonen an, links das Haus des Pilatus, rechts das des Hohenpriesters Hannas. Auch vor ihnen spielt ein Teil der Handlung. Neben diesen Gebäuden gewähren zwei offene Torbogen den Blick in die Straßen der Stadt Jerusalem. Vor dem Ganzen befindet sich die vorn offene Vorder-

bühne mit einer Breite von 24 m und einer Tiefe von 5 m. Dieselbe ist zunächst für den Chor und für diejenigen Vorstellungen bestimmt, welche einen größeren Raum erfordern. Da der Vorhang
der Mittelbühne eine Straße zeigt, so stellt das Ganze bei herab-
gelassenem Vorhange die Stadt Jerusalem vor. Bei aufgezogenem
Vorhange aber bilden wirkliche Berge mit Wald und Wiesen den
Hintergrund. Die Morgensonne sendet goldene Streiflichter in die
Straßen der heiligen Stadt; die Lerchen wirbeln über ihr, und aus
der Ferne klingen die Glocken der Herden und schallt das Brüllen
der Rinder. Dies alles aber stört weder die Darsteller, noch den
Verlauf der Handlung.

Das gesamte G'spiel besteht aus vier Hauptabteilungen. Die
erste beginnt mit dem feierlichen Einzuge des Heilandes in Jerusalem
und erstreckt sich bis zu seiner Gefangennehmung. Die zweite umfaßt
die Geschichte von da bis zum Verhör Jesu vor Hannas. Die dritte
endet mit dem Tode Jesu und die vierte zeigt die Auferstehung des
Herrn. Jede dieser Hauptabteilungen umfaßt wieder mehrere Handlungen und Scenen aus dem Leiden Christi, die durch „Vorbilder“
aus dem Alten Testamente eingeleitet werden. Die einzelnen Gruppen
werden durch den Chor nach dem Vortrage des Chorführers in
mannigfachen Gesängen vorbereitet und durch die Begleitung der Musik
aufs wirksamste gehoben.

Wiederholte Böllerschüsse verkünden den Beginn des Schauspiels.
Nach einer Ouvertüre, welche die Dorfmusikanten aufführen, erscheint
ein Chor von vierundzwanzig Personen, dessen Gesang auf die lebenden
Bilder aufmerksam macht, die hinter dem jetzt aufgehenden Vorhange
sichtbar werden; zuerst rechts die Austreibung Adams und Evas aus
dem Paradiese, und links der gehorsame Abraham, vom Engel am
Opfer seines Sohnes verhindert; dann, nachdem der Vorhang gefallen
und wieder sich gehoben, das Kreuz und vor ihm vier betende Gestalten. Darauf fällt der Vorhang abermals und der Chor verläßt
nach einer Aufforderung an die Zuschauer, dem Kampfe des Ver-
söhners für die Welt aufmerksam zu folgen, die Bühne.

Nun beginnt das eigentliche Drama mit dem Einzuge Christi in
Jerusalem. Im Hintergrunde der Mittelbühne erscheinen in dichten
Massen Männer, Frauen und Kinder, mit Palmzweigen in der Hand
und mit lautem Hosiannarufen den Heiland begrüßend, der endlich
selbst erscheint, inmitten seiner Jünger auf einem Esel reitend. In
ein blaß violettes Gewand und einen karmoisinroten Mantel gekleidet,
sitzt er quer auf seinem Tiere und steigt ab, sobald er auf der Vorder-

bühne angelangt ift. Die Rolle wird vortrefflich gefpielt; alle Be-
wegungen find ungefucht und natürlich, die ganze Handlung im
frömmften Stile.

Nachdem auf der Mittelbühne der Vorhang gefallen und wieder
aufgezogen ift, erblickt man den Vorhof des Tempels und in demfelben
die Krämer und Wechsler mit ihren Tifchen, ihren Kämmern und
Tauben. Chriftus tritt unter fie, droht ihnen, ftürzt ihre Tifche um
und ergreift endlich, nachdem die Handelsleute, unterftützt von den
Schriftgelehrten, lange und heftig mit ihm und dem Volke, das für
ihn Partei nimmt, geftritten, ein Seil, macht eine Geißel daraus und
treibt die Krämer hinaus, während die befreiten Tauben davonfliegen.

Das nächfte lebende Bild zeigt die Söhne Jakobs, wie fie über
das Verderben ihres Bruders Jofeph ratfchlagen; die folgende Scene
die Priefter und Schriftgelehrten, welche fich über die Tötung Jefu
befprechen. Sie fitzen auf kleinen Seffeln, längs der Couliffen, hinten
auf erhöhten Sitzen Hannas und Kaiphas, der erftere weiß, der andere
rot gekleidet, beide mit hohen goldenen, breit gefpaltenen Priefter-
mützen. Alle, Oberpriefter und Pharifäer, Krämer und Römer,
Heilige und Engel, fprechen in oberbayrifcher Mundart und fpielen fo
frifch drauf los, als fei es das natürlichfte von der Welt, daß es
damals in Jerufalem ganz ebenfo zugegangen fei, wie fo viele Jahrhunderte fpäter in Oberammergau.

Die Vorbilder, wie Tobias von feinen Eltern Abfchied nimmt
und die Braut des Hohenliedes über den Verluft ihres Bräutigams
klagt, bereiten auf die Scene vor, in der Chriftus von den Seinen
fcheidet.

Die fünfte Gruppe enthält das Bild, wie der Herr dem Volke
Israel das Manna und die Weintrauben des gelobten Landes fpendet,
und darauf die Abendmahlsfcene, welche ganz nach Leonardo da Vincis
Gemälde dargeftellt wird, nebft der Fußwafchung.

In der fechften Scene empfängt Judas feine Silberlinge. In
der fiebenten fieht man erft Adam im Schweiße feines Angefichtes fein
Brot effen und dann Jefum im Gebet am Ölberg blutigen Schweiß
vergießen. Es folgt die Gefangennehmung, das Verhör Chrifti vor
den Balkonen, Petri Verleugnung, die Verzweiflung und der Selbft-
mord des Judas und die äußerft lebendig dargeftellte Scene des Auf-
ruhrs, den die Priefter im Volke erregen, als Herodes und Pilatus
Chriftum wegfchicken. Alle Scenen werden mit einer ins einzelne
gehenden Genauigkeit und mit einer Natürlichkeit durchgefpielt, welche
komifch wirken müßte, wenn die Spieler nicht felbft von der frömmften

Hingebung an den Gegenstand erfüllt wären. Selbst der Hahnenschrei bei der Verleugnung des Petrus wird von einem der Mitspieler täuschend nachgeahmt.

Am tiefsten ergreifend wirkt „die Kreuzigung". „Die Scene auf Golgatha steht in schlichter Erhabenheit vor uns. Der Vorhang der Mittelbühne ist aufgerollt. Die beiden Schächer sind schon ans Kreuz geheftet, Christus aber wird eben aufgerichtet. Weinen und tiefes Schluchzen bezeichnen die tiefe Rührung der Zuschauer. Die römischen Kriegsknechte würfeln um das Gewand des Herrn, wir

Abb. 38. Jesus vor Pilatus.

hören den teuflischen Spott der Juden und die letzten Worte vom Kreuze; der Heiland neigt das Haupt und gibt den Geist auf. Erdbeben und Zeichen folgen. Hierauf werden die Gebeine der Schächer mit Knitteln gebrochen, was wir immerhin mit Gleichmut ansehen können, weil die Knittel elastisch sind; dann tritt Longinus heran und durchsticht mit der Lanze die linke Seite des Herrn, aus welcher sofort Blut fließt. Endlich folgt, nachdem die Schächer heruntergenommen worden und Römer und Juden die Bühne verlassen haben, die Abnahme Christi vom Kreuze in stiller Würde. — Zwei sinnige Zwischenspiele treten nun ein: Jonas wird von dem Walfisch gesund ans Land gesetzt, danach zieht das Volk Israel trockenen Fußes durch das Rote Meer. Frohen Herzens sehen wir nun Christum auferstehen. Das Schauspiel schließt mit einer schönen allegorischen Vorstellung, der Verherrlichung der Stiftung des Neuen Bundes.

Die Ammergauer haben ihr Spiel unter Schmerzen geboren und lieben es auch danach. Es ist ein erstaunliches Werk für eine nicht sehr wohlhabende Landgemeinde von nur 1400 Seelen, dieses große Drama mit all seinen Beigaben in so würdiger Gestalt uns vorzuführen. Wie viel Eifer und Hingebung, wie viel Verlust an Arbeitsstunden und Erwerb gehörte dazu, bis dieses Orchester, bis dieser Chor, die plastischen Darstellungen, die dramatischen Auftritte so zu einheitlichem Zusammenspiel eingeübt waren, und dies von Schnitzern, von Greisen, Männern, Weibern, Kindern, von mehreren hundert Personen! Wir finden es daher in der Ordnung, daß die Meister stolz sind auf ihr Werk, das so wohl gelungen."

4. Die Donau.

a. Von der Quelle bis Regensburg.

Wie der Rhein die schweizerische Hochebene von Osten nach Westen, so umfließt die Donau die schwäbisch-bayrische von Westen nach Osten. Während jener, zweimal mächtige Gebirgsgrate durchschneidend, der Durchbrecher unter den deutschen Flüssen genannt werden muß, ist die Donau nur die Begleiterin der Gebirge. Zwar fehlen auch ihr Durchbruchsstellen auf deutschem Boden nicht ganz, doch sind sie kurz und zwingen den Strom nicht zu solchen Gewaltakten, wie sie der Rhein ausübt.

Zu Donaueschingen, auf dem Hofe des Fürsten von Fürstenberg, befindet sich ein runder, mit Mauerwerk eingefaßter und mit Eisengittern umgebener Brunnen, zu dem man auf Stufen hinabsteigt. Unten wallt die Donauquelle aus der Erde. Von dem Brunnen führt zur Brigach, die am Hirzwalde über St. Georgen entspringt, eine Kastanienallee; unter derselben wird der Abfluß des Schloßbrunnens in einer Röhre unterirdisch weitergeführt und tritt erst wieder beim Abfluß in die Brigach zu Tage. Von Stund an führt dieselbe den Namen Donau und vereinigt sich unterhalb Donaueschingens mit dem bei Martinskappel nordwestlich von Furtwangen entsprungenen Schwarzwaldbach Brege. Der vereinigte Fluß behält anfangs die Richtung der Brege nach Südosten bei, als wolle er nach dem Rhein oder dem Bodensee. Bald wendet er sich aber nach Nordosten, und diese Hauptrichtung hält er auf dem obersten Laufe bis Ulm und noch weiter inne; denn auf den Osten bleibt der Strom immer gewiesen.

Hinter Tuttlingen beginnt der Durchbruch durch den schwäbischen Jura, und damit eine anmutige, aber noch wenig bekannte Partie des oberen Donautales. Zuerst begleiten den Fluß abgerundete Hügel und Berge, mit größeren und kleineren Felsengruppen übersäet, welche oft vom Wasser aus zur halben Berghöhe pyramidalisch aufsteigen. Unterhalb des Schlosses Bronnen, das auf einem schräg abgeplatteten Felsen, der nur durch eine Brücke mit der Talwand zusammenhängt, liegt, schließt die Donau eine Niederung halbinselförmig ein, auf welcher man eine große Kirche und weitläufige Gebäude erblickt. Das ist das säkularisierte Augustinerkloster Beuron, jetzt wieder mit Benediktinern besetzt, bei denen man den echten alten Kirchengesang am besten in Deutschland hören kann. Bald verengt sich das Tal wieder und nimmt fast schluchtenartigen Charakter an. Auf beiden Seiten erheben sich hohe Felsenwände, oft bis 100 m senkrecht aus dem Wasser aufsteigend, bald rauh und zerklüftet, mit vorspringenden Winkeln, bald mehr wandartig fortlaufend, oben auf der Stirn aber durchaus von dem üppigen Baumwuchs überwuchert, der die Täler der schwäbischen Alb charakterisiert. Aber auch durch die Steinmassen haben sich überall größere und kleinere Busch- und Baumpartieen Bahn gebrochen, welche mit ihrem warmen Grün einen sehr lebhaften Kontrast zu der fahlgrauen, öfters ins Gelbliche spielenden Farbe des Jurakalks und der mehr rötlichen des Tuffsteins bilden. An anderen Stellen dagegen bedeckt der dichte Wald gänzlich die steile Talseite, und aus ihm hervor starren dann, scharf abstechend gegen das sanfte Grün der Birken und Buchen, die riesigen Felsblöcke oder strecken auch wohl schlanke Säulen in die Luft. Unten aber zieht sich in Schlangenwindungen das enge Tal fort, indem es zwischen der klardunkeln, von Büschen beschatteten Donau und der schmalen Straße nur einen saftig grünen Wiesengrund und hier und da ein ganz klein wenig Ackerfeld übrig läßt. Denn die Enge des Tals, wo Überschwemmungen keine seltene Sache sind, gestattet auf dem fast überall nur äußerst wenig über das Wasser erhöhten Talboden keine erfolgreiche Bebauung, und nur sehr spärlich finden sich ein paar Dörfchen im Tale entlang. Deshalb kann es einem denn auch begegnen, daß man stundenlang auf dem einsamen Wege kein menschliches, ja kein lebendiges Wesen erblickt. Daher stammt auch der beengende Zauber, den diese in sich abgeschlossene Gegend auf den

Sinn des Wanderers ausübt, vermehrt durch die zahlreichen Ruinen. Ganz eigentümlich ist die Lage, die das Schloß Wildenstein hat: von der Hochfläche führt über einen geringen Spalt eine Zugbrücke auf einen Felsen, der einen Teil der Schloßgebäude trägt. Durch weite Kluft von dem ersten getrennt, steigt dicht an der Donau der steile Fels auf, auf dem das eigentliche Schloß steht. Beide Felsen sind durch eine Zugbrücke verbunden, welche in der Mitte auf einem schlanken, hoch aufgemauerten, viereckigen Pfeiler ruht. Unweit einer andern Verengung findet sich Schloß Werrenwag, das unter seinen Burgherren einen Minnesänger gehabt hat; weiter abwärts dampft das Eisenwerk Tiergarten. Von hier beginnt eine schöne Straße, die öfters die Felsenvorsprünge in kleinen Tunnels durchsetzt. Noch einmal bei der Ruine Dietfurt verengt sich das Tal. Wieder erweitert es sich bei Inzikhofen, dem ehemaligen Kloster; Parkanlagen begleiten die Talseite. Im erweiterten Becken umschlingt der Fluß das romantisch mit seinem Schlosse auf und um zwei Felshügel gelegene Sigmaringen. Der Durchbruch, in dem der Fluß auf den Kilometer 2 m Gefälle hat, ist vollendet.

Von Sigmaringen bis Sigmaringendorf nimmt das Donautal den Charakter des Riedes an. Schwärzlicher Moor- und Tiefgrund, mit Wiesen- oder Ackerfeld bedeckt und zwischen Fichtenwaldung eingeengt, bietet einen sehr einförmigen Anblick. Nur noch einmal, bei Zell, wird das Tal eng und von steilen Ufern begrenzt; es ist die Stelle, wo die Donau zwischen der Alb und dem nahen Bussen hindurchgeht. Von Munderkingen bis Ulm sind die Ufer wieder flach; der Grund ist sumpfig, mit Torf Tal Moor und einer Menge von sogenannten Altwassern und Abzugsgräben bedeckt.

Bei Ulm, das noch 468 m hoch liegt, wird die Donau durch die Blau und Iller gestärkt; es beginnt nun ihre Schiffbarkeit.

Bis Regensburg fließt sie in nordöstlicher Hauptrichtung. Oberhalb Ulm öffnet sich das und zur Rechten und bleibt so geöffnet, indem der Strom Ebenen, zum Teil sumpfige Anstauungen bis zu Meilenbreite durchzieht. Zur Linken begleitet bis Regensburg der Abfall des schwäbischen und fränkischen Jura den Strom unmittelbar. Hier und da tritt der Höhenrand zur Linken weiter zurück, so von Ulm bis Donauwörth, oder verflacht sich zu völliger Ebene, wie um Ingolstadt. Entgegengesetzt treten einigemal Höhen des linken Ufers auf das rechte über. 10 km unterhalb Ulm dehnt sich am linken Ufer bis Gundelfingen, am rechten bis zur Lechmündung, das sumpfige, meist mit Riedgras bewachsene Donau-

Ried, weiterhin das Donau-Moos zwischen Neuburg, Ingolstadt und Schrobenhausen, welches seit 1778 zum großen Teil für die Kultur gewonnen und mit Kolonieen bedeckt ist. Auf einmal aber ändert sich die Uferlandschaft völlig; Felsen erheben sich auf beiden Seiten, meist mit dunkelm Nadelholz bedeckt. In dieser Stille und Einsamkeit, am wildschauerlichsten Punkte liegt das Benediktinerpriorat Weltenberg am Ende der stollenartigen Felsenhöhle Kelheim, auf dem Berge darüber die Ruhmeshalle. Bald folgt indes eine neue Einengung bei Abbach, wo das Donautal nur gegen 400 m breit ist. Mit kurzer Wendung nach Norden erreicht jetzt die Donau Regensburg, einen sehr wichtigen Punkt für den Donaulauf. Während von Ulm bis Regensburg nur Flöße und kleine flache Schiffe und Dampfboote den Fluß befahren können, wird er hier schon für eine entwickelte Dampfschiffahrt und für größere Schiffe, welche über 1000 Zentner tragen, brauchbar. Die Strombreite, die zwischen Ulm und Donau- wörth nur 80—100 Schritt betrug, hat sich bei Regensburg zu 300 Schritt erweitert. Da die Donau hier am nächsten an das mitteldeutsche Land herantritt, so mußte sich hier schon in ältester Zeit ein Handelszentrum ober- und mitteldeutschen Verkehrs bilden.

Von Donauwörth bis Kelheim, auf einer Strecke von 90 km, empfängt die Donau zur Linken keinen erheblichen Zufluß. Dann aber mündet auf einer Strecke von 20 km in gerader Richtung eine aus drei Gliedern bestehende Flußgruppe, die Altmühl, die Naab und der Regen, hinein.

Doch sind es die Zuflüsse des rechten Ufers, welche bis zu ihrem Austritt aus Deutschland der Donau den reichlichsten Zufluß von den Alpen bringen und die Mischung mit dem Grün der Alpen- gewässer. Dadurch wird auch die Donau in gewissem Sinne zum Alpenstrome. Während Rhein und Po sich bald von ihren Alpen wegwenden, bleibt die Donau ein treuer Begleiter der nördlichen und östlichen Alpen, nimmt die Mehrzahl der nördlichen und alle östlichen Alpengewässer auf, und wenn ihre freilich häufig trüben Gewässer einmal vollständige Klarheit erlangen, so gibt ihnen ein blasses Grün einen Anflug alpinen Charakters.

Die vier Alpenflüsse der Hochebene bilden zwei Flußpaare, Iller und Lech, Isar und Inn.

Der Lech (Licus), der alte Grenzfluß zwischen Schwaben und Bayern, entfließt dem Formarinsee unter der Roten Wand in einer Höhe von 1725 m. Sein Tal, an dessen Kante auch die Iller entspringt, ist bis Reutte ein Längental der Kalkalpen; die Talsohle ein Kiesbett, durch welches der grüne Fluß in Schlangenwindungen, viele Kiesinseln und Sandbänke umschließend, dahinzieht. Oberhalb Reutte erweitert sich das Tal beckenartig; denn auch hier flutete früher ein See. Nun wendet sich der Fluß nach Norden, durchbricht auf der Strecke von Reutte bis Füssen fünf vorgeschobene Kalkalpen= riegel in einem Quertale und bildet eine Viertelstunde oberhalb Füssen einen Fall und die schönste Stromschnelle auf deutschem Boden: in schäumenden Gischt aufgelöst drängt sich der Lech mit tobendem Brausen zwischen den Felsen durch.

Zwischen dem Lech und seinem größten Nebenflusse, der Wertach, oberhalb Augsburg, liegt das Lechfeld, eine ununterbrochene frucht= bare Fläche, ganz ohne Baum und Strauch. Alles ist Ackerland und Wiese, aus denen die weißen Dörfer hervorschimmern. Auf diese Ebene blickt bei klarem Wetter die ganze Kette der Allgäuer Alpen majestätisch nieder, und das berühmte Schlachtfeld erscheint ernster und großartiger, als jenes unter den Pyramiden. Hier erlagen die Hunnen, hier siegte Gustav Adolf, hier ward im spanischen Erbfolge= kriege und in den französisch=österreichischen Kriegen oft gekämpft.

Von Regensburg an schlägt die Donau, durch den herantretenden Bayrischen Wald genötigt, die Richtung nach Südosten ein, welche sie im allgemeinen bis zum Knie von Waitzen in Ungarn beibehält. Sie windet sich zunächst in Krümmungen durch Wiesen und Felder; zur Linken steigen Berge, hier und da mit Reben bekränzt, auf; rechts dehnt sich eine fruchtbare, kornreiche Fläche hin, aus welcher zahlreiche Kirchlein emporragen. Bald treten die Höhen dicht ans Ufer; wir fahren an den umfangreichen Trümmern des alten Schlosses Donaustauf hin, die bis zum Ufer herab mit Gärten und Wein= bergen umpflanzt sind. Hier hielten einst die Regensburger Bischöfe Hof, wie jetzt in dem neuen Schlosse an der Donau der Fürst von Thurn und Taxis.

b. Die Walhalla.

Auf einer riesenhaften Terrasse bei Donaustauf erhebt sich der „Tempel deutscher Ehren", der Prachtbau der Walhalla. „Vom Fuße des Berges führen breite steinerne Treppen, nach beiden Seiten auslaufend, zur Höhe hinan. In der Mitte dieses prachtvollen und großartigen Treppenbaues befindet sich die „Halle der Erwartung" mit den Brustbildern noch lebender Zeitgenossen. Auf dem Gipfel des Berges angelangt, steht der Wanderer vor den gewaltigen Pforten

des aus grauem unpoliertem Marmor erbauten, rings mit dorischen
Säulen umgebenen Tempels, welcher ein großes längliches Viereck
bildet und dem Parthenon Athens ziemlich genau nachgebildet ist.
Die beiden geräumigen Giebelfelder, das nördliche und das süd=
liche, sind mit Darstellungen des ersten großen Freiheitskampfes
der Deutschen gegen die Römer und der Wiederherstellung Deutsch=
lands nach dem letzten Freiheitskriege gegen Napoleon geschmückt, und
zwar in Gruppen von Marmorstatuen, geformt von Schwanthalers
Meisterhand. Im nördlichen Giebel ist die Hermannsschlacht dar=

Abb. 79. Die Walhalla.

gestellt. Da sieht man in der Mitte Hermann den Cherusker in
übermenschlicher Größe, mit Schild und Schwert, den Blick dem
Feinde zugewandt, auf eroberten römischen Feldzeichen stehend; um
ihn sind die Helden, der Sänger, welcher den Schlachtgesang an=
stimmt, die begeisterte Seherin, deren Blick in die Zukunft dringt und
eine andere deutsche Frau, welche den Helm eines alten sterbenden
Helden bekränzt. Dieser Gruppe gegenüber sieht man den Untergang
der besiegten Römer mit ihrem Feldherrn Varus, der sich das Schwert
in die Brust stößt, um den Tag des Unglücks und der Schmach
nicht überleben zu müssen. In der Mitte des südlichen Giebelfeldes
erblickt man die majestätische Gestalt der Germania mit dem Schwerte
in der Hand thronen, zu welcher von beiden Seiten her deutsche

Krieger mit den Bundesfestungen kommen; in den beiden Ecken dieses Giebels sind die deutschen Grenzen sinnbildlich dargestellt.

Tritt man nun voll gespanntester Erwartung in das Innere dieser majestätischen Ruhmeshalle, die das Licht von oben durch Öffnungen in der Decke erhält, so wird man von der Hoheit, dem Glanze und der kunstsinnigen Harmonie des Ganzen entzückt. Der Fußboden ist aus buntem Marmor mosaikartig zusammengesetzt, drei Inschriften sind ihm eingefügt — das Jahr des Beschlusses 1807, das des Beginnens 1830 und das der Vollendung 1842. Die Decke, welche genau der schrägen Lage des Daches folgt, besteht aus geschliffenen und vergoldeten Erzplatten mit himmelblauen sternverzierten Kassetten, mit Schraubenköpfen und vergoldeten Tannenzapfen ungemein reich und mannigfaltig ausgeschmückt. Durch die vorstehenden Pfeiler zerfallen die Wände in mehrere Felder, die ganz mit kostbarem rotem Marmor bekleidet sind. In diesen Wandfeldern stehen 102 Büsten von deutschen Männern, die auf die Entwicklung des Volkes und seine Geschichte einen ausgezeichneten Einfluß geübt haben. Die neueste Büste (von 1898) gilt Wilhelm dem Siegreichen. Zwischen den einzelnen Büstengruppen zeigen sich geflügelte weibliche Figuren, von blendend weißem Marmor, Walküren, als Ruhmesgenien ausgeführt. Über den Räumen, wo sich die Büsten befinden, sieht man auf grauem Grunde weiße Marmortafeln gleichsam in einem zweiten Geschoß, und auf diesen Tafeln sind mit goldenen Buchstaben die Namen der Helden und großen Männer deutscher Vorzeit verzeichnet, von denen keine Büsten angefertigt werden konnten, da man keine Bildnisse von ihnen vorfand. Ihre Anzahl beträgt vierundsechzig. Wie nun die unteren Wandfelder durch die erwähnten mit Pilastern verzierten Pfeiler getrennt sind, so stehen hier kolossale weibliche Statuen in altgermanischer Kleidung auf den Pfeilern und tragen als gigantische Karyatiden das obere Gebälk. Diese Riesenjungfrauen machen durch Tracht und eigentümliche Färbung einen seltsamen Eindruck. Ihr Teint ist gelblich, die lang herabwallenden Haare bräunlich-blond; die Oberkleider sind hellblau, die Unterkleider weiß; Säume und Verzierungen daran sind reich vergoldet, und ein ganz vergoldeter Bärenpelz dient ihnen als Überwurf.

Den ganzen Saal umzieht in einer Länge von 91 m ein kostbarer Fries. Er stellt Deutschlands Urgeschichte in erhabener Arbeit dar. Zuerst erblickt man die Wanderung des deutschen Stammes von dessen Ursitzen am kaukasischen Gebirge her in die Länder des Niedergangs. In der zweiten Abteilung ist das Leben und Treiben der

alten Deutschen dargestellt; da sieht man den Sänger, dessen Helden=
lieder Männer und Frauen lauschen, die opfernden Priester und die
weissagenden Seherinnen, die Fertigung der Waffen und Schilde und
den bei unseren kriegerischen Urvätern so beliebten Schwerttanz. In
der dritten Abteilung erblicken wir die Darstellung einer deutschen
Volksversammlung, wo der Stamm Gesetze berät und sich den Herzog
erwählt, sowie ferner den Handel mit fremden Kaufleuten, welche Bern=
stein eintauschen. Die vierte Abteilung stellt den Zug der Deutschen
über die Alpen, den Sieg des Bojorix und die Niederlage der Römer
bei Noreja dar; die fünfte den Kampf am Rhein zwischen den
Deutschen unter dem Bataver Claudius Civilis und den Römern;
die sechste den Kampf der Deutschen mit den Römern bei Thrazien
vor den Mauern der Stadt Hadrianopolis; die siebente die Unter=
werfung und Huldigung Roms vor dem siegreichen Gotenkönig
Alarich; die achte Abteilung endlich zeigt die Bekehrung der Deutschen
zum Christentum durch Bonifatius, wie er die verehrte Donnereiche
fällt, die Lehre des Heils verkündigt und die Bekehrten tauft."

c. Von Regensburg nach Preßburg.

Von Regensburg abwärts wird die Gegend immer romantischer.
Die linken Ufer sind noch immer hoch, die rechten flach, mit Wiesen,
Wald und Korn abwechselnd bedeckt. Inseln mit Möwen und Strand=
läufern sperren zuweilen die schöne Aussicht. So kommen wir unter
Bogen. Hoch und hart am Ufer steigt ein steiler, runder Berg
empor mit einer stattlichen Kirche, und hinten streckt sich das dunkle
Tannengebirge weit in die Ferne hinaus. Auf der Höhe in ihrer
Wallfahrtskirche wohnt Maria zum Bogen. Plötzlich steigt der Nattern=
berg mit seinen großen Trümmern zur rechten Hand aus der Ebene
majestätisch und prächtig empor. Bald geht es an dem links liegen=
den Städtchen Deggendorf vorbei. Von hier wendet sich der Fluß
durch die freundlichsten und fruchtbarsten Ufer mehr östlich; die schönen
Mauern der Burg Winzer dräuen vom Berge herab. Hinter Winzer
wird die Gegend auf eine Strecke wieder flach; dann aber erheben
sich auf beiden Seiten die Ufer wieder mit Tannen und Felsenmassen,
welche den Strom einengen und seinen Lauf schneller machen. Wir
bewundern die schönen Trümmer der Fuggerschen Burg Iggers=
heim, die hoch über unseren Häuptern am Berge hängt, und
fahren an dem Städtchen Vilshofen vorüber. Unterhalb desselben
breiten sich die Ufer wieder aus und senken sich zu reichen Fluren
und Feldern. So gelangen wir durch mannigfache Krümmungen

nach Passau hinab, wo die Ufer enger und enger zusammentreten und sich mit majestätischen Felsenmassen, Buchen- und Tannen- wäldern erheben.

Die Zuflüsse der Donau auf dem linken Ufer sind rasche Bäche des Bayrischen Waldes; auf der rechten geht ihr aber wieder von den Alpen ein Zwillingspaar zu, noch mächtiger als das Paar Iller- Lech. Isar und Inn fließen nicht wie jene von Süden nach Norden, sondern von der Hochebene von Südwesten nach Nordosten, so daß sie schräglinig mit dem Hauptflusse zusammentreffen.

Die Isar, deren keltischer Name die Reißende, Schnellwandernde bedeutet, in dem Karwendelgebirge am Lavatscher Joch entsprungen, ist dem Unterlauf des Inn merkwürdig parallel. Sie ist die größte Seensammlerin der Hochebene; sie nimmt die meisten Seenabflüsse, im Oberlauf die des Achen- und Wallersees, des Eib- und Kochel- sees, im Unterlauf des Ammer- und Würm- oder Starnberger Sees auf, alles Seen, die sich teils durch die wilde Schönheit, teils durch die liebliche Anmut ihrer Ufer auszeichnen.

Der Inn, einer der bedeutendsten Alpenflüsse, entströmt un- mittelbar dem Herzen des Hochgebirges; er bildet das bedeutendste Tal innerhalb der Zentralkette, ist das einzige Gewässer, das schon in der Alpenregion zum Flusse wird, und bricht zweimal durch Alpen- ketten hindurch. Sein Quellbezirk liegt zwischen den beiden Parallel- ketten der Rhätischen Alpen. Mit geringer Senkung steigt er in der Talsohle des Ober- und Unterengadin niederwärts, bis die Schlucht von Finstermünz ihm den Eingang nach Tirol eröffnet. Er durch- fließt das Land in nordöstlicher Richtung, bricht bei Kufstein durch die Kalkalpen nach Bayern hindurch, empfängt außer den Seen- abflüssen und einer Reihe kleinerer Gewässer bei Braunau die mäch- tige Salzach und mündet bei Passau, die Donau an Wasserfülle und Stromgewalt weit übertreffend.

Von Passau an strömt die Donau noch 7—8 km weit durch eine schmale Ebene hin; dann laufen aber die Gebirge, welche die Römer links die Stirn Deutschlands, rechts die Augenbrauen (super- cilia) der Donau nannten, auf beiden Ufern zusammen. Rechts liegt an der Mitte des Berges auf einem abgerissenen Felsen malerisch Krempelstein. Durch die sich immer mehr verengenden, mit waldigen Bergen besetzten, immer höher werdenden Ufer, welche den anziehendsten Wechsel der herrlichsten Felsen und Waldlandschaften gewähren, wird der Fluß tiefer und schneller als bisher und strömt nun an dem Joachimsstein, einem mitten aus der Donau hervorragenden, beinahe

12 *

würfelförmigen Felsen, der eine Spitzsäule mit dem österreichischen und bayrischen Wappen trägt, vorüber dem Markt Engelhardszell zu, wo sich das österreichische Grenzzollamt befindet.

Auch unterhalb dieser Stelle, in Oberösterreich, bleibt das Ufer noch hoch, bergig und felsig. Bald kommt man durch die lieblichsten Krümmungen bis unter das schöne Schloß Rheinach, das hoch aus dem Waldgebirge zur Linken mit stolzem Turm und Mauer hervorragt. Dann folgt Marsbach oben im Gebirge, welches sich unter sich schroff über dem Wasser auf einem Felsenzacken einen alten Turm, und gegenüber zur Rechten romantische Trümmer hat, aus deren Mauern gewaltige Tannen hoch in die Wolken emporstreben.

Das erste Durchbruchstal der Donau, das von Passau bis Aschach reicht, ist eine einsame Berg- und Waldwildnis. Nur hier und da gewahrt man kleine Gruppen von Häusern, einzelne Hütten, unter Gebüsch versteckt, am Fuße der Bergwände. Lauschige Waldeinsamkeit zieht sich von diesen nicht selten bis an das Ufer des Stromes herab, wogegen das Ackerland und die größeren Dörfer meist von unten unsichtbar auf der Höhe der Hochfläche ausgebreitet liegen. Fast nichts von Menschenhand Gegründetes erscheint an solchen Stellen, höchstens dann und wann auf einem an die Wand geklebten Felsen ein Jagdschloß oder die Ruine einer alten Raub- und Ritterburg.

Bei Aschach sind die Gebirge auf einmal „wie weggeblasen"; die Gegend öffnet sich wie ein weit und bequem ausgeschnittenes Naturfenster, um uns selbst vom Schiffe aus plötzlich und unerwartet südwärts im Hintergrunde eines ebenen oder doch nur von niedrigen Hügeln gefurchten, mit Dörfern und Ackerfluren geschmückten Landes die ehrwürdigen Häupter der Norischen Alpen zu zeigen, voran den bekannten äußersten nördlichen Wachtposten der langen Kalkalpenkette, die prachtvolle Pyramide des hoch und stolz aufgebauten Traunsteins. Der in viele Äste zersplitterte Strom bildet eine Menge mit Erlen und Weiden bewachsener Inseln voller Möwen und Strandläufer. Bei Ottensheim schließen die Berge die zerstreuten Gewässer wieder ein und drängen sie zu einem Hauptstrome zusammen. Gegenüber liegt das Kloster Wilhering mit seinem Dörflein, darüber die Burgruine der alten Grafen von Kirnberg; heitere Uferdörfer und belebte Landstraßen, die von beiden Seiten des Flusses in den Paß einlenken und längs des Saumes der Wälder und Gewässer sich fortwinden, kleine Acker- und Gartenoasen, die aus dem dunkleren Waldesgrün freundlich hervorlächeln, zieren diese Uferstrecke. Endlich öffnet sich gerade da, wo man es am wenigsten erwartet, wo der Fluß und sein Weg am allerengsten wird, und wo in jedem nächsten Augenblicke die Weiterfahrt von vorspringenden Felsen gesperrt zu sein scheint, der überaus anziehend gestaltete, mit reichem Schmucke der Natur und mit dichtem und fröhlichem Menschenleben gefüllte, weite und bequeme Kessel von Linz. Der Strom nähert sich unterhalb Linz bei Arbagger einer neuen Enge; indem er eine düstere Waldschlucht durchströmt, bildet er sein zweites Durchbruchstal. Auf dem Felsen über dem gleichnamigen Städtchen thront Schloß Grein. Der bis jetzt noch breite und majestätische Strom, plötzlich aus seinem südnördlich gewendeten Laufe nach Osten umgeworfen und bald nachher auf den zehnten Teil seiner früheren Breite zusammengedrängt, beginnt nun zwischen und auf kolossalen Granitsplittern sich zu drehen und zu schwingen, zu strudeln und zu wirbeln. Das ist der Greiner Schwall. Eine halbe Stunde unter Grein liegt zwischen schauerlichen Felsen die Insel Wörth mit der Ruine Werfenstein. Von ihr blickt man in den früher so gefürchteten „Strudel".

Mächtige Felsen, die „Kugeln", sperrten hier früher dem Flusse den Weg und gestatteten nur durch drei enge Einschnitte, das Wildwasser, den Wildriß und den eigentlichen Strudel, eine gefährliche Durchfahrt. Kaum ist man über den Strudel, so blickt ein hohes Kreuz von einer anderen Felseninsel herab, „wie der Glaube mitten in den Strudel des Lebens". Es folgt der Wirbel, wo das zusammengepreßte Wasser früher im schnellsten Zuge an den Felsen Hausstein prallte und, zurückgeworfen, sich im ewigen Kreise umdrehte. Heute sind die Gefahren dieses Donaudurchbruches vollkommen beseitigt. Schon Maria Theresia hatte 1777 mit Sprengungen begonnen. Heute sind die „Kugeln" sowohl wie die Felseninsel Hausstein verschwunden, und Dampfboote mit mehr als 100 Pferdekräften, die sogenannten „Remorqueurs", vermitteln den Verkehr zwischen Passau und Wien.

Beide Ufer des Durchbruchtales bis Krems bieten noch viele interessanten Punkte. Links fällt der Blick in eine Seitenschlucht, wo die Häuser des Fleckens Sarmingstein wie Schwalbennester an den Wänden hängen. Über Marbach ragt die jährlich von 100000 Pilgern besuchte Wallfahrtskirche Maria Taferl; es folgen die malerische Ruine Weideneck mit zwei hohen Türmen, die Kalkfelsen der Teufelsmauer, welche den Strom zu einem großen Bogen nötigen, das Städtchen Dürrenstein oder Tyrnstein, mit dem gleich-

namigen Schlosse, wo Richard Löwenherz gefangen saß. Wohl das
schönste an den Donauufern, liegt es auf einer Bergspitze; aber
mit zwei langen, turmgeschmückten Mauern greift es herunter bis
zum Strome und umschließt das unter ihm liegende Städtchen.
Die alte Burg liegt zertrümmert mit ihren Türmen in einem
schönen Amphitheater; die Felsen bilden bis zum unteren Schlosse
eine starke Umschanzung auf beiden Seiten und decken mit grauen,
sonnenvergoldeten Spitzen seinen Rücken. Nur durch das ehemalige
Kapuzinerkloster Und getrennt, liegen am Fuße des Mannharts-
berges die Städte Stein und Krems. Daher das Scherzwort:
„Stein und Krems machen drei Orte."

Rechts vom Wirbel abwärts bis Krems zeigen sich die
Trümmer von Freistein, einer der größten österreichischen Burgen,
das alte, ummauerte Städtchen Ybbs, am Einfluß der Erlaf, das
uralte Pechlarn oder Pöchlaren, aus dem Nibelungenlied als
Bechelaren, die Burg Rüdigers, bekannt. 60 m über der Donau
thront auf einer langen Granitwand die stattliche, fünfzigfenstrige
Fassade der 1701—1736 neu aufgeführten, vier große und mehrere
kleine Höfe einschließenden Benediktinerabtei Melk, die schon 984
gegründet ward. Aber schon lange vorher stand hier die gefürchtete
Eisenburg, der ersten Grafen der Ostmark Residenz. Die ältesten
Babenberger schlafen in der Gruft. Die Bibliothek ist reich, die
Klosterschule stark besucht und Melk in der gelehrten Welt wohl-
bekannt. Der imposanten Ruine Aggstein, einst Sitz der gefürchteten
Kuonringe, die jedem Gefangenen nur die Wahl frei ließen, ent-
weder zu verhungern oder sich vom Felsen herabzustürzen, folgt
Stadt Mautern, Krems gegenüber.

Zahlreiche Inseln hemmen am Tulner Becken, das sich an den
Donaudurchbruch anschließt, den Lauf des Stromes; das rechte
Ufer erinnert bei all seiner Flachheit und den kahlen Sanddünen
an die Zeiten der Nibelungen. Das Dorf Trasenmauer oder Zeisel-
mauer, die Stadt Tuln, die alte Hauptstadt von Österreich, werden
in jenem alten Liede genannt*). Auch in späterer Zeit war dieses
Tulner Feld ein Heldenacker: 1683 sammelte sich hier unter dem
Herzog von Lothringen das Kriegsheer, das durch den glänzenden
Sieg am Kalenberg, von den Polen unterstützt, Wien befreite.
Auf hohem Felsen thront Schloß Greifenstein. Nun tritt links

---

*) In Tuln oder Tulna empfängt Etzel, von zwanzig Königen umgeben,
die ihm von Rüdigern von Bechelaren zugeführte Kriemhilt.

der Bisamberg, rechts der Leopoldsberg, der Vorposten des Wiener Waldes, zu dessen Füßen das Augustiner=Chorherren= stift Klosterneuburg liegt, an den Strom heran: es öffnet sich das Wiener Becken.

Alluviale Schichten bilden hier den breiten Talboden der Donau wie der March, besonders breit vor ihrem Zusammenfluß. Die Ursache der vorherrschend schlammigen Absätze eines oft ver= änderten und inselreichen Strombettes liegt in dem Bergriegel von Teben, welcher den Fluß so lange zu einem See aufgestaut hat, bis dessen Tiefe nach und nach ausgefüllt, sein Abfluß aber ein= geschnitten war. Dadurch wurde der Fluß in dieser Region zu einem höchst langsamen Laufe genötigt, der auch die feinsten Schlammteilchen zur Ablagerung brachte. So ist die Ebene in ihrem westlichen Teile und näher dem Strome eine reizende Kultur= landschaft, in nicht gar weiter Ferne durch schon bewachsene Höhen umkränzt, durch die Donau fast der Mitte nach geteilt. Ostwärts aber ist am linken Flußufer das steppenartige, oft einem See gleich überflutete Marchfeld, zur Rechten das durch herabgeführtes Alpengerölle gebildete Neustädter Steinfeld.

Die Zuflüsse des linken Ufers sind bis zur March hin un= bedeutend; dagegen wird der Strom von rechts her bis zu seinem Eintritte ins Tiefland und noch viel weiter abwärts durch wasser= reiche Alpenflüsse genährt. Dahin gehören Traun, Enns, Ybbs, Traisen, Leitha mit der Schwarza. Sie treffen den Strom unter rechten Winkeln und führen eine Menge Gerölle hinein, die häufig Versandungen an den Mündungen und Änderungen im Laufe der Donau hervorrufen.

Mit zahllosen Armen umschlingt die Donau auf ihrem Wege durch die Ebene eine Menge meist sehr fruchtbarer Inseln, so= genannter Auen, von denen manche üppig bewaldet sind. Bei Wien ist die ganze Wasserbreite 1150 bis 1230 Schritte und, die Inseln eingerechnet, die volle Breite des Bettes 5 km. Der mächtige Strom erinnert schon hier an den Ausspruch Sallusts, der die Donau nächst dem Nil für den gewaltigsten Strom, so weit Römerherrschaft reichte, erklärt. Erst später, nahe dem Ein= tritt in das Tiefland, vereinigt sich der ganze Strom in ein ge= waltiges Bett, das bei Fischament 570 Schritt Breite mißt. Die oft mit Schilf eingefaßten Ufer sind mehrere Stunden flach und reizlos. Gegen die Donaupforte heben sich Höhen rechts und links. Die Hainburger Berge bilden eine der schönsten Donau=

ansichten: so steil und durchrissen und mit so reizenden grünen
Talklüften laufen sie empor. In einem dieser Zwischentäler liegt
Hainburg mit alten Mauern und Türmen. Weit höher liegen die
Ruinen des alten Schlosses Hainburg. Plötzlich wendet sich der
Strom, um eine weit schönere Ansicht zu zeigen. Wo die träge
March in die Donau schleicht, heben sich links Berge plötzlich steil
und mächtig empor. Wir stehen unter dem Schlosse Theben oder
Dévény, an der Pforte des Donautieflandes.

5. Wien — die Donauhauptstadt.

Wien, das Vindobona der Römer, bildet nicht bloß historisch,
sondern auch geographisch die wahre Mitte des österreichischen
Kaiserstaates. Erbaut zwischen den Ausläufern der östlichen Alpen
und der Donau, die soeben aus einem langen Felsen- und Gebirgs-
wege heraus sich auszubreiten beginnt, im Angesichte des letzten
hohen Alpengipfels und der westlichen Schlußkette der Karpathen,
überblickt die Stadt ein Gebiet ringsum, auf welchem das Emporkommen eines großen Platzes unmöglich ausbleiben konnte. Feind-
lich sind sich auf dem Marchfelde seit den Zeiten der Römer die
verschiedensten Völker begegnet; friedlich nahen sich in Wien, wie
sonst nirgends im Kaiserstaate, Deutsche, Magyaren, Nord- und
Südslawen. Auch für Verkehr und Handel ist hier ein natürlicher
Vereinigungs- und Kreuzungspunkt der großen Straßen der oberen
und unteren Donau und der Straßen, die durch das Tal der
March von der Oder, Weichsel und Elbe und die aus den fruchtbarsten und bevölkertsten Gegenden Kärntens und der Steiermark
über die östlichen Ketten der Alpen kommen, die sich hier mit geringeren Schwierigkeiten passieren lassen als an irgendeinem
anderen weiter westlich liegenden Punkte. In Beziehung auf diese
letztere Wegesrichtung ist nicht zu übersehen, daß auf ihr von Wien
aus das Nordende des Adriatischen Meeres nicht nur leichter als
auf jeder anderen Linie erreicht wird, sondern daß demselben auch
die Donau selbst auf keinem anderen Punkte näherkommt als bei
Wien. Hierdurch wird der Adriatische Golf, insbesondere Triest,
hauptsächlich auf das Donaugebiet hingewiesen, nimmt daher einen
großen Teil der Güter, welche der Donau für die Levante übergeben
werden, auf und bringt sie über das Mittelmeer an Ort und Stelle.
Wien ist daher der großartigste Völkermarkt an der Grenzscheide
des Nordens und Südens, des Ostens und Westens geworden.

Mit dem Kalenberge und Leopoldsberge treten die letzten Aus=
läufer des Wiener Waldes an die Donau, die auf 35 km südöstliche
Richtung einschlägt. Auf dieser Südostecke am rechten Ufer liegt,
am Stephansplatz 170 m über dem Adriatischen Meere, Wien am
Fuße der Berge, welche die Eingangspforten zum Wiener Becken
bilden. Der Strom hat sich bei Nußdorf geteilt, um sich eine
Stunde unterhalb der Stadt wieder zu vereinigen. Der südliche
Arm oder Donaukanal, welchem die Stadt anliegt, ist der
kleinere; der nördliche, 4 km entfernte, der sich von neuem mehr=
fach teilt, das Kaiserwasser genannt, bei weitem stärker. Be=
sonders das Kaiserwasser hatte jahrhundertelang das Land ver=
wüstet und die wirtschaftliche Entwicklung der Kaiserstadt ungemein
erschwert, als man 1864 endlich begann, die Regulierung des
Stromes ernstlich in Angriff zu nehmen. Man entschied sich dafür,
das Strombett mittelst eines Durchstiches, wie man ihn bisher noch
nicht für eine Flußregulierung gemacht hatte, der Stadt näher zu
bringen und gleichzeitig durch eine gewaltige Absperrvorrichtung
bei Nußdorf, ein sogenanntes „Schwimmtor", die Stadt vor Über=
schwemmungen zu schützen. Im Jahre 1875 war das Werk mit
einem Aufwande von über 32 Millionen Gulden vollendet und ein
neues, 13 km langes Flußbett geschaffen, das für den mittleren
Wasserstand eine Breite von 285 m, für den Hochwasserstand gar
eine Breite von 759 m bot *). Der Donaukanal nimmt zwei kleine
Zuflüsse auf: oberhalb den überwölbten Alser Bach, unterhalb
die aus dem Wiener Walde kommende Wien, einen anfangs klaren
Gebirgsbach, der schließlich aber, durch die Abgänge zahlreicher
Fabriken verunreinigt, als „ein schmutziger Cocytus" zur Donau
schleicht. Heute ist sein Anblick allerdings auf eine größere Aus=
dehnung durch Überwölbung dem Auge entzogen. Zwischen Alser
Bach und Wien, an dem südlichen Donauarme ruhend, liegt das
älteste Wien, gegenüber auf der Donauinsel die Leopoldstadt. Um
diese beiden, die Bezirke I und II, lagern sich die seit 1856 ein=
gemeindeten Stadtteile Landstraße, Wieden, Margarethen, Maria=
hilf, Neubau, Josefstadt, Alsergrund, Favoriten und Brigittenau.
1890 wurden auch die Vororte Simmering, Meidling, Hietzing,
Rudolfsheim, Fünfhaus, Ottakring, Hernals, Währing und

_____

*) Man hat sich jedoch nicht mit diesen Regulierungsarbeiten begnügt,
sondern in der Folge den Strom aufwärts bis zur Ispermündung, abwärts
bis Theben, d. h. auf einer Strecke von über 150 km, korrigiert.

Abb. 40. Wien im fünfzehnten Jahrhundert (1483).

Döbling zur Stadt gezogen, so daß heute das erweiterte Gemeinde=
gebiet einen Flächenraum von fast 15000 ha einnimmt, auf dem
1798000 Menschen wohnen. Jenseit der Donau und im Südosten
und Süden der Stadt dehnt sich das Gerölle des Neustädter Stein=
feldes; nach Norden und Nordosten Ebene, nach Südwesten und
Westen beginnt bald als Ausstrahlung des Wiener Waldes Hügel=
land, und die dorthin gelegenen Vorstädte heben sich mit ihren
Straßen schon auf höherliegendes Gelände. Das sind die an=
mutigen Ziele, zu denen der Wiener seinen Sonntagsausflug macht:
Döbling, Hütteldorf, Sophienalp u. a.

Der Ausgangspunkt Wiens ist die „innere" Stadt. Hier, wo
vordem ein keltischer Ort und dann auch ein Römerkastell gestanden
hatte, gründete Markgraf Leopold der Heilige, der Babenberger,
die Stadt. Und sein Sohn schon, Heinrich Jasomirgott, legte den
Grundstein zum St. Stephansdome und baute sich eine Burg in
der Nähe. König Ottokar von Böhmen dagegen, der nach dem
Erlöschen der Babenberger sich ihrer Ländereien bemächtigt hatte,
umzog die Stadt mit jenem starken Walle von Befestigungen,
welche auf Jahrhunderte hinaus die Gestalt von Alt=Wien bestimmt
haben. Auf Festigkeit, nicht auf Schönheit kam es an: daher bei
dem Mangel an Platz innerhalb der Festungswälle die Enge der
Straßen, die Kleinheit der Marktplätze. Und diese Befestigungen
wurden bei dem Drohen der Türken auf Kosten des Deutschen
Reiches noch ansehnlich verstärkt; so war Wien imstande, zweimal
dem Ansturme der Türken erfolgreichen Widerstand entgegenzusetzen.
Allmählich siedelte dann um das wehrhafte Herz der Kranz der
Vorstädte sich an und bei weiterem Aufblühen über diese hinaus
volkreiche Vororte. Einen vortrefflichen Überblick über die ganze
Stadt in ihrer konzentrischen Entfaltung hat man von der Süd=
seite von der „Spinnerin am Kreuz", einer 1451 auf einer Vor=
höhe des Wiener Berges errichteten gotischen Denksäule, an die
mancherlei romantische Sagen sich knüpfen. Einen weiteren Aus=
blick freilich über die ganze Landschaft, in welche Wien gebettet
ist, gewährt der Kalenberg; aber meist liegt ein leiser Dunst hier
über dem weiten Bilde, der die Farbenwirkung abstumpft und
nicht so klar erkennen läßt, wie aus der inneren Stadt ganz Wien
herausgewachsen ist.

Die innere Stadt umfaßt die Regierungsgebäude, die schönsten
Kirchen, Paläste, Kaufläden und die meisten Sammlungen; sie, der
Brennpunkt Wiens, hat kaum 4 km im Umfange. Die Straßen

senken sich von Süden nach Norden zur Donau. Die verhältnis=
mäßig enge Stadt im Innern duldet bei ihrer dichten Bevölkerung
keine Raumverschwendung. Die schöngepflasterten Straßen oder
Gassen sind eng, breitere selten völlig gerade, die Häuser hoch, die
Plätze klein. Turmhoch erheben sich die Häuser: den Raum, den
die Erde versagt, entwendet man dem Himmel. Der Graben ist
die breiteste, eleganteste Straße der inneren Stadt; im 12. Jahr=
hundert war an seiner Stelle noch der Festungsgraben, welcher
Anfang des 13. Jahrhunderts ausgefüllt wurde. Gebäudemassen
und Höfe, die ihres bedeutenden Umfanges wegen ein ab=
geschlossenes Ganze bilden und sich aus der Zeit herschreiben, wo
die geistlichen Stifte und Klöster in der Stadt Wien an Grund
und Boden sehr begütert waren und die jetzt Hunderte und
Tausende von Bewohnern bergenden Gebäude herstellten.

Am 20. Dezember 1856 ordnete ein kaiserliches Handschreiben
die Erweiterung der Stadt Wien an. Sie sollte unmittelbar mit
den Vorstädten in Verbindung gesetzt und zu diesem Behufe die
Bastionen abgetragen und die Glacis zu Bauplätzen verwandt
werden. In verhältnismäßig kurzer Zeit entstand auf dem ge=
wonnenen Terrain eine der glänzendsten Straßen der Welt, die
Ringstraße, die in Verbindung mit dem Franz=Josefskai die
ganze innere Stadt umzieht und an einer Reihe vornehmster öffent=
licher Gebäude vorbeiführt. Bei den Profanbauten herrscht der Stil
der Renaissance vor, der sich am glänzendsten in dem Universitäts=
gebäude am Franzensring offenbart. Mit einer Grundfläche von
21720 qm ist es der größte Neubau Wiens, und nur einem voll=
endeten Meister des Renaissancestils wie Heinrich Ferstel konnte es
gelingen, so gewaltige Massen in einer Weise zu gliedern, daß der
Riesenbau nichts von der Anmut der Formen der Renaissance ein=
büßte. Vom Franzensring nur durch eine Gartenanlage getrennt,
erhebt sich in der Nähe der Universität das neue Rathaus, ein
Werk Friedrich Schmidts, das die Formen italienischer Gotik in
glücklichster Weise modernen Bedürfnissen angepaßt hat.

Unter den zahlreichen Bauwerken der alten Kaiserstadt sind es
besonders zwei, welche sowohl durch die Ehrwürdigkeit ihres Alters
als auch durch die Großartigkeit ihrer Ausdehnung hervorragen:
der Stephansdom und die kaiserliche Hofburg.

Der mächtige Dom zu St. Stephan, ein herrliches Denk=
mal altdeutscher Baukunst und einer der vorzüglichsten gotischen
Tempel Deutschlands, ist ganz von Sandsteinquadern aufgeführt.

Abb. 41. Wien von der Südseite.

Abb. 42. Der Graben in Wien.

Das Äußere erscheint, dem durchgeisteten Steingewebe anderer
Dome gegenüber allerdings etwas schwerfällig und überladen.
Aber die dicken Wände, geschwärzt von dem Lampen= und Licht=

Abb. 43. Der St. Stephansdom in Wien.

dampf mehrerer Jahrhunderte, die riesenhaften gemalten Fenster,
die ungeheuren Säulen, die hohen Gewölbe, die kunstreichen alt=
deutschen Verzierungen und das in der Kirche herrschende Halb=
dunkel erfüllen den eintretenden Fremden mit Ehrfurcht. Die
aus dem 12. und 13. Jahrhundert herstammende Kirche hat eine

Länge von 115 m; es befinden sich darin 36 marmorne Altäre, viele Grabmäler, darunter der prächtige Sarkophag des Kaisers Friedrich III. Der unterirdische Teil der Kirche besteht aus 30 großen Gewölben und der Fürstengruft, wohin seit Kaiser Ferdinand III. die Eingeweide aller verstorbenen Mitglieder des kaiserlichen Hauses in kupfernen Urnen gebracht werden. Das Dach der Kirche ist mit bunten Glasziegeln gedeckt. Am Westende stehen zwei kleine Türme; an der Südseite erhebt sich der hohe Stephansturm, von 1360—1430 aufgeführt. Der projektierte Zwillingsbruder erhebt sich nur 50 m über der Erde. Der „große Stephan" dagegen ist weithin sichtbar. Wenn man Süd und Südwest ausnimmt, so mag der Wanderer von welcher Weltgegend immer kommen, und er wird, bevor er noch einen Schimmer der großen Residenzstadt erblicken kann, schon jene schlanke, zarte, luftige Pappel erblicken, die still und ruhig in einem leichten blauen Dufte dasteht und die Stelle anzeigt, an der sich die noch unsichtbare Stadt hindehnt. Der Turm erhebt sich in der Gestalt einer durchbrochenen Pyramide 136 m. Nahe an der Spitze läuft ringsum ein Gang mit zwölf zierlichen Pyramiden, wo man auch den Sitz zeigt, von welchem aus Rüdiger von Starhemberg während der zweiten Belagerung Wiens durch die Türken 1683 das feindliche Lager zu beobachten pflegte. Bis zur Spitze führen 753 Stufen; die Spitze selbst aber wird mit Leitern erstiegen. Die große Glocke auf diesem Turme wiegt 402 Zentner. Sie wurde 1711 aus den bei dem Entsatze von Wien 1683 erbeuteten türkischen Kanonen gegossen. Wegen ihrer den Turm gefährdenden Lufterschütterung wird sie nicht mehr geläutet.

Besteigen wir den Stephan, so ist der Teil gerade zu unseren Füßen die älteste Stadt; wie eine Scheibe um den Turm herumliegend, ein Gewimmel und Geschiebe von Dächern, Giebeln, Schornsteinen, Türmen, ein Durcheinander von Prismen, Würfeln, Pyramiden, Kuppeln. Wie eine ungeheure Wabe von Bienen hängt sie unten, durchbrochen und gegittert und doch zusammenhängend; nur die Gassen nach allen Richtungen sind wie hineingerissene Furchen, und die Plätze wie ein Zurückweichen des Gedränges, wo man wieder Luft gewinnt. Senkrecht im Abgrund unter uns liegt der Stephansplatz; die Menschen laufen auf dem lichtgrauen Pflaster wie dunkle Ameisen herum, und jene Kutsche gleitet wie eine schwarze Nußschale vorüber, von zwei netten Käferchen gezogen, und immer mehr und mehr werden der Ameisen und immer mehr der gleitenden Nußschalen.

Ju größtenteils schöneren Formen umgeben jenseit der Ring=
straße die neueren Stadtteile Alt=Wien. Draußen fressen sie immer
weiter und weiter den Raum hinweg; denn obwohl sie dort gegen
Südwest über einen Hügel steigen, dann sanft ins Tal sinken,
dort breit auseinanderfließen bis ans Gestade des Donauarmes,
ja denselben überschreiten, das jenseitige Inselgestade dicht er=
füllend, dann wieder steigen und wieder sinken ans Ufer der Wien,
bis sie sich weiterhin allmählich mit mehr und mehr Gärten mischen
und endlich an das grüne Gefild stoßen — weit und breit in das=
selbe hineingestreut liegen die Landhäuser, winzig weiße Punkte —,
obwohl schon gar manche der einstigen Dörfer um Wien von den
Vorstädten verschlungen sind und jetzt als Stadtteile meistens ihre
ehemaligen Namen führen: so ist des Wachsens und Bauens noch
immer kein Ende.

Vom Graben führt uns der Weg durch den Kohlmarkt und
über den Michaelisplatz zur kaiserlichen Hofburg. Sie
bildet einen weitläufigen Gebäudekomplex, dessen einzelne Teile
um verschiedene Höfe und Plätze angeordnet sind und den ver=
schiedensten Zeiten entstammen. Der älteste Teil ist der sogenannte
„Schweizerhof". Es entstammt dem 13. Jahrhundert, hat aber im
16. Jahrhundert eine gründliche Umgestaltung erfahren. Seitdem
haben die meisten Habsburger ihre Baukunst an ihrer Residenz
geübt, und noch gegenwärtig ist ein glänzender Ausbau ver=
schiedener Teile der Hofburg im Werden. Der jüngsten Bau=
periode unter Kaiser Franz Josef gehört besonders die prunkvolle
Fassade gegen den Michaelisplatz an, deren größter Schmuck die
an den beiden Eckpavillons angebrachten Monumentalbrunnen
„Die Macht zur See" von Weyr und „Die Macht zu Lande" von
Hellmer sind. Die Hofburg enthält außer der kaiserlichen Residenz
mit der Hofkapelle die Reichskanzlei, die Hofbibliothek, die Winter=
reitschule und die Schatzkammer. Im Bibliotheksgebäude befindet
sich einer der schönsten und herrlichsten Säle, die es gibt, mit einer
von acht Säulen getragenen Kuppel, unter welcher die Statuen
von Karl VI. und zwölf Habsburgern aus karrarischem Marmor
stehen. Die Bibliothek zählt über 400000 Bände, 20000 Hand=
schriften, 800 Bände mit 300000 Holzschnitten und Kupferstichen.
Die Schatzkammer enthält den 133½ Karat wiegenden Diamanten
Karls des Kühnen, der in der Schlacht bei Nanzy von einem
Landsknecht erbeutet und aus der florentinischen Schatzkammer
durch Franz I. nach Wien gebracht wurde. Hier werden auch

seit 1796 die Reichskleinodien des Heiligen Römischen Reichs sowie Napoleons Krönungsornat als König von Italien auf= bewahrt. Das Münz= und Antikenkabinett in der Burg ist eins der vollständigsten auf der Erde.

Zwischen der Burg und dem Burgtore ist der äußere Burg= platz, 320 m lang und 220 m breit, vollkommen regelmäßig, mit Rasenplätzen, Blumenbeeten und Alleen, mit der Reiterstatue des Erzherzogs Karl und derjenigen des Prinzen Eugenius geschmückt. Das Standbild des Erzherzogs zeigt den Sieger von Aspern auf einem sich wild bäumenden Rosse, eine Standarte zum Angriff erhebend. Zur Linken, wenn man von der Hofburg kommt, ist der Kaisergarten mit der Reiterstatue Kaiser Franz' I. und zur Rechten der Volksgarten mit Alleen, Gebüschen, Wasserbecken und schönen Sommerhäusern; in der Mitte erhebt sich der von 16 dorischen Säulen umgebene Theseustempel, nach dem Muster des sogenannten Theseustempels in Athen erbaut, der eine Sammlung erlesener Skulpturen aus Ephesus enthält. Im Volksgarten befindet sich auch das Grillparzer=Denkmal von Kundtmann und Weyr.

Hinter der Leopoldstadt dehnen sich die berühmten Volks= gärten, der Augarten und der Prater, aus, in welche die Riesen= stadt vorzüglich des Sonntags ihre zahlreiche, buntgemischte Be= völkerung ergießt.

Der Typus des Straßenlebens, der Totaleindruck der Stadt ist von dem anderer Großstädte sehr verschieden. Im Zentrum der Stadt, bei der Burg, auf dem Stephansplatze, an den Toren ist das Gedränge verwirrend. Wie in einem Flusse, dessen Bett für die Wassermasse kaum genug Raum hat, flutet die Menge in den Hauptstraßen der inneren Stadt dahin. Schon 1792 meinte ein Reisender: „Wenn es so fortgeht, so müssen die Leute sich entweder erdrücken oder einander auf den Köpfen herumgehen." Oft ist es schwierig, die schmalen Straßen zu überschreiten, weil die Equipagen, Omnibus, Fiaker und Straßenbahnen den ganzen Weg bis zu einem schmalen Rande zu beiden Seiten füllen. Nirgends findet man aber auch geschicktere Kutscher; denn ein Fahren ohne haarscharfes Ab= zielen des Weges ist unmöglich. Stiller wird es im Sommer in den Straßen: Wien ist „am Land", d. h. wer es irgend anbringen kann, der flieht die staubigen Straßen und sucht in den nahen Alpen= tälern Kühle und Erholung. Dafür ergießt sich in den Sommer= monaten ein Strom von Fremden in die Gassen der Kaiserstadt, den Charakter Wiens eigenartig verändernd.

Geogr. Charakterbilder I. Das deutsche Land. 13

Die ruhigste Partie der Hauptstadt ist dagegen seitwärts von der Burg am Minoritenplatze, in der Herrengasse, der Teinfaltstraße und der hinteren und vorderen Schenkengasse. In diesem stillen Viertel von Wien befinden sich die Paläste der vornehmsten Adelsfamilien. Hier prangen uralte Wappenbilder vor den Häusern, und goldene Vliese schimmern von den Dächern: das ist Wiens Faubourg St. Germain.

Die Menschenmenge, die in den belebten Teilen der „einzigen Kaiserstadt" in buntem Wechsel an uns vorüberflutet, ist aus den verschiedensten Völkerbächen zusammengeflossen. Dort schreitet unter den Deutschen ein Türke mit buntem Turban, hier ein Armenier in schwarzem Kaftan, da ein Ungar im Schnurenrock, dort ein Grieche in buntfarbiger Kleidung, da ein Serbe, ein Italiener, ein Gebirgssohn in grauer Tuchjake und grünem Hut, ein Schotte, ein Franzose, ein Slowake. Alle Sprachen Europas kann man auf den Straßen hören. Auch in der 23000 Mann starken Garnison spiegelt sich die Mannigfaltigkeit österreichischer Nationalität. Hier zeigt sich des Kaiserjägers Federhut, dort ein blinkender Kürassierhelm, hier der Kroat, der Grenzer, der kriegerisch blickende Ungar, dort der Böhme und der Hannacke. Dazwischen sieht man Welt und Ordensgeistliche, aristokratische Damen, denen der Lakai Schirm, Fächer und Tasche nachträgt, den polnischen Juden mit langem Barte, die barmherzige Schwester mit ihrem schneeweißen Kopstuche, den Mechitaristen in seinem langen Rocke, den barmherzigen Bruder, darauf ein langes, blasses Engländerpaar mit Kindern groß und klein, die gezierte Französin neben der Tochter Steiermarks in ihrer Alpentracht.

Wien ist die Stadt des fröhlichen, frischen Lebens. Alles ist hier blühende, leuchtende, tönende Gegenwart, alles Farbe, Bewegung und Rauschen. Das Sanguinische des Österreichers ist im Wiener bis zu Neugier, Leichtgläubigkeit, Leichtsinn, Genußsucht gesteigert; aber der tüchtige Kern davon, Wißbegier, Vertrauen und Treue, Frohsinn, Empfänglichkeit für das Schöne des Lebens und der Kunst, ist doch unvertilgbar. Der Wiener ist gutmütig und voller Humor. Der gesunde Sinn des Volks, der sich seiner unvergleichlichen Naturanlage, des Witzes, bedient, richtet unbestechlich jede Torheit, jede Verkehrtheit, gleichviel ob sie in höheren oder niederen Kreisen, in der Verwaltung oder in der Politik, innerhalb oder außerhalb der Mauern vorkommt. Doch hat die Neuzeit mit ihren gewaltigen Veränderungen und Umbildungen auch den alten Wiener Charakter nicht unberührt gelassen und vielfach ernster gestaltet.

IV. Das westdeutsche Rheinland.

1. Der Schwarzwald und der Wasgau.

Was zum Rhein entwässert, bildet das Gebiet des Rheins: demnach ist der ganze Westen von Deutschland „Rheinland" im weiteren Sinne des Wortes.

Bei Basel lenkt der Rhein nach Norden um: jetzt wird er ein deutscher Fluß. Er tritt in die oberrheinische Tiefebene ein, einen abgeflossenen See. Zwei gewaltige Mauern flankieren sie: rechts der Schwarzwald, links der Wasgau, den man lange mit merkwürdiger Verdrehung des Wortes „die Vogesen" nannte. Beide Gebirge zeigen mit ihren beiderseitigen Fortsetzungen einen überaus merkwürdigen Parallelismus. Steil fallen beide in das oberrheinische Becken ab, während sie auf der andern Seite sich sanft in die Plateaulandschaften von Schwaben und Lothringen hinabsenken. Steil setzen sie im Süden mit dem Feldberge und dem Elsasser Belchen wie mit zwei mächtigen Vorgebirgen ein. Die ganze südliche Hälfte der Wälle ist die bei weitem höhere, und die Gebirge sind auf dieser Strecke überwiegend aus Urgestein gebildet. Mit der unteren Hälfte beginnt auf beiden Seiten eine neue Bildung: die hohen Granitgebirge hören auf, die Plateaus des Buntsandsteins treten mit mäßig hohen, doch immer scharf gezeichneten Wänden an das Tal heran. Im Norden treten über dieselben wieder Höhen hervor, doch ohne die gewaltigen Formen der südlichen Hälfte zu erreichen. Beide Wälle zeigen endlich einander ziemlich gegenüber merkwürdige Walllücken oder Einlasse, die von höchster Bedeutung sind. Wo der Wasgau im Norden aufhört, greifen bequeme Täler aus Osten und Westen her durch und bahnen einen Naturweg an, der von uralten Zeiten her in Krieg und Frieden benutzt wurde, für den Völkerverkehr eins der hauptsächlichsten natürlichen Tore Deutschlands im Westen.

13*

Und diesem Tore von Zabern sieht im Schwarzwalde das Tor von Pforzheim gegenüber, ein schon in der Römer Zeiten benutzter Einlaß. 70—80 km unterhalb wird der Westwall von der mächtigen Senke von Kaiserslautern durchsetzt: gegenüber bricht der Neckar durch die östliche Mauer.

Der Schwarzwald erstreckt sich von dem Rheinknie bei Basel 160 km lang und 40 km breit bis zum Tore von Pforzheim. Denn das hügelige Kalkplateau bis zum Neckar kann weder geologisch noch geographisch, wie es freilich oft geschieht, dem Schwarzwald zugerechnet werden.

Der obere Schwarzwald hebt sich auf der Süd- und West-seite für das Auge wie eine steile Wand aus dem Rheintale und erscheint in düsterer, fast erhabener Mächtigkeit. Nach Osten und Südosten sanfter abgedacht, geht er unmerklich nach dieser Seite in die schwäbische Alb über. Die Mittelhöhe beträgt 800—1000 m. Ein Hauptkamm tritt nicht hervor, wohl aber einzelne Gruppen, durch enge, tiefe, gewaltsam in das Gebirge gerissene Täler der Rheinzuflüsse voneinander geschieden. Eigentümlich sind mehreren Hochtälern kleine Seeen in der Höhe von 800—1100 m, die früher größern Umfang gehabt zu haben scheinen. Ablagerungen von Kies-geschieben und Sand in jetzt seelosen Tälern deuten auf frühere weitere Verbreitung der Hochseeen.

Da im Schwarzwalde alles Sanfte dem Osten, das Wilde und Erhabene dem Westen und Süden angehört, so sind auch die höchsten Gipfel allerwärts nach Westen oder Südwesten vorgeschoben und liegen westlich von der Wasserscheide zwischen Rhein und Donau. Den Zentralknoten des Gebirges bildet die erhabene Gruppe des Feldberges, welche eine Richtung von Nordost nach Südwest deutlich erkennen läßt. Zwei Gipfel des Gebirges, über 1400 m und fünf über 1300 m hoch, sind im oberen Schwarzwalde zusammengedrängt.

Der Feldberg, 1495 m, ragt aus dem Schwarzwalde nicht so imposant hervor, wie etwa der Brocken aus dem Harze oder der Inselsberg aus dem Thüringer-Walde: nur von einigen Punkten aus gesehen, wölbt sich sein mächtiger Buckel hoch über die Umgebung empor. Aber schon die ganze Umgebung, die an Hochgebirgsgegenden erinnert, kennzeichnet ihn als den König des Waldes. Sechs Täler gehen von ihm aus, und im Osten lehnt sich an ihn das über 1000 m hohe rauhe Plateau, über welches sich die Straße aus dem Höllental nach Lenzkirch windet. Die Hochseeen des Waldes lagern sich an diesen Hauptberg: in fichtenbewachsenem Kessel liegt der düstere

Feldbergsee, dessen Wasser durch das grüne Bärental in den anmutigen Titisee abfließen. Des Feldbergs ganz sanft gewölbter, kahler Gipfel, auf dem ein Turm neben einem Gasthause steht, dient Herden als Alpentrift; Viehhütten liegen nach verschiedenen Seiten hin unter dem Gipfel. Der ganze Horizont ist von Gebirgen geschlossen: im Süden erscheint die Schneekette der Alpen, im Westen im langen blauen Zuge der Wasgau, im Norden und Nordosten der Schwarzwald, im Süden steigen die Kegelgebirge des Hegau auf.

In dem mehr plateauartigen unteren Schwarzwald bildet bunter Sandstein die Hauptmasse; das Urgestein verbrämt den Westrand bis Rastatt hin und tritt auch noch in dem Tale der Murg auf. Der höchste Punkt ist die Hornisgrinde, 1166 m. Der weitgebreitete Rücken des Kniebis, 971 m, bietet eine herrliche Fernsicht über Wasgenwald und Alpen, den größten Teil des Schwarzwaldes und Schwabens bis an die Tiroler Berge. Vier Flüsse nehmen an ihm ihren Ursprung, und mehrere Hochseen liegen im Bereich des Kniebis. Auf dem 1030 m hohen Seekopf liegt der 2 km im Umfang haltende Mummelsee, „der dunkle See", aus dem die Acher fließt. In der Mitte ist das fischlose Becken schier grundlos; oft hängen sich Nebel an seinen Rand, und bei stürmischer Witterung ist ein unterirdisches Murren und Aufstrudeln wahrzunehmen. Dies Geheimnisvolle erklärt es, daß der See Mittelpunkt vieler Sagen geworden: namentlich hausen dort Seefräulein, die im Mondlicht ihren lustigen Reigen um den See schlingen. Das überall heute schier unvermeidliche Hotel, hier „Mummelseehotel" genannt, das sich neben dem alten urgermanischen Rasthause erhebt, stört jetzt leider — wie auch an manchen anderen Orten — den tiefen Frieden und den düsteren Reiz des Landschaftsbildes.

Die landschaftliche Physiognomie des Schwarzwaldes ist eine dreifache. Die Vorberge, das Rheintal entlang, prangen in reichster Vegetation mit Laubwaldung, Obsthainen und Rebengärten. Dort gedeiht der schöne Markgräfler, in den Vortälern die echte Kastanie und die Walnuß in besonderer Güte. Hinter diesen Vorbergen, auf der Mittelregion, „steht der Schwarzwald voll dunkler Tannen"; da ragen die prächtigen Tannenforste, welche dem Gebirge den Namen gegeben haben. In den Talgründen treten auch Buche, Birke, Esche und Ahorn auf, und die duftenden Wiesen schmückt der üppigste Graswuchs. Die höchste Region bilden kahle Gipfel und Hochebenen, wo kümmerlich etwas Hafer und Kartoffeln gedeihen. Niedrige Hütten mit Schindeldächern, kahle Ebenen, auf denen keine

Abb. 44. Der Rüdiger mit dem Siebengebirge im Hintergrunde.

Obstbäume, sondern nur verkrüppelte Birken wachsen, kalte Winde
mitten im Sommer und halbnackte Kinder, die vor den armseligen
Hütten spielen, kennzeichnen in dieser Gegend wie das Klima, so die
Armut ihrer Bewohner.

Die Schwarzwälder, durch die freilich stark verschönernden Schil=
derungen in Berthold Auerbachs „Dorfgeschichten" uns vertraut ge=
worden, sind ein tüchtiger, lieber Menschenschlag von herzlicher Gut=
mütigkeit, munter und voll Lebenslust, und doch wieder der ernsten,
geheimnisvollen Seite der Dinge sinnig zugewandt. Das Volk um
die Bergseeen herum glaubt noch an allerlei Kobolde, Elfen, Nixen,
Wasser= und Berggeister. Mit diesen Überbleibseln altgermanischen
Glaubens bevölkert die Phantasie der Schwarzwälder Hain, Fels und
Busch, Sumpf und See. In den dunkeln Tannenbäumen, welche
die Häuser beschatten, hausen die Kobolde, und man soll sich ja nicht
unterstehen, einen solchen Baum zu fällen; wer es wagt, kann sich
ein unheilbares Übel zuziehen. Es gibt unter ihnen auch sehr gefällige
und dienstfertige Kobolde, die, wenn man sie in Ehren hält, allerlei
Gutes in der Haushaltung stiften, die Butter frisch erhalten, Milch
und Eier vermehren, das Brot schmackhaft machen und die leeren
Honigtöpfe wieder füllen. Ihnen befreundet und verbündet sind die
guten, harmlosen Elfen, die in den seebespülten Porphyrfelsen wohnen,
oder auch in kleinen bunten Steinen, die man Elfenmühlen nennt.
Dem wonnigen Hauche des Lenzes, der säuselnden Mailuft gleicht
ihre sanfte Stimme. In lauen Sommernächten tanzen sie im mond=
beglänzten Hain oder auf den blumigen Bergwiesen, und wenn man
zuweilen einen leisen Ton im Walde vernimmt, so rührt dieser von
den Elfen her. — Aber mit diesem Traume der Einbildungskraft
geht ein tüchtiges, praktisches Ergreifen der Wirklichkeit Hand in Hand,
und der Gewerbfleiß des Waldes ist weit berühmt. Das Holz ist
der Schatz, den der Schwarzwälder in aller Weise zu heben weiß.
Die schönsten Stämme werden als Holländertannen die Bergwasser
hinab in den Rhein und nach den Niederlanden geflößt, und mancher
Schwarzwälder Stamm hat als Schiffsmast „die Meere befahren und
fremde Länder geschaut". Weiter dient das Holz der eigentümlichen
Uhrenindustrie. Gefertigt in der Waldeinsamkeit von einem kunst=
sinnigen, zum Nachdenken geneigten Volke, haben diese Schwarzwälder
Uhren in Bezug auf pünktliche Genauigkeit des Ganges einen hohen
Grad von Vollkommenheit erreicht. Es gibt Meister auf dem Walde,
welche Kunstarbeiten geliefert haben und noch liefern, die nicht nur
bei uns, sondern auch in Frankreich und England als Probestücke

eines erfinderischen Geistes rühmliche Anerkennung gefunden haben.
In Moskau wie in Valencia, in Quebec und Algier, in Kasan wie
in Konstantinopel trifft man vielgewanderte, allemannisch und welsch
parlierende Söhne des Waldes, in schwarzer Manchesterjacke und roter
Weste, ausgesandt von einem Neustädter oder Furtwanger Hause, mit
lieblich klingenden heimatlichen Wanduhren. Der Dichter Auffenberg
hatte eine kindische Freude, als ihm einst mitten in Spanien ein
Mann mit den Worten: „Grüß di Gott, Landsmännle!" auf die
Schulter klopfte. Es war ein Schwarzwälder Uhrenhändler. Außerdem sendet der Wald in die breisgauischen, schwäbischen, ober- und
niederrheinischen Wirtschaften und Haushaltungen hölzernes Gerät und
in Menge blecherne Löffel, welche auf eigenen Mühlen verfertigt
werden. Das hackt und bohrt und klappert, wenn man durch den
Wald fährt, daß man meint, in die Werkstätte unermüdlicher Gnomen
gekommen zu sein. Glashütten und Hammerschmieden trifft man in
jedem Waldbezirke, besonders an den Ufern der Alp, Wutach und
Haslach. Die letztere stürzt sich wild herab aus den Wäldern von
Dittishausen, wo stämmige Holzhauer ein hartes Gewerbe treiben,
und bei nie verlöschenden Feuern rußige, wildblickende Schmiede schaffen.
Hier und da liegt in dunkler, schweigender Einsamkeit eine Terpentin-
schwelerei oder eine Pechhütte, welche weithin ihre strengen Düfte verbreitet. Dort, wo der Bach haftig hinabjagt, lugt aus dem tiefen
Grün die Hütte des Holzflößers. Das Haus des Wäldlers ist von
Holz, mit Stroh oder Schindeln gedeckt. Die Stuben zu ebener
Erde sind schwarz getäfelt, mit vielen Fenstern versehen, ohne darum
viel Licht zu haben, wegen des weit vorspringenden Daches. Zu den
Schlafgemächern führen Gänge von außen. Unter diesen Gängen,
draußen am Hause, liegt der Holzvorrat. Auf der Hinterseite senkt
sich das Dach bis auf den erhöhten Boden, so daß man wie über
eine Brücke nach der Tenne der Scheune fährt und über den
Köpfen von Menschen und Tieren drischt. Keine Hütte ist ohne
plätschernden Brunnen, und nicht selten steht eine Kapelle daneben
mit einem Glöckchen, zum Morgen- und Abendgebet zu rufen.

Von dem Pforzheimer Tale bis zum Neckar zieht sich ein flach-
welliges Hügelland aus Muschelkalk von 400 m Mittelhöhe, das nur
von der Rheinebene aus gesehen ein bergartiges Ansehen hat. Die
mäßigen Höhen desselben haben es möglich gemacht, zwischen ihnen
hindurch Eisenbahnen zu legen, welche Neckar- und Rheintal, Stuttgart und Karlsruhe verbinden. Am Neckar treten wieder größere
Erhebungen auf. So steht am Ausgange des Neckartales über

Heidelberg der Königsstuhl, 568 m, der eine prachtvolle Aus=
sicht bietet und so oft von der Stadt aus, teils auf bequemer
gebahnter Fahrstraße, teils auf steiler Jakobsleiter, an der roman=
tischen Ruine des Heidelberger Schlosses vorbei, erstiegen wird.

Jenseit des Neckar bildet der Odenwald das nördliche Stück
des östlichen Walles, ein 66 km langes und 40 km breites plateau=
artiges Hügelland von 400—500 m Mittelhöhe, das steil gegen die
Rhein= und Mainseite, sanft nach Südosten abfällt. Da, wo der
Nordwestrand am weitesten in die Ebene tritt, östlich von Zwingen=
berg, ragt der 515 m hohe, viel besuchte Malchen oder Meli=
bocus empor. Mit dem weißen Turme auf seinem Gipfel schon
aus weiter Ferne sichtbar, beherrscht er eine weite Strecke der Rhein=
ebene und gewährt eine der schönsten Aussichten auf eine Menge von
Städten, worunter Frankfurt, Mainz, Worms, Mannheim, Speier,
und zahllose Dörfer. Gegen Norden, Westen und Südwesten schließen
der Taunus, der Donnersberg, die Haardt und der Wasgau die
Aussicht, gegen Osten das bunte Gewühl der Hügel und Berge des
Odenwaldes. In weiterer Ferne zeigen sich die düstern Wälder des
Spessart.

Die Sage breitet über das freundliche Gebirge Wehmut und
Ernst. Hier hielten die Recken der Burgunden die Jagd, auf der
Siegfried fiel; noch heute zeigt man bei dem Dorfe Grasellenbach
den verhängnisvollen Brunnen. Vom Schlosse Rodenstein her braust
der Sturm des wilden Heeres, wenn ein Krieg droht; und das
Volkslied singt vom Baum im Odenwald, der Liebesglück und Liebes=
leid mit angeschaut.

Dem Schwarzwald parallel zieht der Wasgau, der Waskenn
Wald der Alten, der Wasichenstein der Sage, auf dem Walter von
Aquitanien kämpfte. Zwischen Belfort und der Moselquelle hebt sich
der Zug steil aus der Ebene und teilt auch sonst alle Eigentümlich=
keiten des Zwillingsgebirges; nur ist der Abfall nach Westen nicht so
sanft wie die Ostabdachung des Schwarzwaldes. Finstere Tannen=
wälder, welche hin und wieder kleine, dunkele Seeen umschließen, be=
decken seine höchsten Gegenden; im untern Teile der Täler aber
herrscht eine gleiche Fruchtbarkeit wie gegenüber. Trefflicher Wein,
Obst, Mais und Kastanien gedeihen an allen Hängen und verbreiten
Wohlstand in der Bevölkerung.

Der obere oder hohe Wasgau bildet den südlichen Teil des
Gebirges. Er endigt bei der Markircher Senke, die zwischen Schlett=
stadt und St. Dié in einer Höhe von 760 m das Gebirge durch=

schneidet. Die mittlere Kammhöhe beträgt gegen 1000 m; die höchsten Kuppen oder Belchen (Ballons) liegen östlich von der Wasserscheide zwischen Rhein und Mosel. Wie bei dem Schwarzwalde drängen sie sich hauptsächlich zu einem südlichen Schlußknoten zusammen. Der höchste Wasgengipfel ist der Sulzer Belchen mit 1426 m Höhe. Von Gebweiler erreicht man in ³/₄ Stunden seinen Gipfel, eine kahle Halde, aus der Felsblöcke emporragen. Aber bis zu den Alpen reicht von hier der Blick hinüber.

Ein kerniges Volk, dem man das Sachsenblut auf den ersten Blick noch ansieht, bewohnt die Gehänge dieses oberen Wasgau. Auf Viehwirtschaft weist die Natur ihres Landes sie hin; doch ziehen sie auch an ihren Bergen einen geringen Wein. Meist trinken sie ihn selbst bei ihren ländlichen Festen, wenn das junge Volk des Dorfes in überquellender Lebenslust tanzt und die Alten behaglich zuschauen oder weise das Wohl der Welt erörtern.

Von der Markircher Lücke bis zur Senke zwischen Zabern und Saarburg, die nur 380 m Höhe hat, zieht der mittlere Wasgau, wie der untere Schwarzwald ein breitrückiges BuntsandsteinPlateau. Die mittlere Höhe beträgt 800 m, nur einige wenige Kuppen steigen bis 1000 m. Aus dem Schlußrücken gegen Osten geschoben ist der Odilienberg, 801 m, auf dem einst Kelten verschanzte Zufluchtslager hatten und hernach die heil. Ottilie, Tochter Attichs (Ettikos), des Herzogs von Elsaß, ein Kloster stiftete. Er bietet die schönste Übersicht der oberrheinischen Ebene.

Der untere oder Nieder=Wasgau — wenn man den Namen hier noch brauchen darf — von der Senke von Zabern bis zur Lauter oder Queich, wird zu einem niedrigen, aber höchst anmutigen und interessanten Berglande, das mit der Haardt zusammen ein beliebtes Reiseziel geworden ist. Berühmt ist die Aussicht von den wohlerhaltenen Trümmern der im Raubkriege von den Franzosen zerstörten Madenburg, 464 m. Die Rheinebene, von zahllosen Dörfern und Städten überdeckt, vom Rheine durchflossen und vom Schwarzwald, Odenwald und Taunus begrenzt, liegt unübersehbar weit vom Breisgau bis in die Gegend von Mainz vor dem Auge. Das Straßburger Münster und die Dome von Speier und Worms tauchen hervor. Aber noch schöner ist der Blick durch grüne Bergrahmen in die Felsenwunder des inneren Wasgau, der pfälzischen Schweiz.

Nördlich von der Queich erhebt sich die Haardt, eine breite Sandsteinfläche. Von der Rheinebene aus erscheint ihr Abfall wie

eine steile Wand, an deren Fuße sich ein stadtähnliches Dorf an das
andere reiht. Weite Rebenfelder decken das Land; Kastanienwälder
rauschen um die ruinengekrönten Bergspitzen, Mandel= und Pfirsich=
bäume schmücken die Weinberge, und Alleeen von Nußbäumen reichen
weit hinab in die Ebene. Das Hochland ist zum größten Teile mit
Wäldern bedeckt. Mitten im prächtigsten Walde erhebt sich der groß=
artig schöne Drachenfels; ein kühn zerrissenes und zerhöhltes
Felsengebilde, in dem die Sage den von Siegfried erschlagenen Drachen
mit seiner Brut hausen läßt, krönt inmitten der frischesten und üppigsten
Waldvegetation den Scheitel des Berges.

Nach Westen fällt die Haardt allmählich zur wellenförmigen
Hügellandschaft des wald= und kohlenreichen Westrich ab, welche in
die Hochfläche von Lothringen übergeht.

2. Ein Ausflug auf den Odilienberg.

Der Herbst ist die rechte Zeit zu einer Wasgau=Wanderung.
Dann sind die Morgen frisch, die Mittage sonnig warm, die Abende
und Nächte von einer außerordentlichen Pracht des gestirnten
Himmels. Die Wälder prangen dann in den schönen Herbstfarben,
doppelt schön durch das wohlerhaltene Grün des Laubholzes, welches
überall durch das Gelb und Rot und Braun kräftig hervorschimmert.

Der schönste Punkt, zu dem eine solche Wanderung uns hinführt,
ist der Odilienberg. Man erreicht ihn von Straßburg aus in
vier bis fünf Stunden, indem man sich eines Seitenzweiges der nach
Mülhausen und Basel führenden Eisenbahn bis an dessen Endpunkt
Barr bedient. Barr ist eines jener malerisch gelegenen Vogesen=
städtchen, wie man deren die ganze Kette hinauf so häufig, aber
immer mit demselben Vergnügen erblickt. Halb am, halb auf dem
Hügel erbaut, von Weingärten umkränzt, von Wald eingerahmt nach
der Bergseite, mit einer weiten Aussicht in das Tal, durch dessen
Acker= und Wiesenflächen ein kleiner Fluß sich in mannigfachen Win=
dungen zieht: so fesselt Barr den Blick des Beschauers, noch bevor
er sich in das Innere der zum Teil engen Straßen begeben, die manch
mittelalterliches Haus von gotischen Formen bergen, während Land=
häuser im modernen Geschmack die gartenreichen Anhöhen zieren.
Von hier ab steigt der Weg unaufhörlich, und gleich hinter Barr
öffnet sich eine wundervolle Gebirgslandschaft, weit und hoch und
herrlich, durchströmt von einem volleren Luftzuge, der den Geruch

des Hochwaldes herabträgt, dabei von jener Eigenart des elsässer Landes, die das Sprichwort mit dem Verse charakterisiert: „Drei Schlösser auf jedem Berg, drei Kirchen in jedem Tal, die findet man im Elsaß überall."

Abb. 45. Der Odilienberg mit dem Riesgau im Hintergrunde. (Nach Hirts geogr. Bildertafeln.)

In der Tat erblickt man hier die drei Schloßruinen von Andlau, Landsberg und Speßburg, jede von ihnen auf einen vorspringenden Bergrücken über den Dörfern an ihrem Fuße emporragend und jede der Schauplatz einer frommen oder ritterlichen Sage der Vorzeit. Unermeßliche Tannenwaldung, mit grünem Unterholze vermischt, dehnt sich, je höher man nun steigt, zu beiden Seiten; das Farnkraut wächst hier zu ungewöhnlicher Größe, und das Gestein schimmert von der rötlichen Blüte des Korallenmooses. Im Waldschoße traulich gebettet liegen die Vogesendörfer Klingenthal und Ottrott, von Bächen durchrauscht, von Matten umgeben. Jeder Sonnenstrahl läßt in Höhe und Tiefe eine neue Schönheit erkennen, jeder vorüberwallende Nebel vermehrt den Reiz der Einsamkeit und Weltentfremdung; so steigt man drei Stunden, bis der Gipfel des Berges erreicht ist. Hier steht ein altes Kloster, welches nach der heiligen Odilie, der Schutzpatronin des Elsasses, genannt ist und im siebenten Jahrhundert von ihr oder doch für sie gegründet sein soll. Es ist eine gar erbauliche Sage, die sich an diesen Ort knüpft, und noch immer wie vor alters ist der Odilienberg und sein Kloster eine der besuchtesten Wallfahrtsstätten im Elsaß. Eine Quelle rieselt hier oben, welche die

Kraft besitzen soll, Augenleidenden zu helfen, und schon manch eine
mirakulöse Heilung muß ihr Wasser vollzogen haben, wenn man von
der Menge der Bilder und Gedichte, die den Dank der Genesenen
darbringen, und womit die Wände der Kapelle, in der die Reste der
Heiligen in einem prächtigen Sarge ruhen, bedeckt sind, einen Schluß
auf ihre Zahl machen darf. Und alle diese Widmungen und Gedichte sind durchaus in deutscher Sprache geschrieben; ein Zeichen,
wenn es dessen noch bedürfte, daß das Volk des Elsasses deutsch
denkt, deutsch fühlt und deutsch betet. Die Sprache, in der es sich
mit Gott und seinen Heiligen unterhält, wird wohl seine Herzens-
sprache sein.

Die Regel ihres Ordens scheint den frommen Bewohnerinnen
von Sankt-Odilien die Gastfreundschaft nicht zu verbieten, sondern
sie zur Ausübung derselben vielmehr anzuhalten; denn außer einem
Wallfahrtsorte ist dieser Berg das Ziel zahlreicher Ausflüge, namentlich der Straßburger, und dieses Kloster zugleich eine Wirtschaft und
ein Gasthof. Eine Tafel, welche auf der einen Seite in gutem
Französisch und auf der andern in etwas weniger gutem Deutsch die
Vorschriften für das Verhalten gibt, sagt: „Zwei Arten von Be-
suchern sind hier immer willkommen: die einen, welche ihr religiöses
Bedürfnis hierher führt; die andern, welche der guten Luft wegen
und zu einer anständigen Erholung herauskommen. Eine dritte
Gattung, welche das Heilige zum Gegenstande ihrer Scherze zu
machen liebt, thäte besser, unten zu bleiben.‟

Die Aussicht von diesem erhabenen Punkte ist prachtvoll. Weit
vor dem Blicke ausgebreitet, liegt die herrliche Ebene, die man von
dieser Felshöhe beherrscht; man sieht den Schwarzwald, man sieht
das Straßburger Münster, man sieht den Rhein fern bis Rastatt
glänzen. Man erblickt tief unter sich, vom Walde eingefaßt, die
grünen Matten, auf denen Kühe weiden, Bergkuppen, Schlösser,
Dörfer ohne Zahl. Und im dämmerigen Klosterhofe rauschen die
Linden und das wundertätige Brünnlein fließt, und durch die Kreuz-
gänge des Klosters wandeln die Nonnen in ihren schwarzen weiten
Gewändern und weißen Kopftüchern.

3. Metz.

Die Sonne neigt sich zum Untergange. In ländlicher Umgebung ruhen wir aus von der Tageshitze und der interessanten, aber
ermüdenden Wanderung durch Metz und die Schlachtfelder ringsum.

Wir sitzen in Scy auf einer Terrasse, von dichtbelaubten Linden beschattet, umweht von erfrischender, abendlicher Kühle und betrachten
das große, vor uns aufgerollte Landschaftsbild.

„Fürwahr ein reiches, wohlhäbiges Land ringsum! Weingärten
nehmen den ganzen Berghang ein, hinab bis zur flachen Talsohle,
und steigen zur Linken, hinter der Kirche, noch höher hinauf an
dem Hügel, auf dessen breitem, kahlem Rücken sich die Wälle des
Forts von St. Quentin drohend erheben. Dort unten schlängelt
sich zwischen Weinbergsmauern der Weg hinab, welcher uns zu dem
Dörfchen Scy heraufgeführt hat. Zahlreiche Dörfer, Weiler und
einzelne Häuser heben sich aus dem üppigen, lachenden Grün hervor,
meist in hellen Farben gemalt, die Fenster mit grünen Jalousieen geschlossen, die Wände mit Weinreben und mit Spalierobst bekleidet,
die Dächer mit wellenförmigen Ziegeln gedeckt, die Schornsteine zahlreich und weit über die Dächer aufragend.

Ein schönes Silberband durchzieht das liebliche weite Tal,
welches zu unsern Füßen liegt. Es ist die Mosel, die der Blick von
dem gewerbreichen Ars-sur-Moselle, wo sie aus engerer Tal-
schlucht hervortritt, bis weit über Metz hinab verfolgt. Der breite,
glänzende Wasserspiegel wird durch ein gewaltiges steinernes Wehr
aufgestaut, teilt sich hie und da in mehrere Arme und bildet größere
und kleinere Inseln, die mit Schilf und Gras oder mit Gebüsch bewachsen sind, während die größte derselben einen Teil der Landes-
hauptstadt trägt.

Scy gerade gegenüber, in mächtiger Höhe über der Moselaue,
dehnt sich das städtisch gebaute Dorf Montigny-les-Metz aus. Fast
möchte man den Ort mit seinen langgestreckten Straßen, seinen
stattlichen Gebäuden und seinen Türmen für Metz selbst halten, wenn
nicht weiter links die große, glänzende Stadt unseren Blick fesselte.

Eine große, reiche Stadt, dieses Metz! Zwei Stunden lang
sind wir ihre Straßen nach verschiedenen Richtungen durchwandelt,
und die weder großen noch hohen, aber freundlichen Häuser, die reinlichen Straßen und Plätze, die ununterbrochen aneinander gereihten
mehr eleganten als großartigen Verkaufsläden haben uns einen
angenehmen Eindruck hinterlassen. Wir haben uns die eisernen
Markthallen betrachtet mit ihrem Reichtum an Blumenkohl, Arti-
schocken und Zwiebeln, ein redendes Zeugnis von der Fruchtbarkeit
des Landes ringsumher; wir sind an der Kathedrale vorüber-
gegangen, doch nicht ohne die schöne Architektur ihrer Portale,

ihrer Fenster und Pfeiler wenigstens von außen zu bewundern. Der
Turm ist leidlich hoch, aber nur ein schwacher Ersatz für den im
Plan vorgesehenen, aber nicht ausgeführten Turm, den die Maße
des Gebäudes verlangen. Dann sind wir über die beiden großen
Brücken gegangen, welche innerhalb der Stadt über die Moselarme
führen. Auch sind wir in diesem oder jenem Kaufladen eingekehrt,
um an das Einkaufen kleiner Reisebedürfnisse Fragen und Gespräche
anzuknüpfen, und haben den Eindruck gewonnen, daß es sich in Metz
gut wohnen lasse, daß deutsche Tätigkeit und deutscher Unternehmungs-
geist sich neben den französisch-lothringischen Elementen festsetzen, und
daß die Zeit nicht in unerreichbarer Ferne liegt, wo nicht bloß die
Stadt mit ihren starken, grünen Festungswällen, ihren blanken
Häusern und ihren unversehrten, zugleich mächtigen und eleganten,
aus Sandsteinquadern aufgeführten Mauern, sondern wo auch die
Bewohner mit ihren Anschauungen und Neigungen für Deutschland
werden gewonnen sein.

Dort unten zwischen Fluß und Eisenbahn sind wir dann talaufwärts gegangen bis Langeville. Das langgebaute, freundliche
Dorf, die lange, gepflasterte Hauptstraße in der Mitte, die Landhäuser und Gärten, nach Landessitte mit weißgetünchten hohen
Mauern umgeben, machen einen öden Eindruck. Hier hatte der
französische Kaiser, als er seinen Stern verbleichen sah, die Nacht
vom 14. zum 15. August 1870 zugebracht, denn die Straße
nach Mars-la-Tour war von deutschen Reitern umschwärmt
— und er hatte umkehren müssen, um am folgenden Tage über
Briey gegen Nordwesten hin sich einen andern Ausweg, wo es auch
sei, zu suchen.

Darüber ist es Abend geworden. Wir überschauen von unserm
Standpunkt unter den Linden von Scy die Pfade, die wir gegangen
sind, und obgleich im Laufe der letzten Stunden fast nur Laute
einer fremden Sprache an unser Ohr gedrungen sind, kommt
uns doch die Stadt mit ihrer Umgebung recht heimisch und recht
deutsch vor.

Weiter wandern wir gegen Westen. Weinberge und Gärten
rechts und links, mit niedrigen Mauern umgeben, wenig Felder,
keine blumigen Wiesen, aber überall Bäume und Reben, nur
vereinzelt ein Mensch auf dem Wege, da um diese Tageszeit
sich jedermann in die Dörfer zurückzieht: so ist der weitere
Weg. Bald senkt er sich, immer zwischen Mauern und Hecken,
in einen an Obstbäumen reichen Talgrund hinab, geht über

ein Wässerchen und dann aufwärts in dem Dorfe Lessy; weiter
führt er dann zwischen niedrigen, hin und wieder zertrümmerten
Weinbergsmauern, Hecken und Feldern hin; wir passieren die Linie,
in welcher die deutschen Vorposten während der Belagerung 1870

Abb. 46. Die Schlachtfelder um Metz.

gestanden haben, gehen dann abwärts in ein zweites tieferes Tal,
unter einer Eisenbahnbrücke hinweg nach dem langgestreckten Dorf
Chatel=St.=Germain. In den Kämpfen des 18. Oktober war das
Dorf Rückzugsziel der französischen Korps vom Zentrum und
linken Flügel gewesen. Dann hatte die Belagerungsarmee sich des
wichtigen Postens bemächtigt. Denn das Dorf liegt zu tief im

Talgrund, als daß es von den Kanonen des Forts St. Quentin
hätte beschossen werden können.

Heiter bricht der Tag an, als wir im tauigen Morgen talauf=
wärts weiter wandern. Bald liegt das friedliche Dorf hinter uns,
zur Linken lassen wir die Ruinen einer längst zerstörten Kirche, welche
von einer vorspringenden Höhe das Tal beherrscht. Bald verschwinden
die Weinpflanzungen, Laubwald und Gebüsch bekränzen die Höhen und
ziehen sich am Abhang hinunter zu einer Pappelallee, an der mitunter
ein freundlich geschmücktes Grab daran erinnert, daß auch dieser
friedliche Talgrund Zeuge wiederholter Kämpfe gewesen ist. Etwa
4 km weit verfolgen wir den Talweg, dann wenden wir uns nach
Osten, durchkreuzen den dichten Wald am östlichen Gehänge und ge=
langen bald auf die Hochfläche zwischen dem Wald von Saulny und
dem Fort Plappeville.

Die Hochfläche von Plappeville, auf welcher im Herbste 1870
häufig Schüsse zwischen den Kanonen der Forts und den deutschen
Plänklern, die den Waldrand besetzt hielten, gewechselt worden sind,
bietet ein Bild tiefen ländlichen Friedens. Magere, mit Blumen
sparsam geschmückte Bergwiesen und reifende Roggen= und Gersten=
felder decken die Fläche. Hin und wieder sind einzelne Leute in der
Ernte beschäftigt. An den Krieg erinnern nur noch die mit Gras
überwachsenen, aber nicht zugeworfenen Schützengräben.

Von der Hochfläche führt die Straße abwärts durch hübschen
Laubwald nach dem freundlichen Dorfe Lorry. Die Häuser sind in
gutem Stand, nirgends sieht man so viel Weintrauben und so viel
Spalierobst, besonders Aprikosen, wie an den Häusern von Lorry.
Überall Röhrbrunnen und klares, fließendes Wasser, ein für das Dorf
gemeinsames, durchweg mit Steinplatten ausgelegtes und bequem ein=
gerichtetes Waschhaus, vor vielen Häusern Holzstämme, Bretter und
Faßdauben gelagert zum Bedarf der zahlreichen Faßbinder, eine
hübsche, freundliche Kirche, freundliche, heitere Gesichter der Bewohner
und ihrer Kinder — so macht Lorry einen höchst angenehmen Ein=
druck, der durch die schöne Aussicht auf das breite Moseltal noch
erhöht wird.

Durch Weinberge und Gärten führen schmale Fußsteige abwärts
nach dem Tale zu; überall fließt Wasser in kleinen Talgründen,
deren Fruchtbarkeit das üppig betaute Gras und der reiche Ernte=
segen anzeigen. Näher der Stadt Metz mehren sich die Häuser,
einzeln oder in Gruppen vereinigt, bedecken sie das ganze Gefilde,
während über den Weinbergen auf kahlen Höhen die Forts Plappe=

222

ville und St. Quentin thronen, deren frischerbaute Wälle ein Zeugnis von der Tätigkeit der dentschen Armeeverwaltung ablegen. Billen mit hübschen Parkanlagen und Springbrunnen, Kunstgärtnereien, industrielle Etablissements wechseln miteinander ab"; dann führt die Straße durch die Festungswälle hinein in die Stadt, die als starke Grenzwacht den ewig unruhigen Nachbar ernst zur Mäßigung mahnt.

4. Die oberrheinische Tiefebene.

Zwischen den mächtigen Bergwällen des Schwarzwaldes und des Wasgau liegt die oberrheinische Tiefebene. In einer Länge von 300 km bildet sie, von Südsüdwest nach Nordnordost gerichtet, einen mächtigen Spalt der Erdrinde, der mitten im zusammenhängenden Gebirgslande aufklaffte und die Seitenkanten auseinander warf. Den Grund füllten die Niederschläge der durchströmenden Gewässer zur wagerechten Ebene aus; denn vor Zeiten flutete ein mächtiger See in dem Becken. Aber je tiefer das strömende Element seinen Ausflußspalt in den hemmenden Bergriegel einsägte, desto tiefer sank der See. Mit dem Sinken des Sees schritt auch die Ausbildung einer Hauptrinne in der Mitte und vieler kleiner Rinnen zu den Seiten fort, indem die Gewässer nun nicht mehr gleich in den See fielen, sondern längere Wege zu machen hatten und sich dabei die bequemsten Bahnen aufsuchten. Allmählich wandelte sich der See in einen langen Strom; die verschiedenen Stücke desselben setzten sich zu einer ebenmäßig fließenden und zusammenhängenden Flußlinie, dem Rheine, aneinander, der als die große zentrale Wasserader des Beckens hier seinen oberen Lauf vollendet.

Nachdem bei Basel der Rhein in einem schroffen Winkel nach Norden umgesetzt und dadurch in die Tiefebene getreten ist, hat er auch seine ganze Physiognomie verändert. Meist ist er jetzt breit, in viele Arme und Inseln gespalten; nur selten zieht er sich in eine, dann nicht sehr breite Rinne zusammen. Gleich unterhalb Basel beginnt eine flache Sanddüne, die sich bis Straßburg fortsetzt. Diese Sandmasse ist so locker, daß keiner der Bäche, die bei Mülhausen von den Ausläufern des Jura herabkommen, den Rhein erreicht. Sie versiegen alle am Rande der Düne. Da das lebhafte Gefälle des Rheins von Basel bis Straßburg sich gegen Mannheim wesentlich vermindert, so häuft sich hier der Sand und das Gerölle noch mehr als oberwärts. Langgestreckte, flache, kahle Kieselsandbänke werden zu den Seiten des Flusses aufgeschüttet, welche das Wasser einengen. Aber jedes Hochwasser gibt ihnen eine veränderte Gestalt, welche unabläſſig dazu beiträgt, den Stromlauf selbſt wieder umzugeſtalten. Doch birgt der armſelige Boden Bergkriſtall und Gold. Seit alten Zeiten ſind die ſogenannten Rheinkiesel als ſchöne klare Gerölle bekannt, die geſchliffen oft Rheindiamanten genannt worden ſind; und ſeit dem 7. Jahrhundert wurde aus dem Rheinſand Gold gewaſchen, das, faſt rein, in winzigen rundlichen Blättchen oder Schuppen vorkommt.

Der Oberrhein zwiſchen Baſel und Straßburg hat mehrere Inſeln und Sandbänke und ſtrömt weit ſchneller als in der Strecke von Straßburg bis Mainz. Er iſt noch kein fertiger Strom, ſondern ein großartiges Wildwaſſer. Das Bett des noch unſtäten und ungezähmten Fluſſes iſt veränderlich und unregelmäßig, da ſich die Gewäſſer bald auf die eine, bald auf die andere Seite drängen.

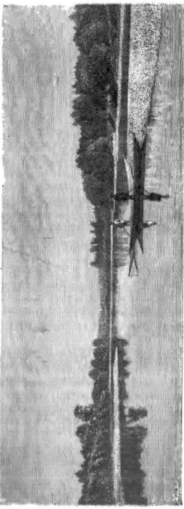

Abb. 47. Kieselsandbänke im Rhein.

14*

Durch die nach dem Plane des badischen Ingenieurs Tulla in den Jahren 1818—1872 ausgeführte Rheinkorrektion ist allerdings ein ziemlich geradliniges Rinnsal geschaffen, das den Flußlauf um 85 km abkürzt. Immerhin ist die Schiffahrt auf dieser Strecke noch sehr unbedeutend. Die sandigen oder sumpfigen Ufer zudem locken nicht zum Anbau, der Strom nicht zur Überbrückung. An den Stromseiten entlang reihen sich hier und da Inseln mit hohen und steilen Ufern von älterer Bildung. Röhricht umsäumt ihre Ränder; in Gruppen stehen wunderlich gestaltete, uralte Weiden oder knorrige Eichen zusammen, in deren Schatten an erhöhten Stellen die meist armseligen Gehöfte liegen. Wiesen nehmen die Niederungen ein; Kornfelder findet man nur an höheren, vor Überschwemmung gesicherten Stellen. Rehe und Rebhühner suchen im Herbste auf diesen stillen Inseln ein Asyl; denn nur auf flachen Kähnen geschieht hier der Verkehr, die meist der kräftige Arm der Inselbewohnerinnen, wenn über Tag die Arbeit den Mann fernhält, zu treiben pflegt.

Unterhalb Straßburgs weicht der Rhein von seiner bisherigen nördlichen Richtung ein wenig nach Nordnordosten ab. Zugleich vermehrt er seine Wassermasse auf der einen Seite durch die Ill, welche ihm die Gewässer der größeren Hälfte des Wasgau zuführt, auf der anderen durch die Kinzig, den bedeutendsten Fluß des Schwarzwaldes. Jedoch weit mehr gewinnt er weiter abwärts durch das Einströmen von Neckar und Main. Nun werden die Inseln, die Sandbänke und Sümpfe zu den Seiten des Flusses immer geringer, der Fluß zieht sich immer mehr in einen einzigen Kanal zusammen; nur bei Mainz selbst tritt noch einmal Inselbildung auf.

Auf dem linken Ufer hat der Rhein bis Straßburg keinen irgend bedeutenden Zufluß, wohl aber einen mächtigen Parallelfluß, die Ill. Sie entströmt einer Vorhöhe des Schweizer Jura, hat bis Kolmar einen sehr raschen Lauf, wird von da an ruhiger, fließt in niederen Wiesengründen und wird 70 km oberhalb der Mündung, verstärkt durch zahlreiche Flüßchen des Wasgau, schiffbar. Herantretende Höhen drängen sie unterhalb Straßburgs in den Rhein. Sie hat eine große Bedeutung für Verkehr und Ansiedlung: an ihr, nicht am Rhein, liegen die bedeutenden Städte des linken Ufers.

Unterhalb der Ill münden aus dem unteren Wasgau und dem

Pfälzer Gebirge Flüsse in den Rhein, die im Gegensatz gegen die oberen meist nach Ostsüdost gerichtet sind. Die Lauter entspringt aus dem Lauterbrunnen unter der Ruine Bebelstein und tritt bei Weißenburg aus dem Gebirge. Auch der Brunnen der Queich liegt unter einem alten Ritterschlosse, dem Falkenstein. Der Fluß strömt in einem schönen Tale mit herrlichen Sandsteinfelsen. Der Hauptort, nach dem das Tal genannt ist, heißt Annweiler. Südlich von Annweiler erhebt sich auf schroffem Kegel der Trifels, 493 m, nicht das Raubnest eines trotzigen Zwingherrn, sondern ein uraltes Kaiserschloß, ein Reichsgut, das von dem, welcher die Krone trug, stets auf den Nachfolger überging. Es war das Schatzkammerschloß des Deutschen Reiches, der Aufbewahrungsort der Krone und der Reichskleinodien*). Die Zerstörung hat hier grausig gewütet, aber doch noch so viel gelassen, daß wir den großartigen Charakter der Kaiserburg uns vorstellen können; freilich ist über die Zerstörung die Natur wieder Herr geworden; sie hat die Schutthaufen übergrünt mit Moos, Schlingpflanzen, Gesträuch, auch mit kühnen Tannen und stattlichen Eichen.

Unter den kleinen Nebenflüssen der rechten Rheinseite zeigt die Elz den längsten Lauf. Kurz vor ihrer Mündung nimmt sie die Dreisam, das kleine rasche Flüßchen von Freiburg, auf, in deren Tale der berühmte Höllenpaß über das Gebirge zieht.

Die Gegend, die dem Höllental vorliegt, heißt das Himmelreich: ein passender Name für ihren Reichtum und den Gegensatz zu der bald folgenden düsteren Landschaft. Ähre und Rebe, Wald und Wiesen bedecken den Boden; der klare, muntere Strom der Dreisam rauscht längs der Straße hin, und Dorf an Dorf, Kirchturm an Kirchturm schaut aus den Bäumen und Feldern hervor, während im Hintergrunde in weitem Kranze die sanftgerundeten, malerischen Kuppen der Schwarzwaldberge sich der Ebene zuneigen. Die Trümmer der Burg Falkenstein bewachen den Eingang zur Hölle. Der malerische, ganz von Waldlaub umkleidete Fels, auf dem sie liegen, ist ein Angeld auf die Wunderbildungen von Fels und Wald, die uns im Höllental erwarten. Fels und Wald, Fluß und Straße, das sind die einander das Territorium streitig

---

*) Hier hielt auch Heinrich VI. im Jahre 1193 den englischen König Richard Löwenherz gefangen.

machenden Besitzer dieser merkwürdigen Bergenge, die jedoch lange
nicht so fürchterlich ist als ihr Name.

Wasserreicher, wenn auch nicht länger als die Elz, ist die bei
Kehl mündende Kinzig. Über die kleinen Zuflüsse, die Rench,
in deren oberem Tale die berühmte Kniebißstraße sich empor-
windet, den Achen und den Oosbach, gelangen wir zur Murg.
Ihr Tal ist bald schauerlich und großartig, bald freundlich
und milde, hier eng und einsam, dort weiter und belebt von
Städtchen, Dörfern und zahlreichen Mühlen; wild rauscht die
Murg über Granitblöcke; Burgen schauen von den Höhen, jetzt
Weinstöcke und Kastanien, jetzt öder, nackter Fels und finstere
Tannenwälder, und aus wilden Klüften stürzen der oft 60 m
tief unter der Straße tobenden Murg die Waldbäche zu. Alle
Schönheiten „des badischen Arkadiens" zugegeben, trägt zu seinem
weitverbreiteten Ruhme auch die Nähe des Weltbades Baden-
Baden und der Musenstadt Heidelberg bei. Bei Kuppenheim
tritt die Murg aus dem Gebirge, wendet sich nordwestlich und
mündet unterhalb Rastatt.

Der obere der beiden die östliche Gebirgsmauer durchbrechenden
Flüsse, der Neckar, durchwäscht die östliche Mauer in dem Spalte,
der bei dem romantisch gelegenen Eberbach beginnt. Bis zum
Eintritt in die Ebene bewahrt sich der Fluß seine Gebirgsfrische,
schäumt bei Heidelberg noch einmal über Felsen und durchbricht hier
die letzten Trümmer seiner Mauer; die Seitentore dieser Breiche
stehen noch hoch empor in den Bergen, welche jetzt die Namen
Königsstuhl und Heiligenberg tragen. Die alte Hauptstadt
der Rheinpfalz streckt sich eine halbe Stunde weit auf dem schmalen
Ufersaume zwischen dem Gebirge und dem Neckar hin. Einen
reizenden Ausblick das Flußtal hinauf und hinab gewährt die mit
Standbildern geschmückte alte Neckarbrücke. Oberhalb der Stadt
liegt die großartigste Ruine Deutschlands, das Schloß der Kurfürsten. Schon am Ende des 13. Jahrhunderts begonnen, ist der
Bau mit stets steigender Pracht durch die Reihe der Pfalzgrafen
gefördert worden; sein schönster Teil ist der Otto-Heinrichsbau, um
die Mitte des 16. Jahrhunderts aufgeführt, die höchste Leistung
der Renaissance in Deutschland. Die Franzosen haben die Schmach
der absichtlichen Zerstörung des herrlichen Schlosses auf sich ge-
laden (1689 und 1693); die Kurfürsten indessen stellten es wieder
her. Allein als es wieder bezogen werden sollte, setzte ein Blitz-

strahl 1764 den Bau in Flammen, alles Brennbare darin zer= störend. Seitdem ist es Ruine geblieben *).

Abb. 48. Der Otto-Heinrichsbau im Heidelberger Schloß.

Nicht immer hat der Rhein beim Durchströmen seines Beckens die Mitte zwischen den Gebirgen gehalten: bald ist er dem einen,

---

*) Seit dem Jahre 1891 hat man erhebliche Summen aufgewendet, die Ruine vor weiterem Verfall zu schützen. 1897 wurde beschlossen, den inneren

bald dem anderen etwas nähergerückt. Eine Strecke abwärts von Basel treten Schwarzwaldberge an den Rhein, also daß sich die Eisenbahn dicht am Flusse durchschmiegen muß. Auch mitten in der Ebene liegen noch zwei isolierte Berggruppen. Zwischen Breisach und Freiburg der basaltische Tuniberg und zwischen Rhein und Dreisam die Basaltgruppe des Kaiserstuhles, beide Zeugen der letzten großen vulkanischen Umwälzung, die das Rheintal in der Tertiärzeit durchzumachen hatte. Das kleine malerische Bergland besteht aus 40—50 Kuppen, dazwischen schöne Täler mit Äckern und Wiesen, Waldungen und Obsthainen, alle Hänge mit üppigster Vegetation bedeckt. Auf einem Raume von 100 qkm leben 15000 Menschen in 30 Ortschaften. Von seinem höchsten Punkte, wo einst Rudolf von Habsburg Gericht soll gehalten haben, gewährt er eine reiche Aussicht über die weite, offene Landschaft.

Die oberrheinische Ebene, welche ein Reisender mit der Ebene von Toskana, wie man sie von Fiesole erblickt, oder dem Teile der Lombardei, der sich unterhalb der Madonna di San Luca nach Bologna erstreckt, vergleicht, ist in der Tat eine der gesegnetsten Landschaften. Mild ist ihr Himmel: schon in der ersten Hälfte des April blühen Kirschen, Pflaumen und Aprikosen, und die Kirschen reifen Anfang Juni. Der Boden ist meist fruchtbar und allerorten trefflich angebaut.

Unter die gepriesensten und gesegnetsten Stellen wird auch die Gegend der Bergstraße gerechnet, welche von Heidelberg nach Darmstadt (Bessungen) am Fuße des Odenwaldes durch Obst- und Nußhaine, die der ganzen Gegend das Gepräge eines großen Fruchtgartens geben, hinzieht.

Die Einlässe der oberrheinischen Ebene und ihre ganze Lage zwischen dem deutschen Süden und dem deutschen Norden, zwischen Deutschland und Frankreich, machten sie von jeher zu einem wichtigen Passageland und erhoben ihr Straßennetz zu einer hohen Wichtigkeit. Schon zur Römerzeit zogen Straßen den Rhein entlang, aber auch auf der Höhe des Odenwaldes hin. Von Mainz lief im Mittelalter am Donnersberge vorbei die Kaiserstraße nach Metz. Jetzt sehen wir die Ebene auf beiden Rheinufern von Eisen-

Aufbau und die planmäßige Restaurierung des Friedrichsbaues (aus dem Anfang des 17. Jahrhunderts) in Angriff zu nehmen. Heute (1904) steht zu befürchten, daß der ganze Bau erneut und Deutschland um ein Schloß reicher gemacht wird, um seine herrlichste Ruine zu verlieren.

bahnen durchzogen. Zu allen Pforten kommen die Schienenwege
herein, der wichtigste durch die Wetterau, die Main=Weserbahn.
Durch den niedrigen Kraichgau *) läuft die Bahn in die schwäbische
Ebene; auch die schweizerische Ebene ist durch Schienenwege, die
sich bei Basel vereinigen, mit der oberrheinischen Ebene verbunden,
diesem blutgedüngten Acker, der von jeher ein Hauptschauplatz der
Kriege zwischen Deutschen und Franzosen gewesen ist.

5. Straßburg und Frankfurt.

Mitten in der oberrheinischen Tiefebene, da wo der Strom
von seiner bisherigen nördlichen Richtung ein wenig nach Nord=
nordost abweicht und seine bisher breit auseinanderfließenden Ge=
wässer in einem einzigen Kanal zusammenfaßt, war schon von der
Natur die Stelle einer großen Stadtanlage bezeichnet. Schon die
Kelten fanden keinen bequemeren Übergang über den Rhein als
hier, und in die von diesen angelegte Niederlassung, in das weit=
hin bekannte Argentoratum, verlegten die Römer den Sitz
ihrer Militärmacht am Oberrhein. Nach dem Sturze der Römer=
herrschaft und nach den furchtbaren Verwüstungen durch Attilas
Scharen war die Stadt, jetzt Straßburg geheißen, in den ersten
Zeiten der Merowingerkönige wieder als Hauptort des alemannischen
Stammes aufgeblüht. Schon ums Jahr 540 hielt Childebert II.,
König von Austrasien, hier seinen Hof. Die älteste königliche Burg
stand auf dem Platz des späteren Stiftes St. Thomas; Dagobert I.
verwandelte dieselbe in ein Gotteshaus, wie auch aus dem römischen
Kastell an der Breusch eine Kirche entstand. Eine bewunderns=
würdige Regsamkeit der Bewohner dehnte den Raum nach allen
Seiten hin aus. Auch das unter dem letztgenannten Fürsten ge=
gründete Bistum hatte sich dessen besonderer Gunst zu erfreuen,
und der heilige Arbogast fand hier ein reiches und dankbares Feld
seiner Tätigkeit. Das aufstrebende kühne Bürgertum, das in ihrer
Stadt den Mittelpunkt und Hauptmarkt des Oberrheins richtig er=
kannte, verstand schon frühzeitig „im alten Straßburger Stadt=
rechte" seine Gerechtsame gegen seine Bischöfe und die umwohnenden
Fürsten sicherzustellen. Unter der tüchtigen Mithilfe der wohl=

_____

*) Der Kraichgau ist die Gegend zwischen Heidelberg, Wimpfen, Heil-
bronn und Pforzheim.

habenden Bürgerschaft begann man um 1250 den Bau des Münsters, welches zum ersten christlichen Kirchengebäude sich erheben sollte, und übertrug 1277 die Leitung dem wackeren Meister Erwin von Steinbach. Von der Straßburger Bauhütte verbreitete sich edler Kunstsinn und Baustil weithin selbst bis in die ostdeutschen Gaue. Mit diesem Sinne für Kunst ging Hand in Hand der Eifer für tüchtiges Wissen, und keine Stadt hat wohl die freisinnigere Richtung, die sich durch die Reformation in religiösen Angelegenheiten kundgab, freudiger begrüßt als Straßburg, das in seinem großen Stätte= oder Bürgermeister Jakob Sturm einen der begeistertsten Anhänger der neuen Lehre wie überhaupt einen der tüchtigsten Leiter seiner Bürgerschaft fand. Nachdem aber der unselige Dreißigjährige Krieg dem Deutschen Reiche die herrliche Landgrafschaft des Elsaß geraubt hatte, konnte sich Straßburg des französischen Übergewichtes nicht lange mehr erwehren.

Es ist eine der schmachvollsten Unternehmungen Ludwigs XIV. gewesen, daß er am 28. September 1681 durch ein Kriegsheer mitten im Frieden die freie Reichsstadt Straßburg wegnehmen ließ. Die feste Burg des Oberrheins, die noch Karl V. zuerst retten zu müssen glaubte, wenn Wien und Straßburg zu gleicher Zeit in Gefahr wären, ging in dieser Zeit tiefster Schmach und Schwäche für Deutschland verloren: sie wurde fortan, durch den Kriegsbaumeister Vauban in ihren Schanzen kriegskundig verstärkt, ein „Ausfalls= tor" Frankreichs gegen Deutschland. Wie sehr auch nun die Franzosen unter ihren bourbonischen Königen den protestantischen Charakter des Elsaß zu erschüttern und während der Revolution und in den darauffolgenden Zeiten Napoleons I. deutsche Sprache und Sitte zu verwischen sich bemühten, so hat doch die Bürgerschaft starkes Selbstbewußtsein und erhebliche Vorrechte sich zu wahren gewußt und pflegte in ihrer Hochschule, die manche Zierde deutscher Wissenschaft unter ihren Lehrern zählte, noch lange deutsche Kunst und Lehre.

In ihren älteren Vierteln hat auch die Stadt noch völlig das Aussehen einer alten deutschen Reichsstadt bewahrt; die meisten Straßen sind eng und krumm; die Häuser und selbst die Plätze haben nichts Imposantes. Der Stolz Straßburgs aber ist sein Münster. Vom Schwarzwaldkamm schon zeigt sich dem Reisenden die durchsichtige rote Pyramide dieses majestätischen Gebäudes, das von den alten Geographen „zu den sieben Wunderwerken der

Welt für das achteft gesetzt werden möcht". Sie ist 141 m hoch. Der Erbauer dieses Meisterwerkes ist Erwin von Steinbach, deffen Originalpläne noch aufbewahrt werden, der aber 1318, als der Bau des koloffalen Schlußftückes, der wundervollen Faffade, kaum halb vollendet war, ftarb und die Fortführung des Werkes feinen Söhnen überließ. Die berühmteften Baumeifter Deutfchlands übten in der Folge ihre Kunft an dem Werke Erwins; so der Ulmer Dombaumeifter Ulrich von Enfingen und die Junker Johann und Wenzel von Prag, bis der Kölner Johann Hültz es 1439 in den entarteten und spielenden Formen der Spätgotik vollendete. Die Bildhauerin Sabine, der man die fchönften Skulpturen am Münfter zufchrieb, und die man noch im Jahre 1840 durch ein Standbild am Südportal ehrte, ift apo=

Abb. 40. Das Straßburger Münfter.

kryph und erft im 16. Jahr= hundert von der Sage zu einer Tochter Erwins gemacht. Die fchönfte, den Befchauer mit bewundernbem Erftaunen er= füllende Front des Gebäudes ift die weftliche, überaus reich mit Skulpturen, Nifchen, Blen= den und Arkaden verziert. Der rötliche Sandftein, aus dem das Münfter, wie so viele Kirchen= bauten am Rhein, errichtet ift, läßt die wunderbaren Figuren und phantaftifchen Skulpturen deutlich hervortreten. Im In= nern webt myfteriöfe Dämme= rung; das weite Schiff ohne Altar, überhaupt ohne jede fchmückende Zutat, die hier nur ftören würde, der bedeutend erhöhte Chor mit dem ganz einfachen Hochaltar: alles gibt der Kirche einen ebenfo gewichtigen wie ernften Charakter. Unter dem Chor ift eine Krypta, das heilige Grab, der Sage nach von Karl dem Großen erbaut, wo in der Karwoche Gottesdienft gehalten wird. Die prachtvolle Fenfterrofe des Haupt= portals und die mächtigen Kirchenfenfter harmonieren mit der Schönheit des Ganzen. Die Steinkanzel, die Kapelle des heiligen

Laurentius, die berühmte astronomische Uhr im südlichen Transept fesseln die Aufmerksamkeit; vor der letzteren sieht man immer Besucher stehen, die auf den Schlag der Stunde, der eine Menge Figuren in Bewegung setzt, warten; um 12 Uhr mittags und mitternachts kräht der Hahn. Nach Erwins Plan sollte der Dom zwei Türme bekommen; aber nur der eine ist vollendet: zu ihm hinauf zieht es uns mächtig. Das Aufsteigen bis zur Plattform ist bequem; von da erhebt sich kühn der obere Teil des Turmes, eine ganz durchbrochene, völlig durchsichtige Pyramide, an welcher vier Wendeltreppen in durchsichtigen Türmchen auf die Galerie des ersten Stockes der Pyramide führen, von wo an der Turm sich zuspitzt. Von da führen acht schmale Wendeltreppen nach der Krone, über welcher das Kreuz mit dem achteckigen Knopfe ist, wohin man nur mittelst angebrachter eiserner Stangen gelangen kann. Unter den eingegrabenen Namen der Besucher liest man auch die Goethes und Herders. Welche Aussicht bietet sich von hier dem Auge! Im Westen liegt vor uns die liebliche Ebene des Elsaß, im Hintergrunde durch den Zug des Wasgau begrenzt; nahe der Stadt fließt der Rhein, und jenseits entfalten sich die wolkenumsäumten Berge des Schwarzwaldes.

Industrie und Handel der Stadt sind immer bedeutend gewesen und haben unter deutschem Regimente noch höheren Aufschwung genommen. Berühmt sind auch die Bierbrauereien, die um die Mitte des 15. Jahrhunderts entstanden, als in einer Nacht die sämtlichen Weinreben erfroren waren. Dem Handel dienen zahlreiche gute Landstraßen, Eisenbahnen und vornehmlich auch die schiffbare Ill, die dicht oberhalb der Stadt den die Nordsee und das Mittelmeer verbindenden Rhein = Rhonekanal aufnimmt und unterhalb der Ruprechtsau vom Rhein=Marne= und dem Ill= kanal durchschnitten wird. Seit 1873 ist Straßburg auch durch Dampfschiffahrt auf der Ill und dem Rhein mit den Städten am Rhein verbunden.

Auf dem Gutenbergplatze oder dem Grünen Markte steht Gutenbergs Statue zur Erinnerung an die Anfänge der Geschichte der Buchdruckerkunst, und ein Denkmal des „jungen Goethe" erinnert an die Zeit, da Straßburg in der neueren Literaturgeschichte eine Rolle spielte. Die berühmte Straßburger Hochschule war 1794 vom Nationalkonvent unterdrückt worden; da war es eine Ehrenpflicht des jungen Deutschen Reiches, der Wissenschaft aufs neue eine Stätte in der wiedergewonnenen Stadt zu errichten, und so wurde die Straßburger Universität schon 1872 als „Kaiser-Wilhelms-Universität" wiedereröffnet. Ein prächtiger Renaissance-bau, 1877—1884 nach Warths Plänen errichtet, dient ihr als Kollegienhaus. In den Jahren 1884—89 erstand in Straßburg auch ein Kaiserpalast, der auf Kosten des Reiches in Florentiner Stil mit einem Aufwande von 2½ Millionen errichtet worden ist. Überhaupt verdankt Straßburg dem neuen Deutschen Reiche einen unverkennbaren Aufschwung. Mit seinen 14 Außenforts noch immer eine Festung ersten Ranges, sind doch seine Grenzen derartig erweitert, daß seine bauliche Entwicklung vor der Hand kaum irgendwie behindert erscheint. So hat die Einwohnerzahl sich auch von 85 000 im Jahre 1875 auf fast das Doppelte im Jahre 1904 erhöht.

Noch günstigeren Aufschwung als Straßburg hat Frankfurt, der reichsstädtischen Enge enthoben, im neuen Deutschen Reiche genommen. Zwar auf den ersten Blick scheint seine Lage geographisch und geschichtlich nicht eben bedeutend zu sein. Aber in der ober-rheinischen Tiefebene, deren nördlichen Zugang Frankfurt erschließt, wie Basel den südlichen, gehen die großen Straßenzüge nicht am Rhein, sondern etwas von seinen Ufern entfernt. Dadurch liegt Frankfurt in dem großen östlichen Straßen- und Bahnzuge, der von Basel über Freiburg, Karlsruhe, Darmstadt geht und bei Frankfurt endigt, um sich großartig dann fortzusetzen und zu ver-zweigen. Denn darin liegt eben die Gunst der Lage Frankfurts, daß sich durch den nahen mitteldeutschen Hauptkamm Straßen nach Norden und Nordosten öffnen, welche die Stadt zur wichtigen Ver-mittlerin zwischen dem deutschen Norden und Süden machen. Die nördliche Fortsetzung der oberrheinischen Straße zieht durch die Wetterau in das Wesergebiet; nach Nordosten geht ein Straßenzug durch das Kinzigtal nach dem Elbgebiet. Daher kommt es, daß Frankfurt immer eine große welthistorische Wichtigkeit, eine hohe kommerzielle Bedeutung hatte und haben mußte. Wandernde Völker und Kriegsheere, nicht minder Handelskarawanen, haben diese ur-alten Straßenzüge von alters her benutzt. Main-, Elb-, Weser-, Oberrhein- und Unterrheinstraßen und -bahnen kreuzen sich bei Frankfurt, dem Zentrum des Rheingebiets.

Der Ursprung der Stadt ist von Sagen umwoben; wahr-scheinlich hatten schon die Merowinger an dieser Stelle eine Pfalz.

Von Karl dem Großen erzählt man, daß er mit seinen Franken über den Main ging, um die jenseit des Flusses lagernden Sachsen zu schlagen. Karl nannte die Stadt Franconofurt und hielt auch 794 hier in einem Palaste, der an der Stelle der St. Leonhardskirche sich befand, ein Konzil. Ludwig der Fromme legte an der Stelle des jetzigen Saalhofes ein Palatium in Frankfurt an. Seit 843 befestigt, galt Frankfurt bald als Hauptstadt von Ostfranken oder Deutschland; Ludwig der Deutsche erweiterte die Stadt und richtete hier Märkte für die Austrasier ein. 1240 stellte Friedrich II. von Italien aus die Besucher der Frankfurter Herbstmesse unter dem Schutz des Reiches; die Ostermesse kam durch die Verleihung Ludwigs des Bayern 1330 hinzu.

Inzwischen war Frankfurt in gewissem Sinne auch die politische Haupt- und Ehrenstadt des Reiches geworden. Friedrich I. ward 1152 in Frankfurt zum Kaiser gewählt; doch erst nach den Bestimmungen der Goldenen Bulle 1356 wurde Frankfurt offizielle Wahlstadt und seit dem 16. Jahrhundert auch Krönungsstadt. Damals, als die Westgrenze bis an die Champagne und Languedoc hinausgerückt war, erscheint Frankfurt auch räumlich als der Mittelpunkt des deutschen Lebens.

Mit der wachsenden Größe kam die Freiheit. 1245 wurde Frankfurt Reichsstadt und 1250 die Burggrafschaft in ein Reichsschultheißenamt verwandelt. König Wilhelm erteilte der Stadt die Versicherung, daß sie nie vom Reiche verpfändet werden dürfe, und Karl IV., „der eine sonderliche Liebe zu dieser Stadt hatte", das Recht, die bisher vom Reich eingesetzten Schultheißen selbst zu wählen. Kämpfe mit dem Raubadel ringsum, Streitigkeiten der Geschlechter und Zünfte füllen die Jahrhunderte des Mittelalters; noch 1616 führte der Lebküchler Fettmilch einen Aufstand gegen den Rat.

Der Reformation wandte sich Frankfurt früh zu. Schon 1523 predigte Ibach lutherisch, wurde aber noch verjagt; 1533 tat Pfarrer Melander den Papst in den Bann, und das Volk zerstörte die Bilder in den Kirchen. Um diese Zeit hatte Frankfurt nach den Forschungen des Nationalökonomen Dr. K. Bücher ca. 8700 Einwohner.

Weiter flossen neue Elemente von Bedeutung in Frankfurt zusammen. Frankfurt wurde Mittelpunkt der Reichsposten, wie es denn auch einst Hauptsitz der Thurn- und Taxischen Postverwaltung war. Seit 1617 besteht die Oberpostamtszeitung; jedoch schon vorher, 1615, erschien eine Zeitung in Frankfurt, die älteste gedruckte in Deutschland. Auch für den Buchhandel wurde

Abb. 56. Frankfurt a. M. im Jahre 1646.

Frankfurt ein Hauptplatz. Unsere Abbildung gibt eine gute Vorstellung von dem damaligen Frankfurt nach einem vorzüglichen Kupferstiche des Schweizer Künstlers Matthäus Merian dem Älteren aus dem Jahre 1646.

Die großen Kriege brachten der Stadt manche Heimsuchung, zumal die Revolutionskriege am Ende des vorigen Jahrhunderts. Frankfurt behielt 1803 seine Reichsfreiheit und bekam dazu alle in seinen Ringmauern und seinem Gebiet belegenen geistlichen Besitzungen, fortan die einzige Reichsstadt im oberrheinischen Kreise. Aber schon 1806 wurde Frankfurt Mitglied und Bundesstadt des Rheinbundes, 1810 bis 1814 Hauptstadt des Großherzogtums Frankfurt. Napoleons Sturz gab Frankfurt seine Selbständigkeit wieder; 1866 wurde es preußisch.

Frankfurt liegt im breiten fruchtbaren Maintal in der Mitte von vier Auen oder Gauen: „Die Wetterau ist der Speicher, der Rheingau der Keller, der Maingau liefert Holz und Bausteine, die Gerau (Hessen) ist die Küche." Im Norden begrenzen das Maintal die sanften Höhen der Friedberger Warte, im Süden auf dem linken Ufer die etwas steileren Berge, auf denen die Sachsenhäuser Warte *) steht.

Diese beiden Warten bieten die besten Sichten auf die Stadt; der Überblick von der Sachsenhäuser Warte ist ein vorzüglicher. Durch die reizend üppige Gegend wälzt der Main seine gelben Wogen. An seinem Ufer ragen die braungrauen Türme der Leonhardskirche, und die dunkle gotische Gestalt des Domes taucht über das Häusermeer. In 14 Bogen überspannt die aus roten Sandsteinquadern gebaute „alte" Mainbrücke den Main, die Brücke gehört zu den vier berühmten alten Brücken Deutschlands, von denen man sagte: die Dresdener ist die längste und schönste, die Prager die breiteste und frommste, die Regensburger die stärkste und die Sachsenhäuser die röteste. Außer der alten Brücke, auf der Goethe so gern spazierte, verbinden heute noch vier andere, die Obermainbrücke, die Untermainbrücke, der eiserne Steg und die Wilhelmsbrücke, die auf dem linken Mainufer liegende Nebenstadt Sachsenhausen mit der auf dem rechten Ufer liegenden eigentlichen

---

*) Außer den genannten stehen in Frankfurt noch die Bockenheimer und die Galgen- oder Gallus-Warte. Alle vier stammen aus dem 15. Jahrhundert. Sie waren verteidigungsfähige Gehöfte mit einem starken runden Turme, der von einem Wehrgange umgeben war. Sie dienten zur Verteidigung der Landstraßen und zur Überwachung der Umgegend. Auf den Türmen befanden sich Tag und Nacht Wächter, im Winter mit „belzernen Röcken", wie der Chronist meldet, die durch Hornsignale oder Abfeuern von Hakenbüchsen Alarmzeichen zu geben hatten.

Stadt Frankfurt. Beide sind seit 1390 miteinander vereinigt. Der
Fluß ist zwischen beiden Stadtteilen zuerst ziemlich von Osten nach
Westen gerichtet: da, wo Sachsenhausen anfängt, biegt er sich nach
Südwesten und ist unterhalb desselben noch von der Brücke der
Main-Neckarbahn überspannt. Die ursprüngliche Stadt, welche
man in einer starken Stunde umwandert, bildet einen Halbkreis
oder ein längliches Viereck. Zahlreiche Tore kündigten früher als
stattliche Turmbauten die altertümliche Reichsstadt an. 1804 ließ
Dalberg, 1806—1813 Großherzog von Frankfurt, jedoch die
Festungswerke abtragen; an ihrer Stelle umziehen die schönsten
Spaziergänge und neue Prachtstraßen die Stadt; dagegen haben
in dem alten Stadtteile, der bis 1343 allein Frankfurt ausmachte,
zwischen der Zeil und dem Mainufer unterhalb der alten Brücke,
die engen, krummen, finsteren Gassen und Gäßchen den Charakter
der alten Stadt vollkommen ausgeprägt erhalten. Den Übergang
von diesem Mittelalter zu der modernen Zeit bildet die Stadt-
gegend, die sich unmittelbar an den alten Kern anlegt: die Hirsch-
gräben, der Roßmarkt, die Zeil; hier stehen noch manche von
Wohlhabenheit zeugende Häuser mit bauchigen Eisengittern vor
den Fenstern der Erdgeschosse, altfränkisch und solid gebaut, die
Wohnungen der Frankfurter von altem Schrot und Korn.

Schon bei unserer Ankunft auf dem Hauptbahnhofe, in dessen
gewaltige, 168 m breite Halle 18 Schienenstränge ausmünden, und
dessen reicher bildhauerischer Schmuck ihn zu einem der schönsten
Bahnhöfe des Kontinentes machen, wird es uns inne: das ist nicht
mehr das alte, unschöne Frankfurt, wie es aus Goethes Jugend-
geschichte uns so lebendig vor die Augen tritt! Mächtige Hotel-
bauten auf dem Bahnhofsplatze zeugen von einem großen Fremden-
verkehr, und durch die sich vor uns erstreckende Flucht der prächtigen
Kaiserstraße flutet großstädtisches Leben in mächtigen Wellen. Wir
kreuzen mit der Kaiserstraße die Stadtanlagen, aus denen das 1902
eröffnete neue Schauspielhaus, in modernem Geiste mit den Gruppen
der Dichtung und — der Wahrheit geschmückt, herüberblickt. Die
Kaiserstraße erweitert sich dann zu dem „Roßmarkt", auf dem in
früherer Zeit die bedeutendsten Pferdemärkte Deutschlands abgehalten
wurden. Der Platz ist von vielen höchst stattlichen Gebäuden umgeben und in der Mitte mit dem Gutenberg-Denkmal geziert, einem
prächtigen Gruppen- und Brunnenmonument. Auf einem 6 m
hohen gotischen Piedestal steht Gutenberg, in der rechten Hand

eine bewegliche Letter, in der linken ein Buch; neben ihm erhebt
Schöffer eine Form mit Matrizen und den Prägehammer, Fust hat
im rechten Arme eine Anzahl Bücher und zeigt mit der linken auf
Gutenberg, als den ersten, von dem der Gedanke der beweglichen
Metalllettern ausgegangen. Unter dem Hauptgesims des Unter=
baus sind die Porträtköpfe berühmter Buchdrucker, wie Caxton, die
beiden Aldus Manutius, Feyerabend, Andreae, Firmin=Didot,
Tauchnitz, sowie Königs und Bauers, der Erfinder der Schnell=
presse, angebracht. In den vier Mittelfeldern sieht man die alle=
gorischen Figuren und Wappen der Städte, in denen die Erfindung
zuerst geblüht: Mainz, Straßburg, Venedig und Frankfurt a. M.
An den vier Hauptecken des Piedestals sitzen auf niedrigeren Posta=
menten, aber durch Strebepfeiler mit dem höheren Monument ver=
bunden, die Hauptrichtungen geistiger Tätigkeit, wie sie durch den
Buchdruck vorzüglich gefördert werden, allegorisch dargestellt: Theo=
logie, Poesie, Naturforschung und Industrie. Die vier vorderen
Seiten dieser Postamente sind mit den Köpfen eines Stiers, Ele=
fanten, einer Löwin und eines Lamas geziert, welche die Erdteile
Europa, Asien, Afrika und Amerika charakterisieren, und zugleich
als Wasserausläufer dienen.

Mit dem Roßplatze hängen zwei andere Plätze zusammen.
Gleich wenn man aus der Gallengasse tritt, zieht sich links eine mit
Bäumen besetzte und mit Schwanthalers Goethe=Statue ge=
zierte Verlängerung des Roßplatzes zum Theaterplatze, dessen Nord=
seite bis 1902 das alte Theater einnahm. Eine kleine Seitenpartie
nach rechts führt uns vom Roßmarkt in den Großen Hirschgraben,
in dem nicht weit vom Markte das durch eine Marmortafel und
ein altes Wappen (drei Leiern und ein Stern) bezeichnete Geburts=
haus Goethes steht. Das seit dem Schillerfeste 1859 in das
Leben getretene Freie deutsche Hochstift für Wissenschaften, Künste,
und allgemeine Bildung hat das Goethehaus 1862 angekauft, den
alten Zustand, soweit es möglich war, wiederhergestellt und es
zu einem für jeden offenstehenden Heiligtum deutscher Kunst und
Wissenschaft geweiht. An das nordöstliche Ende des Roßmarktes
schließt sich der Schillerplatz an, dreieckig wie jener. Auf seiner
Mitte erhebt sich auf hohem Syenitsockel das Bronzestandbild des
Dichters. „Schiller" lautet die schlichte Inschrift. Ein Abstecher
nach rechts führt uns in die Eschenheimer Gasse, wo wir bald zur
Rechten das 1730 erbaute Thurn= und Tarissche Palais, in dem

die Bundesversammlung tagte, betrachten können. Die Gasse führt
nordwärts zum Eschenheimer Tor, das als ein hochaufstrebender
Rundturm sich darstellt, ein interessantes Denkmal aus der alten

Abb. 51. Frankfurt a. M.: Goethes Geburtshaus.

reichsstädtischen Zeit Frankfurts. Doch zieht es uns in unserer
Hauptrichtung weiter. Da schließt sich an den Schillerplatz die
breite, etwas gewundene Zeil, unter den älteren Straßen die
schönste, 250 m lang und von stattlichen Gebäuden eingefaßt.

15*

Ein ziemlich langer Straßenzug führt uns von der Zeil süd=
wärts zum Dome. Er steht an der Stelle einer von Ludwig dem
Deutschen begründeten und 852 durch den berühmten Abt von
Fulda, Rhabanus Maurus, den späteren Erzbischof von Mainz,
eingeweihten Kapelle. In diesem Dom predigte einst Bernhard
von Clairvaux vor König Konrad III. den Kreuzzug. Überhaupt
ist der in einfach gotischem Stile gebaute Dom jedem Deutschen
hochehrwürdig als die Stätte, wo seine Kaiser gewählt und gekrönt
wurden. Und wie schlicht und mäßig ist alles! Es liegt aber gerade
in der Einfachheit, zusammengehalten mit der Zeit deutscher Macht=
fülle, hier wie bei dem Römer, etwas Tiefergreifendes. In der
Nacht vom 14. auf den 15. August 1867 erfaßte ein in der Nähe
ausgebrochenes Feuer den Kaiserdom. Der Turm brannte aus, die
Glocken schmolzen, und das Schiff wurde aufs schwerste beschädigt;
nur das Chor mit seinen Wandgemälden aus dem 15. Jahrhundert
und das prächtige Chorgestühl aus der Mitte des 14. Jahrhunderts
blieben glücklicherweise unbeschädigt.

Die Wiederherstellung des Domes ist in den siebenziger Jahren
durch den Regensburger Dombaumeister Joseph Denzinger auf
Grund der alten Pläne des Hans von Ingelheim ausgeführt, und im
Februar 1878 konnte die 266 Zentner schwere „Gloriosa", zu der
Kaiser Wilhelm I. das Material von 21 eroberten französischen
Geschützen gespendet hatte, die Wiederherstellung des ehrwürdigen
Kaiserdomes den Frankfurtern verkünden.

Vom Dom führt die Straße „Auf dem Markt" nach Westen
auf den Römerberg, an dessen Seite der dreigiebelige Römer steht,
das Rathaus der Stadt, wie der Dom durch Erinnerungen des
alten Reiches ehrwürdig. Woher der Name abzuleiten sei, ist un=
gewiß. Sicher ist das Gebäude schon seit rund fünf Jahrhunderten
Eigentum der Stadt und erhielt etwa zur Zeit des Kostnitzer Kon=
ziliums seine jetzige Einrichtung. Das Erdgeschoß enthält zunächst
eine auf schweren Säulen ruhende gewölbte Halle; zur Rechten
führt eine breite Steintreppe hinauf zum Kaisersaal: ein un=
regelmäßiges, von einem Tonnengewölbe überspanntes Rechteck.
Rings an den Wänden hängen die überlebensgroßen Bilder aller
deutschen Kaiser. Schon seit alten Zeiten war es Brauch, solche
Bilder in die Nischen der Wand einzufügen. Eine nach der anderen
erhielt ihren Kaiser; Franz II. kam in die letzte, und schon gedachte
man für seine Nachfolger neue Räume einzurichten: da brach das

Heilige Römische Reich Deutscher Nation zusammen. Das Bild des
Reichsverwesers Erzherzogs Johann von Österreich deckt eine Tür.
Von den besten Künstlern, Veit, Lessing, Steinle usw., wurden die
Bilder zu Ende der vierziger Jahre neu gemalt, die älteren nach
alten Münzen und Siegeln; mit Karl V. beginnt Porträtähnlichkeit.
Zierliche Architektur umrahmt sie, und die leuchtenden Farben wirken
schön zusammen mit dem reichen Goldschmuck des Saales. Unter
jedem Kaiser steht sein Sinnspruch. Abgüsse gleichzeitiger Kaiser-
siegel sind in die Holztäfelung eingelassen. 1886 beschloß die
Stadtverordnetenversammlung, den Kaisersaal auch mit den

Abb. 52. Frankfurt a. M.: der Römer.

Kaisern des neuen Deutschen Reiches zu schmücken. In diesem
Saale war es, wo der neugewählte und gekrönte König zuerst
Tafel hielt; da öffneten sich die bis auf den Boden herabgehenden
Fensterflügel, und die Kaiserliche Majestät zeigte sich dem Volke
von dem Balkon herab, welcher nur für die wenigen Tage des
Festes auf den in die Mauer eingelassenen Tragsteinen hergerichtet
wurde. Auf dem Römer wird auch die Goldene Bulle bewahrt.
　　Wenden wir uns vom Römerberge nach Norden, so treffen
wir Schöpfungen neuerer Zeit. Auf dem Paulsplatze steht die 1796
begonnene und 1833 vollendete lutherische St. Paulskirche,

eine Rotunde im neurömischen Stil. In ihren Räumen tagte 1848 das Vorparlament und später die deutsche Nationalversammlung. Ein Weg vom Römerberg nach dem Main zu führt uns in das Altertum, zum Saalhof, in dem Reste der Pfalz Ludwigs des Frommen, namentlich eine Kapelle derselben, erhalten sind. Von da gehen wir stromaufwärts zur 310 m langen und 3½ m breiten, 1340 erbauten alten Mainbrücke. Der alte Brückenturm ist ab= gebrochen, die Brücke selbst mit dem Standbilde Karls d. Gr. und dem „Gickel", einem vergoldeten Hahn, dem Wahrzeichen der Stadt, geziert.

Wir kommen nach Sachsenhausen, wo außer dem alten Deutsch=Ordenshause und dem Städelschen Kunstinstitut nicht viel Merkwürdiges zu sehen ist. Die in dem Kunstinstitut unter= gebrachte Sammlung, die „Städelsche Stiftung", stammt aus dem Jahre 1816 und war früher in der neuen Mainzer Straße, im Hause des heutigen Gewerbemuseums, untergebracht. In dem genannten Jahre hatte der Frankfurter Bankier Johann Friedrich Städel seine bedeutenden Kupferstiche und Gemäldesammlung seiner Vaterstadt vermacht und gleichzeitig die bedeutende Summe von 1 200 000 Gulden für die Förderung und Ausbildung junger Künstler ausgesetzt. 1878 wurde das gegenwärtige Gebäude, von Oskar Sommer im Stile italienischer Hochrenaissance erbaut, seiner Bestimmung übergeben. Die Einwohner Sachsenhausens, wie man sagt, Nachkommen einer von Karl d. Gr. hierhergeführten Sachsenkolonie, meist Gärtner und Winzer, Fischer, Schiffer, Tagelöhner, sind als ein kerniges, derbes und grobes Geschlecht bekannt.

Mit schwerem Herzen mögen die stolzen Bürger Frankfurts am 8. Oktober des Jahres 1866 im Kaisersaale des Römers die Worte des königlichen Patentes vernommen haben, durch die ihrer Freiheit und Reichsunmittelbarkeit ein Ende gemacht wurde; aber der glänzende Aufschwung ihrer Stadt unter dem preußischen Regime und besonders im neuen Deutschen Reiche hat sie mit der Gegenwart versöhnt, ohne ihnen den Stolz auf eine ruhm= reiche Vergangenheit zu nehmen. Noch immer sind sich die Frank= furter der Bedeutung ihrer Stadt voll bewußt und rechnen es allen, die es trifft, selbst Wolfgang Goethe, als besonderes Ver= dienst an, „en Frankforter Kind" zu sein.

Die Zahl der Einwohner Frankfurts betrug 1866, als Preußen

es in Besitz nahm, 78000, heute dagegen 320000: so rasch ist es in dem Großstaate gewachsen. Frankfurts Messen sind zwar durch die Erleichterung des Reiseverkehrs, durch die Vervollkommnung des Post-, Telegraphen= und Fernsprechwesens, durch den Fortfall aller Handel und Wandel früher im alten Reiche hemmenden Schranken zu gänzlicher Bedeutungslosigkeit herabgesunken, aber noch immer ist Frankfurt die erste Börsenstadt von Süddeutschland und im Geldhandel einer der ersten Plätze von Europa. Auch die Industrie und Fabriktätigkeit der Stadt ist groß; dazu gesellt sich eine Pflege der Wissenschaft und Kunst, wie sie wenige Städte üben. Verdiente Männer, wie Micyllus, brachten die Frankfurter Schulen schon im 16. Jahrhundert zur Blüte, und sie behaupten noch heutigentags ihren guten Ruf. Eine Zierde Frankfurts ist die Senkenbergische Stiftung. Ein Arzt daselbst, Johann Christian Senkenberg, bestimmte sein Vermögen teils zu einem medizinischen Institute, worin Anatomie und Botanik gelehrt wurde, und welches ein anatomisches Theater und einen botanischen Garten besitzt, teils zu einem Krankenhause, welches, noch durch andere Vermächtnisse vergrößert, über 60 Kranke aufnehmen kann. In dem großen Garten des Hospitals findet man durch ein einfaches Denkmal das Grab des Stifters bezeichnet, der bei dem Bau dieser wohltätigen Anstalt durch einen unglücklichen Zufall 1770 den Tod fand. Zu den hervorragendsten neueren Bauwerken zählt besonders das Opernhaus gegenüber dem Ausgange der neuen Mainzer Straße. Es ist nach den Plänen Lucaes in den Jahren 1873—1880 im Stile der italienischen Renaissance erbaut und wohl einer der prächtigsten Theaterbauten der Welt. Es hat den Frankfurtern über 6 Millionen Mark gekostet. — An den Römer sich anschließend, erhebt sich jetzt auch das neue Rathaus, ein Gebäudekomplex, dessen Hauptteil die Formen der deutschen Renaissance im Anschluß an den alten Römer zeigt, während der durch eine Überbrückung damit in Verbindung gebrachte nördliche Teil im Stile des Spät=Barocks erbaut ist. Die Ecke bildet der große, 70 m hohe Turm, der „lange Franz", eine Nachbildung des alten Sachsenhäuser Brückenturmes.

Groß ist die Zahl der Denkmäler in Frankfurt: hat die Stadt doch recht, auf eine große Zahl bedeutender Bürger stolz zu sein vom Könige im Reiche der Geister Johann Wolfgang

Goethe bis zum „Frankforter" Dichter Friedrich Stolze und vom Verächter alles Irdischen Arthur Schopenhauer bis zu dem Millionenfürsten Mayer Amschel Rothschild.

Abb. 53. Das neue Rathaus in Frankfurt a. M.

6. Rheingau und Rheinwein.

Von der Mainzer Rheinbrücke das Auge westwärts gewendet, überschaut man mit einem Blicke den ganzen Rheingau, wo Deutschlands edelste Weine gedeihen (vergl. die Karte). „Wenige Gegenden der Erde dürfen sich an Klarheit und Majestät, an Fülle des Lichts und an Reinheit der Formen mit diesem Bilde vergleichen. Wie ein hoch- gebetteter Lichtstrom durchzieht der breite Rhein das prächtige Gebiet; seine Fluten, von keinem Schatten verdüstert, aber trunken von Glanz und Sonne, umspielen das massige Grün seiner mächtigen Auen, so- wie das der Ufer mit blendendem Schimmer. Anmutig und ganz in goldenes Sonnenlicht getaucht, steigen namentlich am rechten Ufer die grünen Rebenhügel empor; ihre Gipfel krönen und herrschen, ohne daß sie den Tälern das Licht der Sonne entziehen. In schön ge- schwungenen Linien heben sich die wundervollen Gelände und Höhen- züge ab voneinander, und die von den vollsonnigen Spitzen ruhig und reichlich herabfließenden Lichtmassen, nicht aus der Tiefe auf- steigende düstere Schatten, verkünden die Schluchten und grünen Tiefen des Bodens.

Weit vom Ufer erst läuft ein blaues Waldgebirge am Horizonte daher, welches die Landschaft ruhig abschließt, ohne ein einziges ihrer goldenen Lichter zu trüben. Ein großes Bild mit weit und an- mutig hinausgeschobenen Grenzen und mit einem schmalen tiefblauen Waldrahmen, welcher die weichen, jungfräulichen Formen der um- schlossenen Gegend voll und üppig aufquellen läßt! Auf jedem Punkt breitet sich der Blick behaglich aus, nirgends eingeengt oder zurück- geworfen, erquickt er sich an Klarheit und Licht und an dem köstlichen sonnigen Grün der Hügel, welches das Auge labt, wie der Wein, der dort wächst, die Seele. Die volle Glut der Sonne deckt von früh morgens bis spät abends die Landschaft mit dichten Strahlen und selbst die Schatten der Nacht scheinen hier milder und ihr Tau belebender. Reben auf den Bergen, Reben im Tal; längs des Ufers und auch zwischen den Hügeln reizend versteckt, Flecken und Dörfer mit hellen Türmen, deren melodischer Glockenklang die reinen Lüfte weithin durchhallt: — so ist der Rheingau, die Heimat der goldenen Weine und eines kräftigen, seltsamen Völkchens.

Gute oder schlechte Jahre: das ist das Entscheidende für das Leben des Weinbauern. Man hat ausgerechnet, daß auf je 20 Jahre 11 geringe Weinernten treffen. Dann ist die Not groß; aber doch vermag sie die Fülle der Lebenslust nicht zu vertilgen, die in dem rheingauischen Volkscharakter steckt. Die Leute vertrinken Not und

Sorge. Seit tausend Jahren ist das rheingauer Leben gleichsam in Wein getränkt, es ist „weingrün" geworden wie die guten alten Fässer. Dies schafft ihm seine Eigentümlichkeit. Denn es gibt vielerlei Weinland in Deutschland, aber keines, wo der Wein so eins und alles wäre wie im Rheingau. Hier zeigt sich's, wie „Land und Leute" zusammenhängen. Man erzählt sich im Rheingau von Müttern, die ihren neugeborenen Kindern als erste Nahrung ein Löffelchen guten alten Weines einschütteten, um ihnen gleich in der Wiege den Stempel der Heimat aufzuprägen. Ein tüchtiger „Brenner", wie man am Rhein den vollendeten Zecher nennt, trinkt alltäglich seine sieben Flaschen, wird steinalt dabei, ist sehr selten betrunken und höchstens durch eine rote Nase ausgezeichnet. Die Charakterköpfe der gepichten Trinker, der haarspaltenden Weingelehrten und Weinkenner, die übrigens doch allesamt mit verbundenen Augen durch die bloße Zunge noch nicht roten Wein vom weißen unterscheiden können, der Weinpropheten, der Probenfahrer, die von einer Weinversteigerung zur andern bummeln, um sich an den Proben umsonst satt zu trinken, finden sich wohl nirgend anders in so frischer Ursprünglichkeit als im Rheingau. Auch die ganze Redeweise des Rheingauers ist gespickt mit Ausdrücken, die auf den Weinbau zurückweisen. Man könnte ein kleines Wörterbuch mit denselben füllen. Mehrere der landesüblichen schmückenden Beiwörter des Weines sind ein Gedicht aus dem Volksmunde, in ein einziges Wort zusammengedrängt. So sagt man gar schön von einem recht harmonisch edlen firmen Trank: „es ist Musik in dem Wein", ein guter alter Wein ist ein „Chrysam", ein geweihtes Salböl. Die „Blume", das „Bouquet" des Weines sind aus ursprünglich örtlichen Ausdrücken bereits allgemein deutsche geworden. An solch prächtigen poetischen Bezeichnungen für seinen Wein ist der Rheingauer so reich, wie der Araber an dichterischen Beiwörtern für sein edles Roß.

Aber nicht minderen Überfluß hat des Rheingauers Wortschatz an spöttischen Geißelwörtern für den schlechten, aus der Art geschlagenen Wein, in denen sich der rheinische Humor gar lustig spiegelt. Im Mittelalter ist der schlechte, saure Wein, „davon die Quart nicht ganz drei Heller galt," am Rhein „Ratmann" geheißen worden. Malerisch anschaulich ist die neuere rheingauische Bezeichnung als „Dreimännerwein", welcher nur dergestalt getrunken werden kann, daß zwei Männer den Trinker festhalten, damit ihm ein Dritter das edle Naß in die Kehle gießen könne. Musikalisch anschaulich klingt der dröhnende „Rambaß" für den groben rohen Polterer unter den Weinen. Des Dreimännerweins leiblicher Bruder ist der „Strumpfwein", ein Gesell von so saueren Mienen, daß bei seinem bloßen An-

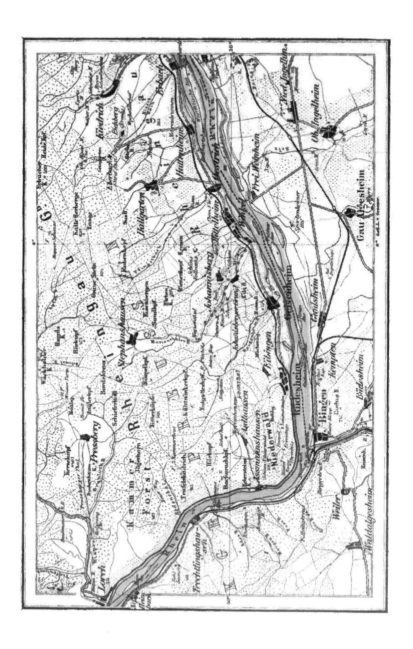

248

blick die größten Löcher in den Strümpfen sich von selber zusammen-
ziehen. Der leichte, flaue, milde, charakterlose Wein, der Philister
unter den Weinen, den man täglich wie Wasser trinkt, läuft als
„Flöhpeter" mit. Dem oberdeutschen „Batzenwein" entspricht der
rheingauische „Groschenburger" und „Nachenputzer" als die hervorragendsten Vertreter sämtlicher „Kutscherweine". Als König der
Rheingauer Weine gilt überall der Johannisberger. Der Johannisberg, eine kegelförmige Höhe mit weithin leuchtendem, architektonisch
unschönem Schlosse gekrönt, ward schon im 9. Jahrhundert durch den
berühmten Mainzer Erzbischof Rhabanus Maurus besiedelt; 1106
gründete sich darauf eine Benedektinerabtei, deren Insassen den Weinbau pfleglich betrieben, so daß schon im 13. Jahrhundert seine Pro-
dukte vielberühmt waren. Durch den Frieden von Lüneville ging der
Johannisberg in den Besitz des Prinzen von Oranien über, der ihn
aber schon 1803 wieder an den Herzog von Nassau verlor. Diesem
entriß ihn Napoleon I., um ihn dem Marschall Kellermann, Herzog
von Valmy, zu schenken, 1807. Er besaß den Johannisberg bis
1813. Nach der Schlacht bei Leipzig besetzten österreichische Truppen
den Johannisberg, bis Kaiser Franz ihn seinem Premierminister, dem
Fürsten Metternich, verlieh, dessen Sohn heute der glückliche Besitzer
ist. Dieser verfügt über Weine, wie kaum ein anderer Fürst der Erde;
wurde doch schon das Stück davon mit 16000 Gulden verkauft.
Das edelste Gewächs reserviert der Fürst für sich und zu Geschenken
an Höfe. Was unter dem Namen „Schloß Johannisberger" auf
den Weinkarten der Hotels paradiert, ist mehrenteils „Dorf Johannisberger" oder von der Lage „die Klause".

Dem Schloß Johannisberger zunächst steht der Steinberger, der
in guten Jahrgängen jenen an Feuer sogar übertrifft, wenn er ihm
auch an Bouquet nachsteht. Im Rang als dritter unter den Rheingau-
weinen steht gegenwärtig der Rauenthaler. Im August 1863 be-
wirtete die gute Stadt Frankfurt ihre Gäste, die Mitglieder des vom
Kaiser von Österreich zusammenberufenen Fürstenkongresses, mit einem
Rauenthaler, wovon die Flasche 12 Gulden kostete; er heißt seitdem
der „Fürstenwein". Der duftige, besonders im Alter kräftige Marko-
brunner wächst dicht am Rhein zwischen Erbach und Hettenheim; der
Gräfenberger, bei Kiedrich wachsend, ist ein Edelwein erster Klasse.
Mittesheim war von alters her durch seinen kräftigen, blumenreichen
Wein berühmt. Auf einem Bilde von Schrödter, einem Maler, dessen
Zunge nicht minder geübt zu sein scheint als die Augen, ist der
Rauenthaler Wein dargestellt in der Gestalt eines schönen, jungen, ge-
putzten Pagen, der im Vorzimmer eines Fürsten, hingegossen in einen

Sessel, träumerisch die Glieder streckt; der Rüdesheimer Wein dagegen als ein breitschulteriger, schwerer und starker, rüstiger Mann,
von den Füßen bis zu den Zähnen gewappnet. Diese beiden typischen
Gestalten mögen wir als die Extreme betrachten; zwischen ihnen in
der Mitte gruppieren sich, mehr oder weniger dem einen oder dem
andern sich annähernd, die anderen Rheingauer Weine.

Da, wo der eigentliche Rheingau rheinaufwärts endet, nimmt
er sich zum Abschied noch einmal zusammen und schenkt der Welt
den schmalzigen Aßmannshäuser mit seinem Mandelgeschmack, den
edelsten Rotwein Deutschlands. Darüber hinaus aber gedeiht kein
Hochgewächs mehr.

7. Das Durchbruchstal des Rheins.

Nach Norden hat sich der Rhein einen Ausweg gebrochen; in
jahrtausendelanger Arbeit durchsägten seine Gewässer, von vulkanischen
Kräften, wie es scheint, unterstützt, das sperrende Gebirge und fanden
in Strudeln und Fällen unablässig weiterschaffend talab ihre Bahn.

Bei Bingen, wo der Durchbruch beginnt, stellte sich das Schieferplateau in seinen höchsten Kammgebilden, dem Taunus und Hunsrück, dem Flusse entgegen. Der Kampf der Elemente war hier am
gewaltigsten: das Felsriff beim Binger Loch zeugt davon. Hier goß
vor Zeiten der Rhein seine Gewässer in einem hohen Katarakte aus
dem Becken des Rheingaus hinab. Es gab eine Zeit, wo durch diesen
Sturz alle Schiffahrt und aller Verkehr unterbrochen waren; selbst
noch vor 300 Jahren soll der Fall des Rheins über diesen Felsen
2 m hoch gewesen sein. Jahrtausende sind verflossen, ehe diese Ober-
und Niederrhein, Süd- und Norddeutschland wie eine Mauer scheidende
Felsenbank gefallen ist. Schon Drusus, dann Karl d. Gr., darauf
mehrere Erzbischöfe von Mainz sollen an der Beseitigung dieses Hinder-
nisses und an der Eröffnung des Rheintores gearbeitet haben. Im
17. Jahrhundert haben die Frankfurter Kaufleute besonders wirksam
sich der Ausweitung des Binger Loches angenommen. Doch immer
noch diese Stelle nur bei sehr hohem Wasser gefahrlos zu
passieren, und auch dann meistens nur für die Talfahrt. Bergfahrt
war nur sehr selten möglich; die stromauf kommenden Schiffe mußten
unterhalb des Binger Loches ausgeladen und die Güter nach Mainz
und Frankfurt zu Lande transportiert werden. Erst seitdem Preußen
hier festen Fuß gefaßt hat, ist die tausendjährige Arbeit vollendet
worden, so daß jetzt die Schiffahrt sich unbehindert auf und ab be-

wegt. Es ist dadurch eine der uralten Scheidewände Süd= und
Norddeutschlands gefallen, und die beiden großen Hälften des
Rheins sind inniger als je zuvor verbunden. Jetzt muß man,
namentlich bei hohem Wasserstande, sehr achtgeben, um das Binger
Loch überhaupt nur an dem schnelleren Schusse der Wellen noch
zu erkennen. Links von dem malerischen Eingangstore des Durch=
bruches zieht sich Bingen, wo unter der uralten Drususbrücke die
Nahe hervorströmt, rechts Rüdesheim am Ufer hin. 500 Schritt
oberhalb des Binger Loches liegt, wie eine Geisterresidenz, düster
einsam, von schäumenden Wellen umbraust, die viereckige Warte des
Mäuseturms*), den der Sage nach Erzbischof Hatto von Mainz
erbauen ließ, um sich vor den ihn verfolgenden Mäusescharen zu
retten. Gegenüber liegt Burg Ehrenfels, der schönste Anfang der
sich nun auftuenden romantischen Ritterburgenwelt.

Rechts von dem Kessel von Bingen steigt der Niederwald
auf; an seinem Anstiege erhebt sich das herrliche Siegesdenkmal (s.
Titelbild), von allen Seiten her weit sichtbar; den schönsten Aufblick
jedoch zu der herrlichen Germania=Gestalt, die mit der Rechten die
schwer erkämpfte Kaiserkrone hoch emporhält, hat man gerade von
der Mitte des Stromes aus, wo das blaue Himmelszelt ihr den
Hintergrund gibt. Auf dem linken Ufer über Bingen sieht die
Ruine Klopp in das Rheingau= und das Nahetal. Auf dem Rochus=
berge steht die Rochuskapelle, nach einem Brande 1894 stattlich er=
neuert. Auf dem linken Ufer der Nahe liegt der Rupertsberg, auf
dem St. Hildegard ein Kloster erbaute, auf dem rechten der
Scharlachkopf, wo der Scharlachberger wächst.

Unten auf dem Strome herrscht der regste Verkehr. Dampf=
schiffe führen hinab und hinauf; ihre Verdecke sind mit Reisenden
gefüllt. Zwischen Rüdesheim und Bingerbrück fahren Dampffähren
und Kähne herüber und hinüber. Am rechten Rheinufer auf= und
abwärts, am linken Rheinufer auf= und abwärts, vom Bahnhof
Bingerbrück ins Nahetal hinein führen Eisenbahnen; stets sieht
man Züge kommen und gehen. Und dies alles mitten in einer
der schönsten landschaftlichen Scenerien Deutschlands, in einer
Gegend voll heiteren Lebens.

Wir setzen unsere Fahrt auf dem 230 m breiten Rheine fort.
Die Schieferhöhen des Ufers hängen mit jähen Felsenmassen über

---

*) Wahrscheinlich als „Mauth" (Zoll)-Turm vom Erzbischof Williges
um b. J. 1000 erbaut.

den Strom; selten haben sie Gesträuch, noch seltener Wald, dafür
besto mehr Reben, die der Strom „mit grünlicher Woge kühlet".

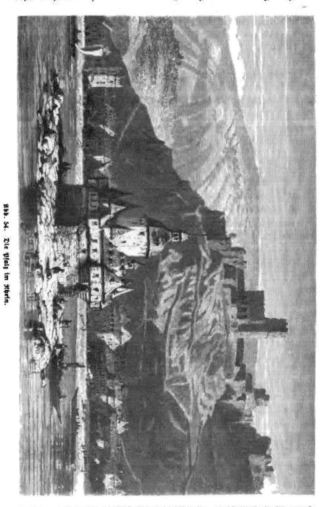

Abb. 54. Die Pfalz im Rhein.

Kaiser Probus soll durch seine Soldaten in müßiger Zeit sie zuerst
gepflanzt haben. Mit unsäglicher Mühe hat man die steilsten Ufer

hinan, besonders auf der rechten Seite des Stromes, Terrassen von
Mauern aufgeführt, und auf diesen die Reben gepflanzt; ohne diese
Mauern, wie bald würde Regen und Schneewasser die wenige Erde
samt den Pflanzen in den Strom spülen! Auf die liebliche Idylle
des Rheingaus macht dies enge Tal mit seinen Ruinen und alten
schiefergedeckten Städten einen elegischen Eindruck. Zwischen anmutigen
Inseln schwimmen wir dahin; zahlreiche Burgen, Fallenberg, Sonneck,
Lorch am Ausgange des Wispertales, zieren die Ufer. Dicht ober=
halb Bacharach prangen auf hohem Felsenblock die schönen Trümmer
von Fürstenberg. Bacharach, vor dem sich das Inselchen Wöhrd
hinlagert, hat eine wunderschöne Lage und trägt das Gepräge des
höchsten Altertums. Die Menge verfallener Türme an den Stadt=
mauern, das höchst eigenartige, fast wunderliche Bauwesen der Häuser
mit ihrem braunen Gebälk, ihren vorgebauten Stockwerken, überall
von Wein umrankt, die alten Kirchen: alles gibt einen eigentümlichen
Anblick. Muskateller von Bacharach galt sonst für so köstlich, daß
König Wenzel für ein Faß Bacharacher die Stadt Nürnberg ihrer
Pflichten gegen ihn entließ, und Papst Pius II. sich jährlich ein
Fäßchen nach Rom kommen ließ. „Zu Klingenberg am Main, zu
Würzburg an dem Stein, zu Bacharach am Rhein, hat man in
meinen Tagen gar oftmals hören sagen, sollen sein die besten Wein."
So lautet ein alter Spruch, der heute nicht mehr recht die Wahrheit
ausspricht. Über Bacharach thront die Burg Stahleck, im 11. Jahr=
hundert im Besitz der Hohenstaufen und Schauplatz jener romantischen
Brautfahrt des Welfen Heinrich, dem die Pfalzgräfin, früherm Ver=
löbnis getreu, wider ihres Mannes und Kaiser Heinrichs VI. Wissen
und Willen ihre Tochter Agnes vermählte.

Jetzt zeigt sich mitten im Strome ein wunderliches Gebäude,
die Pfalz, eine auf einem Tonschieferfelsen im Rhein gegründete
seltsame Inselburg, versehen mit zahlreichen Türmchen und Schieß=
scharten, 1326 wahrscheinlich zum Schutze des Rheinzolls gebaut.
Weiterhin liegt zu den Füßen des schönen Schlosses Gutenfels Kaub,
wo Blücher in der Neujahrsnacht 1814 über den Rhein ging. Die
Ruine Schönberg, einst der Sitz von sieben schönen Schwestern, die
jetzt in Felsblöcke gewandelt bei niedrigem Wasserstande aus dem
Strome schauen, kündigt die Stadt Oberwesel an. Grade unter=
halb des Schlosses, welches 1689 im Raubkriege gegen Deutschland
die Franzosen zerstörten, liegt die Stadt, vormals mit vielen andern
rheinischen Städten eine freie Reichsstadt. Ihre Mauern, welche
oben jetzt nur Gärten und Bäume zeigen, sagen, daß sie einst um
zweimal größer war. Ihre zahlreichen Türme und die Trümmer

Abb. 53. Rheinlandschaft bei Oberwesel.

des alten gotischen Rathauses am Berge, die schöne Stiftskirche, erinnern an die alte Größe.

Die Ufer werden unterhalb Oberwesel wilder und zackiger. An der engsten Stelle des ganzen Durchbruchstales liegt die Lorelei oder Lurlei, d. i. Lauerfels, durch Heine poetisch verherrlicht. Unvorsichtig geleitete Kähne zerschellen zu Zeiten: „und das hat mit ihrem Singen die Loreley gethan". Vor dem tragischen Geschick, ein Steinbruch zu werden, hat sie König Wilhelm I. von Preußen gerettet. Zwischen den beiden Ruinen Katz und Maus liegt St. Goarshausen, gegenüber die Stadt St. Goar, im Volksmunde Sankewär. Beide Orte sind nach dem frommen Einsiedler genannt († 575), der den Schiffern den Weg durch die gefährliche Bank zeigte, die Schiffbrüchigen rettete, die Pilger pflegte. Sein Christentum bildet den Gegensatz zu dem heidnisch bösen Wesen der Loreley-Nixe. Über der Stadt auf einem zur Befestigung sehr geeigneten Felsenvorsprunge bemerkt man die weiten Trümmer der zerstörten Feste Rheinfels, 1692—1693 vergeblich von den Franzosen belagert, aber 1794 schimpflich an sie übergeben. Unterhalb St. Goar bringt die felsige Bank den Schiffern oft Gefahr und macht die Hülfe der Uferbewohner nötig.

Die Gegend ist voll unnennbaren Zaubers und sanftester Schwermut; man befindet sich wie an einem von Felsen umschlossenen stillen See, abgeschnitten von aller Welt. Die Ruinen Löwinstein und Steinfels, „die Brüder", der Wallfahrtsort Bornhofen bekränzen die Ufer.

Boppard, an dessen Stelle schon die Römer eine Ortschaft vorfanden, „diese lustige und geweste Reichsstadt", ist eine Bergstadt, die Häuser steigen übereinander in engen Gassen auf. Die zweigetürmte romantische Pfarrkirche tritt besonders heraus. Unterhalb Boppard, von wo an mehr Wald auf den Höhen erscheint, macht der Rhein eine starke Krümmung von Westen nach Osten.

Von Braubach an, über dem die noch erhaltene Marxburg thront, treten die Berge etwas zurück. Bei dem Städtchen Rhense trafen die Gebiete der vier rheinischen Kurfürsten zusammen: so nahe wurden das kurmainzische Lahnstein, das kurtrierische Kapellen mit Stolzenfels, das kurkölnische Rhense und das kurpfälzische Braubach gesehen, „daß ein Musketenschuß in eines jeden Lande gehört werden kann". Hier stand der berühmte Königsstuhl auf einem Rasenplatze von alten Walnußbäumen beschattet, wo Heinrich VII., Karl VI. und Ruprecht gewählt, der Kurverein beraten und der Landfriede beschlossen wurde. Zum letztenmal sind die Kurfürsten 1496 hier zusammen gewesen. Das ganz aus Quadersteinen aufgeführte achteckige Gebäude hatte sieben Schwibbögen im Zirkel, die auf neun Pfeilern ruhten, wovon der neunte in der Mitte stand. Seine Höhe betrug etwa 5 m und der Durchmesser 8½ m, eine Treppe führte auf seine Oberfläche, die ohne Bedachung und mit steinernen Bänken eingefaßt war. Schon zu Anfang des 17. Jahrhunderts war dieser Königsstuhl nahe daran, in Trümmer zu zerfallen. Da aber Rhense für seine Zollfreiheit verpflichtet war, ihn in baulichem Stande zu erhalten, so wurde er 1624 wieder ausgebessert. Im Jahre 1794 zerstörten Franzosen das deutsche Heiligtum, das aber 1843 nach dem alten Bau wieder erneuert

Abb. 56. Die Lurlei.

ist. Der Rhein eilt der Vereinigung mit der Lahn entgegen: links an der Mündung ist die durch Goethes Lied gefeierte Ruine Lahneck („Hoch auf dem alten Turme steht Des Helden edler Geist"), und Oberlahnstein, ein altes Städtchen, ganz in alter Art mit Mauern, Türmen und Gräben umgeben; in der Nähe die St. Johanniskirche, in der König Wenzel 1400 entsetzt ward.

Der Lahnmündung ziemlich gegenüber, über dem Dorfe Kapellen, erhebt sich die prächtig wiederhergestellte Burg Stolzenfels, welche 1689 von den Franzosen zerstört war, ein geschmackvoller und in altem Stil ausgeführter Bau König Friedrich Wilhelms IV., der die Ruine 1825 von der Stadt Koblenz zum Geschenk erhalten. Koblenz war der Lieblingsaufenthalt der Kaiserin Augusta, der Gemahlin

Wilhelms I. Ihr besonders verdankt Koblenz die herrlichen Rhein=
anlagen, in denen sich seit 1896 ihr Marmorstandbild von Moest
erhebt. 1897 errichteten die Rheinländer auf dem „Deutschen Eck“,
der spitzen Landzunge, bei der Mosel und Rhein zusammenstoßen,
Wilhelm I. ein herrliches Denkmal. Es ist eins der gewaltigsten
einer einzelnen Person errichteten Denkmäler und stellt den ersten
Kaiser des neuen Deutschen Reiches in einem 14 m hohen, in
Kupfer getriebenen Reiterstandbild, von einem 9 m hohen Genius
begleitet, dar. Das Denkmal ist von Hundrieser, der 22 m hohe
Unterbau von Bruno Schmitz, dem Erbauer des Kyffhäuser=Denk=
mals. Die Rheinanlagen führen bis nach Koblenz, der alten Römer=
stadt Confluentes. 118 m erhebt sich Koblenz gegenüber die trotzige
Bergfeste Ehrenbreitstein über den Rhein; einen herrlichen
Rundblick daher über den stolzen Strom, dem diesseits die Lahn,
jenseits die Mosel zufließt, gewährt von ihrer Höhe die Feste.

Zwischen Koblenz und Ehrenbreitstein flachen sich die Ausläufer
des Westerwaldes und der Eifel in ziemlich scharfen Absätzen zu dem
Wieder Becken ab. Aus einer Entfernung von 10—12 Stunden
strömen aus Süden und Norden die Flüsse Wied, Saynn und Nette
zu. Auch neigen sich die größeren Flüsse Mosel und Lahn aus
Westen und Osten mit ihren Mündungen zu ihm heran. Es hat
hier ohne Zweifel in vorhistorischen Epochen ein großer Binnensee
der mittelrheinischen Schiefergebirgsinsel bestanden, der zu ver=
schiedenen Zeiten eine verschiedene Ausdehnung gehabt haben mag.
Vielleicht hat er einst zu beiden Seiten des Rheins längs der Mosel,
Nette und Wied weit hinaufgegriffen. Seine letzten Ufer, welche wir
nachweisen können, und welche seine tiefsten und niedrigsten Flach=
boden umstehen, sind zwischen Koblenz und Andernach und zeigen
sich zu beiden Seiten des Rheins in der Entfernung einiger Stunden
noch deutlich in scharf ausgegrabenen Vorgebirgen und Terrassen=
absätzen. Noch jetzt gibt es einige sumpfige Striche, und einige kleine
Bäche verlieren sich in diesen Strichen, ehe sie den Rhein erreichen.

Nahe dem Ausgange des Wieder Beckens liegt eine der jüngsten
deutschen Städte einer der ältesten gegenüber. Die neue freundliche
Stadt ist Neuwied, die alte das düstere Andernach, römischen
Ursprungs, das einst auch die südlichst gelegene Stadt des Hansa=
bundes war. Die viertürmte romanische Pfarrkirche, der runde,
oben achteckige Wartturm am Rhein, mit 5 m dicken Mauern, der
Kran, der zum Verladen der Mühlsteine dient, sind den Vorüber=
fahrenden die Wahrzeichen von Andernach.

16 *

Das Stück des Mittelrheins von Andernach bis Bonn ist gerader gerichtet als das Stück von Bingen nach Koblenz und fließt zugleich in einem weit bequemeren und breiteren Tale, so daß auf beiden Seiten des Flusses Wanderungen stattfinden und Straßen ohne allzu große Schwierigkeiten ausgeführt werden konnten. Es erscheinen zwar noch hier und da einige von den Schiffern ehemals gefürchtete Felsen im Bette des Flusses, so die Basaltsteine bei Unkel; doch haben sie nie die Schiffahrt gehindert. Der Rhein, dessen Wassermasse von Koblenz an durch Lahn und Mosel bedeutend zunimmt, ist auf der ganzen Strecke sehr tief und allenthalben bequem schiffbar. Häufiger als im oberen Tale wechseln enge Stellen mit kleinen Talausweitungen. Manche ziehen ihn der oberen Strecke

Abb. 57. Ehrenbreitstein.

vor. Dies untere Tal, so preisen sie, ist von einer großartigen männlichen Schönheit, die das mächtige, ruhig fließende Wasser, die ernste Gestalt der Berge besonders im Siebengebirge, endlich der freiere Charakter der offen hingebreiteten Landschaft zu gleichen Teilen in Anspruch nehmen. Ist die frühere Strecke romantisch-ritterlich, so geht der Rhein hier in der Tat im wallenden Königsmantel.

Unterhalb Andernach stürzt sich der Rhein zum zweitenmal wie bei Bingen in eine düstere Gebirgschlucht. Schroffe Berge, romantische Felsengruppen wechseln mit kleinen Einschnitten und Tälern, welche Weinhügel und Dörfchen zeigen. Und um alle diese Reize noch zu erhöhen, schwimmen mehrere freundliche Eilande im Strome, der zwischen seinen engen Felsenufern brausend fortschießt. Vorzüglich schön sind die Trümmer von Oberammerstein, wo einstens Heinrich IV. Zuflucht suchte.

Das aus einer alten Burg herausgebaute Schloß Rheineck bietet

eine schöne Aussicht auf das Rheintal und die Eifel und birgt herr=
liche Kunstschätze. Unfern Sinzig mündet die Ahr, gegenüber liegt
das ganz aus Basalt gebaute Linz. Zwischen Erpel und Unkel erhebt
sich die Erpeler Ley, ein weithin sichtbarer Basaltberg, an dessen
Abhängen der Leywein wächst. Auch Unkel gegenüber ist ein reicher
Basaltbruch; von da ziehen sich Basaltfelsen durch das Strombett.
Eine Gruppe führt den Namen der kleine Unkelstein; der große ist
zur Franzosenzeit weggesprengt worden. Über Remagen steigt der
Apollinarisberg auf, welcher eine schöne gotische, viergetürmte
Kirche trägt. Schön ist die Aussicht auf den Strom, der vor dem
Siebengebirge, zum See gesammelt, noch auszuruhen scheint.

Um die Mündung der Ahr herum hat der Rhein vermutlich
ehemals ein ähnliches, aber kleineres Seebecken gebildet wie das von
Neuwied. Den Schluß und Riegel dieses Beckens bildete das Felsen=
riff der Unkelsteine. Von der Ruine Rolandseck, „deren Bogen
so manche überströmende Jugendlust bei Gesang und gefüllten Bechern
belauscht hat", hat man eine prachtvolle Aussicht auf das Sieben=
gebirge. Es bietet sich hier uns eins der reizendsten Bilder auf der
vielgepriesenen Rheinwanderung. Zwischen den hier so erhabenen
Gestaden liegen drei Inseln, von denen die größte, der Nonnenwörth,
mit ihrer Abtei und ihren Pappeln, Ulmen und Weiden ruhig und
freundlich in dem strudelnden Strome daliegt; zwei kleinere Eilande
drängen sich zwischen sie und Rolandseck ein, nämlich der Grafenwörth
und der Rolandswörth gleich unter den Ruinen. Vielleicht war bei
dieser Spaltung einst, als noch salzige Fluten den ganzen Kölner
Busen erfüllten, der Anfang des Rheindeltas. Die Schiffer nennen die
Stelle Gotteshülfe. Rolandseck und Nonnenwörth leuchten als Schau=
platz des Schillerschen „Ritter Toggenburg" im Glanze der Poesie.

Jetzt nähern wir uns dem Felsentore, das in die Ebene führt.
Das Siebengebirge und vor allen der hohe, kühne Drachenfels
bei Königswinter bildet die eine Torsäule, schräg gegenüber der
isoliert aus gesegneter Flur steigende Kegel des Godesberges,
auf dem einst Wodan verehrt wurde, die andere. Auch ihn krönt
eine Ruine, deren 32 m hoher Wartturm eine reizende Rundsicht
gewährt. Landhäuser und Gärten schmiegen sich um die Füße.
Seine Gipfel weihen uralte Sagen.

Kaum möchte man irgendwo auf der Erde einen so dichten
Schwarm reisender Menschen treffen, die eben die Reiselust allein
treibt, als auf der Rheinfahrt von Bingen nach Bonn. Jetzt bedienen
sich zu „der europäischen Promenade" die meisten der Dampfschiffe.
Der rasch gewonnene Überblick des Ganzen, die überaus wechselnde

Scenerie beider Ufer ſcheinen ſolche Fahrt zu empfehlen, aber doch
läßt ein gerade überfülltes rheiniſches Dampfſchiff mit ſeinem geſchäf-
tigen Gewirr und dem Gedränge der Menſchen auf dem Verdeck ſehr
oft nicht zu einem rechten Naturgenuß kommen. Die Fahrt auf den
beiden Eiſenbahnen, welche das linke Ufer und das rechte bis Ober-
lahnſtein begleiten, führt in noch raſcherm Flug vorüber und läßt
immer nur ein Ufer zur Betrachtung kommen. Gewiß iſt, daß man
dem Rheintale viel größere Weile ſchenken muß, um ſeine Schönheit
recht zu empfinden. Da gilt es, bald an dieſem, bald an jenem Ufer
zu wandern, bald im Nachen langſam dahin zu ſchwimmen, bald dieſe,
bald jene Tageszeit und Beleuchtung zu benutzen, vor allem auch in
Seitentäler und Tälchen einzudringen, die ſo oft einen entzückenden
Rückblick auf den Strom und die Uferlandſchaft in engem Rahmen geſtatten.

Neben ſeiner Schönheit knüpft ſich auch ein lebhaftes hiſtoriſches
und kulturgeſchichtliches Intereſſe an das Durchbruchstal.

Tauſenderlei Intereſſe durchkreuzten, rieben und beförderten ſich
gegenſeitig, wodurch zwar nicht ein wohlgeordneter Staat, wohl aber
ein reiches und kräftiges Zuſammenleben erzeugt wurde, das ſeine
argen Schattenſeiten hatte, im ganzen aber doch weit mehr Schönes
enthielt. Auf den zahlreichen Burgen hauſten die Ritter und edlen
Geſchlechter, urſprünglich in beſtändiger Fehde untereinander und mit
jeder Macht, die ihre Unabhängigkeit bedrohte. Neben ihnen ſaßen
am Rhein die drei mächtigen geiſtlichen Kurfürſten von Mainz, Trier
und Köln, deren Macht und Gewicht ebenfalls in einem beſtändigen
Wechſel gegeneinander begriffen war. Unten am Rhein erhob ſich
das mächtige bürgerliche Gemeinweſen von Köln, das den Stapel des
Binnenlandes und die Macht der Hanſa hinter ſich hatte. Gleichſam
im Schlepptau von Köln und mit ihm durch die verſchiedenſten
Intereſſen der Schiffahrt und des Handels verknüpft, erhoben ſich die
übrigen zahlreichen Reichsſtädtchen am Rhein, die ſich frühzeitig durch
Wohlhabenheit und ſtolzes Selbſtbewußtſein auszeichneten. Der Kaiſer
endlich war durch ſeine Pfalzgrafen vertreten, die ſich ihres Anſehens
zu wehren und die kaiſerlichen Zölle zu erheben hatten. So war hier
das Reich im kleinen beiſammen und gab dem ganzen Strich ein
äußerſt buntes Anſehn. Frühzeitig wurde der Rhein die deutſche
Handelsſtraße zwiſchen Süden und Norden; Köln war der Stapel-
platz, wo alle Schiffe ausladen mußten. Da faſt alles nur zu Waſſer
weiter geſchafft werden konnte, verteilte ſich der Gewinn auf den
ganzen Landſtrich, wo die Schiffer ihren täglichen und reichlichen Ver-
dienſt hatten. Aber auch die Herren wollten ihren Teil davon. Die

Raubritter taten das auf grobe Weise, die übrigen auf etwas feinere, indem sie die Wasserstraße verlegten und nur gegen tüchtigen Zoll passieren ließen. Mitten in diesem bewegten Leben entfaltete sich eine hohe Kultur, die in frühe Zeit hinaufreicht und den folgenden Zeiten die schönsten Spuren hinterlassen hat. Hier klangen die Lieder der Minnesänger von Burg zu Burg, von Fest zu Fest. Hier erhoben

Abb. 58. Ruine Godesberg mit der Aussicht auf das Siebengebirge.

sich die großartigsten kirchlichen Gebäude, in deren steinerner Schrift man noch jetzt die Züge vergangener Jahrhunderte liest.

8. Köln und der Kölner Dom.

Köln, die Königin des Niederrheins, ist mit seiner Größe und Bedeutung auf unwandelbare Naturverhältnisse begründet, die ihren Einfluß nie verleugnen können. Hier treten die Gebirgs- und Hochlandschaften, die weiter oben das Rheintal einengen, zurück, sie begleiten den Strom jedoch noch eine Strecke in größerer oder geringerer Entfernung und bilden so den Busen des Flachlandes, in dessen Mitte

Köln liegt. Darum begegneten sich bei dieser Stelle von rechts her aus den westfälischen Gauen, wie von links her aus den Senkungen und Tälern der Ardennen, den Sitzen der Belgier und Gallier, die Handelskarawanen; die Unternehmungen des Krieges und Friedens, die dem norddeutschen Flachlande galten, gingen von hier aus, wie auch die christlichen Missionen mit den Heeren Karls d. Gr. von hier aus nach dem östlichen Tieflande vordrangen. Bei Köln sind die Hindernisse, welche die Rheinschiffahrt innerhalb des engen Stromtales erschwerten, zu Ende. Denn in breiter Fülle und ruhigem Laufe wälzt sich nun der Strom den Mündungen zu und macht eine großartige Schiffahrt möglich und einträglich. Zu dem allen trat in alten Zeiten noch ein besonderer Vorteil. Der Rhein war gespalten; der östliche Arm wälzte die Hauptmasse des Wassers, der westliche, erst zu Ottos d. Gr. Zeit ausgefüllt, bot mit hoher Uferbildung einen natürlichen Sicherheitshafen. Auch eignete sich die Stelle zu einer Überbrückung der geteilten Wassermasse. Lange vor römischer Zeit hatten germanische Ubier die Vorteile jener Position erkannt und legten auf dem rechten Ufer eine Ortschaft Tuits, auf der Rheininsel, die zwei Anhöhen bot, eine Burg und eine Opferstätte an, Ara Ubiorum. Die Straße „Auf der Are" erinnert noch daran. Um 37 v. Chr. sandte Augustus, wie das Annolied singt, den Herrn Agrippa nach Deutschland, daß er dort Recht spreche und eine Burg baue, auf daß ihn das Volk fürchte. Die Burg nannte er Colonia; Kaiser Claudius verlieh ihr 51 n. Chr. nach seiner Gemahlin, die in Köln geboren war, den Namen Colonia Agrippinensis. Die zwei Anhöhen der Rheininsel waren als die wichtigsten Punkte sogleich nach der Romanisierung mit Neubauten besetzt. Auf der obern Anhöhe baute man das Kapitol, das nach Christianisierung der Bevölkerung in eine Kirche umgeschaffen ward. Die alte Ubierburg auf der untern Anhöhe (Burgum Ubiorum), die schon bestand, als die Römer am Rhein erschienen, wurde nach römischen Bedürfnissen erweitert und verschönert. Sie diente nunmehr als Feste (Castellum) und als Präfektursitz (Palatium). Köln, die Hauptstadt der Germania secunda, wird von Zosimus (um 450) eine urbs maxima, von Ammian (um 380) eine urbs magni nominis genannt. Als im 5. Jahrhundert der Präfekt und die Legionen den Franken weichen mußten, ward Köln Hauptstadt der ripuarischen Franken und das Kastell der Römer in eine königliche Pfalz verwandelt, bis Karl d. Gr. dieselbe nebst Umkreis dem Erzbischof Hildebold schenkte. Nun tritt in Köln das kirchliche Element in den Vordergrund, die Bedeutung der bischöflichen Stellung und der kirchlichen Institute

steigt immer mehr, bis unter Otto b. Gr. die Leitung aller weltlichen
Angelegenheiten zu Köln in die Hände des Erzbischofs übergeht.

Obwohl durch die Normannen geplündert und verwüstet, stieg
Köln bald zu hoher Blüte. „Köln umschließt", sagt Lambert von
Hersfeld zum Jahre 1074, „eine erstaunliche Zahl von Bürgern, und
wegen des Getümmels der täglich Ab= und Zugehenden kann man
sich kaum durch die Straßen winden. Doch sind Kölner, unter den
Ergötzlichkeiten einer Großstadt aufgewachsen, in kriegerischen Dingen
wenig erfahren und schwatzen lieber bei Schüssel und Becher über
Kriegssachen hin und her." Köln besaß in dieser Zeit eine Reihe aus=
gezeichneter Erzbischöfe, die als Kirchenfürsten und seit Bruno I.
(853—965, Kaiser Ottos I. Bruder) auch als weltliche Fürsten immer
größeren Einfluß auf die Geschicke des Reiches gewonnen. Sie hatten
das Recht der Kaiserkrönung, und unter den Hohenstaufen erscheinen
sie ständig als Begleiter, Räte oder Kanzler des Kaisers. Reinald
von Daſſel (1159—1167) erhielt als solcher nach der Zerstörung
Mailands von Friedrich Barbaroſſa die Gebeine der hl. drei Könige.
Die durch den Besitz der Reliquien geheiligte Stadt, die von jetzt an
für alle Zeiten drei Kronen in ihr Wappen aufnahm, war jetzt das
Ziel unzähliger Pilgerfahrten aus Deutschland, Frankreich, Italien
und England geworden; viele Fremde gründeten sich auch unter dem
Schutze der Magier eine neue Wohn= und Werkstätte, so daß die
Römermauern bald die Einwohnerschaft nicht mehr fassen konnten.
Erzbischof Philipp von Heinsberg ließ 1187 die alten Mauern ein=
reißen und neue aufführen, durch die mehrere bis dahin vor den
Toren gelegene Kirchen in die Ringmauer gezogen wurden. Die bis
dahin ein Viereck bildende Stadt erhielt nun halbmondförmige Gestalt.

Waren auch die Erzbischöfe im Besitze der Hoheitsrechte, und
wurde außer den Zöllen und der Münze auch die Gerichtsbarkeit
durch einen vom Erzbischof ernannten und vom Kaiser bestätigten
Burggrafen verwaltet, so hatten doch bei der häufigen Abwesenheit
der Erzbischöfe es die Kölner dahin gebracht, etwa um 1170, einen
selbstgewählten Magistrat an der Spitze ihres Gemeinwesens zu sehen.
An der Wahl dieses Rats hatte der Erzbischof keinen Anteil, und
wenn man auch ihm selbst und seiner Geistlichkeit den Aufenthalt in
der Stadt nicht verwehrte, so sträubte man sich doch gegen eine erz=
bischöfliche Besatzung. Auf diese Weise suchte sich Köln ein Verhältnis
zu erhalten, welches die Stadt, obgleich ursprünglich eine bischöfliche,
doch den Reichsstädten gleichstellte. Schon im 13. Jahrhundert
trat Köln als freie Stadt in die Hansa, ward auch bald Quartierstadt
derselben und freie Reichsstadt. Erzbischof Konrad v. Hochstetten im

13. Jahrhundert erneute den alten Streit, aber er hob die Stadt auch durch den Beginn des großen Dombaues und die Verleihung der Stapelgerechtigkeit. 1236 wird Köln vom Mönch Alban als so reich an Schätzen und so bevölkert geschildert, daß 18000 kölnische Bürger auf prachtvollen Rossen in Festgewändern der Braut des Kaisers Friedrich II., einer englischen Prinzessin, entgegenritten. Handel und Gewerbe, Kunst und Wissenschaft waren in mächtigem Aufschwunge. Petrarca spricht in seinen Briefen von Köln mit Begeisterung. Die „Herren von Köln" waren als Großhändler durch ganz Europa bekannt, und „reich wie ein Kölner Tuchmacher" war ein Sprichwort *). Köln war auch der Hauptmarkt für edle Metalle und regelte nicht nur für Germanien, sondern für das ganze Abend=land die Maße des Goldes und Silbers. Nicht nur Deutschland und Italien, auch Frankreich, Dänemark und Schweden erkannten die Kölner Norm an. Weithin, wie die Augsburger, waren die Kölner Goldarbeiten berühmt; die Malergilde war so zahlreich, daß sie eine eigene Gasse, die Schildergasse, mit Stickern, Teppichmachern und Bildhauern gemeinsam bewohnte; die kölnische Bauschule war die erste und tonangebende in Deutschland. Endlich ward auch die 1388 errichtete U n i v e r s i t ä t der Hauptsitz der scholastischen Theo=logie und Philosophie. Bei alledem hat es dem Verfassungsleben der Stadt nicht an den Stürmen gefehlt, die auch sonst in deutschen Städten gewütet. Gegen Ende des 14. Jahrh. war der Kampf zwischen den altadligen Geschlechtern und den Zünften besonders heftig; davon gibt die Weberschlacht von 1370 Kunde. Endlich ging 1396 die alte aristokratische Verfassung unter, und eine demokratische Regierungs=form wurde erzwungen, die bis 1794 bestand. Sechs Bürgermeister wechselten zu zwei jährlich in der Regierung ab; der regierende Herr fühlte sich als Konsul einer Römerstadt: er warf eine Toga über die sonst spanische Kleidung; Liktoren trugen Fasces vor ihm einher.

Noch an der Grenze der neuen Zeit heißt Köln in einer Chronik von 1499 „die hochwürdige und heilige Stadt, die Metropolis und Hauptstadt vom ganzen deutschen Lande"; es war ein Wahrspruch: „Parijs in vrankryck, London in engelant, Coellen in Duytschland, Roma in Italien". Das Sinken der Hansa, die Veränderung der Handelswege, die Unruhen der Reformationszeit, die französischen Kriege, das Emporkommen der niederländischen Republik, welche den Rhein sperrte, machten den Glanz der Stadt aber erbleichen. Dazu kam, daß sich Köln gegen die Reformation aufs bestimmteste abschloß

---

*) Die Weberzunft, das „Wollenamt", beschäftigte um das Jahr 1370 über 30000 Webstühle.

und auch nach dem Westfälischen Frieden den Protestanten Religions=
übung versagte. Viele Bürger wanderten aus, und um Köln ent=
stand eine Menge aufblühender Industriestädte. 1787 gab der Rat
die Erlaubnis, ein protestantisches Bethaus zu errichten, der Fana=
tismus gestattete aber die Durchführung nicht, und die Protestanten
gingen nach wie vor nach Mülheim in die Kirche. Nun kamen die
Revolutionskriege, und Köln ward mit Frankreich vereinigt. Am
27. September 1796 ward der Freiheitsbaum gepflanzt, aber Köln
nicht einmal zur Departement = Hauptstadt erhoben und die Uni=
versität 1798 aufgehoben. Die Reisenden jener Zeit schildern es ein=
stimmig als eine häßliche und völlig herabgekommene Stadt; „viele
enge, krumme und schmutzige Straßen voll armseliger Hütten, Woh=
nungen des höchsten Jammers und Elends" *). Die preußische Besitz=
nahme war jedoch die Ursache neuen Aufblühens. Freilich blieben
der Stadt von allen den verschiedenen Arten des Primats, die sie
ehemals geübt, gar manche entwunden. Das Primat der Fabrik=
industrie hat sich Elberfeld angeeignet. Des Scepters der schönen
Künste hat sich Düsseldorf bemächtigt. Der Sitz der weltlichen Gewalt
am Niederrhein, des rheinischen Oberpräsidiums, ist nach Koblenz
gekommen. Die Pflegestätte der Wissenschaft am Rhein ist Bonn ge=
worden. Aber doch bleibt Köln noch heutigestags die Beherrscherin
des Handels am Rhein; auch der Erzbischof ist 1825 in die Mitte
der gut katholischen Bürgerschaft der Stadt zurückgekehrt. Köln ist
noch der Sitz des Reichtums am Niederrhein, Mittelpunkt des Re=
gierungsbezirks, der die Hauptteile des alten Ripuarier= und Ubier=
landes zu beiden Seiten des Rheins umfaßt, und mit 409 000 Ein=
wohnern heute (1904) die größte Rheinstadt.

Kirchen und Heiligtümer bilden die Signatur der Stadt. Darum
preist schon das Annolied Köln als „der hehresten Burgen eine".
Und diesen Ruhm hat Köln durch nichts so sehr als durch seinen
herrlichen Dom bis heute behauptet.

Den ältesten D o m in Köln baute Erzbischof Hildebold auf der
Stelle des alten Palatiums. Er ward am 27. September 873 geweiht
und hatte zwei Chöre, einen östlichen und einen westlichen, der sich
zwischen zwei hölzernen Türmen befand; jener war St. Petrus, dieser
der heil. Jungfrau gewidmet. Als der alte Dom 1247 ein Raub der
Flammen geworden, „in dem Jahre unseres Herrn 1248, da Bischof
Kunrad über die Maßen reich war an Gold, Silber und Edelsteinen,
also daß er dafür hielt, sein Schatz sei unerschöpflich, begann er große

*) Die Einwohnerzahl, die um 1400 mehr als 150 000 betragen hatte,
war 1802 auf 42 000 herabgesunken.

und köstliche Dinge mit bauen und kaufen. Er begann den großen,
köstlichen, ewigen Bau, den Dom". So erzählt die alte kölnische
Chronik. Der Erzbischof rief die vornehmsten Geistlichen, die Edeln
des Landes und seine Beamten zusammen und legte am 14. August
1248 den ersten Stein zu einer Kathedrale des heil. Petrus. Unter
der Leitung Meister Gerhards von Rile ward der Bau begonnen. Im
Jahre 1322 war der hohe Chor fertig. Unter veränderten Zeitver=
hältnissen schritt der Bau nur langsam vorwärts und kam seit 1499
ganz ins Stocken. Die 100 Hauptpfeiler im Schiffe waren seitdem
wie ein Wald von Säulen, der in seinem Wachstum plötzlich erstarrt
ist. Bis zum Gewölbe standen sie da, trugen aber nichts, als den
Notbehelf des bretternen Verschlusses. Von den beiden Türmen, die
in der Höhe auf das Maß der Länge der Kirche berechnet waren,
erhob sich der eine kaum aus den Grundmauern (20 m hoch), der
andere ragte 60 m empor, und der Kran deutete auf die Unabge=
schlossenheit des Werkes. Selbst der Chor, durch eine Querwand mit
dürftigem Portal von dem wüstliegenden Schiff der Kirche geschieden,
litt im Laufe der Zeiten. Kaum wurde das Nötige für seine Instand=
haltung getan, und man raubte ihm zuletzt in den Jahren 1760 bis
1770 noch einen Teil seines innern Schmuckes, das sogenannte
Sakramentshäuschen, den Hauptaltar und die Steineinfassung des
hohen Chors. Das große und einzige Werk trauerte seinem Verfall
entgegen, von der Menge nicht verstanden und nicht geachtet. Manchen
erschien der Dom in seiner ruinenhaften Nichtvollendung ein ernstes
Sinnbild des deutschen Vaterlandes: „groß in der Anlage, aber
unvollendet"; an eine Vollendung wagte man nicht zu glauben.
„Auf dem hohen Turm", schreibt Arndt um 1800, „hängt noch ein
Krahn, gleichsam als Verkündiger, daß der Bau nur durch Zufall
unterblieben sei. Nun wird er wohl auf immer unterbleiben."
Anders hoffte M. v. Schenkendorf, schon vom Morgenrot einer
neuen Zeit umstrahlt: und er hat nicht umsonst gehofft.

Es war im Jahre 1814, als von verschiedenen Seiten die Voll=
endung des Kölner Domes als ein Dankopfer für die Befreiung des
Vaterlandes gefordert wurde. Dieser Gedanke zündete in den Herzen
des deutschen Volkes. Schon 1824 waren Vorbereitungen zur Wieder=
herstellung begonnen. Einmal angeregt, fand der Dombau überall
den lebendigsten Anklang, und 1842 gelang es, einen Zentral=Dom=
bauverein zu bilden, der nah und fern im deutschen Vaterlande die
tätigste Beihilfe fand. Die Könige Preußens unterstützten den Bau
auf das großartigste. Die Leitung des Baues lag in der Hand des
genialen Baumeisters Zwirner. Am 31. Juli 1861 war die Be=

dachung des Domes im wesentlichen fertig; es folgte die Vollendung des Mittelturmes mit vergoldeten Kreuzblumen über den Frontons. Als Zwirner 1862 starb, ward ihm in Voigtel der würdigste Nach=

Abb. 59. Köln mit dem Dom.

folger. Am 15. Oktober 1863 konnte die Weihe der bis auf die Türme vollendeten Kirche vorgenommen werden. Alsbald begann nun der Ausbau der Türme. Von dem südlichen Turme, der bis zu

einer Höhe von 60 m geführt war, verschwand 1863 das alte Wahrzeichen der Stadt, der Kran, und der Bau der Türme schritt rüstig
vorwärts. Endlich am 14. August 1880 wurde der letzten Kreuzblume
des Domes der letzte Stein eingefügt. Das gewaltige Werk, an dem
länger als sechs Jahrhunderte gebaut war, war vollendet. 157 m
hoch ragen beide Türme, das höchste Bauwerk der Erde, um volle 15 m
die Höhe St. Peters in Rom übertreffend. Am 15. Okt. 1880 wurde
das Fest der Vollendung des Dombaues in Gegenwart Kaiser Wilhelms I. mit Jubeln und Danken gefeiert, und am 30. Juni 1887 erhielt
die aus 500 französischen Kanonen gegossene Kaiserglocke die Weihe.

Das Äußere des erhabenen Baues tritt, nach Beseitigung ver-
dunkelnder Anbauten, jetzt erst in das rechte Licht. Um den Dom ist
ein Umgang oder eine Esplanade geführt, die sich nach Osten hin an
der Außenseite des Chors zu einer großartigen Halbrotunde gerade
der festen Rheinbrücke gegenüber erweitert. Wir treten in das fünf-
schiffige Innere, das auch nun erst in seiner ganzen Erhabenheit
empfunden werden kann. Das Ganze hat eine Länge von 132 m,
eine Breite von 44 m: das Querschiff ist 73 m lang. Die fünf gemalten Fenster des nördlichen Seitenschiffes mit ihren schönen Farben
sind ein Geschenk des Königs Ludwig von Bayern. Ein sechstes ist
zum Andenken an Joseph Görres, der die erste Anregung zur Vollendung des Domes gegeben hat, gestiftet. Die Fenster des nördlichen
Seitenschiffes rühren aus den Jahren 1508 und 1509 her. Der 41 m
hohe Chor prangt in vollendeter Restauration und ist mit Wand-
malereien und Stickereien auf Seide ausgeschmückt; ihn umgeben
sieben Kapellen. Hinter dem Hochaltar ist die Kapelle der heiligen drei Könige. Der Schrein, in dem sie zusammen mit den
Märtyrern Nabor, Felix und Gregor v. Spoleto ruhen, ist das vor-
züglichste und umfangreichste Meisterwerk der mittelalterlichen Gold-
schmiedekunst, reich mit Perlen und Edelsteinen besetzt. In der Agnes-
kapelle ist das berühmte Dombild, 1426 wahrscheinlich von Stephan
Lochner gemalt, die heil. drei Könige das Christusbild auf dem Schoße
der Mutter anbetend, auf den Seitenflügeln die heil. Ursula und der
heil. Gereon mit Begleitern; in der Marienkapelle ein neuer gotischer
Altar mit einer Marienhimmelfahrt von Overbeck.

Unser Bild zeigt Köln von dem ihm südöstlich gegenüberliegenden
Deutz aus. Im Vordergrunde erblicken wir die 1822 angelegte
Schiffbrücke, dahinter die in den fünfziger Jahren mit einem Aufwande von 17 Millionen erbaute feste eiserne Brücke und zwischen
beiden den Rathausturm, den stattlichen St. Martinsturm und,
alles überragend, den Dom.

9. Die rheinisch-westfälische Industrie.
(Krupp in Essen.)

Am ganzen Nordrande des rheinischen Schieferplateaus entlang birgt der Boden Eisen und Kohle in Menge. Darum hat sich hier eine Industrie entwickeln können, welche in Deutschland nicht ihresgleichen hat. Zumal auf der rechten Seite des Rheins ist das bergische Land ein einziger großer Industriebezirk, in welchem 550 Menschen auf dem Quadratkilometer leben, eine Bevölkerungsdichtigkeit, wie sie nur in den fabrikreichsten Gegenden Englands sich wiederfindet.

Der Mittelpunkt der bergischen Industrie ist das Tal der Wupper, in welchem die günstige Bodengestaltung zahlreiche Wasserkräfte in den Dienst der Gewerbe stellt. Hier liegt die Doppelstadt Barmen-Elberfeld mit 323 000 Einwohnern; 10 km lang zieht sie sich durch das Tal hin, immer höher an den Geländen der das Tal einfassenden Höhenzüge hinaufsteigend, von Hunderten rauchender Essen überragt. Von bescheidenem Anfange, von dem Bleichen des Leinengarnes, ist ihre Größe ausgegangen, indem die Wupper als ein klares und zur Bleiche besonders geeignetes Wasser sowie die bequemen Ufer die Bewohner zuerst einluden, sich diesem Geschäfte zu widmen. Allmählich erreichten sie darin einen hohen Grad von Vollkommenheit, und daraus entstand ein zweiter Industriezweig, das Spinnen des Leinen- und Baumwollengarnes, wozu später noch Schnürriemen und Schnüre kamen, Artikel, welche in der Folge zur höchsten Wichtigkeit stiegen und einen großen Teil des Wohlstandes gründeten. Hierzu kam bald auch die Weberei von allerlei Leinenzeugen, besonders von Borten oder Burten, wovon große Sendungen ins Ausland, vornehmlich nach Westindien, gingen. Zeitig im vorigen Jahrhundert fing man auch an, außer gefärbten und gestreiften Leinen auch dergleichen halbbaumwollene Zeuge zu machen. Nach und nach stieg die Zahl der Artikel von baumwollenen Zeugen bedeutend. Es entstanden nun auch Maschinenspinnereien, die Türkischrotfärberei, durch französische Emigranten aus Rouen an die Wupper verpflanzt, verbreitete sich, und den Baumwollenfabriken folgten Seidenfabriken.

Elberfeld liegt zu beiden Seiten der Wupper ganz offen und ohne regelmäßige Anlagen. Das sogenannte Kipdorf und Island sind alt und eng gebaut, dagegen die neuen Stadtteile, besonders Westende, haben viele große, palastartige Häuser. Unmittelbar an Elberfeld flußaufwärts schließt sich Barmen an, das aus Ober-Barmen, Gemarke in der Mitte und Unter-Barmen nebst vielen kleinen Ortschaften und einzelnen Höfen und Häusern besteht, die

längs der Wupper liegen und unter dem Namen Barmen erst durch
Friedrich Wilhelm III. zu einer Stadt erhoben sind. Von dem bei
Elberfeld gelegenen Hardterberge, der zu einer Promenade um=
geschaffen ist, genießt man die schönste Aussicht auf die beiden Städte
und die zahllosen Fabrikgebäude, Färbereien und Garnbleichen im
Tale. Das Ganze erscheint wie eine große Stadt, von schönen Wiesen
eingefaßt, welche zu Garnbleichen dienen. Der grüne Rasen ist
stundenlang mit weißem feinem Garn bedeckt und von kleinen Wasser=
gräben durchschnitten, aus denen das Garn mit großen Schaufeln be=
sprengt wird. Hier und da sind große Räder, welche Wasser in Rinnen
schöpfen, durch die dasselbe auf die entferneteren Bleichen geführt wird.

Nicht so sehr der Gunst der Naturverhältnisse als moralischen
Hebeln, dem Fleiß und der Intelligenz ihrer Bewohner, verdankt die
nahe am linken Rheinufer gelegene Stadt Krefeld ihre Größe.
Keine andere Stadt der Rheinprovinz hat in so rasch beschleunigtem
Maße an Bedeutung zugenommen; 1722 war Krefeld noch ein
Flecken von kaum 1000 Bewohnern, und heute, im Jahre 1904, zählt
sie deren 109 000. Unter ihren mannigfachen Industriezweigen sind
die Seiden= und Sammetfabriken die wichtigsten; sie haben den
Krefelder Sammetwaren Weltberühmtheit verschafft.

Wie unten im Tal der Wupper in Barmen die Bandwaren=
fabrikation, in Elberfeld die Herstellung von Baumwollen=, Seiden=
und leichten Wollenwaren ihren Sitz hat, so ist es auf der Höhe des
bergischen Landes, wo „der Märker Eisen reckt". Hier bildet für die
Eisen= und Stahlwarenfabrikation Solingen, eine offene Stadt
unweit der Wupper, teils auf einem Berge, teils an dessen Abhange
gelegen, den Mittelpunkt. Schon unter Graf Adolf soll die Solinger
Kunst, Klingen zu schmieden, zur Zeit des zweiten Kreuzzuges von
Damaskus mitgebracht sein, so daß die Solinger recht eigentlich
„Schwertfeger von Damaskus" sind.

Die jetzige Fabriktätigkeit der Bewohner teilt sich in drei Haupt=
zweige, nämlich in die Schwert=, Messer= und Werkzeugfabrikation.
Außerdem werden eine Menge Nebenartikel, wie Sporen, Lanzen,
Korkzieher, Schirmgestelle usw., geliefert. Diese Gegenstände werden
aber auch von den Arbeitern in der ganzen Umgegend gefertigt,
welche die einzelnen Teile von Messern, Gabeln, Degen= und
Schwertklingen, Scheren und einer erstaunlichen Menge anderer
kleiner Eisen= und Stahlwaren in ihren eigenen Werkstätten teils
roh, teils fertig arbeiten und an die Fabrikverleger, welche sie
schleifen und zusammensetzen lassen, verkaufen. Der einzige, jedoch
gewissermaßen auch der hauptsächlichste Teil der Fabrikation, welcher

eigentlich fabrikmäßig betrieben wird, iſt das Schleifen und Polieren. Die Solinger Klingen haben eine unnachahmliche Güte; man ver=ſteht ſie ſo zu härten, daß ſie Eiſen durchhauen können, ohne eine Scharte zu bekommen.   Daher kommt es, daß faſt alle Armeen der Welt, auch die engliſche und die franzöſiſche, ihre blanken Waffen aus Solingen beziehen.

Jenſeit der Wupper, die wir mit der Eiſenbahn auf der 505 m langen, von einem einzigen, 107 m hohen Bogen gebildeten Kaiſer=Wilhelm=Brücke überſchreiten, liegt Remſcheid. Die in und um die Stadt fließenden 18 Bäche ſind mit Hämmern und Werken ganz beſetzt, ſo daß es an Platz für neue Anlagen fehlt. Die Werkzeugfabrikation hat hier ihre Hauptſtätte; unzählige Geräte werden hier gearbeitet: Senſen, Sicheln, Strohmeſſer, Sägen, von den größten Mühlſägen bis zu den feinſten, alle Arten von Wirt=ſchafts= und Haushaltungsgeräten, von Werkzeugen für Maurer, Zimmerleute, Tiſchler, Böttcher, Drechſler, Bildhauer, Wagner, Schloſſer, Uhrmacher, Gold= und Silberarbeiter uſw., Säbelſcheiden und Griffe, Sporen, Gebiſſe, Steigbügel, Schlittſchuhe, Winden, Amboſſe, Äxte, Beile, Plantagengeräte (wie Zuckerrohrmeſſer), Acker=geräte (wie Pflugſcharen), Spaten, Schaufeln, Hacken und vieles andere.   Durch Dampfhammer und Kaliberwalze erhält das Eiſen ſeine Form; für die Handarbeit bleibt hier nur wenig zu tun.

Von Remſcheid brauchen wir nicht weit zu gehen, und wir ge=langen bei der Stadt Eſſen zu der 1810 gegründeten Kruppſchen Gußſtahlfabrik, zur größten Fabrik der Welt; denn weder an Arbeiterzahl noch an Leiſtungen oder Geſchäftsumſatz kann irgend=eine Fabrik, auch in England nicht, ſich ihr an die Seite ſtellen. Schon von weitem kündigt die Fabrik, wenn man der Stadt Eſſen mit der Eiſenbahn ſich nähert, durch einen Wald von Schornſteinen ſich an. Aus zahlloſen Schloten von allen Größen und Formen ſieht man ſchwarze Rauchwolken aufſteigen; aus anderen wirbelt weißer Dampf empor; Funkengarben ſprühen hervor, oder ſtoßweiſe wallen gelbbraune Rauchmaſſen in die Luft. Auf Ungewöhnliches ſind wir vorbereitet.

Jenſeit der Stadt, wo die Limbecker Straße allmählich in die Limbecker Chauſſee übergeht, umfängt uns immer lauter und toſender das Dröhnen, Klingen, Hämmern eines gewaltigen Betriebes; Eiſen=bahnbrücken ſchwingen ſich über die Chauſſee hinweg; mächtige Windrohre ragen empor; immer dichter wird das Gewirre der Telegraphendrähte zur Seite. Der Strom der Weiber reißt uns mit fort: ſie eilen — es iſt Mittag — ein blechernes Doppelgefäß

272

in der Hand, das „Jüngste" auf dem Arm, ihren in der Fabrik
arbeitenden Männern das Mittagessen zu bringen. Bis an das Haupt=
portal der unendlich ausgedehnten, rings umschlossenen Fabrik=
anlagen führt uns der sich drängende, geschwätzige Menschenstrom.

Inmitten der weiten Anlagen steht noch unansehnlich, einstöckig
das bescheidene Haus, von dem aus alles, was wir vor und um uns
sehen, seinen Ursprung genommen hat. Hier gelang es dem jungen
Friedrich Krupp, als Napoleons Blockadedekret den englischen
Stahl von dem europäischen Kontinente ausschloß, 1812 wenigstens
in kleinen Quantitäten selbst Tiegelgußstahl, wie er zu den Werk=
zeugen der Handwerker gebraucht wurde, zu erzeugen. Die Zeit war
günstig, so daß er schon 1819 eine größere Stahlhütte errichten konnte.
Allein langwierige Krankheit hemmte den Erfolg, und nur in dürftigen
Verhältnissen hinterließ er 1826 bei seinem Tode seine Familie.

Fast noch ein Knabe, übernahm sein ältester Sohn Alfred den
Schmelzbau und wußte, anfangs Schmelzer, Gießer und Buchführer
in einer Person, mit erstaunlicher Arbeitskraft und bewunderungs=
würdiger Genialität der Erfindung glänzende Erfolge zu erringen.
Der Aufschwung jeglicher Industrie, die Entwicklung der Eisenbahnen
gab ihm den weitesten Markt. Stahl in verschiedenen Härtegraden
darzustellen und Eisenbahnbandagen ohne Schweißung zu liefern,
waren die wichtigsten Erfindungen des genialen Mannes. Aus dem
Schmelzbau wurde eine Fabrik, aus der Fabrik eine Industrieanlage,
großartig ohnegleichen. Eigene Kohlenzechen und Eisenerzgruben
lieferten den Anlagen das Material, dessen sie bedurften.

Glücklicher als dem Vater ward ihm das Geschick. Mit Be=
friedigung konnte er als Greis auf das Werk schauen, das er während
eines langen Lebens unablässig vervollkommnet und erweitert hatte.
1887 hinterließ er es seinem Sohne Friedrich Alfred; 1902 ist dieser,
ohne einen männlichen Leibeserben zu hinterlassen, gestorben. Das
Werk wird jedoch im bisherigen Geiste weitergeführt.

Den „Kanonenkönig" hat man Krupp genannt. Doch hat es
lange Jahre gedauert, bis die Vorzüglichkeit seines Stahls als Ge=
schützmaterial anerkannt wurde. Es ist noch immer der Tiegelguß=
stahl, die Erfindung Friedrich Krupps, welcher dazu verwandt wird.
Denn der Tiegelguß ist das einzige Verfahren, welches es mit
Sicherheit ermöglicht, Stahl in großen Blöcken und ohne jeden Guß=
fehler, wie es zur Fabrikation großer Kanonenrohre nötig ist, her=
zustellen. Das Eisenerz wird dazu in den langen Reihen der
niedrigen Puddelöfen geschmolzen und dann zu großen Klumpen,

Luppen genannt, zusammengeschweißt. Mit kräftigen Schlägen quetschen die Dampfhämmer aus den Luppen die in feurigem Regen umherspritzende Schlacke aus und formen die Luppen zu einem rechtwinkligen Blocke, der glühend zu langen Stangen ausgewalzt wird. Mit kaltem Wasser werden diese Stangen abgelöscht, dadurch gehärtet und nun durch Maschinen in kleine Stücke zerbrochen, mit welchen die Tiegel gefüllt werden.

Diese Tiegel, aus feuerfestem Ton und Graphit hergestellt, fassen etwa 40 kg der Masse, welcher je nach dem Härtegrade, welcher erzielt werden soll, verschiedene Zusätze gegeben werden. Dann kommen sie, luftdicht verstrichen, in die Schmelzöfen. Eine gewaltige Halle enthält in zwei langen Reihen die Schmelzöfen, deren jeder 100 Tiegel faßt. Bis auf 2000° C., wie es für das Schmelzen des Stahls erforderlich ist, wird in diesen Öfen die Glut gesteigert. Dann wird das Signal zum Entleeren der Öfen und Tiegel gegeben. Ein wunderbares Schauspiel von großartiger Schönheit bietet sich damit dem Zuschauer dar. Mit langen Zangen werden die rotglühenden Tiegel aus den Öfen hervorgeholt und zu den Gießrinnen getragen, in welche ihr Inhalt, dünnflüssig wie Wasser und grell weißleuchtend, entleert wird, um in gleichmäßigem, ununterbrochenem Strome die Form zu füllen. Wie Glühwürmchen scheinen die Tiegel durcheinanderzuschwirren; in weißleuchtenden Bächen fließt der Stahl die Rinnen hinab; in rotem Feuerschein in der Mitte funkelt die Gießform, und die lange Reihe der glutstrahlenden Öffnungen der Schmelzöfen faßt zu beiden Seiten das lebhaft bewegte Bild ein.

Ein riesiger Block von zylindrischer Gestalt geht aus der Gießform hervor. Die Kettenschlinge eines Drehkrans faßt ihn und legt ihn auf den Amboß unter den Dampfhammer „Fritz"; mit einem Fallgewicht von 1000 Zentnern fährt der Hammer herab: bis in die Fundamente hinab macht der donnernde Schlag das ganze Gebäude erzittern. Oder der Kran legt den Block unter die hydraulische Riesenpresse, welche, die größte der Welt, mit 5 Millionen Kilogramm Druckkraft bis in das Innere hinein ihn durchschmiedet. Nun geht es zu den Schneid- und Bohrmaschinen. Das Seelenrohr wird hergestellt, und mit äußerster Sorgfalt werden ihm die Züge eingebohrt. Das Schlußstück, von anderen Maschinen hergestellt, wird angefügt und dann eine mit dem Kaliber steigende Zahl von Ringlagen auf das Rohr aufgetrieben. Endlich werden die Verschlüsse eingepaßt, die Visierapparate aufgesetzt, die Gravierungen angebracht: und das Geschütz ist fertig.

17*

Sobald die Kanonen in die Lafetten eingelegt sind, werden sie durchprobiert. Hydraulische Kraft bewegt sie: mit spielender Leichtig= keit hebt und neigt sich der ganze Koloß, schwenkt nach rechts und links; ein leichter Hebeldruck läßt die Munition aus einem Schachte aufsteigen, schiebt sie ein in das Geschütz und schließt den Verschluß= teil. Zum Anschießen indes, der letzten Probe, werden die Geschütze nach Meppen gebracht, wo die ostfriesischen Moorflächen zum Schieß= platz den Raum zur Genüge bieten, an welchem es bei Essen fehlt.

Indessen die Fabrikation der Gußstahlgeschütze ist nur ein Zweig der Tätigkeit der Kruppschen Anlagen. Nicht minder Groß= artiges leisten sie in der Herstellung von Eisenbahnschienen, Eisen= bahnrädern und anderen Erzeugnissen friedlichen Zweckes. Hunderte von Schornsteinen erheben sich über die unabsehbar sich hinziehenden Gruppen der rauchgeschwärzten Fabrikgebäude. Im Vordergrunde liegt eine ganze Reihe von Kanonenwerkstätten, weiter zurück eine große mechanische Werkstätte mit vielen kleinen Ecktürmen und ziemlich in der Mitte der mächtige Schmelzbau, dessen Bedienung allein ein ganzes Bataillon von Arbeitern erfordert. Mehr seit= wärts liegen in endlosen Reihen die Puddelöfen und die gewaltigen Dampfschmieden mit den hydraulischen Pressen und ostwärts von diesen die große Blechschmiede. Dies sind nur die Hauptpunkte der Anlage, zwischen denen in unendlichem Gewirre die Schienenstränge der Fabrikeisenbahn den Verkehr vermitteln.

Die Arbeitermassen, deren die Fabrik bedarf, wohnen nur zum kleinsten Teile in der Stadt Essen. Für den größten Teil hatte schon Alfred Krupp teils nahe bei den Werkstätten, teils in größerer Entfernung davon in gesunder Gegend Kolonien errichtet. Die größte derselben, einer ansehnlichen Landstadt an Größe gleich, ist Kronenberg, an der Westseite die Fabrikanlagen begrenzend. Mit seinen wohnlichen Häusern, seinen breiten, von Baumreihen ein= gefaßten Straßen macht der Ort einen sehr ansprechenden Eindruck. Zahlreiche Einrichtungen zum Besten seiner Arbeiter hatte hier schon der Gründer getroffen, Schulen errichtet, Verkaufsläden eingerichtet, Bäckereien gegründet; großartige Stiftungen zu wohltätigen Zwecken hat der Sohn hinzugefügt, das Andenken des genialen Vaters zu ehren.

Von seinen Arbeitern ist Alfred Krupp 1892 ein mächtiges Denkmal, mit den Figuren der Arbeit und der Humanität am Sockel, errichtet worden.

V. Das mitteldeutsche Bergland.

1. Das Riesengebirge.

Die Gebirge des mittleren Stufenlandes, die in der Schneekoppe mit 1603 m ihre größte Höhe erreichen, stehen den Alpen an Höhe bedeutend nach. Durchaus fehlt ihnen jenes schroffe Emporstarren und Aufgipfeln mit steilen Wänden, scharfen Graten, zerrissenen und wilden Zacken von den verschiedensten, oft höchst bizarren Formen, wie es bei den Alpen überrascht. Alles ist hier mehr abgestutzt und abgeflacht. Die abgerundeten Formen vieler Gipfel sind eine Folge ihres höheren Alters und ihrer Bildung aus krystallinischem Gestein (Granit, Gneis, Glimmerschiefer). Die deutschen Mittelgebirge tragen mit ihren gerundeten Formen entschieden den Charakter gefälliger Anmut, und damit bilden diese grünen Waldgebirge einen besonderen Schmuck der Germania, die mit ihnen ihr wallendes Gewand gegürtet hat. Der einförmigen deutschen Hochfläche, dem monotonen niederdeutschen Tief-lande gegenüber erscheinen ihre lieblichen Wiesengründe, ihre romantischen Felsentäler, ihre fruchtbaren Flußebenen und ihre malerischen Fluß-durchbrüche desto lieblicher. Wald verhüllt fast durchweg die plastischen Formen der Berge, und die aus ihm aufsteigende Feuchtigkeit nimmt der Luft ihre Durchsichtigkeit, so daß die Fernsicht von ihren Höhen selten klar ist. Dennoch richtet sich mit Vorliebe die deutsche Reise- und Wander-lust in diese mitteldeutschen Berge, und unsere Volkslieder singen vom „Baum im Odenwald". Wildes und Grandioses muß man nicht verlangen: die sogenannten „wildromantischen Partieen" erinnern an einen gutmütigen Menschen, der einmal auch ein böses Gesicht machen will und die Stirn in Falten zieht, das Lächeln aber doch nicht ganz zu verleugnen vermag. Nur einzelne Stellen, vornehmlich im Riesen-gebirge und im Harz, verdienen voll den Namen.

Abb. 80. Das Riesengebirge von der Schneekoppe (links) bis zum Hohen Rad und Zacken (rechts).

Das Riesengebirge ist das Hochgebirge Mitteldeutschlands. An den Namen knüpft sich die Sage, nach welcher in grauester Vorzeit die Berge von einem mächtigen Riesengeschlechte bewohnt waren, das lange mit den hohen Göttern im Streit lag, aber endlich von ihnen besiegt und um seiner Bösartigkeit willen ganz von der Erde vertilgt wurde. Das Gebirge bildet in der Tat einen düster erhabenen Zug; nur an seinem nördlichen Fuße mit anmutigem Vorgrund gesäumt, ist es in vielem Betracht so eigentümlich und abenteuerlich, daß man sich wohl erklären kann, warum die Riesensage in dem Berggeist des Gebirges sich erhalten hat. Rübezahl, oder wie er sich statt dieses Spottnamens lieber nennen läßt, der Herr der Berge, ist so mächtig, aber auch unter Umständen so wild und launenhaft, wie es dem Gebieter eines solchen Reiches geziemt, so tückisch wie das Hochmoor des Kammes; aber zuweilen lächelt er auch gütig wie der schlesische Vorgrund seines Gebirgs.

Das Riesengebirge gehört mit dem benachbarten Iserkamm zu den wenigen ganz klar ausgebildeten Kammgebirgen. Zwischen der Landshuter und der Reichenberger Senke ist ein 70 km langer Grenzwall aufgerichtet, welcher ohne Durchbrechung die Höhenachse des Riesen- und des Isergebirgs bildet. Die Längenausdehnung des hohen Riesenkammes zwischen den Quellen des Bobers im Osten und des Queis und Zacken im Westen beträgt nur 35 km, aber dazwischen steigt der mächtige Damm und Kamm zu einer Mittelhöhe von 1300 m auf. Auf der südlichen oder böhmischen Seite zieht dem Hauptkamm ein gleich hoher Vorkamm parallel. In jenem ist Granit und damit die abgestumpfte Pyramide, in diesem Glimmerschiefer und das Kugelsegment als Bergform vorherrschend; jedoch besteht auch der stumpfe Kegel der Schneekoppe aus Glimmerschiefer. Beide Kämme sind an den Endpunkten durch Hochwiesen wieder zusammengegürtet, sonst aber durch einen tiefen Spalt getrennt, der als eine großartige Wiederholung der am Nordfuße des Gebirgs vorhandenen Gruben und Einstürze erscheint. Einst bildete der Spalt einen imposanten Gebirgssee; jetzt hat die Elbe den südlichen Kamm durchbrochen. Demselben ist noch ein Parallelzug vorgelagert, der aber 1100 m nirgends übersteigt. So ist im Süden der Fuß des Gebirges 15—20 km vom Hauptkamme entfernt: die Hochgipfel erheben sich dem Auge über sich mächtig auftürmendem Vorgebirge. Ganz anders ist aber die nördliche, schlesische Seite gestaltet. Dort ist der Fuß kaum 5—6 km vom Hauptkamme entfernt, der mit schroffen, tief eingerissenen Felswänden oder mit schattigen Bergwäldern zu dem grünen Wiesenteppich der 350 m hohen Hirschberger Ebene abfällt. Nur in der Westhälfte zeigt sich ein nördlicher, vielfach durchbrochener Parallelzug; die östliche Hälfte fällt steil zu dem fast unmittelbar an der Wurzel des Hochkammes kreisförmig eingelassenen Becken ab. Die Ebenen von Hirschberg, Schmiedeberg und Fischbach, welche durch ein von der Kleinen Sturmhaube zum nördlichen Parallelzuge gehendes Joch geschieden sind, liegen nur 320—400 m über dem Meere. So erscheint von da aus gesehen das Gebirge als eine steil bis über 1000 m ansteigende Riesenmauer, die sich in dunkler Bläue von dem lichtern Himmelsgrunde abhebt: ein großartiger Anblick, den man in keinem andern Teile des deutschen Mittelgebirges haben kann. Dazu bildet der mächtige, düstere Kamm mit der hellen Ebene am Fuß, den anmutigen Vorbergen und den dort dicht gesäeten Menschenwohnungen einen wirkungsvollen Gegensatz.

Fast die Hälfte der Bewohner des Riesengebirges sind Weber. Die Leinwandmanufaktur im Gebirge ist höchst wahrscheinlich mit der

Bevölkerung desselben von gleichem Alter; sie erstreckt sich weit über die Grenzen dieses Gebirges tief nach Schlesien und Böhmen, und folgt der Richtung der Sudetenkette von Mähren bis nach der Oberlausitz. Größere Wohnplätze gehen nicht so hoch hinauf als in andern Gebirgen; aber vereinzelte Wohnungen oder B a u d e n, deren Besitzer Wiesenbau oder Viehzucht treiben, sind zahlreich vorhanden. In ihnen konzentriert sich das Sommer- und Winterleben des Gebirges. Sie sind zugleich die Sennhütten und Hotels der Berge. Man ist dort gut aufgehoben, wenn erst die schwüle und beängstigende Luft der selbst in den heißesten Sommertagen oft noch geheizten Stube überwunden ist. Unter einem langen Schindeldach erheben sich die ebenfalls mit Schindeln geschützten Seitenwände. Die meisten Bauden haben außer dem Stalle zwei Zimmer; im größeren befindet sich der gewaltige Ofen. Man unterscheidet Winter- und Sommerbauden, von denen letztere leichter und luftiger gebaut sind. Die Sommersaison des Gebirges beginnt mit dem 24. Juni, wo das Vieh ausgetrieben wird und die Hirten und Hirtinnen sich mit einer Wassertaufe begrüßen. Die Wintersaison ist nur zu lang. Die Bauden werden öfters so hoch überschneit, daß man keine Spur von ihnen entdecken würde, verriete nicht der aufsteigende Dampf der Rauchfänge die Stellen, wo sie stehen. So waren die Baudenbewohner früher in jedem Winter monatelang von allem Verkehre abgeschnitten. Nicht einmal ihre Toten konnten sie dann begraben, sondern mußten sie oft längere Zeit im Schnee aufbewahren, bis Tauwetter die Talfahrt gestattete. Dank der Tätigkeit des Riesengebirgvereines ist heute manches anders geworden; die Wege sind verbessert, Hörnerschlittenfahrten von Hermsdorf, Agnetendorf, Schreiberhau, Schmiedeberg und Krummhübel sind eingerichtet, die böhmische Baude auf der Koppe bietet auch im Winter Unterkunft, und eine Riesengebirgsfahrt um Weihnachten ist heute kein besonderes Wagnis mehr. Auch die Bauden haben zum Teil ihr Aussehen bedeutend verändert. Einige erinnern kaum noch an ihre ursprüngliche Bestimmung, ja die 1420 m hoch liegende Prinz Heinrich-Baude ist ein großstädtisches Hotel mit großstädtischer Bedienung und — großstädtischen Preisen, in dem man sich mit seinen Freunden in Berlin telephonisch unterhalten kann.

Eine Wanderung über den Kamm bildet das Hauptstück jeder Riesengebirgstour und hat im deutschen Mittelgebirge nicht ihresgleichen. Der Thüringer Wald ist auch ein Kammgebirge, und der Rennsteig führt darüber hin, aber man wandert dort, 600 m niedriger, noch durch Wald oder grasbedeckte Lichtungen. Der Riesengebirgskamm zeigt ganz verschiedenen Charakter. Bis 1000 m rechnet man die Region des Ackerbaues, bis gegen 1200 m steigt die Nadelholzregion, der Kamm selbst ist kahl und öde; nur knorriges Knieholz, das im Riefengebirge sehr häufig ist, bildet hier und da abenteuerliche Gruppen; eine subalpine Flora erfreut den botanischen Sammler. Auffällig treten starre Granitfelsen, bald vereinzelt, bald in Gruppen, wie der Mädelstein, der Mannstein, der Quarkstein, die Sausteine, die Dreisteine, über den flachen Kamm empor. Auf der Südseite des Kammes liegen torfige, moorige Wiesen, die Geburts=stätten der Bäche und Ströme; aber auch oben führt der Weg zu=weilen über Sumpfstrecken, die durch eine Art Knüppeldamm gang=bar gemacht sind. Die Kultur hat es eben dem Wanderer auf dem Riefengebirge noch nicht so bequem gemacht als anderwärts.

Wir beginnen die Kammreise von Osten her mit dem Schmiede=berger Kamm. Am Ende desselben hebt sich jenseit eines tiefen Waldgrundes die Schwarze Koppe, 1372 m, und von da führt der 4 km lange Forstkamm zur Königin des Gebirges. Die Schnee=koppe oder Riefenkoppe, 1603 m, ist ein kühn und originell geformter Gipfel. Auf dem flach gewölbten Rücken des Seifenberges erhebt sich ein noch 150 m hoher, aus Rollstücken von Granit, Gneis und Glimmerschiefer aufgetürmter, nur zu häufig in Nebel und Wolken gehüllter Felsen; außer der Alpenanemone (Anemone alpina), dem sogenannten Teufelsbart, bekleiden ihn nur Moose und Flechten. Steil windet sich der Fußpfad hinauf; an einzelnen Stellen fällt der schwindelnde Blick in den 650 m tiefen Aupagrund, in den die Koppe nach Süden absinkt. Die oberste, abgestumpfte Höhe ist von Osten nach Westen 85 und von Norden nach Süden 66 Schritte groß. Darauf steht eine 1681 geweihte Kapelle des heiligen Laurentius, ein Rohbau mit 1,25 m dicken Mauern, bei einem inneren Durch=messer von 7 m, mit kleinem Vorbau. Bis 1810 war hier am St. Laurentiustage, zu Trinitatis, Mariä Heimsuchung, Himmel=fahrt und Mariä Geburt Gottesdienst, den Zisterzienser von Warm=brunn abhielten, und an diesen Koppentagen strömte das Volk aus Schlesien und Böhmen in großen Massen herbei. Seit 1824 diente die Kapelle als Herberge für die Reisenden. Sie war durch eine Scheidewand in zwei Hälften geteilt, deren eine als Gaststube, die andere als Vorratskammer diente, während darüber der allgemeine Schlafraum sich befand, zu dem man auf steiler Hühnerleiter hinauf=stieg. Seit 1850 indessen ist die Kapelle dem Gottesdienste zurück=gegeben worden, und zwei Gasthäuser, ein böhmisches und ein deutsches, bieten jetzt dem Wanderer selbst im Winter Unterkunft. Ein

viertes Gebäude auf dem Gipfel ist eine Wetterwarte. Ein junger
Meteorolog hält sich den ganzen Winter hier auf, um seine Messungen
vorzunehmen und im Interesse der Wissenschaft aufzuzeichnen.

Die Aussicht von der Schneekoppe ist für den Glücklichen,
den Rübezahl begünstigt und nicht in undurchdringliche Wolken-
nebel hüllt, entzückend schön. Von Breslau bis Prag schweift der
Blick; Schlesien und Böhmen liegen wie eine Landkarte ausgebreitet:
die verschiedenen Formationen des schlesischen Gebirges, der hohe
Riesenkamm und der Kamm des Eulengebirges, die Bergkessel von
Waldenburg und Glatz mit ihren Kuppen und Kegeln, der Vorposten des Gebirges, der weit schauende und weit sichtbare Zobten,
fern im Duft verschwimmend die mährischen Sudeten mit dem
Altvater, und nach der anderen Seite hin das sächsische Erzgebirge, hinter den Bergen die schlesische Ebene bis an die Grenzen
von Polen und Sachsen mit den zahllosen Kirchtürmen ihrer Städte
und Dörfer und der bunten Miniaturmosaik ihrer Fluren, Felder
und Wälder.

Wir steigen nach Westen hinunter, wo der Kamm nur als
schmaler Sattel zwischen dem Melzergrund auf schlesischer und dem
Riesengrund auf böhmischer Seite erscheint. Unweit des Koppen-
planes, eine Stunde unterhalb der Koppe liegen die beiden Teiche,
zwei Einstürze, von schroffen, zum Teil überhängenden Felsenufern
umgeben, die im kleinen für das Riesengebirge das sind, was die
Alpenseeen in der Schweiz. Der Große Teich ist 550 m lang,
160 m breit und an einigen Stellen 24 m tief. Die Böhmen
nennen ihn den „schwarzen See", und in der Tat macht er einen
finstern, unheimlichen Eindruck. Kein Leben ringsum, kein Leben in
seinen Fluten; in seinem wunderbar klaren Wasser spiegeln sich nur
kahle, hohe Felswände. Dagegen ist der Kleine Teich (240 m lang,
150 m breit, aber nirgends tiefer als 7 m) von muntern Forellen
belebt; die noch höher ansteigenden Felsen seines Kessels senden zwei
lustig plaudernde Wasserfälle hinab. Den Schluß der 7 km langen
Hochebene bilden im Westen das Kleine Rad und der kahle Kegel
der Kleinen Sturmhaube, 1416 m hoch und einem auf-
geschütteten Haufen von Granitgestein gleichend. Nun beginnt auch
die Mädelwiese, eine ½ Stunde breite, mit Zwergkiefern bewachsene,
fast immer sehr sumpfige Niederung, durch welche der schlesische Kamm
in einen Ost- und Westflügel geschieden wird. Der Westflügel beginnt mit dem Mädelkamm, an dessen Ostfuße die Petersbaude
1282 m hoch liegt; unweit davon erhebt sich die Große Sturmhaube, 1482 m, ebenfalls ein stumpfer Kegel aus Granitgeröll,

fast ganz mit Knieholz bewachsen. Nach Süden fällt sie zum Elb-
grunde ab, und nach Westen wird sie durch eine unbedeutende Niederung vom Hohen Rad, 1509 m, einem halbkugelförmigen Haufen
aufgeschütteter Granittrümmer, getrennt. Der Berg gewährt eine
Aussicht, die mit der Schneekoppe selbst um den Vorrang streitet.
Vorzüglich überraschend ist die Ansicht der beiden Schneegruben, und
schauerlich die Ansicht der Sieben Gründe. Die Schneegruben, die
Kleine oder westliche, und die Große oder östliche an der Abendseite
des Großen Rades, sind zwei 250—300 m tiefe Einstürze, durch eine
von der Höhe des Gebirges sich herabziehende und vorspringende
Felsenwand getrennt. Die Höhe des oberen Randes der kleineren
Schneegrube ist 1459 m. Die große Grube ist tiefer, weiter, nackter,
ihre Felsmassen sind zerrissener, kühner und sonderbarer geformt, als
die der kleinen, in welcher man auf den stockwerkartig übereinander
aufgesetzten Granitwänden hier und da kräuterreiche Plätze erblickt.
In dem unteren und vorderen Teile beider Gruben drängt sich fast
überall zwischen den Felsentrümmern dichtes Knieholz hervor. Der
Winter häuft in diesen Gruben eine Schneemasse an, die auch der
Sommer nicht ganz wegschmelzt, weil kein Sonnenstrahl in die
Schlünde bringt. Die Schneegruben bilden das imposanteste Glied
in einer Reihe von 150—300 m tiefen, gegen Norden offenen
Gruben und Einstürzen, zu denen der höchste Grad des Gebirges
steil und oft senkrecht abfällt. In der Nähe der Schneegruben-Baude
erhebt sich in Rübezahls Kanzel eine 5 m hohe Granitmasse. Den
Schluß des Westflügels macht der Reifträger, ein über eine
Viertelstunde langer Bergrücken von 1350 m Höhe, der vom Hirsch-
berger Tal aus gesehen wie ein Sargdeckel erscheint. Genauer betrachtet bildet er aber zwei aus großen Granithaufen bestehende
Gipfel, die in sich zusammengebrochen erscheinen und dem Berge, von
seinem Fuße aus betrachtet, das Ansehen geben, als trüge er einen
Steinreifen: daher sein Name.

Als Grenzmarke zwischen Riesen- und Isergebirge steht auf
einem Seitenzuge des Verbindungsrückens der 910 m hohe Hoch-
stein.

Auch den südlichen böhmischen Kamm verfolgen wir von Osten
nach Westen. An der Großen Aupa, da wo sie in den Riesengrund
hinabfällt, erhebt sich der Brunnenberg, 1546 m, und zieht als
breiter, kahler, fast eine Stunde langer Rücken von Osten nach Westen
längs der Weißen Wiese. An dem Südostabhange befindet sich Rübezahls Garten, ein schwer zugänglicher Wiesenhang mit reicher Flora.

Der Brunnenberg ist von der Wiesenbaude in einer Stunde zu besteigen, und verdient es wegen des furchtbaren Anblicks, den hier die Riesenkoppe gewährt, wie sie aus dem tiefen Aupagrunde mit zerrissenen Klüften, Spalten und Wänden zu ihrem Gipfel aufsteigt. Westlich vom Brunnenberge folgt der fast 1500 m hohe, aus Gneis bestehende Ziegenrücken, der sich nördlich schroff und wild in den Weißwassergrund stürzt. Der Kamm geht oft in eine Schneide über. Statt der rundlichen Koppen des Granits finden wir scharfzahnige Nadeln, Klippen, Kanten und Risse. Er bildet eine der interessantesten, aber auch beschwerlichsten Partieen des Gebirges. Hier ist noch alles Urwildnis und keines Menschen Hand hat den Reiz der ursprünglichen Wildheit geschwächt. Gegenüber an der westlichen Seite des Elbgrundes steigt steil mit felsigem Rücken der 1478 m hohe Krkonosch auf, der wegen seiner Höhe einen weiten Blick nach Böhmen hinein gewährt. Die Pantsche stürzt von seinem Abhange 320 m tief in den Elbgrund. Gegen Süden schickt der Krkonosch einen langen Ausläufer zwischen die kleine Iser und Elbe; 1436 m hoch ist er einer der vorzüglichsten Aussichtspunkte, da er fast mitten zwischen dem Riesen- und Isergebirge liegt, so daß man die ganze Ausdehnung des Gebirges und das Elbtal bis in die Ebene Böhmens hinein zu überblicken vermag. Westlich vom Krkonosch folgt der Große Kesselberg, 1433 m, auch die Kesselkoppe genannt, der sich dem Hauptkamm in den Elbwiesen wieder anschließt.

2. Die Adersbacher Felsen.

„Von der Lausitz her begleitet das Gebirge fast parallel ein aus Quadersandstein bestehender Zug, der aber nicht ohne Unterbrechung zu Tage tritt. Hier bei Adersbach, dicht an der schlesischen Grenze und an den Quellen der Mettau, eines Nebenflusses der Elbe, tritt dieses Gestein plötzlich wieder sehr entschieden auf und bildet die 4 km lange und 2 km breite Gruppe der Adersbacher Steine oder Felsen, die von sehr vielen Reisenden besucht und oft mehr bewundert werden, als die gewaltigsten Gebirgsrücken und Gebirgskegel. Jedenfalls waren ursprünglich diese Steine eine einzige große Felsmasse, die aber bei ihrer geringen Festigkeit von den durch Jahrtausende fortgehenden Einwirkungen des Wassers tief durchrissen worden ist, so daß Gänge und Spalten aller Art entstanden und das Ganze sich in eine Unzahl Teile auflöste, die man gegenwärtig in ihrer Gesamtheit nicht mit Unrecht einen Felsenwald oder eine Felsenstadt nennt, während die einzelnen Massen nach ihren zum Teil wirklich sehr auffallenden Formen mit allerlei Namen belegt worden sind. Daß diese Wirkungen noch fortdauern, lehrt der Augenschein, denn alle Felsen sind unten mehr oder weniger ausgewaschen, so daß ihr Zusammenbrechen nur eine Frage der Zeit ist, wenn es auch allerdings erst in einer sehr fernen Zukunft und in großen Zwischenräumen erfolgen wird.

Bald hinter dem frühern Gasthaus von Abersbach steigen aus einer feuchten Wiesenfläche die Sandsteinmassen, zum Teil weit über 30 m hoch, empor, und als ein sehr interessanter Vorposten begrüßt uns der umgekehrte Zuckerhut, der bei 15½ m Höhe und oben ansehnlich breit, auf einer kaum 1 qm großen Unterstützungsfläche ganz frei steht. Der Eintritt in die eigentliche „Felsenstadt" ist durch eine hölzerne Tür verschlossen. Schmale Gänge, in denen eine sehr kühle Temperatur

Abb. 61. Der Eingang in die Abersbacher Felsen.

herrscht, führen durch die Felsenstadt, deren Gesteinmassen in den seltsamsten Gestalten erscheinen, als Pyramiden, Kegel, Zylinder, Warttürme, Pilze. Manche unter den Tausenden sind nach einer zufälligen Ähnlichkeit mit besonderen Namen ausgezeichnet; wir kommen an dem Bürgermeister vorbei, an dem Hochgericht, an Johannes in der Wüste, an dem Mops, an Kaiser Leopold. Dann wird man in eine natürliche Grotte geführt, in welche das gesammelte Wasser des Bächleins etwa 12 m hoch hinabstürzt. Die ohnehin eigentümliche Erscheinung eines unterirdischen Wasserfalls macht bei

der Enge des Raumes durch das Tosen, den Wasserstaub und die
momentane Verdickung der kühlen Luft einen überraschenden Effekt.
Von der Grotte des Wasserfalls aus erreicht man in fünf Minuten
auf steiler Treppe zwischen engen Felswänden durch die Wolfsschlucht
die Schiffahrt, ein von Sandsteinfelsen umgebenes Wasserbecken,
woselbst ein Kahn die Reisenden etwa 300 Schritte auf dem für den
Wasserfall gestauten Wasser zwischen hohen Felswänden hin- und
zurückfährt.

3. Die obere Elbe und das Elbsandsteingebirge.

Auf dem breiten Kamme des Riesengebirges lagern flach eingesenkt
die „Wiesen", moorige Grasflächen, welche wie Schwämme die Feuchtigkeit der Atmosphäre aufsaugen. Überall quillt und sickert das Wasser,
bald zu Tage tretend, bald unter der Moos- und Grasdecke verborgen. Aus solchen Wiesen kommen die beiden Quellbäche der Elbe.
Südlich unter dem Großen Rade auf dem westlichen Kammflügel
liegt die Elbwiese, von einer Menge offener oder versteckter Wasser-
fäden durchzogen. Hier und da bildet das Wasser sogenannte Brunnen,
Vertiefungen mit klarem, steinigem Grunde. Der Elbquellen oder
Elbbrunnen werden elf gezählt, von denen einer, 1384 m hoch über
dem Meere, seit dem Besuche eines österreichischen Erzherzogs offiziell
zur Elbquelle erklärt und in Steine gefaßt ist. Mit anderen Quellen
vereinigt läuft der Elbbach oder Elbseifen den abschüssigen
Wiesengrund hinunter. Auf einmal öffnet sich der Elbgrund, ein
tiefer Einschnitt des Gebirges, in den der ganze neugebildete Fluß
sich niederstürzt. Das Wasser teilt sich in den eigentlichen Elbfall
und sieben oder acht kleinere Strahlen und rauscht in allerlei Richtungen über die Felswände in die Tiefe des Abgrundes.

Etwa 15 km östlich von der Elbwiese, am Brunnenberge unweit
der Schneekoppe, 1397 m hoch, liegt die Weiße Wiese, welche dem
Weißwasser Entstehung giebt. Prosaischer als die Schwesterquelle
muß es bald nach seinem Ursprunge das Butterfaß der Wiesenbaude
treiben, stürzt dann aber auch in kleinen Kaskaden in ein Tal hinunter. Verstärkt durch die aus den Sieben Gründen kommenden
Bäche, fließt es mit dem nur halb so wasserreichen Elbseifen unter
der Granitmasse der Festung oder des Festungshübels zusammen,
685 m. Die Quellflüsse kamen von Westen und Osten, der gewordene Fluß wendet sich nach Süden und durchbricht den südlichen oder
böhmischen Kamm des Riesengebirges. Durch eine tiefe Wildnis von

Moor, voll neben- und übereinanderlagernder Felsſtücke und um-
geſtürzter Fichtenſtämme, geht die Elbe zwiſchen ſteilen, meiſt mit
Nadelholz bewachſenen Wänden toſend den Gebirgsabhang hinunter.
Bei Hohenelbe, 450 m, tritt ſie aus dem Gebirge, und ihr bisher
reißendes Gefälle mäßigt ſich.

Die Elbe fließt von Hohenelbe 70 km zuerſt nach Südweſten,
dann nach Süden und empfängt auf dieſer Strecke von links her
zwei bedeutende Zuflüſſe. Die Aupe (Upawa, Eipel) iſt die Milch-
ſchweſter der Elbe. Auch ſie rieſelt auf der Weißen Wieſe zuſammen,
fällt aber ſogleich der Rieſenkoppe gegenüber in den wilden Aupe-
grund hinab, den Aupefall bildend. Bei Jaromirz vereinigt ſie ſich
mit der Elbe, bei Königgrätz, 201 m, fließt in die ſchon 30 m breite
Elbe die Adler (Orlica, Erlitz) ein, aus der wilden und ſtillen
Adler gebildet, welche den Glatzer Gebirgen entfließen.

Wir ſind hier auf alter blutgedüngter Walſtatt. Hier rangen
die Deutſchen mit Ziskas Huſſiten, hier tobten die Stürme des
Dreißigjährigen Krieges, hier unterlag Friedrich bei Kolin ſeinem
gefürchtetſten Gegner. Hier war es aber auch, wo am 3. Juli 1866
das Fundament zur deutſchen Einheit gelegt wurde. „Das war
eine Schlacht,“ ſchrieb damals der Engländer Hozier in der
„Times“, „wert der befehlenden Hand eines Königs. 250000
Krieger fochten unter ſeinem Befehl, um die Hügel von Sadowa
und den Bergkamm von Chlum zu gewinnen, wo Sachſen und
Oſterreich gleichſam am Ufer ſtanden, die anbrandende Flut der
deutſchen Einheit zu hemmen. Prinzen führten die Reihen und
fochten in ihrer Mitte; 1500 Kanonen ſpieen Tod und Verderben
und weckten mit ihrem Donner das Echo der ſchleſiſchen Berge.
Moltke, Bismarck und Roon hielten neben ihrem Herrſcher, und
die Söhne des Hauſes Hohenzollern drängten die Schlacht gegen
jene kleine weiße Kirche in Chlum. Die Eroberung derſelben verhieß
den Triumph der Einheit, ein Fehlſchlag dagegen die Verewigung
nationaler Zwietracht.“

Auf 40 km hin bis Kolin iſt die Richtung der Elbe weſtlich;
dann geht ſie in eine nordweſtliche über, auf welcher ſie 30 km
oberhalb der Moldaumündung rechts die Iſer, die auf der
ſumpfigen Iſerwieſe ſüdlich von der Tafelfichte entſtanden iſt,
aufnimmt.

Die Moldau, deren Quellbäche vom Böhmer Wald kommen,
bildet den Halbſcheid Böhmens, berührt des Landes Hauptſtadt

Prag und vereinigt sich unterhalb Melnik mit der Elbe. Die verstärkte Elbe krümmt sich dann nordwestlich der Vereinigung mit der Eger entgegen, die aus der innern Hochebene des Fichtelgebirges kommt.

Nicht weit unterhalb der Egermündung, von Lowositz an, beginnt die Elbe sich zwischen dem Mittel- und Kegelgebirge hindurchzubrechen: das romantische Tal nimmt seinen Anfang, welches erst am Ausgange des sächsischen Berglandes, bei Meißen, sein Ende erreicht. Über Aussig thront der Schreckenstein, „die Lurley der Elbe". Auf dieser Strecke geht der Elbe das letzte böhmische Flußpaar zu. Links mündet bei Aussig die Biela, der Scheidefluß zwischen Erz- und Mittelgebirge, rechts fließen bei Tetschen, dem malerisch auf 50 m hohem Felsen ragenden Thunschen Schlosse, unter dem die Stadt Tetschen gelagert ist, der Polzen, bei Herrnskretschen die Kamnitz ein. Der Durchbruch durchs Elbsandsteingebirge hat begonnen.

Das Elbsandsteingebirge, eine Senke in dem mitteldeutschen Gebirgslande, auf beiden Seiten der Elbe ausgedehnt, bildet einen Teil der großen Sandsteingebilde, welche den Südrand der Sudeten begleiten; es hat, wie die Sandsteingruppe von Adersbach, eine Lücke des Zuges mit Quadersandstein zugesetzt. Die Elbe mit ihren rechten und linken Seitenzuflüssen hat denselben durchwaschen. Überall erblickt man senkrechte Felswände oder frei aus ihnen hervortretende Pfeiler, die in gewissen Höhen terrassenförmig aufeinander gebaut oder horizontal abgeschnitten sind. Weite oder enge schluchtenartige Täler mit senkrechten Felsgehängen, die nur am Fuße zuweilen von einer schrägen überwaldeten Schutthalde eingehüllt sind, durchschneiden ein einförmiges Plateau, auf dem hier und da einzelne Felsberge oder Pfeiler von ähnlichem Bau emporragen, so daß man deutlich in ihnen die Überreste einer zerstörten Felsplatte erkennt. Horizontale Schichtung und senkrechte Zerklüftung ließen bei einer Talauswaschung durch Wasser keine anderen Formen zu, als eben horizontale und senkrechte. Was hier schräg ist, ist Folge späterer Zerstörung, Schuttanhäufung oder kuppenförmiger Überströmung des aus engen Öffnungen hervorgetretenen Basaltes. Die phantastisch wilden Formen, welche sich indessen mit einer gewissen Gleichförmigkeit wiederholen, versetzen in poetische Stimmung; nur darf man nicht aus den romantischen Gründen, die nur hier und da eine einsame Mühle belebt, auf die sie einschließenden Hochflächen steigen, wo nicht selten Kiefernwald oder prosaische Kartoffelfelder sich breit machen. Den Hauptschmuck der Gegend bildet natürlich die Elbe.

Wir betreten zuerst das rechte Elbufer. Das Prebischtor, 438 m, ist eine der wunderbarsten Felsengestaltungen. Durch eine freistehende schmale Felsenwand hat die Natur hier eine 40 m hohe und eben so breite Wölbung gebrochen. Der obere Schlußstein hängt auf einer Seite mit dem Hauptfelsen zusammen und ist 15 m lang und über 3 m stark. Auf der andern Seite ruht er nur auf einem die Platte tragenden Pfeiler und hat so ein brückenartiges Ansehen. In der Tiefe erblickt man eine Menge schauerlicher Abgründe, während sich in der Ferne die Fluren Böhmens zu einem Panorama ausbreiten, vom Erzgebirge und Böhmischen Mittelgebirge begrenzt, aus denen sich in der Nähe der Rosenberg majestätisch erhebt. In einer Stunde wandert man nördlich zum Großen Winterberge, 551 m, der höchsten Erhebung auf dem rechten Ufer. Die Kuppe besteht aus Basalt, ringsum breitet sich ein reizendes Gemälde aus von Städten, Dörfern, Bergen und Auen, durch welches die Elbe ihre Fluten schlängelt; bis in die Gegend von Dresden läßt sie sich verfolgen. In nebliger Ferne schimmert der Colmberg bei Oschatz hervor. Auf der entgegengesetzten Seite übersieht man einen Teil von Böhmen in einer unabsehbaren Kette von Bergen, die sich immer höher und höher übereinander auftürmen, bis zu der Tafelfichte und den Höhen des Riesengebirges. Über den Kleinen Winterberg und durch den Habichtsgrund gelangt man zum Kuhstall, einem Felsentore, das auf den Hausberg aufgesetzt ist. Der Eingang vom Kirnitzschtale her hat 6 m Höhe und 9 m Breite, das Innere aber wird weiter, so daß die jenseitige Öffnung 25 m Höhe und 23 m Breite hat; hier stürzt sich die schroffe Wand senkrecht in den furchtbaren tiefen Habichtsgrund hinab.

In einer Schlinge, welche die Elbe gegen Westen macht, erhebt sich der Lilienstein, der auffälligste unter sechzehn isolierten und senkrecht abgeschnittenen Tafelbergen, 411 m, eine gewaltige Sandsteinmasse, die oben eine geräumige, mit Fichten, Gebüsch und Heidekraut bewachsene Fläche bildet. Am untern Ende der Schlinge mündet der Grünbach; er durchströmt den Amselgrund und bildet einen Fall, der freilich nur durch Aufstauung des Wassers eine minutenlange Mächtigkeit gewinnt. Stromabwärts tritt hart an den Fluß die Bastei hinan, 197 m über dem Flusse und 315 m über dem Meere. Der mit eisernem Geländer umgebene Vorsprung von etwa 3½ m Breite bildet eine Felsenkanzel, auf welcher sich eine über-

raschende, unbeschreiblich schöne Aussicht auftut. Vor sich sieht man
den Lilienstein und seinen am linken Ufer stehenden Nachbar, den
Königstein; wie eine unersteigliche Wand schließt im Süden das Erzgebirge den Horizont, und zu den Füßen erscheint in der Tiefe die
Elbe, von lachenden Wiesen und Dörfern, die aus Obsthainen hervor-
blicken, eingefaßt; zur Rechten sieht man das romantisch gelegene
Städtchen Wehlen mit seiner ehrwürdigen Ruine, zur Linken Rathen
und die Felsenburg Neurathen, die durch einen gegen 200 m tiefen
Abgrund, die Vogeltelle, von der Bastei getrennt wird. Größere
und kleinere Felsen und Bergklippen ragen auf, wie der Zschirnstein
(562 m), der Große Winterberg, und hinter diesem die blauen Spitzen
der böhmischen Gebirge. Auf der entgegengesetzten Seite erscheint in

Abb. 62. Die Bastei.

blauer Ferne die Gegend von Dresden. Von der Bastei steigt man
nordöstlich in den Uttewalder Grund, der unter allen Gründen
den Preis verdient. An der nördlichen Grenze bildet die Wesenitz
den Liebethaler Grund, „die Vorhalle der Sächsischen Schweiz"
mit der malerischen Lochmühle.

Auf dem linken Elbufer erhebt sich wie ein Riesengrab der
Schneeberg, 724 m. Auf seinem Fuße und unteren Hange wird
Ackerbau getrieben, der obere Teil ist ganz bewaldet. Seine Hochfläche ist ungefähr 3 km lang und 1 km breit; die Umschau von
seinem Aussichtsturme lohnt reichlich die Mühe des Ersteigens.
Gegen Norden sieht man einen großen Teil von Sachsen, den Königs-
stein, Lilienstein, Pfaffenstein und Sonnenstein, gegen Osten über

Böhmen hinweg bis an das Riesengebirge. Nördlich folgen die Sand=
steinbildungen Kaiserkrone, Zirkelstein, Papststein u. a.
Dem Lilienstein liegt der Tafelberg des Königstein gegenüber,
360 m über dem Meere und 247 m über der Elbe, die hier mit der
Eisenbahn Windungen bildet, welche eine Ansicht der Bergfeste fast
von allen Seiten gestatten. Das Plateau hat einen Umfang von
2¹⧸₂ km und trägt die berühmte gleichnamige Festung, in der man
in Kriegszeiten den sächsischen Staatsschatz — zum letzten Male im
Jahre 1866 — unterzubringen pflegte. Der Weg zu ihr hinauf geht
durch einen dunkeln, in den Felsen gehauenen Gang, der steil an=
steigt. Überraschend ist es, wenn man aus diesem Felsenwege
heraustritt, hier oben große und ansehnliche Gebäude, von Gärten
umgeben, und ein Wäldchen von Tannen, Fichten, Eichen und
Buchen zu finden. Die Bergfestung gilt für unüberwindlich wegen
ihrer unersteigbaren Lage und der Unmöglichkeit, sie zu beschießen,
da einige benachbarte Berge, wie der Lilienstein, zwar höher sind,
aber zu steil, um schweres Geschütz hinaufzuschaffen. Die einzige
Möglichkeit der Einnahme beruht also auf dem Aushungern, was
bei der geringen Zahl der nötigen Besatzung, wenn für Vorräte
gesorgt ist, auch geraume Zeit erfordern würde. Unbeschreiblich
schön ist die Aussicht auf das Elbtal, weit über Dresden hinaus,
und auf die Felsengebilde und Berggruppen der Sächsischen Schweiz.
Am Fuße des Felsenbergs das Städtchen Königstein, bei dem der
schöne Bieler Grund zu Ende geht.

Bis zum letzten Drittel des vorigen Jahrhunderts waren die
Partien des Meißener Hochlandes oder die Felsen über Schandau
unbeachtet und unbekannt. Jetzt ist die Sächsische Schweiz, wie seit
1795 das Sandsteingebirge genannt wird, eine der besuchtesten
Gegenden Deutschlands, mehr ein großartiger Park als eine
Wildnis, mit allen Bequemlichkeiten und Annehmlichkeiten in so
hohem Grade ausgestattet, daß sich fast jedem Naturgenuß die
Zivilisation, der man auf Reisen entfliehen will, an die Fersen hängt.
Die Nähe des schönen Elb=Florenz, das Silberband der Elbe sind
es vorzüglich, die der Gegend hohen Reiz verleihen, wenn auch die
Sandsteinbildungen, die Gründe, selbst die Aussichten an einer ge=
wissen Einförmigkeit leiden; sieht man doch von den meisten Höhen
immer dieselben Kuppen und Felsen, nur jedesmal anders gestellt,
wie etwa die Stühle in einem Salon.

Vom Elbsandsteingebirge zieht sich nach Südwesten bis zur
Quellgegend der Weißen Elster, 150 km weit, das nach seinem

18*

Erzreichtum genannte Erzgebirge. Nach Norden dacht sich dasselbe so allmählich plateauartig zum Sächsischen Berglande
ab, daß man, von dieser Seite kommend, sich kaum einem Gebirge
zu nähern glaubt. Die bis auf den höchsten Kamm dichtgesäten
Ortschaften und Städte begünstigen die Täuschung. Nur das
rauher werdende Klima und eine gewisse spröde Strenge der Landschaft oder ein tief eingerissenes Tal mahnen an das Gebirge.
Jedoch steil fällt das Gebirge nach Böhmen ab. Sein Kamm wie
die oberen Teile der Hänge sind bewaldet oder bilden auch gras-
reiche Weiden. Bis hoch hinauf zum Scheitel ist das Gebirge bewohnt und angebaut wie sonst keines in Deutschland. Dorf liegt
an Dorf, und alle wimmeln von fleißigen und genügsamen Webern,
Spinnern, Berg- und Holzarbeitern.

4. Dresden — Elb-Florenz.

Der schöne Talkessel, in welchem, von sanften Höhen umgeben,
Dresden liegt, lockte schon die alten Sorben zur Ansiedlung. Als
Heinrich I. die Herrschaft der Deutschen auch hier ausgebreitet hatte,
legte er zum Schutze des neugewonnenen Landes eine Burgwarte
an; als Stadt jedoch erscheint Dresden erst 1206 in Urkunden. Anfänglich gehörte die Stadt zum Bistum Meißen, später ward sie dem
Markgrafen von Meißen untertan. Heinrich der Erlauchte machte
sie 1270 zu seiner Residenz; ein Splitter des Kreuzes Christi in der
Kreuzkapelle und ein wundertätiges Marienbild in der Frauenkirche
erhoben die Stadt allgemach zum Ziel zahlreicher Wallfahrten.

Nach der Teilung Sachsens von 1485 wurde Dresden Residenz
der Albertinischen Linie und blieb es auch, als dieselbe die Kurwürde
erlangte. Fast alle Regenten schmückten, erweiterten, befestigten ihre
Residenz; jedoch mit der Regierung Augusts des Starken trat für die
Stadt eine Periode besonderen Glanzes ein. Der 1685 durch Feuer
zerstörte älteste Stadtteil auf dem rechten Ufer ward nach einem
großartigen Plane wieder erbaut und seitdem Neustadt genannt.
Der Siebenjährige Krieg brachte Dresden, das bis in die neuere
Zeit stark befestigt war, viel Not, besonders durch das schreckliche
Bombardement von 1760, welches 500 Häuser zerstörte; auch die
Zeit der französischen Kriege führte manche Heimsuchung über das
nunmehr zur Königsstadt erhobene Dresden. Seit dieser Zeit ist
aber sehr viel für Erweiterung und Verschönerung der Stadt geschehen; neue Stadtteile mit prächtigen Bauten fügen sich an die
vorhandenen an und füllen den Talkessel immer mehr aus.

Die Elbe tritt mit einer nach Nordwesten gerichteten Strecke ein und macht dann eine Biegung nach Nordosten. Fünf mächtige Brücken überspannen in der Stadt den fast 200 m breiten Strom. An das rechte Elbufer treten Berghöhen ziemlich dicht heran, welche an den Hängen mit Weinreben, auf der Höhe mit vorgeschobenen Posten der Dresdner Heide, eines Kieferwaldes, bedeckt sind. Das linke Elbufer erhebt sich erst in etwas weiterer Entfernung zu Hügeln und Bergland.

Dresden besteht aus vier Städten. Die Neustadt und die Antonstadt mit ihren Vorstädten Pieschen und Trachenberge und der Leipziger Vorstadt liegen auf dem rechten Elbufer. Auf dem linken Elbufer liegen Altstadt und Friedrichsstadt mit den Vorstädten Blasewitz, Striesen, Gruna, Strehlen, Plauen, Löbtau und Cotta.

Wir denken uns auf dem Bahnhof Neustadt angekommen. Die Hainstraße führt uns sogleich auf den Kaiser-Wilhelms-Platz mit dem 1715 als Sommerresidenz erbauten Japanischen Palais. Es hat seinen Namen von der früher in ihm untergebrachten Porzellansammlung. Heute ist es ganz von der königlichen Bibliothek, die außer vielen Handschriften 82000 Landkarten und 400000 Bände enthält, in Anspruch genommen. Bald gelangen wir vom Kaiser-Wilhelms-Platz auf den Marktplatz mit dem Reiterstandbilde Augusts des Starken. Von ihm zieht sich die Neustädter Hauptstraße, „die Dresdner Linden", mit schöner Baumallee in der Mitte, bis zum Albert-Platze. Das Neustädter Rathaus, die lutherische Drei-Königskirche mit neuem Turme, die neue katholische zweigetürmte Neustädter Kirche liegen an dieser Straße. Uns zieht es vom Marktplatze zur alten Augustusbrücke. Bereits im 13. Jahrhundert von Steinen erbaut, hat sie ihre jetzige Gestalt 1727—1731 erhalten. Sie hat 17 Pfeiler mit 16 Bogen, ist 552 Schritte lang, in den Pfeilern 20 m und in den Bogen 12 m breit. Der fünfte Pfeiler, auf dem seit 1670 ein Kruzifix stand, ist 26 m breit. Bei der Wasserflut am 30. und 31. März 1845 ward dieser Pfeiler vom Strome eingerissen, und das Kreuz stürzte hinab, man hat es nicht wieder aufgefunden. Die Aussicht, die sich uns auf der Brücke bietet, ist herrlich „und gibt eine Ahnung des Rheins". Vor uns liegt die Altstadt mit ihren Türmen, die katholische Kirche mit dem Schlosse dicht an der Brücke. Stromaufwärts zieht sich die Brühlsche Terrasse. Zur Seite blicken wir links in das schöne Elbtal bis zu den Bergen des Meißner Hochlandes; rechts spannt sich etwa 1000 Schritt unter-

Abb. 63. Dresden.

halb die auf 12 Bogen von über 28 m Spannung ruhende Marien-
brücke über den Strom, welche sich in Viadukten weit landeinwärts
fortsetzt.

Gerade der Brücke gegenüber steht das Königliche Schloß,
1344 von Herzog Georg erbaut und von August II. erweitert. Es
nimmt einen Raum von 1300 Schritten im Umfange ein. Von
seinen drei Haupttoren ist das sogenannte grüne Tor mit einem
100 m hohen Turme, dem höchsten in Dresden, geschmückt. Das
Schloß besteht aus der der Brücke zugekehrten Hauptfront, zwei Flügeln
und mehreren Zwischen- und Seitengebäuden. Bedeckte Gänge verbinden dasselbe mit dem Prinzen-Palais und der katholischen Kirche.
Bis in die neueste Zeit hinein vereinigten sich in den zu ganz verschiedenen Zeiten errichteten Baulichkeiten die Baustile mehrerer Jahrhunderte, und erst in den Jahren 1890—1901 ist das Schloß
nach Plänen der Architekten Dunger und Frölich im Renaissancestil
umgebaut worden. Die neuen prächtigen Fassaden, besonders aber
der Eckturm und das Portal vor der Schloßwache in der Schloßstraße sind von imposanter Wirkung. Im Erdgeschosse des größern
Schloßhofes befindet sich das Grüne Gewölbe, die kostbarste
Sammlung von Schmuck- und Kunstarbeiten. Diese Elfenbein-
schnitzerei, die kunstreichen getriebenen Arbeiten in Silber und Stahl,
die Emails, die florentinischen Mosaiks, die kunstvollen Waffen aus
verschiedenen Epochen, die kostbarsten Steine, der größte Onyx der
Welt mit weißem Rande, der Schatz, wohl nicht der reichste, aber
einer der schönsten in Europa, die Diamantenkette, der orientalische
Hof in goldenen Figuren, die eingelegten Kästchen, Toiletten, Reise-
apotheken, Bernsteine, Filigrane und alle die unzähligen glänzenden
Gegenstände ermüden fast das Auge, das in dieser Fülle nicht weiß,
wo es verweilen soll. Vor dem Schlosse erhebt sich seit dem Jahre
1889 das Denkmal des Königs Johann von Joh. Schilling, das den
König unbedeckten Hauptes zu Pferde, in der Rechten das Scepter,
darstellt. Dantes Bild am Sockel erinnert an des Königs Über-
setzung der göttlichen Komödie.

Dicht bei dem Schlosse befindet sich die 1739—1751 aufgeführte
katholische Hofkirche. Der ganze von Pirnaischem Sandstein
im Barockstil aufgeführte Bau bildet im Schiffe ein Oval, im ganzen
ein längliches Viereck, das an den östlichen und westlichen Haupt-
enden ovale Vorlagen zu Turm und Sakristei hat. Die nördlichen
und südlichen Seitenvorlagen bilden zwei Nebenschiffe, die halb so
hoch wie das Hauptschiff sind. Glocken durfte die Kirche erst nach

dem Posener Frieden 1806 erhalten. Die Brüstungen der doppelten
Galerie des Kupferdaches sind mit 59 aus Sandstein gearbeiteten
Heiligenbildern geziert, und in den vier Nischen des Hauptportals
und der Sakristeivorlage sind die vier Evangelisten aufgestellt. Das
Innere ist einfach, aber schön und hat eine 1850 ausgeführte
bedeutende Renovierung an Freundlichkeit gewonnen. Der aus
Maxener Marmor gearbeitete Altar ist durch das über 10 m hohe
und 5 m breite Gemälde von Mengs, die Himmelfahrt Christi, ge=
ziert. Das Hochamt an Sonn= und Festtagen, bei dem von der
königlichen Kapelle die vorzüglichsten Messen bewährter Meister aus=
geführt werden, ruft zahlreiche Fremde in der Kirche zusammen.

An Schloß und Hofkirche grenzt rechts der Theaterplatz. Ihn
schmückt das nach dem großen Brande von 1869 neu aufgeführte
Opernhaus, ein Prachtbau Sempers. An der Südseite des Platzes
befindet sich der Zwinger, ursprünglich zum Vorhofe des Schlosses
bestimmt, das König August II. zu bauen beabsichtigte. Man kann
sich einen Begriff machen von der Grandiosität dieses projektierten
Prachtgebäudes, wenn man von dem 1711 fertig gewordenen Vor=
hofe auf das Ganze schließt. Der Zwinger bildet ein längliches
Viereck, 250 m lang, 160 m breit. Eine lange Galerie mit sechs
Pavillons und drei Portalen umschließt auf drei Seiten den weiten
Raum, in dessen Mitte seit 1843 das bronzene Denkmal Friedrich
Augusts, von Rietschel, aufgestellt ist. Es wird im Sommer von
der berühmten Orangerie umgeben, unter welcher sich ausgezeichnet
große Bäume befinden, die großenteils afrikanischer Abkunft sind.
Vier Bassins mit Springbrunnen beleben die durch diese schönen
Bäume gebildeten Spaziergänge. Das östliche große Portal mit der
daranstoßenden Galerie und dem angrenzenden alten Opernhause
ward am 6. Mai 1849 durch die Flammen zerstört, aber wieder
hergestellt. Wenn auch manche Details und Konturen bereits die
Elemente des Rokoko aufweisen, so ist der Bau selbst doch noch im
Barockstil errichtet und als dessen anmutigste Verkörperung auf
deutschem Boden anzusehen. An der nördlichen Seite, früher mit
kahler Mauer geschlossen, erhebt sich der Prachtbau des Neuen
Museums, 1854 nach Sempers Entwürfen vollendet. Es steht mit
den andern Seiten des Zwingers im Einklang, doch erscheint das
Rokoko des 17. und 18. Jahrhunderts in veredelter Form. Die be=
rühmte Gemäldegalerie (über 2500 Bilder) füllt das ganze
neue Museum aus. August III. kaufte den größten Teil der Galerie
des Herzogs von Modena für 3 600 000 Mark und viele andere

Meisterwerke, wie Raffaels Sixtinische Madonna für 17 000 Dukaten. Unter anderen Meisterwerken befinden sich: die Nacht von Corregio, eine heilige Familie von Giulio Romano, Tizians Zinsgroschen, Andrea del Sartos Opfer Abrahams. Die schönsten Bilder sind in das günstigste Licht der Säle gebracht; Raffaels Sixtina aber und Holbeins Madonna haben ihre eigenen kleinen Heiligtümer.

Unmittelbar von der Brücke steigt man auf einer breiten Freitreppe zur Brühlschen Terrasse empor. Sie bietet einen der reizendsten Spaziergänge, die es gibt. Die Aussicht auf den Strom und in sein oberes Tal ist überaus schön. Die besuchtesten Kaffeehäuser liegen an der Terrasse, wie auch die Akademie der Künste und das Ausstellungslokal des Kunstvereins, ebenso an ihrem Ostende die 1840 von Semper im orientalischen Stil erbaute Synagoge.

Hinter der Terrasse nach dem Zeughausplatze zu befindet sich das Albertinum, das seit 1889 als Museum eingerichtete alte Zeughaus. Es enthält die kostbare Antikensammlung und eine reichhaltige, geschichtlich geordnete Sammlung von Gipsabgüssen.

Wir durchschreiten jetzt den durch das Schloß führenden Tunnel und gelangen in den Kern der Altstadt. Die Schloßstraße ist eng und finster, aber überaus belebt: die glänzenden Schaufenster, das Menschengewühl deuten auf die Großstadt. Sie führt auf den Alten Markt. Unweit seiner Südwestecke liegt die Kreuzkirche, in welcher 1539 der erste lutherische Gottesdienst in Dresden gehalten ist. Nach Süden führt vom Alten Markt die Seegasse in die Seevorstadt. In der südlichen Hälfte der Altstadt liegt die Frauenkirche, ein Prachtbau, welcher nach dem Muster der Peterskirche 1726—1734 aus Sandsteinquadern aufgeführt ist, von einer mächtigen Kuppel, die durch eine Laterne geschlossen wird, überragt.

Sehen wir uns nun vor den Toren der Altstadt um. Oberhalb der Stadt, da, wo es nach Blasewitz geht, liegt die Vogelwiese, auf welcher das Hauptvolksfest der Dresdner begangen wird, vor dem Pirnaischen Schlage der Große Garten, der Prater von Dresden, fast 60 ha groß. Eine lange und sehr breite Hauptallee zum Fahren und daneben zum Reiten und eine schmale, reich beschattete für Fußgänger durchschneiden den Garten der Länge nach bis zu seiner Mitte am Palais und von da bis an sein südöstliches Ende. Viele Lustgänge und Fahrwege durch liebliche und düstere Partien mit den mannigfaltigsten Baumgruppen und Baumarten sowie mit reizenden Fernsichten nach vielen Seiten hin durchziehen den Garten in den verschiedensten Richtungen. In der Mitte desselben steht das Schloß.

Seiner schnell wachsenden Bedeutung entsprechend, hat man in Dresden in den letzten Jahren des vorigen Jahrhunderts einen neuen Hauptbahnhof errichtet, der mit seinen drei mächtigen Hallen zu den hervorragendsten Verkehrsbauten Deutschlands gehört. Die Umgestaltung der vorhandenen Bahnanlagen hat eine Zeit von sieben Jahren und einen Aufwand von 53 Millionen Mark erfordert. Dresden, das 1834 noch keine 74000 Einwohner zählte, hat heute (1904) deren 533000!

5. Leipzig.

Leipzig ist eine verhältnismäßig junge Stadt und gewiß um mehrere Jahrhunderte jünger als Halle, dessen schon zu Karls des Großen Zeiten als einer fränkischen Feste „Halla" gedacht wird. Beiden Städten ist eine ungemein günstige Lage gemein: beide liegen an natürlichen Straßen, die sie mit den Handelszentren in allen Himmelsgegenden verbinden und nördlich, Saale und Elbe hinunter, bis Hamburg und ans Meer, südlich über Bamberg nach Nürnberg und Augsburg, über Regensburg nach München führen. Westlich gehen bequeme Wege über Erfurt und Fulda nach Frankfurt, südöstlich über Dresden, Prag und Wien in den Orient. Warum Leipzig die Rivalin so mächtig überflügelt hat, das erklärt uns ein flüchtiger Blick in die Geschichte der beiden Städte: Zwietracht, Neid und Eifersucht unter den Bürgern, zwischen den reichen Zünften und den mächtigen „Pfännern" oder „Salzjunkern" hielten die Entwicklung Halles im 15. und 16. Jahrhundert zurück. Eintracht und zielbewußtes Streben der Bürger Leipzigs ließen ihre Stadt die Stürme in vier großen Kriegen, dem Schmalkaldischen, dem Dreißigjährigen, dem Siebenjährigen und dem Napoleonischen, glücklich überstehen. Das Schicksal hat Leipzig nicht besonders begünstigt, hat kein bedeutendes Fürstengeschlecht in seine Mitte geführt, es durch sein Ansehen zu fördern, durch seinen Glanz zu verschönen; ja in blutigem Anprall sind die Völker vor seinen Toren und in seinen Gassen aneinandergestoßen, haben es mit Grauen erfüllt, seine Schätze geraubt und seine Gassen gebrandschatzt: der Lauf der Geschichte hat Leipzig zur Stadt der Schlachten gemacht! Die Klugheit, der Fleiß und die Tatkraft seiner Bürger und ihrer Führer aber haben Leipzig zur Heimat der Intelligenz, zur Stadt der Messen, zur Zentrale des deutschen Buchgewerbes, zur vornehmsten Pflegestätte deutscher

Musik und in den jüngsten Jahrzehnten auch zu dem bedeutendsten Industrieplatze Mitteldeutschlands gemacht. Leipzig ist heute (1904) mit seinen 494 000 Einwohnern nach Berlin, Hamburg und Dresden die größte Stadt des Deutschen Reiches; dabei hatte es 1834 noch 53 000, 1864 127 000, 1885 291 000 Bewohner!

Eine Reihe der vornehmsten deutschen Geister knüpfen mannigfache Beziehungen an Leipzig. Hier studierten Goethe und Lessing, hier wirkten Gottsched und Gellert. Hier wurde Richard Wagner geboren, hier waren Joh. Seb. Bach und Hiller Kantoren an der Thomasschule, hier gründete Felix Mendelssohn-Bartholdi das Konservatorium, und an der weltberühmten Musikstätte des „Alten Gewandhauses" erhöhten Robert und Klara Schumann, Liszt und Karl Reinecke den Ruhm der deutschen Tonkunst. Seit der Mitte des 17. Jahrhunderts hat Leipzig auch Frankfurt a. M. in seiner Eigenschaft als Vorort des deutschen Buchhandels abgelöst, und hervorragende Männer, wie Philipp Erasmus Reich, Friedrich Arnold Brockhaus, Christoph Gottlob Breitkopf, Bernhard von Tauchnitz, Benediktus Gotthelf Teubner und viele kaum minder bedeutende Leipziger Buchhändler, haben das deutsche Buchgewerbe zu dem vornehmsten der Welt gemacht.

Leipzig war bis in die neuere Zeit hinein eine wenig ansehnliche Stadt. Es war arm an schönen Bauwerken, an Sammlungen, an Standbildern, und was sonst den Schmuck der Städte ausmacht. Sein Äußeres entsprach wenig seiner auf den verschiedensten Gebieten längst anerkannten Bedeutung. Seit einigen Jahrzehnten hat man sich aber bemüht, das Versäumte nachzuholen, und besonders unter den Bürgermeistern Koch und Georgi hat Leipzig sich in einer Weise entwickelt, daß es bald zu den schönsten Städten Deutschlands zählen wird. Die 1784 begonnene Entfestigung der Stadt, die mit dem Abbruch des Peterstores im März 1864 ihren Abschluß fand, hat Raum geschaffen für eine über 3 km lange glänzende Ringstraße, um die sich die Vorstädte mit breiten Straßen strahlenförmig entwickelt haben. Besonders die in neuester Zeit entstandene Südwest-Vorstadt mit ihren Prachtbauten und villenartigen Privathäusern, die sich von der Karl-Tauchnitz-Straße bis zur Pleiße erstreckt, trägt durchaus modernes Gepräge, während die innere Stadt mit ihren hohen Bodenpreisen sich den Anforderungen der neueren Städtebaukunst noch nicht fügen will und in schmalen, winkligen Gassen mit engen Höfen und Durchgängen ein altertümliches Ansehen bewahrt.

Mittelpunkt des alten Leipzig ist noch immer der Marktplatz mit dem 1556 im Stile der deutschen Renaissance erbauten alten Rathause. Berühmt ist sein allerdings 1744 erneuter Turm, der noch eine aus dem Jahre 1474 stammende „Mondkugel" und in seiner Laterne das „Armesünderglöckchen" enthält. In der großen Ratsstube im ersten Stock prangt die vollständige Reihe der Bildnisse sächsischer Herrscher von Albrecht dem Beherzten (1485—1500) an. Längst sind die Räume für die weitverzweigte Verwaltung der Großstadt zu klein geworden, und ein neues Rathaus erhebt sich jetzt an der Ringstraße, nach den Plänen des Prof. Licht auf dem Gebiet der alten Pleißenburg errichtet. Nicht weit vom

Abb. 84. Altes Rathaus in Leipzig.

alten Rathause, in der Grimmaischen Straße, befindet sich Auerbachs Keller, in dem der junge Goethe die äußeren Eindrücke für seine unsterbliche Kellerscene im Faust empfing. Er hatte es nicht weit zu der berühmten Rheinweinquelle, wohnte er doch nur einige Häuser weiter in der „großen Feuerkugel" zwischen dem Neumarkt und der Universitätsstraße. Vom Südwestende des Marktes erreichen wir durch die Thomasgasse die altberühmte Thomaskirche, 1484—1496 in gotischem Stile als Kirche des gleichnamigen Klosters erbaut. Noch heute ertönen in ihr die Klänge des berühmten Thomanerchors, den Johann Sebastian Bach und Johann Adolf Hiller geleitet. An den größten Leipziger, Gottfried Wilhelm von Leibniz, erinnert vor der Kirche ein 1883 von Hähnel errichtetes Denkmal.

Abb. 65. Leipzig: Augustusplatz mit Mendebrunnen und Theater.

Die Verbindung der Altstadt mit der östlichen Neustadt wird durch den Augustusplatz, einen der größten Marktplätze Deutschlands, hergestellt. Er ist der Knotenpunkt des Leipziger Verkehrs; der Kunst und der Wissenschaft dienen die ihn umgebenden mächtigen Bauwerke, und um Jubilate und Michaelis bietet er dem bunten Meßtreiben Raum. Unser Bild (Abb. 65) zeigt uns den prächtigen Platz gegen Nordosten mit dem 17 m hohen „Mendebrunnen" von Gnauth und Ungerer im Vordergrunde und dem Hauptpostgebäude und dem Neuen Theater rechts und links dahinter. Diesseits des Brunnens erhebt sich das 1858 nach Plänen des Müncheners Ludwig Lange errichtete städtische Museum mit Sammlungen von Skulpturen und Gemälden, in denen besonders die neuere Kunst durch treffliche Werke vertreten ist. Die südwestliche Begrenzung des Augustusplatzes bildet die Universität mit der Pauliner- oder Universitätskirche. Nördlich vom Schauspielhause an der Goethestraße, die den Platz mit dem Georgi-Ring verbindet, erhebt sich, mit herrlicher Aussicht auf die Anlagen um den Schwanenteich, das königliche Schloß, dem Herrscherhause von der Stadt Leipzig als Geschenk dargebracht.

Die mannigfachen Beziehungen Leipzigs zur Reichsjustizverwaltung, zum deutschen Buchhandel sowie die Bedürfnisse der sich mächtig entwickelnden Großstadt selbst haben im letzten Viertel des vorigen Jahrhunderts eine größere Zahl öffentlicher Gebäude nötig gemacht, die naturgemäß in der enggebauten Altstadt keinen Platz finden konnten. Sie sind zum größten Teil an der Ringstraße oder in unmittelbarer Nähe derselben errichtet. Das bedeutendste derselben ist das Reichsgerichtsgebäude an dem nach ihm benannten Platze im Südwesten der Altstadt. Ludwig Hoffmann, jetzt der Leiter des Bauwesens in der Reichshauptstadt, ist der Schöpfer des, seiner Bestimmung entsprechend, in ernstem und vornehmem Stile gehaltenen Baus, in dem nahezu 100 Reichsgerichtsräte, über verschiedene Senate verteilt, in letzter Instanz Recht sprechen. Die Verhandlungen des Gerichtes sind öffentlich, und jeder Deutsche kann in den eichenholzgetäfelten Sitzungssälen des Reiches höchste Richter, in dunkelrote Roben gekleidet, ihres Amtes walten sehn. Auf einer fast 70 m hohen Kuppel überragt eine mächtige Bronzefigur der Wahrheit die Thingstätte. Nicht weit vom Reichsgerichtsgebäude hat die Bibliotheca Albertina, die Universitätsbibliothek, in einem stattlichen Renaissance-

bau, der mit seinem reichen Treppenhause an genuesische Paläste
erinnert, eine Stätte gefunden. Die Bibliothek, mit mehr als einer
halben Million Bände und 6000 Handschriften, ist eine der wert=
vollsten Deutschlands. Das neue Gewandhaus gegenüber,
die Kunstgewerbeschule und das Konservatorium der
Musik in unmittelbarer Nähe lassen diesen Teil der Stadt fast
zu reich mit Monumentalbauten bedacht erscheinen. So ist es nur
erfreulich, daß der Deutsche Buchhandel seine beiden prächtigen
Bauten, das Buchhändlerhaus und das Buchgewerbe=
haus, seitab im Südosten der Stadt am Johannistal errichtet
hat. Der nationalen Bestimmung dieser Gebäude entsprechend, hat
man den Stil der deutschen Renaissance für sie gewählt. Den
Stadtteil im Norden der Altstadt zieren besonders die 1884—86
am Blücherplatze erbaute Börse, das Gebäude der dauernden
Kunstgewerbeausstellung und vor allem die neue refor=
mierte Kirche, 1896—99 von Weidenbach und Tschammer mit
Anlehnung an Werke der deutschen Renaissance des 16. Jahr=
hunderts aufgeführt.

Charakteristisch für Leipzig sind die umfangreichen Parks,
Grünplätze und Anlagen, die das Häusermeer der weiteren Stadt
vielfach wohltuend unterbrechen. Es macht so noch heute seinem
ursprünglichen Namen — es ist im 11. Jahrhundert aus einem
wendischen Fischerdorfe Lipzi, d. h. Lindenau oder Lindenort, ent=
standen — alle Ehre; denn besonders Lindenalleen bilden den
Schmuck der Vororte und der näheren Umgebung der Stadt.

Untrennbar von Leipzig ist für jeden Deutschen die Erinnerung
an die gewaltige Völkerschlacht, die vor seinen Toren in den
Oktobertagen des Jahres 1813 tobte, nach Jahren der Knechtschaft
Deutschland die Freiheit wieder brachte und dem falschen Glanze
napoleonischer Herrlichkeit ein jähes Ende bereitete. Mannigfaltige
Erinnerungszeichen mahnen den Wanderer in Leipzigs Umgebung
heute noch an das blutige Ringen, in dem 180000 Franzosen
300000 Deutschen und Russen gegenüberstanden, und das über
30000 Menschen das Leben kostete. Zur Linken der Straße
Leipzig-Probstheida sehen wir zunächst den Napoleonstein, von
dessen Stelle aus der Kaiser am 18. Oktober die Schlacht beobachtete.
Jenseit Probstheida treffen wir auf den Monarchenhügel, auf dem
am 18. Oktober abends die verbündeten Fürsten die von allen
Seiten eintreffenden Siegesnachrichten empfingen, und 3 km östlich
den vielumstrittenen Kolmberg. Die Straße von Liebertwolkwitz

weſtlich bringt uns über den Galgenberg nach Wachau, das an einem Tage fünfmal von den Franzoſen genommen, ihnen aber ebenſooft von den Verbündeten unter dem Prinzen Eugen von Württemberg wieder entriſſen wurde. Noch ſteht die alte Linde, unter der Napoleon die Schlacht an dieſer Stelle leitete.

So iſt die ganze Gegend reich an Erinnerungen ruhmvollen Streitens, aber ſie ruft auch den heiligen Zorn in uns wach über

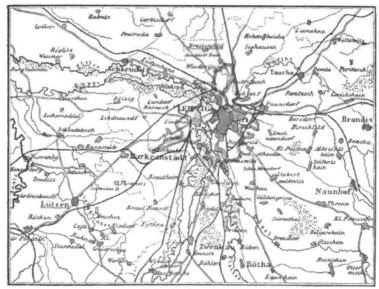

Abb. 66. Leipzig und Umgebung.

den Ehrgeiz eines verblendeten Emporkömmlings, dem Hundert= tauſende Unſchuldiger zum Opfer fallen mußten.

Unweit des Napoleonſteines wird ſich demnächſt ein mächtiges Völkerſchlachtdenkmal nach einem Entwurfe von Bruno Schmitz erheben. Es wird noch der Jahre bis zu ſeiner Vollendung be= dürfen. Heute (Ende 1904) ragt es ſchon 12 m über die Erde. An der der Stadt zugekehrten Stirnſeite wird es oberhalb der großen, bis zu einer Höhe von 30 m führenden Treppenanlagen ein Koloſſalrelief tragen. Die Mitte dieſes Bildwerkes nimmt die 11 m hohe Figur des Erzengels Michael ein, die von fackel=

tragenden Furien des Krieges begleitet ist. Das härteste vom
Bildhauer benutzte Material, Diorit, ist für das Kunstwerk be=
stimmt, und so wird es auch noch den fernsten Geschlechtern
Zeugnis ablegen von dem heldenhaften Ringen der Väter um
Deutschlands Freiheit und Einigkeit in der Völkerschlacht
bei Leipzig.

6. Der Böhmerwald.

Der Böhmerwald stellt sich als eine der seltsamsten, in ge=
wissem Betrachte rätselhaftesten Gebirgsbildungen dar. Nur so viel
läßt sich bei dem Mangel genauer Forschungen und Karten mit
Bestimmtheit sagen, daß das Gebirge einen Wechsel von Rücken=,
Kamm=, Einzelgipfel= und Plateaubildungen aufweist, denen die
gegliederte Abzweigung der Joche und Ausläufer von einem deut=
lichen Mittel= und Hauptrücken bis auf seltene Ausnahmen fehlt.
Vielmehr springt auf dem Böhmerwalde die Wasserscheide wechselnd
vom Kamme zur Einsenkung, von der Einsenkung wieder zu anderen
Rücken, mitunter quer über einen Hochgipfel und setzt sich dann
plötzlich wieder durch ein großartiges Längental fort. Und doch
bleiben diese wasserscheidenden Linien die einzigen Verbindungen,
welche die so mannigfaltigen, unter sich abweichenden Oberflächen=
formen noch aneinanderreihen und sie als Glieder eines Ganzen
erscheinen lassen. Eine große Anzahl vereinzelter höherer und
niedrigerer Rücken, die oft 20—40 km in der Richtung aus Süd=
osten nach Nordwesten sich erstrecken, sind unter sich völlig parallel.
Weite Längentäler legen sich zwischen sie und scheiden ihre Strei=
chungslinien voneinander, während zahlreiche Quertäler und größere
Eintiefungen, auch wohl Joche und hochgelegene Bergflächen, dieses
Streichen vielfach unterbrechen und die Züge nacheinander ab=
schließen und trennen oder wohl aufs neue aneinanderknüpfen.
Im ganzen stellt sich der südöstliche Teil des Gebirges, der an die
Donau tritt, als einförmige Hochfläche von geringer relativer Er=
hebung dar, ebenso wie nördlich das Tepler Gebirge, das sich an
die obere Eger anlegt. Während demnach der südöstliche und der
nordwestliche Abschnitt des Gebirges zu Ebenen werden, sehen wir
dessen Zentrum in eigentümlicher Weise verworren zusammen=
gehäuft aus Kämmen, Wänden, Rücken und Massen. Und diese
Bergzüge senken sich nach Westen und Südwesten in vielfachen Steil=
absätzen und Rückansteigungen in das Raabland und gegen die Donau
hinab, während gegen Nordosten und Osten ins innere Böhmen

eine viel sanftere Verflachung stattfindet. Daher kommt der scheidende Charakter des Böhmerwaldes für Bayern, den er für Böhmen ganz und gar nicht hat.

Der nördliche Teil des Böhmerwaldes erstreckt sich vom Hochrücken von Waldsassen und dem Tepelgebirge, das Gipfel zwischen 700—1000 m besitzt, bis zur 20 km breiten Senke zwischen Neugedein und dem Tale der Chamb, welche auf dem östlichen Abhange des Böhmerwaldes entspringt. Er geht bis zu der 480 m hohen Senke beim Pfraumberge oder Frauenberge, 843 m, der mit seiner Ruine täuschend an den Kyffhäuser erinnert und eine wunderschöne Aussicht über das innere Böhmen bietet, — ein walzenförmiger, mit abgerundeten Kuppen besetzter Zug, einer gewaltigen Meereswoge gleich, die plötzlich im Laufe erstarrt als Scheidewand Böhmens und Bayerns halt gemacht hat. Um sie herum, wie rasch verkleinerte Wellen, sinkt das Gebirge landeinwärts bis zu Hügel und Talgrund hinab und entwickelt so für das Auge eine anziehende Mannigfaltigkeit. Gegen das Tal der Naab fällt dieser nördliche Teil in Steilrändern ab, während er in sanften Mittelgebirgen sich gegen das untere Böhmen hin verflacht. Als Zentralknoten kann der Pfraumberg betrachtet werden; dort entspinnen sich Gewässer nach beiden Seiten: die Waldnaab, Schwarzach, Pfreimt, Radbusa und Mies.

Jenseits der Pfraumberger Senke zieht sich in einem Viertelkreisbogen um Bischofsteinitz herum in mehreren Parallelzügen das Klattauer Gebirge mit dem Czerchow, 1056 m. Gegen Süden sinkt es zur Hügelkette herab. So entsteht die 20 km breite Lücke im Zuge, die Talsohle der Chamb, welche auf dem östlichen Abhange des Böhmerwaldes entspringt.

Im Süden der großen Lücke erhebt sich östlich der steile Hohe Bogen und kündigt das Hochgebirge an. Finstere Waldung steigt bis zu dem kleinen, festungsartig mit einem Graben umzogenen und mit schönem Rasen bewachsenen Gipfelplateau des Burgstall.

Das südliche Hochgebirge besteht aus zwei Parallelrücken, welche durch Querriegel verbunden sind; dazwischen fließt die Moldau nach Südosten, die Woltawa und Anhlawa (Angel) nach Norden. Zwischen beiden Längentälern hält der Zentralknoten des Schwarzberges beide Züge zusammen.

In diesem südlichen Teile des Böhmerwaldes thront der Arber, 1476 m hoch, als König. Er bildet einen nach allen Seiten steil abfallenden, gestumpften Kegel als die höchste und letzte südöstliche Gipfelerhebung eines gewundenen Armes, der von dem Haupt-

Geogr. Charakterbilder I. Das deutsche Land. 19

stocke des Böhmerwaldes aus zwischen den beiden Regen bis zu
deren Zusammenflusse unweit Kötzting hinstreift. Ein wenig seitwärts
des Kammes und etwa nur 2¹/₂ Kilometer nördlich vom Großen Arber erhebt sich der kegelförmige Kleine Arber. Beide
Berge hängen mit dem Hauptzuge durch einen breiten und hohen
Sattel zusammen. Oben ist ein geräumiges Plateau, nordöstlich
und südwestlich von zwei parallelen Felsmauern begrenzt, die sich
weiterhin in kleinern Massen unregelmäßig fortsetzen. Die südwestliche
fällt nach außen hin schroff ab in den Fichtenwald. Der Berg ist
meistens kahl, nur an einigen Stellen ragt verwachsenes Gehölz bis
an die Krone. Auf dem höchsten Punkte steht ein hölzernes Signal
zu geometrischen Zwecken. Weiter östlich liegt eine kleine Kapelle, in
der jährlich einmal Messe gelesen wird, wozu dann zuweilen gegen
4000 Menschen auf die lichte Höhe wallfahrten. Die beiden Arber-
seeen zeigen nicht das satte Grün der Alpenseeen oder der sogenannten
Meeraugen in den Karpathen, sondern einen unheimlichen schwarzen
Wasserspiegel. Bei geringem Umfange sollen sie „von unermeßlicher
Tiefe" sein.

Der Arber ist noch nicht in die „Lemmingstouren" der Reisenden von gewöhnlichem Schlage aufgenommen, verdient aber mehr als
viele andere Höhen, erstiegen zu werden, da sein Gipfel vielleicht das
schönste Rundgemälde diesseits der Donau bietet.

Gegen Osten übersehen wir zunächst jenseits eines tiefen, waldigen,
einsamen Tales, in welches der Arber steil abfällt, im Vordergrunde
die breite Einsattelung des hier aus Bayern nach Böhmen hinüber-
führenden Passes mit mehreren Dörfern. Zur Rechten bildet das
Gebirge einen schönen Bogen, der im Rachel schließt, und an seiner
dem Arber zugekehrten konkaven Seite die mannigfaltigsten Verhältnisse des Abfalles zeigt. Welch ein unnachahmliches Blau an diesem
Hange. Das Auge kann sich nimmer satt sehen an der Farbenpracht,
die durch die zahlreichen, vom Kamme in die Tiefe hinablaufenden
deutlich markierten Linien die herrlichste Schattierung empfängt. Von
dem Blatte des Vergißmeinnicht bis zu dem dunkeln Sammet der
Aurikel gibt es keine Abstufung, die sich hier nicht darstellte. Aus
den Talrinnen steigt jener leichte ätherische Duft auf, dessen der Landschaftsmaler nicht entbehren kann, um eine gute Gebirgsperspektive zu
schaffen und der, weit entfernt den Blick zu hemmen, vielmehr nur
dient, ihm den ganzen Reichtum der Formen zu offenbaren. Der
Rachel, am südlichen Ende dieses Bogens vortretend, gleicht einem
erhabenen Thronsessel, von dessen flachen und breiten Stufen ein

Abb. 67. Böhmerwald, vom Arber aus gesehen (nach Gümbel).

blauer Sammetteppich in malerischen Falten herabfließt. Ungeachtet
des sanften Abfalles gegen Südwest imponiert dieser Berg nicht wenig;
seine Gipfelplatte ist scharf und eben abgeschnitten. Südöstlich von
ihm breitet in unendlichen Wellen ein Meer von Bergen sich aus,
deren fernste bereits den Steierschen Alpen angehören.

Einem Schnepfenzuge gleich kommen die Berge des Böhmerwaldes von Nordwest herübergestrichen, einer hinter dem andern, die
Flügel zu beiden Seiten gesenkt — die fernsten in den Farben der
Lüfte verschwimmend. Man übersieht das ganze System; man verfolgt im Geiste den vulkanischen Maulwurf, der vor grauer Zeit hier
seinen unterirdischen Weg nahm, um zwischen den Ländern, die künftig
Bayern und Böhmen heißen sollten, eine Grenze zu ziehen. Die
beiden Täler des Weißen Regen und des Chambbaches sieht man
nahe unter sich; das erstere fast alpinen Ansehens, staffiert mit weidenden Viehherden und rauchgeschwärzten Sennhütten, eingehegt durch
den Gebirgsarm vom Arber bis zum Reitersberge, durch die Hauptkette, in welcher der Ossa sich in wahrhaft malerischer Schönheit erhebt, und endlich durch den Hohen Bogen, der, von hier aus betrachtet,
seinem Namen so vollkommen entspricht, daß wir diesen, hätten wir
ihn nicht vorgefunden, unfehlbar erfunden haben würden. Hinter
diesem erscheint das Chambtal in sanftern Umrissen, den Flecken
Eschellam als Mittelpunkt umgebend.

Doch wir greifen bereits in die südwestliche Hälfte des Hori-
zontes hinüber, welche von der nordöstlichen durch den großen Zentral-
zug deutlich geschieden ist. Sie hat der Reize noch größere. Auf den
Bergrücken entlang über dem 40 km entfernten Reitersberg hinaus
schweifend, stößt der Blick zunächst auf die Türme von Chamb. Jenseits Chamb öffnet sich das sanftgewellte Bayernland, bis in die
Gegenden, welche der schwäbischen Alb jedenfalls näher liegen als dem
Böhmerwalde. Diese zahllosen Hügel und Talfurchen, Ortschaften,
kleinen Gewässer und Wäldchen, deren Dunkel bunt gegen den blassen
Grundton der Landschaft absticht — es ist eine Musterkarte von
Farben, ein Blatt, auf welchem tausend Pinsel probiert sind, kreuz
und quer, in langen und kurzen Strichen, in groben und feinen
Punkten!

Alle Richtungen aber übertrifft der prachtvolle Süden. Dort
wird das Auge mit magischer Gewalt gefesselt; dorthin muß es immer
und immer wieder zurückkehren; dort steht in wunderbaren Schrift-
zügen der eigentliche Willkommen für die Ersteiger des Arber geschrieben. Will man einen gesteigerten Genuß, so lasse man sich die

19*

Mühe nicht verdrießen und klettere auf die südwestliche Felswand. Man hat auch am Fuße derselben eine freie Aussicht, aber droben ist der Ausblick um vieles interessanter. Schroff hinab fällt der Felsen turmhoch in den finstern Tannenwald, der ein schwach bewässertes Tal deckt und bald jenseits sich wieder hebt, einen mächtigen Berg- rücken überkleidend. Hier regt sich kein Leben außer dem ernsten Rauschen der hohen Wipfel. Tausendjährige Stämme liegen hingestreckt über moosigem Gestein und bruchigem Grunde, um modernd den jungen Nachwuchs zu nähren. Tief unten zur Linken erglänzt im einsamen Wald ein Stück von dem schwarzen Spiegel des Großen Arbersees. Über denselben hinaus öffnet sich das Tal von Zwiesel, das mit überaus schönen Waldungen bestanden ist. Zur Rechten aber des oben erwähnten bewaldeten Bergrückens schaut man hinab in den malerischen Talkessel von Bodenmais. Außer diesem freundlichen Dorfe sieht man in derselben Richtung nur wenige Orte. Dies alles ist gegen Süden der Vordergrund. Den Mittelgrund bildet der ganzen Länge nach das prächtige Donautal in weiter Ausbreitung und mannigfaltiger Färbung. Und jenseits desselben, weit jenseits bietet sich ein Schauspiel, das alles andere vergessen läßt. Die Salzburger Alpen von Hallstadt bis über Reichenhall hinaus stehen in majestätischer Schlachtreihe da, die weißen, beschneiten, phantasti- schen Zinnen hoch über den niederen Horizont emporreckend in die reinen blauen Lüfte! Sie machen einen zauberhaften Eindruck auf das Gemüt. So ehrfurchtgebietend und doch so traulich blicken sie herüber aus der gewaltigen Ferne von 200 km, die selbst dem entzückten Auge sich ankündigt durch den bleichen Farbenton, und doch wiederum desto mehr sich zu kürzen scheint, je länger man hinüberschaut.

Breit vorgelagert dem äußeren westlichen Hochrücken ist der Bayrische Wald, der, durch die Täler des Regen und der Ilz von der Hauptmasse geschieden, steil zur Donau abfällt. Er steigt im Dreitannenriegel und im Hirschenstein über 1100 m hoch. Ein paar Stunden südlich vom Markte Regen beginnt der Pfahl, eine der merkwürdigsten geognostischen Erscheinungen. Als mächtiger Quarzgang erstreckt er sich in schnurgerader Linie 100 Kilom. weit in die Oberpfalz hinein. Seine größte Höhe (40 m) erreicht er bei Viechtach und zeigt sich überall als ein nackter Felskamm mit bizarren Auszackungen auf dem höchsten Rücken. Stellenweise ist diese mächtige, 6—9 m breite Felsenlinie durch bedeutende Lücken unter- brochen und kommt oft erst wieder auf dem nächsten Berge zum Vor- schein. Verfolgt man ihren Zug eine Strecke weit, so glaubt man

wohl auf den Trümmern einer von Gras und Gestrüpp überwucherten
Römerstraße zu wandern. Da erheben sich plötzlich weiße Quarzfelsen
turmhoch aus dem Boden, mächtigen Ruinen gleich, dann ebnet sich
der Boden wieder, und gleich darauf ragen neuerlich abenteuerlich
geformte Zacken empor. Der Bayerwald ist überhaupt der schönste
Teil des ganzen Gebirges, mit seinen Donauufern, seinen runden Höhen,
seinen Schlössern, seinen obstreichen Tälern oder Winkeln, wie man
sie dort nennt. Über eine Einsenkung des Kammes führt eine Kunst-
straße zur Donaustadt Deggendorf. In dieser Senke bietet zwischen
wild aufgetürmten Felsen die Rusel eine entzückende Aussicht in das
Donautal!

Der Böhmerwald ist in seinem Innern rauh und wild. Die
Kämme und Gipfel sind nach Art aller Granitgebirge von den
Trümmern der zusammengebrochenen ehemals höheren Kuppen in grotesken Formen übersäet. Zwischen den Felsenlabyrinthen finden sich
dann Wiesenplätze oder krüppelige Fichten und Föhren auf den breiteren
Bergrücken. An den Abhängen der Berge des rauhesten Teiles (längs
der bayerisch-böhmischen Grenze) findet sich eine grauenvolle Ver-
wirrung in den sumpfigen Wäldern, die an den Urwald Amerikas
erinnern und wohl den Namen Böhmischer Urwald verdienen. Ungeheure Strecken sind noch von solchem Urwald bedeckt. Da sind
moorige Wiesen, die unter Wasser stehen, und die nur die heißeste
Sommerglut trocken legt, in Versumpfung begriffene Seeen, durch
Jahrhunderte übereinander geworfene Windbrüche, Stöcke, Wurzeln
und vermoderte Stämme übereinander, auf deren Rücken sich bereits
eine neue Vegetation erhebt. Von den emporstrebenden Ästen hin-
gesunkener Bäume neigen sich fruchtbeladene Äste hoher Himbeer-
stauden; andere sind ganz mit Bartmoos behängt. Knüppelwege sind
da noch vorzügliche Straßen, und um die Höhen zu erklimmen, muß
sich der Wanderer erst Wege bahnen lassen. Zumal die nördlichen
Abhänge sind kalt, schattig und sumpfig. In gewöhnlichen Jahren
dauert da der Vegetationscyklus des Kornes ein volles Jahr, in ungünstigen Jahrgängen dreizehn Monate und darüber. Oft wird
früher die neue Aussaat bestellt, als allenthalben geerntet ist, und
noch häufiger fällt Schnee vor der Ernte. In älteren Zeiten hegte
der Urwald noch wilde Tiere in Menge. Doch sind jetzt seit langem
schon Wölfe und Luchse ausgestorben. Aber 1805 erlegte man noch
fünf Bären, 1835 wurde einer geschossen, in den Jahren 1849—1851
einer gesehen, vielleicht der letzte seines Geschlechts. Vornehmlich seit
Karl Moor mit seinen Genossen sich in die böhmischen Wälder warf,

verlegten die Dichter ihre schauerlichen Gebilde „tief in des
Böhmerwaldes Innerstes", und der Böhmerwald gilt vielen
noch heute als ein Ort schauerlicher Romantik; eine Vorstellung,
die auf den bei weitem größten Teil des Gebirges, der sanfte
Formen bietet, von Chausseen und Landstraßen durchschnitten,
durch Industrie, Glasfabrikation und Waldkultur belebt ist, ent=
fernt nicht zutrifft; und selbst in der wilden Einsamkeit der
südlichen Hochrücken ist von Räubern keine Spur; man trifft
dort ein einfaches, gutherziges Volk. Bereist wird der Böhmer=
wald wenig. Die meisten Besucher Böhmens endigen mit Prag
ihre Tour. Freilich ist auch dessen Besuch durch die unwürdigen
Deutschenhetzen gar manchem verleidet. Indessen wer einmal
auf dem Hradschin gestanden und auf die Stadt und das
Moldautal hinuntergeschaut hat, dem bleibt bis an sein Lebens=
ende das Bild in der Erinnerung. Dem Blick auf Moskau
schien dem Kaiser Alexander das Bild zu gleichen. Zumal aus
den Fenstern des Schwarzenbergischen Palastes hat man das
herrlichste Bild vor sich. Dort unten liegt das weite Prag mit
seinen 70 oder 80 Türmen, der breite Strom mit seinen Brücken
und Inseln. Überall gibt es Erinnerungen der böhmischen Sage
und Geschichte. Aber mehr als diese bewegt uns dort in der
Ferne hinter dem östlichen Bogen der Moldau das Feld der
Prager Schlacht, wo Friedrich der Große am 6. Mai 1757 über
die Österreicher siegte und sein Feldmarschall Schwerin, die
Fahne in der Hand, den Heldentod starb. Jenseits bei Sterbohol
steht das Denkmal, das sein König, den gefallenen Helden zu
ehren, dankbar ihm dort errichten ließ.

7. Das Fichtelgebirge.

Das kleine Fichtelgebirge, die geographische Mitte des
deutschen Bodens, gehört unter die Berge, von denen in alten
Mären Wunders viel gesagt ist. Dort flutet der geheimnisvolle
Fichtelsee, aus dem vier Flüsse nach vier Himmelsgegenden fließen;
dort ist das deutsche Kalifornien, dort finden wir die Namen
Goldkronach, den Goldhof, die Goldmühle, den Goldberg u. dgl.
Das verarmte Volk tröstet sich noch heute über die versunkenen
Goldschätze durch einen reichen Sagenschatz, der ihm die Wieder=
auferstehung derselben verheißt. Die Schatzgräberei war bis in
die neueste Zeit dort zu Hause, und die dahin zielenden „Wahl=

und Geheimnisbüchlein" gehören zum eigensten Inventar des Fichtelgebirges. Während der arme Mann in den dichten Wäldern (Gras sammelt oder Baumpech ausfratzt, Holz fällt, harte Granit= blöcke zerschlägt, Kohlen oder Teer brennt, träumt er sich vielleicht als den reichsten Mann, dem nur noch der letzte Schlüffel zu seinem Reichtum fehlt. Denn nach dem Volksglauben soll jeder, auch der gemeinste Feldstein auf dem Fichtelgebirg edle Metalle bergen. Nur muß ein Fremder kommen, um diese besonderen Qualitäten der Steine aufzuschließen, und man hielt vordem dafür, daß namentlich die „Welschen" diesen Zauber besäßen und unter ihnen vor allen die „Venediger". Man sagt darum: „Auf dem Fichtelgebirge wirft der Bauer einen Stein nach der Kuh, und der Stein ist mehr wert als die Kuh."

Die Alten haben mit ihren Fabeln die Bedeutsamkeit des Gebirges arg übertrieben. „Von Völker=, Heeres= und Handels= zügen auf allen Seiten leicht zu umgehen," bemerkt Noon, „hat das Fichtelgebirge nur, vermöge seiner Lage im Herzen von Deutschland, auf der Scheidung dreier europäischer Hauptströme, bei den Geographen eine Bedeutung gewonnen, die längere Zeit hindurch, auf Grund irriger Ansichten und unvollkommener Kenntnis, überschätzt wurde, indem man hier den ‚Zentralknoten' aller deutschen Mittelgebirge zu finden glaubte, von welchem aus die Gebirgsrücken, den Wasserscheiden folgend, strahlenförmig nach allen Seiten fortzögen." — Aber wenn es auch allzu kühn ist, vom „europäischen Ararat, dem deutschen St. Gotthard, dem bayerischen Triglav" zu reden, so ist es doch nicht inkorrekt zu sagen, das Fichtelgebirge sende nach allen vier Weltgegenden Flüsse, die den Hauptströmen Rhein, Donau und Elbe zugehen, es stehe durch Hochebenen mit drei nach drei Ecken der Windrose strahlenden Gebirgszügen in Verbindung. Nur nach Südwesten grenzt ein Steilrand und eine vor diesem hinziehende Bucht die älteren Bergtäler von den vorgelagerten jüngeren Flötzbildungen des fränkischen Jura ab.

Das in seiner Hauptmasse aus kristallinischem Gestein be= stehende Gebirge ist aus einem Zentralknoten und zwei Armen, die eine etwa 600 m hohe Hochebene, das Quellbecken der Eger, umschließen, zusammengesetzt. Dem nördlichen Arm ist die nörd= liche äußere Hochebene aus Tonschiefer vorgelagert; die äußere Hochebene im Süden und Südwesten zeigt bunten Sandstein und andere Flötzgebilde.

Die zentrale Masse des Fichtelgebirges steigt in der Gegend
von Berneck mit einem steilen Absatze von etwa 100 m über die
Umgegend auf und erhebt sich gegen Nordosten in einer fast
stetigen, 8—10 km langen, sanften, bewaldeten Böschung zu den
höchsten Kuppen, Schneeberg und Ochsenkopf, dem hohen „Fichtel=
berg" alter Geographen. Der Ochsenkopf, 1024 m, „das Haupt
und Herz des Fichtelberges", stellt sich aus der Ferne als ein
Kegel dar, ist aber ein 7 km langer, von Osten nach Westen
streichender Bergrücken, mit Granitblöcken überschüttet. Etwas
höher, bis zu 1053 m, steigt der benachbarte Schneeberg an.
Der Gipfel des Berges ist eine 2½ km im Umfange haltende
Fläche, mit Granittrümmern bedeckt. Das Backöfle, ein 8 m
hoher Felsen, ist der höchste Punkt. Das ganze Gebirge, die
innere und äußere Bergebene, dann das Bayreuther Land, über
Koburg hinweg der Inselsberg und Schneekopf des Thüringer
Waldes werden von dieser Höhe sichtbar, ebenso große Teile der
Oberpfalz, des Vogtlandes und Böhmens. Zwischen diesen
höchsten Bergpartien, dem Ochsenkopfe auf der Südwest=, dem
Schneeberge mit der südwärts daranhängenden Farnleiten auf
der Nordostseite ist ein tiefer Spalt, über 2½ km lang und kaum
100 Schritte breit, die Seelohe, mutmaßlich einst ein Wasser=
becken, welches jetzt das herabstürzende Geröll der Hänge großen=
teils ausfüllt und die Vegetation mit einer Torfdecke überzogen
hat; denn die Sohle ist moorig, während die Wände schroff an=
steigen. Aus der Seelohe gehen die Ursprungstäler des Weißen
Mains und der Fichtelnaab, nordwärts und südwärts, als Gegen=
täler auseinander. Die Quellen beider sind am Ostgehänge des
Ochsenkopfes; aber ältere Geographen lassen beide Flüsse aus
dem Fichtelsee abfließen, einer Bruchstrecke von 150 Schritt
Länge und 100 Schritt Breite, die am Südostende der Seelohe
liegt. Bei trockener Zeit kann man ohne Gefahr die Torfdecke
betreten, die zwar sehr schwankt, aber doch trägt; leicht ist sie
indes zu durchstoßen, und dann dringen die längsten Stangen
ohne allen Widerstand ein. Bei nasser Zeit jedoch ist der Fichtel=
see völlig ungangbar.

An der Zentralgruppe des Gebirges, und zwar zunächst an
der Masse des Schneeberges, hängen unmittelbar zwei Gebirgs=
flügel, die bald nach Osten umlenken und in langen, schmalen,
deutlichen Rücken mit mehr oder minder gerundeten Einzelgipfeln
und dazwischenliegenden Sätteln sich fortsetzen und die innere Hoch=

ebene des Fichtelgebirges, das große Oval des inneren Egerkessels, umfassen. Der nördliche, die Waldsteinkette, hängt am unmittelbarsten mit der Zentralgruppe zusammen; nur eine Einsattelung des Gebirges, der Höllpaß, scheidet beide. Der Schneeberg bildet nämlich in nordöstlicher Richtung einen langen Abfall, die Hohe Heide, welcher zwischen Weißenstadt und Gefrees in einen weiten Sattel übergeht, auf dem die Törichte Lohe, ein großes Torfmoor, sich ausbreitet. Nördlich davon erhebt sich sogleich eine hohe Kuppe, der Große Waldstein. Er trägt auf seinem Gipfel die kolossalsten Granitfelsen und dazwischen die Ruinen der Burg Waldstein. Die Granitlagen, die eine natürliche Felsenmauer bilden, sind 400—500 Schritte lang und 20—50 m hoch. Die Aussicht vom Waldstein ist vielleicht die schönste im Gebirge. Vom Waldstein zieht der Rücken nordöstlich über einen moorigen Sattel, den Kleinen Waldstein, mit den Kuppen des ruinengekrönten Epprechtsteins und des Großen Kornbergs. Dies sind die Wetterpropheten des Volkes: „Hat der Epprechtstein eine Kappen und der Kornberg eine Hauben, so darf man an Regen glauben."

Der südliche Höhenzug, die Weißensteinkette, streicht vom Schneeberg aus zuerst an der östlichen Seite des Naabtales südwärts. Der dahinfallende Abhang des Schneeberges geht in einen langgedehnten, oben platten Rücken über, die Farnleiten, aus der der Nußhart aufsteigt, eine mit einem Labyrinth ungeheurer Granitblöcke übersäete Kuppe. Östlich aber senkt sich das Gebirge zu einem weiten Sattel, von dem es sich wieder zu der zweikuppigen Kössein, 942 m, die fast in der Mitte des ganzen Gebirges aufragt, erhebt. Weiterhin senkt sich der Zug gegen Wunsiedel in der zusammengebrochenen Kuppe der Luchsburg (Luisenburg), 783 m, herab, die, überreich an malerischen Felsgruppen, geognostisch wie topographisch vom höchsten Interesse ist. Wild durcheinander geworfene oder hoch aufgetürmte Felsmassen bilden bald Grotten, bald enge Gänge oder große Räume, wozu die Kunst mancherlei schöne Anlagen gefügt hat. Ein breiter Baumgang führt von dem Berge nach dem darunterliegenden Alexandersbade, einem kleinen, freundlichen Badeorte, den Markgraf Karl Alexander 1783 verschönern ließ.

Südlich von diesen Höhen erhebt sich der Weißenstein, 839 m, dessen westlicher Teil, der Steinwald, 981 m hoch, an die Naab tritt und mit dem Hohen Armansberg jenseits korrespondiert, indes nordostwärts, durch Gründe vielfach zerschnitten, die Bergmasse des Reichsforstes, 7 km östlich von der Kössein, sich anschließt.

An den Reichsforst stößt der Kohlwald, den die Kösla, ein Eger-
zufluß, nordwärts vom Hohen Steinberge abschneidet und dadurch
das völlige Zusammenrücken beider Höhenzüge verhindert, wie das
etwas nördlicher auch die Eger tut. Doch setzt der südliche Zug
im Kohlwalde noch etwas weiter östlich gegen das Egerland fort und
steigt erst mit dem St. Annaberge bei Eger in diese Vorstufe
herab. Vom Weißenstein aus bildet der äußerste Südostrand des
Gebirges einen langen, hohen Rücken, an dessen Fuße die große
rundliche Hochfläche von Waldsassen, 450—500 m, beginnt. Diese
Hochfläche vermittelt die Verbindung mit dem Böhmerwalde, wie die
nach verschiedenen Seiten hin vorgelagerten äußeren Hochebenen
mehr oder minder deutlichen Zusammenhang mit dem Frankenjura,
dem Frankenwalde und dem Vogtlande herstellen. Als südlichster
Vorposten des Gebirges gilt der Rauhe Kulm über Neustadt.

Das Fichtelgebirge ist verhältnismäßig dicht bevölkert: auf
1 qkm kommen im Durchschnitt 60 Bewohner. Das Gebirgs-
ländchen übertrifft also in dieser Beziehung beide Mecklenburg,
die nur 46, resp. 35, und Ostpreußen und Pommern, die nur
54 Einwohner auf 1 qkm haben. Die ursprünglich stark mit
wendischen Elementen durchsetzte Bevölkerung ist heute vollkommen
germanisiert. Das Fichtelgebirge ernährt seine Bewohner nur
kärglich: Ackerbau und Viehzucht sind wenig lohnend, und die
Beschäftigung im Walde, Holzhauen, Kohlenbrennen und Beeren-
suchen, wie die Arbeit im Bergbau und im Hüttenwesen gewähren
nur das zum Leben Notwendigste.

8. Der Main.

Der bedeutendste und der schönste Fluß zugleich, welcher dem
Fichtelgebirge entströmt, ist der Main. Das Herunterhüpfen vom
Fichtelgebirge ungerechnet ist sein Lauf frei von allen Extravaganzen.
Er trägt mit seiner Umgebung den Charakter der Gleichmäßigkeit
und Milde. Sein Tal, das, vom obersten Lauf abgesehen, durch
Keuper, Muschelkalk und Buntsandstein bricht, zeigt zwar häufig
steile Gesteinwände, verleugnet aber in seiner Fruchtbarkeit und
Kultur nicht den Gesamtcharakter des Gebiets.

Der Main fließt aus dem Weißen und Roten Main
zusammen. Der weiße Quellfluß, dessen Richtung der allgemeinen
Maindirektion entspricht, entspringt unter einer alten Buche am
Osthange des Ochsenkopfes an der Weißmannsleiten in einer Höhe

von 894 m, 1½ km vom Fichtelsumpfe. Ohne alle Überstürzung, ohne Sprünge und Fälle, rauscht der junge Fluß zum Fröbers= hammer und dem Dorfe Bischofsgrün hinab. In einem nach Süden gerichteten Bogen wird die erste in das Tal geklemmte Main= stadt, das romantisch gelegene Berneck, 388 m, erreicht, die Stadt, die sich ihrer sieben Hügel und sieben Flüsse, der Ruinen zweier Burgen und einer dazwischenliegenden Kapelle rühmt. Jetzt aber verliert der Main den Charakter eines behenden Bergwassers völlig und schlängelt sich in bequemen Wiesentälern der Vereinigung mit dem roten Bruder entgegen.

Die Quelle des Roten Main liegt 480 m hoch unter dem Felsen des sogenannten Gottesfeldes in Verknotungen des Fichtel= gebirges mit dem fränkischen Jura. Noch sanfteren Charakters tritt er bald in größere Talweitungen als der Weiße Main; sein Tal ist noch annutiger und reicher. Kreußen ist seine erste Stadt, Bayreuth seine größte.

Die Vereinigung der beiden Quellflüsse erfolgt 5 km abwärts von Kulmbach bei Schloß Steinenhausen, 296 m. Von da fließt der Main in einer sehr geraden nach Westnordwest gerichteten 30 km langen Talstrecke fort, die in ihren Hauptzügen einen gleich= förmigen Anblick zeigt und weder durch bedeutende Weitungen oder Engen, noch durch Wasserfälle oder wichtige Taleinmündungen unter= brochen wird. Eine Menge hübscher Dörfer und Burgen klebt an den Höhen der Talufer. Erst wo die dem Main an Wasserfülle gleiche Rodach aus Norden einmündet, entsteht eine bedeutende Ver= breiterung des Tales, eine Vermehrung der Wassermenge, die den Fluß von da ab nicht bloß für Flöße und kleine Barken, sondern auch für größere Handelsfahrzeuge fahrbar macht. Die Rodach entsteht aus vielen kleinen Flüssen, die vom Thüringer= und Franken= wald kommend, sich bei Kronach, dem Geburtsort Lukas Kranachs, vereinigen. Sie durchfließt schönbewaldete Gegenden, welche seit Jahrhunderten vielen tausend Flußanwohnern Beschäftigung und Nahrung gewähren und sowohl den unteren Mainstädten Brenn= holz, als auch den Rheingegenden und sogar den Holländern reich= liches Bauholz liefern. Auch kommt im Rodachtale eine weit= reichende Handelsstraße aus dem Norden herab.

Unweit der Rodachmündung wendet der Main sich nach Süden. An seinem rechten Ufer liegt hier das Städtchen Lichtenfels, wenig unterhalb auf dem linken steht das jetzt zum Schlosse gewandelte, 1048 gegründete Benediktinerstift Banz, ein stattlicher Bau. Der

Scheitelpunkt eines Flußwinkels, die nahe Rodachmündung, machen Lichtenfels zu einem Knotenpunkt von Straßen und Eisenbahnen.

Das Verkehrsleben des breiten Tales wird von hier an merklich bedeutender. Auf dem Flusse treiben große Flöße, Schelchen genannt, und zuweilen auch größere Handelsschiffe herab, an seinen Ufern laufen stärker befahrene Landstraßen und doppelt belebte Eisenbahnen dahin. Auf dem linken Ufer säumt der Fluß die nördlichen Ausläufer des Fränkischen Jura, wie den von Scheffel besungenen Staffelberg. Von der Höhe ragen die zwei Türme von Vierzehnheiligen, dem Wallfahrtsort zu den 14 Nothelfern, die 1448 auf dieser Stelle einem Hirten sich zeigten. Der flache Kessel von Bamberg, „das deutsche Italien", den der Main nun betritt, ist weit und breit die am tiefsten liegende Bodenstelle, ein geologischer Zentralpunkt. Als das Meer, das einst einen großen Teil der Fränkischen Ebene deckte, sich verlaufen hatte, blieb daher in dem Kessel von Bamberg ein Binnensee zurück, von welchem die zahlreichen kleinen Seen und Sumpfstriche, die sich noch heutigestags in der Fläche des Bamberger Kessels finden, Überreste sind. Der Boden des Kessels ist eine fruchtbare, stark bewässerte Marschgegend, in welcher alle herbeiströmenden Flüsse ihren Schlamm ablagern. Auf dem rechten Ufer strömen Itz und Baunach ein und bilden mit dem Main ein gleichseitiges Dreieck; die Grundlinie ist gegen Norden gerichtet, die Itz ein von der Spitze auf die Grundlinie gefälltes Perpendikel. Sie fließt am Bleßberge aus einer Menge kleiner Flüsse, die vom Südabhange des Thüringer Waldes herabkommen, zusammen. Dieselben vereinigen ihre Gewässer bei Koburg und ergießen sich dann in einer fast 40 km langen Talfurche direkt nach Süden. Bis in die Nähe von Bamberg hinab behalten Fluß und Tal dieselbe Physiognomie, dieselbe Richtung, dieselbe Wassermasse, ohne Zufluß von nennenswerten Nebenflüssen. In einer ähnlichen, doch kürzeren Talfurche läuft demselben Ziele, ebenfalls in südlicher Richtung, die Baunach zu. Rechts strömt unterhalb Hallstadt die Regnitz, der gleich starke Doppelfluß des Mains, ein.

Die beiden Quellflüsse der Regnitz, die Fränkische und die Schwäbische Rezat, scheinen sich in einer gewissen Unentschiedenheit zwischen Main- und Donaugebiet zu bewegen. Die stärkere Fränkische Rezat entspringt auf der Hohen-Steig unweit der Quellen der Altmühl und Tauber und wird aus denselben Weihern und Sümpfen gespeist. Wie über das Flußgebiet scheint der Fluß auch über seinen Namen in Zweifel zu sein. Denn seit dem Zusammenfließen der beiden Quellflüsse heißt er Rednitz, aber nur auf 38 km; nach der Einmündung der Pegnitz, deren Quellen unweit derer des Roten Mains liegen, verändert das launenhafte Wasser seinen Namen und heißt nun Regnitz. Allein zu seiner Entschuldigung sei angemerkt, daß erst seit dem Ende des vorigen Jahrhunderts der Name Regnitz aufgekommen ist; in Urkunden heißt der Fluß stets bis zu seiner Einmündung in den Main Rednitz.

In der Gegend von Nürnberg und Fürth, bei der Vereinigung der Pegnitz und Regnitz, ist der Zentralpunkt des ganzen Flußsystems und Talbeckens. Von hier aus ist es bis zur Quelle und zur Mündung gleich weit in allen Richtungen. Der bedeutendste Abschnitt unterwärts findet sich bei der Mündung der Wisent. Das von dieser in den fränkischen Jura eingeschnittene Tal bildet die anmutige vielbereiste fränkische Schweiz, die stellenweise den berühmten Landschaftsmaler Rottmann an Griechenland erinnerte: Täler, von dem reichsten Wiesengrün bedeckt und von kristallklaren Flüßchen durchströmt, bald von Waldbergen eingeengt, bald von wilden Felsengruppen, auf deren Klippen Ritterburg an Ritterburg, Schloß an Schloß, Ruine an Ruine ragt, und Tropfsteinhöhlen, deren sich ein Humboldt beim Anblicke der Höhlengruppe von Caribe erinnerte. Die pittoreske Welt des Kalksteins und Dolomits überrascht am meisten, wenn man von der reizlosen Hochfläche südöstlich von Bayreuth in sie eindringt.

Bei Forchheim mündet die schnelle, nie gefrierende Wisent in die Regnitz, welche, von nun an schiffbar, eine mehr nordwestliche Richtung einschlägt. Das Nebengewässer ist ein schönes poetisches Flüßchen; die Regnitz mit ihrem geradlinigen Laufe, dem so ebenmäßig geteilten Wassernetze, den nützlichen, aber langweiligen Hopfengärten und Tabaksfeldern an den Ufern und dem steilen Ludwigskanal zur Seite repräsentiert die Prosa der Flußwelt.

Um so mehr sehnen wir uns nach dem wunderbar gewundenen malerischen Mittelmain. Denn hat auch die Regnitz längeren Lauf und größeres Flußgebiet — der Main, der von einem Gebirge herabfließt und zur Sommerzeit die stärkere Wasserader führt, der die Hauptrichtung von Osten nach Westen festhält, ist und bleibt der namengebende Hauptfluß.

Der Mittelmain ist einer der eigentümlichsten Flußläufe von Deutschland. Gebirge und Landerhebungen verschränken sich „wie die Finger einer gefalteten Hand". Die Haßberge und der Spessart greifen wie die Zähne einer Säge, Zwischenräume lassend, nach Süden

vor, und in diese Zwischenräume drängen sich der Steigerwald und
der Odenwald hinein. In dieser so entstehenden Rinne wirft sich der
Fluß hin und her, um bald im Norden, bald im Süden einen Zufluß aufzunehmen, und bildet fünf oder sechs ziemlich gleich große,
sehr gerade gerichtete Flußstücke, von denen immer zwei miteinander
unter mehr oder weniger spitzen Winkeln sich zusammensetzen. Das
erklärt zur Genüge, warum der so gewundene und wenig breite Mittelmain nie als Grenzscheide, als Befestigungs= oder Operationslinie
der Völker und Heere auftritt. Von jeher verflocht er die Länder
vielmehr ineinander; und wer einen Teil dieses Geflechtes einmal
faßte, der bemächtigte sich auch gleich des Ganzen.

Zunächst fließt der Main zwischen den Haßbergen und dem
Steigerwalde hindurch. Auf einer etwa 30 km langen Strecke sind
die Ufer nicht ausgezeichnet. Dann spiegelt sich Haßfurt mit seinen
Mauern und Türmen im Strome. Rebenbedeckte Berge erheben sich
zur Rechten, zur Linken der Steigerwald mit dem Zabelstein; gegenüber davon rechts taucht aus grünen Gebüschen das Schieferdach des
stattlichen Schlosses Theres auf. Eine Strecke weiter unten erhebt
sich am rechten Ufer über dem Dorfe Schonungen die wohlerhaltene
schöne Burg Mainberg mit ihren gezackten Giebeln, und bald darauf
schießt der Strom unter den Jochen der steinernen Brücke durch, die
bei der reinlichen und hübschen Stadt Schweinfurt über den Fluß
führt.

Bei Schweinfurt beginnt der Main sein sogenanntes „Dreieck",
dem weiterhin das „Viereck" folgt. Am Strome stehen die getürmten
Ruinen der Benediktinerabtei Schwarzbach, und weiter unten des
Franziskanerklosters Dettelbach. Nun kommt der Strom im Herzen
des Weinlandes an. Die Berge sind vom Fuß bis zum Gipfel mit
Reben bedeckt — nichts als Reben, so weit das Auge reicht. Selbst
die Rheinfahrt gewährt nicht den Einblick in ein solches Rebenlaby-
rinth. Es folgen Kitzingen, Sülzfeld, ein reicher Ort mit zehn
Türmen, Toren und Mauern, an der Dreieckspitze Marktbreit, Fricken-
hausen. Ochsenfurt und Würzburg, das der jetzt 115 m breite Strom
durchschneidet. Von hier gestalten sich die Ufer immer reizender. Die
Mainfahrt hat Punkte, die der Rhein= und selbst der Donaufahrt
nichts nachgeben; aber für den ungeduldigen Sinn des Menschen ist
sie durch ihre ewigen Windungen ermüdend. Zwischen Würzburg und
Gemünden sieht man viele Ruinen, über dem Städtchen Karlstadt, der
Heimat des schwärmerischen Theologen Andreas Bodenstein, genannt
Karlstadt, die Karlsburg. Unweit der Dreieckspitze mündet die Kleine

Wern. Sie fließt von dem Mainwinkel bei Schweinfurt quer herüber zu dem Winkel bei Gemünden. Ihr Tal nimmt daher die
Landstraßen auf, die von einem Winkel zum andern gehen, und könnte
auch zur Anlage eines Kanals in dieser Richtung benutzt werden, um
einen großen Mainwinkel abzuschneiden.

Bei Gemünden, wo Maindreieck und Mainviereck zusammenstoßen, mündet der größte rechte Nebenfluß des Main, die Fränkische
Saale. Ihr Brunnen liegt 7 km südöstlich von Königshofen unter
einer Anhöhe der Haßberge, von denen ein Kirchlein der heiligen
Ursula herabblickt. In einer nach Südosten geschlossenen Spirale
windet sich der Fluß nach Königshofen und empfängt unweit Neustadt seinen andern Quellfluß, die Streu, aus der Rhön. Von
diesem Einigungspunkte an behält die Hauptader der Saale trotz aller
Krümmungen die Richtung nach Südwesten bei. Da sie auf den
letzten 30 km floß- und kahnbar ist, so führt sie viel Holz und auch
Waren aus den nordöstlichen Gegenden herab. Ihr meist von anmutigen Waldbergen eingefaßtes Tal ist tief eingeschnitten, von hohen
Ufern begleitet, und deshalb namentlich in seiner untern Abteilung
wenig geeignet zur Aufnahme von Landstraßen. Der Fluß ist daher
für den Verkehr wenig brauchbar. Die Städte in seinem Tale nennt
der Geograph Münster (1544) „herrliche Flecken“, uns erscheinen sie
heute ziemlich unbedeutend, und die darunter einen Namen haben,
verdanken denselben mehr den Reizen der sie umgebenden Natur,
ihren Heilquellen oder andern Umständen, als einer durch Tal-,
Berg- und Flußrichtung veranlaßten Konzentration des Verkehrs.
Kurz vor Gemünden verbindet sich mit der Saale von rechts her ihr
größter Nebenfluß oder ihr Geschwisterfluß, die Sinn vom Kreuzberge.

Das Mainviereck umschlingt den Spessart; die Westlinie des
Vierecks bricht zwischen Spessart und Odenwald hindurch. Auf der
ziemlich gerade nach Süden gerichteten Ostseite des Vierecks liegen
Lohr an der Mündung des gleichnamigen Spessartflüßchens, Schloß
Rotenfels auf rötlich schimmernden Felsen und das alte Schloß Hom-
burg. Die Südlinie des Vierecks ist das schönste Stück des Mains,
und Wertheim davon wieder der schönste Punkt. Amphitheatralisch
steigt die Stadt zwischen Wald- und Weinbergen auf, darüber die
imposanten Trümmer der im Dreißigjährigen Kriege zerstörten Burg.
Auch Stadt Prozelten und Freudenberg mit einer Ruine aus dem
12. Jahrhundert liegen schön, vor allen Miltenberg, an der südwestlichen Ecke des Mainquadrats mit Trümmern eines 1552 zerstörten
Schlosses, das malerisch auf rotem Sandsteinfelsen hängt.

Die Westlinie, das am meisten gerade gestreckte Stück des ganzen Flußlaufs, führt bei dem Wallfahrtskloster Engelberg, bei Klein Heubach, Stadt und Ruine Klingeberg vorüber und endet bei Aschaffenburg. Vielleicht bahnte der Fluß sich hier seinen Weg nicht selbst, vielleicht wurde er ihm durch eine gerade durchsetzende Erdkluft vorgezeichnet.

Der größte Zufluß des Mainvierecks ist die bei Wertheim mündende Tauber, „nit ein geringer Fluß". Sie entspringt auf dem terrassenartigen Absatz, der mitten zwischen Neckar-, Main- und Donauzuflüssen aus Südwesten nach Nordosten streicht, aus einem Teiche, der den Namen Taubersee führt, „bei dem Dorfe Wertingen, hinter der Stadt Rotenburg." Sie ist im obern sehr raschen Laufe mit Kocher und Jagst völlig parallel und scheint sich dem Neckar zuzuwenden. Allein an der Stelle der größten Annäherung bei Mergentheim nimmt sie plötzlich eine andere Richtung an, biegt nach Nordnordwesten um und fließt dem Main zu. Wie jene Parallelzuflüsse des Neckar stellt die Tauber ein sehr schmales Flußgebiet dar, von dessen Grenzen nur ganz kurze Flußadern herzulaufen. Bei Bischofsheim wird sie kahnbar. Ihr Tal, der Taubergrund, ist ein Garten an Fruchtbarkeit und Schöne.

Bei Miltenberg mündet die Mudau, und unterhalb aus dem Odenwald der Mümling und Gernsprenz. Beide Nachbarflüßchen bieten in ihrer ganzen Entwicklungsweise einen auffallenden Parallelismus dar. Sie sind beide gleich lang, kommen beide erst aus Süden, schwingen sich beide mit einem Bogen erst nach Nordosten, dann direkt nach Osten herum. Der Gernsprenz gegenüber mündet bei Aschaffenburg die Aschaff. Mit der Lohr bildet sie gleichsam die vierte Wasserseite des Vierecks, wie die Wern die Grundlinie des Dreiecks bildete.

Der Main als Straße des Verkehrs und der Schiffahrt angesehen, bietet mannigfache Gunst, aber auch Ungunst der Verhältnisse. Sein ruhiges und stilles Wesen scheint die Schiffahrt zu begünstigen; sie hat nicht mit Klippen oder Strudeln zu kämpfen. Mit Ausnahme seiner Quellengebiete und einzelner Strecken seines Unterlaufs fließt der Main auch durch ein Land, in welchem der Verkehr, Waren- und Personentransport und Wegebau in allen Richtungen ziemlich leicht ist, so daß man überall sowohl längs der Ufer der Flüsse fortkommen, als von den Seiten her zu den Flußadern ohne allzu große Schwierigkeiten gelangen kann. Der Fluß teilt sich auch fast gar nicht in Arme, sondern hält seine Gewässer in seinem tief eingefurchten

Tale fast immer in einem einzigen und beinahe durchweg gleich-
breiten Kanale zusammen, der auch nirgends durch Bildung von
Seeen und Wafferbecken unterbrochen wird. Infolge deffen ift auch
der Übergang über den Main und feine Überbrückung ftets ziemlich
leicht gewefen: alles durchaus günftige Verhältniffe. Wäre nur die
Wafferfülle mächtiger oder gleichmäßiger! Aber das ganze Regnitz-
gebiet befteht aus niedrigem Lande, das nur einmal im Jahre, zur
Zeit der Schneefchmelze, reichliches Waffer gibt. Die Gebirge im
Norden und Often des Gebietes gehören zu den mittelhohen, die das
Abträufeln der Schneemaffen zwar etwas in den Sommer hinein
verlängern, aber doch in der Mitte desfelben damit aufhören. Daher
ift die fommerliche Ebbe des Mains tiefer als die des Rheins und `
fteht zu der Frühlingsflut in größerem Kontrafte als bei diefem.
Und nun die Krümmungen! Im Durchfchnitte find die großen Ent-
fernungen im Maingebiete zu Waffer doppelt fo weit als zu Lande.
Aber es können die fämtlichen Abfchnitte des Mains wegen der
einem jeden eigentümlichen Richtung als ganz befondere, für fich be-
ftehende Flußbahnen, und wiederum wegen ihres ununterbrochenen
Zufammenhanges mit dem Ganzen des Mains als Teile diefes
Fluffes aufgefaßt werden; fie fpielen daher eine doppelte Rolle, erft-
lich eine jedem Stücke eigene, und dann eine, die fie mit dem ganzen
Flußpfaden gemein haben. Jedes Stück kommt aus einer ganz ver-
fchiedenen Gegend her und zielt auf eine ganz verfchiedene Gegend
hin, und wird zwifchen beiden als ein verbindender Kanal benutzt.
Das Flußftück zwifchen Gemünden und Wertheim z. B. kommt aus
den Gegenden der Fränkifchen Saale und zielt auf die Taubergegenden
hin. Es verbindet keine andern Abteilungen des Maingebietes fo
innig wie diefe Gegenden, die daher auch untereinander einen lebhaften Verkehr mittels jenes Mainftückes unterhalten. Alle Ladungen
von der Saale her, die für die Taubergegend beftimmt find, werden
in Gemünden ein- und bei Wertheim ausgefchifft und umgekehrt.
Ähnlich verhält es fich mit der Regnitz und Rodach, welche durch
das Mainftück Lichtenfels-Bamberg verbunden find. Überhaupt bietet
das ganze Maingebiet die trefflichften Verbindungen nach allen Himmelsgegenden und Flußgebieten. In das Werragebiet führt die
Werra, die mit ihrem Tale fich bis auf geringe Entfernung an die
Hauptader des Maingebietes heranzieht und von da aus einen langen
und geraden Fluß- und Talkanal zur Wefer und zur Nordfee hinab
bildet. Sehr frühzeitig fchon bildete fich ferner eine Handelsftraße
vom Main über den Frankenwald ins Elbgebiet und namentlich zu

den Ebenen Sachsens und dem großen Markte von Leipzig, einer der vornehmsten Verbindungswege zwischen dem Süden und Norden. Die Eger ist gleichsam die Fortsetzung des Weißen Main nach Böhmen; in den Westen führt der Untermain, und die Regnitzstraße greift tief in das Donauland hinein: so bildet der Main in Wahrheit ein Band der Länder und Stämme.

9. Nürnberg.

Eine der reizlosesten Strecken, die man auf deutschen Bahnen durchfahren kann, ist die Gegend zwischen Würzburg und Nürnberg. Nachdem wir bei Kißingen den Main überschritten und einen letzten Blick auf seine Rebenhügel geworfen haben, schweift unser Blick rechts wie links über Sand- und Heideflächen, die nur hin und wieder von dürftigen Kiefernwaldungen unterbrochen sind. Wir könnten des Glaubens werden, uns in des heiligen römischen Reiches Streusandbüchse zu befinden, und tatsächlich hat man diese Gegend wohl so genannt, ehe die Mark ihr diesen Namen streitig machte. Um so mehr sind wir überrascht, aus dem Coupéfenster zuzeiten ansehnliche Städtchen zu erspähen, von stattlichen Mauern umgeben, von wehrhaften Türmen überragt. Wir sind eben an der alten Heer- und Handelsstraße nach dem Süden und dem Osten, die an der Rednitz aufwärts, den Jura überquerend, durchs Lechtal nach Augsburg und weiter nach Italien, an der Donau abwärts über Regensburg in den Orient führte. Diese Straße bringt uns auch nach Nürnberg; sie erklärt uns seine Entstehung, seinen Glanz und Reichtum in dürftiger Umgebung, ohne daß ihm die tatkräftige Förderung eines angesehenen Fürstengeschlechtes, die Berlin in ähnlicher Lage zu Bedeutung brachte, zustatten gekommen wäre. Ein mächtiger Sandsteinfelsen ragte aus dem sumpfigen Rednitztale hervor; er bot einen willkommenen Stützpunkt für die Befestigung der Rednitzstraße, und so entstand ums Jahr 1025 Nourenberc, das bald Reichsfestung wurde, in dem 28 deutsche Kaiser zeitweilig residierten, und das Reichtum und Kunstsinn seiner Bewohner zu „des Reiches Schmuckkästlein" machten.

Wir langen in Nürnberg auf dem seit 1901 aus mächtigen Sandsteinquadern neu aufgeführten Zentralbahnhofe an. Gleichsam, als scheue sich die neue Zeit, mit einem brutalen Anachronismus das Bild altertümlichen Glanzes, das unser wartet, zu stören, setzt der D-Zug uns diesseits der Tore ab und läßt uns von dem weiten Bahnhofsplatze einen ersten Blick auf die wunderbare Stadt

mit ihren angeblich 365 Türmen und Türmchen tun. Hier steht
auch das mächtige Reiterstandbild des Prinzregenten Luitpold.
Mit Recht! Denn Nürnbergs intime Märkte und malerische Gassen
bieten für unsere moderne Denkmalskunst, die sich in Massen-
wirkungen nicht genug tun kann, keinen Raum. Übrigens haben
Nürnbergs Bürger die 300000 Mark, die das Denkmal erforderte,
in weniger denn einer Woche zusammengebracht.

Es ist eine alte Tradition, Nürnberg als eine mittelalterliche
Stadt anzusehen und bei einer Wanderung durch seine Straßen
zu glauben, sich in die Zeit der Hohenstaufen oder wenigstens der
ersten Habsburger zurückversetzt zu sehen. Das entspricht wenig
den tatsächlichen Verhältnissen. Ganz abgesehen davon, daß schnelles
Anwachsen und Emporblühen in den letzten Jahrzehnten — die
Einwohnerzahl ist heute (1894), allerdings auch durch Eingemeindung
der Vorstädte, auf über 300000 gestiegen — durch die Stigmata
modernen Verkehrs: prächtige Läden, Warenhäuser und Straßenbahnen, die Physiognomie der Stadt stark verändert hat, so sind
„mittelalterlich“ in Nürnberg eigentlich nur einige Kirchen, die
ältesten Teile der Befestigung und der heute als „Burggrafen-
burg“ bezeichnete ältere Teil der Burg. Gerade die Profanbauten, die der Stadt ihr eigenartiges Gepräge geben, rühren
mit wenigen Ausnahmen aus dem 16. und dem Anfange des
17. Jahrhunderts her. So ist Nürnberg vielmehr die Stadt der
deutschen Renaissance als des deutschen Mittelalters.

Nürnbergs Straßen, die wegen der hügeligen Lage der Stadt
zum Teil abschüssig laufen, sind selten ganz gerade und breit,
oft krumm, winkelig und eng. Die Häuser sind größtenteils sehr
solid aus roten Sandsteinquadern oder in Fachwerk mit Holz-
galerien erbaut, sehr hoch und mehr tief als breit, oft ungemein
reizvolle malerische Höfe umschließend. Sie haben durchweg eine
einfache Fassade und steile Dächer, vielfach mit anmutigen Treppen-
giebeln geschmückt. Charakteristisch für Nürnberg sind die „Chörlein“, Ausbauten, die meistens im ersten Stockwerk die Fassade
unterbrechen und, mit herrlichem Schnitzwerk verziert, auf Trage-
balken mit hübschen Balkenköpfen ruhend, von Basreliefs mit
Säulen und Figuren gurtartig umzogen, den vornehmsten Platz
des Hauses bezeichnen, von dem Nürnbergs reiche Bürger mit
ihren Frauen den Straßentreiben zuschauten. „Erker“ nennen
die Fremden sie gern; der Nürnberger kennt „Erker“ nur auf
dem Dache.

Dazu beurkunden Wappen über den Toren, in Nischen zwischen

20*

den Fenstern und auf Postamenten an den Ecken zwischen den
Stockwerken stehende alte Heiligenbilder und eingemauerte Bas=
reliefs von ausgezeichneten Meistern den Reichtum und altertüm=
lichen Geschmack ihrer Erbauer und Besitzer. Und das Auge, das
nach oben sieht, ist von Erstaunen gefesselt beim Anblick dieser
bizarren Giebelbildung, dieser wunderlichen Türmchen, Erker,
Zacken, Drachen und anderer phantastischer Gestalten, die oft hoch
in die Lüste aufsteigen, oft weit in die Gassen hineinragen.

Wir kommen von Süden und betreten daher zuerst die
St. Lorenzseite; sie ist seit 1130 an die ältere Sebaldusseite an=
gebaut, welche nördlich von der die Stadt trägen Laufes durch=
teilenden Pegnitz liegt. Durch das Frauentor führt uns die Königs=
straße zur größten Kirche der Stadt, zu St. Lorenz. Doch schlagen
wir uns zuvor in eine linke Seitenstraße. Dort steht das Ger=
manische Nationalmuseum, ein aus einem früheren Kar=
thäuserkloster durch Umbau und Erweiterungen entstandener Ge=
bäudekomplex, der in 96 Sälen umfangreiche Sammlungen zur
deutschen Kultur= und Kunstgeschichte enthält, und an dessen Portal
die Worte prangen: „Eigentum der deutschen Nation". Die
St. Lorenzkirche ist 1274 (?) auf Veranlassung des Grafen
Adolf von Nassau begonnen; erst 1477 war der Bau ganz vollendet.
Sie ist dreischiffig; nur ein paar Türen und Fenster zeigen den
Rundbogenstil, sonst herrscht die gotische Form vor. Der schönste
Teil der Kirche ist das Portal zwischen den beiden Türmen, von
denen der eine, 1865 vom Blitz zerstört, in alter Pracht wieder=
erstanden ist. Das Innere des prächtigen Gebäudes entspricht seinem
Äußern. Im Chor hängt ein Meisterstück des Bildschnitzers Veit
Stoß, der englische Gruß mit den sieben Freuden Mariä, 1517 ver=
fertigt. Der Reformator Osiander ereiferte sich aber über dieses Bild
und nannte es nur „die goldene Grasmagd", weshalb man es mit
einem Sacke umhüllte. Den Chor schmücken Glasmalereien, darunter
das berühmte Volkamersche Fenster. An dem Pfeiler rechterhand
bei dem Hauptaltare steht das künstliche, 18,7 m hohe Sakraments=
haus, an dem Adam Krafft fünf Jahre gearbeitet hat. Die Blumen
und schwanken Äste scheinen aus den Steinen gewachsen zu sein; sie
sind aus feinem Sandstein gehauen und werden durch eiserne
Stangen im Innern gehalten. Die Figuren des Meisters und seiner
Gesellen tragen es; das Ciborium, den Hostienbehälter, umgibt ein
Gang, darüber drei Hautreliefs: Christus die Weiber tröstend,
das Abendmahl und der Ölberg. Über diesen drängen sich in
mannigfacher Verschlingung Äste und Blumen hervor, ein wahres

steinernes Pflanzengebäude; dazwischen sind einige Darstellungen aus der Passionsgeschichte; das ganze Gebäude endigt in einer schön gewundenen Blume.

Um seiner gotischen Bauart und seines Alters willen ist gegenüber der Lorenzkirche das Nassauer Haus aus dem 14. Jahrh. merkwürdig. Massiv, zeigt es oben drei zierliche Ecktürmchen und Zinnen mit Umgang und am Dache das kaiserliche, nassauische und sächsische Wappen. Einst wohnten darin die Pröpste von St. Lorenz.

Wir überschreiten jetzt den Fluß und gelangen in die St. Sebaldusseite. Links liegt uns der Hauptmarkt, einer der schönsten Marktplätze in Deutschland. Einst standen hier die Häuser reicher Juden, die sich, als Verfolgungen am Rhein im 12. Jahrhundert begannen, hierher flüchteten. Kaiser Karl IV. aber erlaubte, „dieweil in Nürnberg kein großer Platz sei, daran die Leute gemeiniglichen ohne Gedräng kaufen und verkaufen mögen und andern ihren Nutzen schaffen", alle Judenhäuser in der Stadt abzubrechen. So entstanden mehrere Marktplätze. Den vorderen großen Marktplatz ziert der Schöne Brunnen, ein 19 m hoch in vier Abteilungen sich aufrankendes Bauwerk. Die Standbilder der unteren Abteilung stellen die „neun starken Helden" dar: Karl der Große, Gottfried von Bouillon, Chlodwig von Frankreich, Judas Maccabäus, Josua, David, Cäsar, Alexander und Hektor; in der zweiten Abteilung stehen Moses und die sieben Propheten. Noch ist die kaiserliche Kapelle zu rühmen, gestiftet von Kaiser Karl IV. unter dem Namen Unser lieben Frauen Saal; sie steht auf dem Platze der früheren Judensynagoge, ein Meisterstück der gotischen Architektur. Überreich ausgeschmückt mit ihren kleinen Figuren in den Hohlkehlen der Portale und dem trefflichen durchbrochenen Gange mit seinen Wappen in dem Geländer. Die 1878—81 restaurierte Kirche selbst, die Frauenkirche, besitzt schöne Gemälde und Statuen, die zum Teil aus anderen Kirchen genommen wurden. Hinter der Frauenkirche auf dem Gänsemarkte ist ein allerliebstes kleines Brunnenstandbild von Erz, das Gänsemännchen, ein Bauer, der unter jedem Arme eine wasserspeiende Gans trägt. In der Nähe ist die Kirche zum Heiligen Geist, in der von 1424—1796 die Reichskleinodien und Reichsheiligtümer verwahrt wurden.

Wir nähern uns dem Rathausplatze. Rechts steht das von 1616—1619 in italienischem Stile erbaute Rathaus wie ein Fremdling in der sonst so deutschen Stadt. Ein Überrest des früheren Rathauses, der große Saal, ist dem neueren Baue eingefügt. Die Decke desselben besteht aus einer großen runden und glatten Wölbung

Abb. 68. Der Marktplatz mit dem Schönen Brunnen in Nürnberg.

von Holz; in einer Ecke steht noch der schmucklose Lehnsessel aus
dunkelm Eichenholz, dessen sich die Kaiser bei den Reichstagen be=
dienten.   Ein 1885—89 hinzugefügter Ausbau greift auf die
ursprünglichen gotischen Formen des Bauwerks zurück.

Links dem Rathause gegenüber ragt die St. Sebalduskirche.
Sie zeigt den Übergang des Rundbogenstiles zum Spitzbogenstil;
der 100 Jahre später gebaute, 1274 vollendete Chor stellt sich aber
in der reinsten gotischen Form dar. Besonders reich verziert ist die
Brauttür auf der Nordseite der Kirche, die mit ihrem inneren Ein=
gange eine Vorhalle bildet und zierlich durchbrochene Arbeit zeigt.
Sie ist die schönste Tür der Kirche. Aus ihr zog jährlich am
St. Sebaldustage eine Prozession mit dem Sarge des Heiligen, den
die Vordersten des Rates trugen; und alle Priester und Schüler
schlossen sich an; das Volk aber kroch unter dem Sarg weg, weil
dies für das beste Mittel gegen Kopf= und Rückenschmerzen galt.
Das etwas schmale Mittelschiff wird von hohen schlanken Säulen
getragen, „von einem Walde heiliger Tannen". Durch ihre erhabenen
Kronen bricht nur gedämpftes Licht, das sich durch reiche Glas=
malereien seinen Pfad suchen muß. Ein feierliches Düster herrscht
daher in der Kirche: erst allmählich tritt dem Beschauer der Schmuck
der Ornamentik heraus.

Das prächtige Grabmal St. Sebalds von Peter Vischer, an dem
dieser mit seinen Söhnen 1508—1519 arbeitete, nach Kuglers Worte
„das höchste Heiligtum deutscher Kunst", steht vor dem Chore der
Kirche und ist, wie die unterste Aufschrift bezeugt, „allein Got dem
Allmechtigen zv Lob vnd Sanct Sebolt, dem Himmelsfürste, zv Eren
mit hilff frummer leut vn dem almussen bezahlt". Der Sarg, welcher
in zwei Kästchen 18 und 91 Gebeine des Heiligen (ohne die Hirn=
schale) birgt, ist mit Silberblech überzogen und wurde 1397 ver=
fertigt. Er ruht auf einem Fußgestelle mit Basreliefs aus dem Leben
des Heiligen und steht in einer gotischen Laube, welche drei Aufsätze
mit gewundenen Treppenhäuschen hat, getragen von Säulen, in deren
Mitte auf Postamenten die Apostel stehen, vielleicht das vollendetste
Werk deutscher Gußarbeit. Noch höher sieht man die Kirchenväter
und außerdem an diesem Werke noch wenigstens 72 treffliche größere
oder kleinere Figuren angebracht. In dem ältesten Teile der Kirche,
wo eine angeblich vom heiligen Bonifatius 716 eingeweihte Kapelle
stand, erblickt man den herrlichen Taufstein aus Weißkupfer, 32 Zentner
schwer. Im Jahre 1361 am 11. April wurde in diesem der nach=
malige König Wenzel getauft. Den Sebaldus=Pfarrhof be=
wohnte einst Melchior Pfinzing, Kaiser Maximilians Kaplan, der
dessen Reimwerk, den „Teuerdank", überarbeitet hat. In der Nähe
das alte, übereinandergeschobene Eckhaus, welches Dürer bewohnte.
Es wurde aus den Mitteln der 1871 gegründeten Dürer=Stiftung

restauriert. Auf dem Platze vor dem Hause steht Dürers Standbild. Neben der Westseite der Sebalduskirche bezeichnet eine Inschrift das Haus, in dem „Johann Palm, Buchhändler, der ein Opfer fiel Napoleonischer Tyrannei, im Jahr 1806", wohnte.

Nun hebt sich die Burgstraße steil zur Burg. Hohe, stattliche Gebäude, wo die alten reichen Geschlechter ihre Könige bewirteten, wenn sie in dem lebensfrohen Nürnberg Rast von den Sorgen der Regierung suchten, schließen sie zu beiden Seiten ein.

Die alte Burg diente in den ältesten Zeiten zur Wohnung der deutschen Könige, so oft sie zu Nürnberg ihr Hoflager aufschlugen. 28 Kaiser und Könige haben in der Zeit von 1050—1704 hier geweilt,

ja Albrecht I., Ludwig der Bayer, Karl IV. kamen fast alljährlich hierher. Kaiser Friedrich III. weilte 1487 fast ein ganzes Jahr darin und krönte in derselben den berühmten Dichter Konrad Celtes. Nachgehends, als die Kaiser nicht mehr an verschiedenen Orten ihre Hoflager hielten, ward das Schloß zur Wohnung der ältesten Magistratsperson, welche den Titel Kastellan führte, bestimmt. Eine Reihe Zimmer zu ebener Erde, die, von der Stadt aus gesehen, das erste Stockwerk ausmachen,

Abb. 69. Der Heidenturm am Eingange zur alten Burg in Nürnberg.

wurde dazu eingerichtet. 1855 schenkte die Stadt die Burg ihrem früheren Landesherrn, dem König Ludwig. Jetzt sind die Deutschen Kaiser Mitbesitzer der Burg, denen die bayrischen Könige das Mitbesitzerrecht, der alten Zeit gedenkend, verliehen haben.

Nahe am Eingang, beim alten Burgtor, auf dessen Flügel der doppelte Adler gemalt ist, erhebt sich der Heidenturm, so genannt wegen einiger auf seinen Tragsteinen befindlicher Figuren, welche man für Götzenbilder hielt. Dieser Turm bildet den ältesten Teil des Schlosses und stand bereits im 11. Jahrhundert. Die Margaretenkapelle in demselben ist ein kleines dunkles Gotteshaus. Vier Säulen mit Verzierungen im maurischen Stil bekunden ihr Alter.

Über der Margaretenkapelle steht die Ottmars- oder Kaiserkapelle, die um ihrer herrlichen Bauart willen gesehen zu werden verdient. Vier dünne Säulen, schlank wie Spindeln, im reinsten maurischen Stil tragen das Gewölbe des hohen heiteren Kirchleins, in welches ein Fenster aus dem Gebetzimmer des Kaisers hinabgeht. In den Schloßhof ein-getreten, sehen wir vor uns die uralte Kaiserlinde, der Sage nach von der Kaiserin Kunigunde, der Gemahlin Heinrichs II., gepflanzt. An den Steinen der Mauer zeigt man den Abdruck eines Roßhufes: der Erzritter und Zauberer Eppele von Gail, in einer Fehde mit Nürnberg begriffen, sprengte von hier, wie erzählt wird, über Gräben und Mauern in die Stadt.

Eine schöne Aussicht bietet die Freiung, der Platz vor der Burg; noch ausgedehnter hat man sie vom Vestnerturme, der im äußeren Burghofe aus roh behauenen Quadern schon im 13. Jahrhundert errichtet ist. Da liegen unter uns in malerischer Abstufung die sich kreuzenden Straßen, gebildet von den Häusern mit ihren Erkern, Giebeln und Chörlein in mannigfaltigster Form und Ausschmückung, dazwischen die aus massiven Steinen geschnittenen Sitze der Patrizier-familien und der reichen Kaufleute, deren untere Räume zur Bergung des in alle Welt gehenden Gutes bestimmt sind. Um die Stadt reiht sich Garten an Garten, weiterhin Dorf an Dorf, die fruchtbaren Felder mit Tannenwäldern untermischt. Im Nordwesten und Westen umziehen blaue Höhen den Horizont; sonst schweift der Blick über Ebenen und die dunkle Masse des Stadtwaldes. Fürth liegt aus-gebreitet da, Erlangen und Altdorf kann man deutlich sehen; am Horizont schwebt die Feste Wolfstein.

Und nun denken wir der Vergangenheit nach. So genau wir auch aus Urkunden des 10. und 11. Jahrhunderts die Landschaft an der Rednitz kennen, so erscheint uns doch kein Dörfchen, keine Burg, die etwa auf Nürnbergs Ursprung hinweisen könnte. Zum erstenmal wird in einer Urkunde Heinrichs III. vom 16. Juli 1050 ein Kastrum Nourenberc erwähnt, das doch schon groß genug war, eine Fürsten-versammlung in seinen Mauern aufzunehmen. In dem Kastrum der Kaiserburg walteten an Kaisers Statt die später so mächtigen frän-kischen Hohenzollern als Burggrafen von Nürnberg. Nur mit Mühe und Kunst konnte das Terrain der sich unter dem Schutze dieser Burg bildenden Stadt wohnbar gemacht werden. Die Kirchen mußten auf eingerammten Pfählen erbaut, die Sandflächen durch künstliche Be-wässerung in Gärten und Ackerland verwandelt werden. Als aber diese Schwierigkeiten erst überwunden waren, begann die Stadt, zwar viel später aber auch viel kräftiger als alle anderen Orte der Regnitzgegenden emporzublühen. Das Grab des heiligen Sebaldus zog Pilger und Wallfahrer herbei: Märkte und Messen schlossen sich an. Denn Heinrich III. verlieh diese Rechte der neuen Ansiedelung, die seit 1127 den Namen einer Stadt trägt. Am 8. November 1219 erhielt Nürnberg sein erstes reichsstädtisches Privilegium. Von nun an gingen die Geschichte der Burg auf dem Felsen und der von ihr abhängigen Burggrafschaft und die Geschichte der Stadt auseinander. In endlosen Reibungen und Streitigkeiten der Stadtbürger mit den Burggrafen kräftigte sich das städtische Gemeinwesen. Nachdem in diesem Streite die Wege zu entfernteren Städten und namentlich nach dem Rhein und der Donau gefunden waren, konnten nun auch die entfernteren Verhältnisse günstig auf die Stadt einwirken, und als dann nach den Kreuzzügen der italische und orientalische Handel längs dem Rhein und der Donau mächtig aufzublühen begann, erreichte Nürnberg bald den Gipfel seiner Macht und Blüte. Es wurde der Hauptzentralpunkt des Donau-, Elb- und Rheinhandels, der Mittelpunkt des binnendeutschen Handelsgebietes.

Eine Reihe von „Erfindungen" im Irdischen und Geistigen bahnt den Übergang aus dem Mittelalter in die neue Zeit. In dem Anteil, welchen Nürnberg daran hat, spiegelt sich seine Wichtigkeit wieder: „es ist die Stadt des Witzes im Erfinden". Durch Martin Behaimb hatte es teil an den Seefahrten der Portugiesen; Peter Hele fertigte 1500 die ersten Taschenuhren (Nürnberger Eier); hier wurde das Feuerschloß an den Schießgewehren, die Windbüchse, die Drahtzieherei erfunden. Auch im Gebiete des geistigen Schaffens war Nürnberg groß. Fast zu gleicher Zeit wirkten die Maler Albrecht Dürer und sein Lehrer Wohlgemuth, der Bildhauer Adam Krafft, der Erzgießer Peter Vischer, der Holzschnitzer Veit Stoß, der Glasmaler Hirschvogel, alles anerkannte Meister in ihrer Kunst. Dazu blühte die edle Dichtkunst im Meistergesange, der in Hans Sachs, 1494—1576, seine Höhe erreichte. Nürnberg spielt auch in der Reformationsgeschichte eine wichtige Rolle und war die erste Reichsstadt die sich 1523 der neuen Lehre zuwandte. Darum rühmen die Reformatoren den Eifer der Stadt für Kirchen- und Schulwesen. „Nürnberg," schreibt Luther an Lazarus Spengler, den Syndikus von Nürnberg, „leuchtet in ganz Deutschland wie eine Sonne unter Mond und Sternen."

Die Entwickelung Nürnbergs zu Kraft und Größe war so kräftig vor sich gegangen, daß selbst der neu aufgefundene Seeweg nach Indien das bisherige Verkehrsleben nicht lähmen konnte. Erst infolge des

Dreißigjährigen Krieges verfiel es in Siechtum; die Kriege späterer Jahrhunderte brachten es noch mehr herunter, und 1806 wurde die Stadt mit Verlust ihrer Reichsstandschaft dem Königreich Bayern einverleibt.

Industrie und Handel haben unter Bayerns Herrschaft wieder einen großen Aufschwung erhalten, so daß die Stadt, die zu Anfang des 19. Jahrhunderts 30 000 Einwohner hatte, 1870 deren 78 000 zählte. In überraschender Weise haben auch die großen Verhältnisse, welche das neue deutsche Kaiserreich geschaffen, auf die Entwicklung Nürnbergs fördernd eingewirkt: Nürnberg ist heute ohne Frage die bedeutendste Handels= und Industriestadt Süddeutschlands.

Die Nürnberger, meist fränkischen Stammes mit Bayern unter= mischt, sind ein gar besonderes Völkchen, Menschen von gutem biederm Schlage. Alte deutsche Redlichkeit, Gutmütigkeit, Geselligkeit, Treu= herzigkeit, Genügsamkeit, die sich im Leistle, im Bratwurstherzle und im Mohrenkeller noch immer wohler fühlt als in den modernes Cafés und Restaurants, eine fröhliche Laune und ein gut Teil Mutterwitz sind die Grundzüge ihres Charakters. Vorzüglich zeichnen sie sich durch ihre Wohltätigkeit und Religiosität aus, die sich bei allen Anlässen äußert. Arbeitsamkeit, Kunstfleiß und Betriebsamkeit sind gleichfalls ehrenwerte Eigenschaften der Nürnberger Bürger; und auch ihr Er= findungsgeist ist noch nicht erloschen. Gerade die Größe der alten Reichsstadt, das Selbstbewußtsein ihrer Bürger forderten aber Neckereien und Spott heraus. „Die Nürnberger henken keinen, sie hätten ihn zuvor" ist ein alter Volksspruch; „Mit nichten, sagen die Herren von Nürnberg" ein anderer. Der in den Sack gesteckte „Eng= lische Gruß" wird samt anderen Vorkommnissen von Schälken unter die Abderitenstreiche gerechnet.

Zehn Kilometer von Nürnberg westlich erheben sich über einer bewaldeten Höhe die stattlichen Ruinen der „Alten Veste", „in welcher nachts die Geister Wallensteinischer Küraffiere umgehen und die Heerpauke des Dreißigjährigen Krieges dumpf unter der Erde raffelt. Drüben, von den Türmen der Reichsstadt her, antworten die schwe= dischen Hörner". Es ist bei Zirndorf, wo Wallenstein monatelang verschanzt lag, während Gustav Adolf Nürnberg innehatte. So ist das Gedächtnis der furchtbaren Not, welche damals auf die Stadt gelegt war, der schwersten Zeit wohl, welche Nürnberg jemals durch= zumachen hatte, bis auf den heutigen Tag im Volke noch nicht erloschen.

10. Der Thüringer Wald.

Der Thüringer Wald zerfällt durch die Einsattelung an der Schwalbenhauptwiese in zwei voneinander in Bau, Landschaft und Besiedelung durchaus abweichende Hälften. Der südöstliche Teil schließt sich in seinem geologischen Aufbau ganz dem Frankenwalde an; er wird größtenteils von Schiefern und Grauwackenschichten von bedeutender Mächtigkeit zusammengesetzt. Er hat, 38 km lang und 28 km breit, mehr den Charakter einer Hochfläche, deren mittlere Kammhöhe 768 m, die mittlere Gipfelhöhe nur 785 m beträgt. Die die Hochfläche überragenden Höhen erscheinen demnach ziemlich unbedeutend; die höchste derselben ist das Kieferle, 868 m. Der nordwestliche Teil dagegen besteht aus Gneis und krystallinischen Schiefern, sowie Schichten des Rotliegenden, durchbrochen von Granitinseln. 72 km lang und nur 14 km breit, erscheint er wie ein schmaler Grat von 726 m mittlerer Kammhöhe mit aufgesetzten Kuppen. Zwar beträgt seine mittlere Gipfelhöhe nur 750 m; aber nicht wenige Berge überschreiten sie so erheblich, daß sie diesem Teile ausgesprochenen Gebirgscharakter verleihen. Nach Nordosten fällt das Gebirge steil ab und gewährt, von Norden her gesehen, einen überaus malerischen Anblick; einzelne Queräste schieben sich in die Ebene vor, in welche sie noch mit ansehnlichen Bergen, wie der Burzel, der Kickelhahn, der Aries- und Kienberg, hineinragen.

Zwischen dem Rücken und dem südwestlichen Fuße stehen hohe Berge stufenweise übereinander. Daher sieht man von der Südseite her in eine große Masse von Bergen, ohne daß sich die hohen Punkte des Rückens so scharf und malerisch darstellen, als wenn man sich von Norden dem Gebirge nähert. Bis zur Werra reichen die Vorhöhen. Die bedeutendsten derselben sind der Dolmar, der mit seiner breiten, kahlen Basaltkuppe, von ferne gesehen, imponiert und eine anmutige Aussicht auf das Werratal und Meiningen, auf die Vorberge der Rhön und den Kreuzberg und gegen Süden auf die Feste Koburg gewährt, und der Bleßberg zwischen den Quellen der Werra und der Itz. Von dem mit Heidekraut bewachsenen Gipfel erblickt man das Fichtelgebirge, Vierzehnheiligen und Banz und im Norden den Beerberg und den Schneekopf.

Nach der verschieden gearteten Abdachung sind auch die Täler (lauter Quertäler) verschieden. Auf der Nordostseite sind sie kurz, eng und wild, zum Teil voll der schönsten Felsengruppen; die Waldbäche stürzen sich schnell und schäumend herab und bilden an einigen Orten Wasserfälle. An der südwestlichen Seite sind sie dagegen länger und mehr gekrümmt und enthalten oft große Weitungen.

Die höchsten Gipfel liegen in dem 800 m hohen Kamme selbst oder springen nur wenig aus demselben heraus. Von Südosten her treffen wir zuerst den **Kieferle**, dann den **Finsterberg**, 947 m, der sich 200 m über die Umgebungen hebt: ein imposant geformter, mit dichtestem Nadelholz bestandner Berg, der einen düster-großartigen Eindruck macht. Aus dem Kamm nach Norden vorgeschoben ist der **Sachsenstein**, nördlich vom Finsterberge am Rennsteige liegt die **Schmücke**, früher ein Viehhaus, in das die Rinder zur Sommerweide gegeben wurden, jetzt ein Gasthof, der oft den starken Zug der Reisenden kaum zu fassen vermag. Die saftigen Matten um das Haus, die schönen Quellen, der Blick auf Sachsenstein, Finsterberg und Rickelhahn, die liebliche Abgeschlossenheit machen die Schmücke zu einem anmutigen und behaglichen Aufenthalt. Dazu liegen ihr die beiden höchsten Erhebungen des Waldes ganz nahe. Nordwestlich hebt sich aus dem Kamme der höchste Gipfel, der **Große Beerberg**, 984 m, mit 160 m relativer Erhebung, ein breiter, ausdrucksloser Flachkopf. Nur mit Unmut erkennt man ihn als König des Gebirgs an und hofft, daß noch genauere Messungen ihn unter seinen Nachbar, den **Schneekopf**, 976 m, stellen sollen. Dieser gegen Norden vorgeschobene, wenigstens im obersten Aufsatze ausdrucksvollere Berg, hat den Preis freilich in gewisser Weise schon durch den 21 m hohen Aussichtsturm errungen. Der Rennsteig führt am südlichen Abhange des Beerberges vorbei, wo „Plänkners Aussicht" einen reizenden Blick auf die Bergstadt Suhl bietet, und sinkt über verschiedene Bergsättel nach Oberhof hinunter. Hier durchbricht auch die Eisenbahn als richtige Gebirgsbahn den Thüringer Wald. In fortwährenden Kurven windet sie sich zu den steilen Porphyrwänden des Gehlberger Grundes empor, die sie schließlich in einem 3 km langen Tunnel, dem Brandleitetunnel, durchbohrt. Das Gebirgsdörfchen Oberhof, an der „Frankenstraße", einem uralten Handelswege, liegt in einem Mittelpunkte ausstrahlender Bergrücken und Gewässer, dicht unter dem Kamme. In mehreren Gruppen sind die schindelbedachten Häuser auf der Bergfläche umhergestreut, inmitten ein herzogliches Jagdschloß. Liebliche, saftige Wiesenmatten, ringsum Wald, hier und da ein Luginsland nach Norden, — kurz: eine anmutige Bergidylle, wenn nicht ein Dutzend Hotels und Pensionen mit ihrem Komfort, „verwöhnten Ansprüchen genügend", eine moderne Sommerfrische daraus gemacht hätten.

Der Charakter holder Anmut ist über dem Thüringer Walde, über seinen Tälern und Höhen ausgebreitet. Das Land ist lustig,

wie die alten Geographen sagen, und das Volk ist es auch. Der Norddeutsche fühlt sich bewußt oder unbewußt auch darum von diesem
Gebirge angezogen, weil nord- und süddeutsches Wesen sich an seiner
schmalen Kammkante berührt und der Menschenstamm in glücklicher
Mischung nord- und süddeutsches Wesen vereinigt. Diese Vorzüge
und Reize erklären es, daß der Thüringer Wald unter die meist be-
reisten Gebirge gehört: manche Ortschaften sind im Sommer förmlich
Kolonien norddeutscher Großstädte geworden, wie denn Friedrichsroda für eine Vorstadt Berlins gilt. Der Reisende, dem dadurch der
stille Gebirgszauber verloren geht, zieht sich von diesen Karawanen
auf die Höhenpunkte des Gebirges zurück, wohin sich jene nur in Ex-
kursionen versteigen. Eisenbahnen machen selbst die entlegeneren Partien zugänglich. Die Übergänge, deren es eine Menge gibt, bieten
keine erheblichen Schwierigkeiten dar, wenngleich die Wege nicht
bloß weite Senkungen, sondern wirkliche Einsattelungen und Kamm-
einschnitte zu überwinden haben. Es ist daher der Thüringer Wald
eins der wegsamsten Gebirge Deutschlands geworden. Aber jahrhundertelang ist er ein Scheidegebirge zwischen deutschen Stämmen
gewesen, und seine beiden Seiten bieten noch heute einen Natur- und
Völkergegensatz dar, einen Gegensatz in Sprache, Sitte und Eigentümlichkeit in Haus und Leben. Im Volke heißt von alter Zeit her
die Südseite des Gebirges die fränkische und die Nordseite die
thüringische, und danach werden selbst Flüsse, Berge und Steige benannt. Am Nordfuße sagt man: „draußen in Franken", und am
Südfuße: „drinnen in Thüringen". Wie schon bemerkt, läuft über
den Kamm des ganzen Gebirges von der Werra bis zur Saale der
Rennsteig, d. i. Grenzweg, zwischen Thüringen und Franken, mit
den Grenzsteinen der hier zusammenstoßenden Staatengebiete besetzt.
Bald erscheint er als benutzte Fahrstraße, an manchen Stellen sogar
als Chaussee, anderwärts als grasiger, kaum erkennbarer Pfad; aber
befahren werden kann er überall, ausgenommen, wo er am Inselsberge den schroffen Südabhang hinunter fällt. Ortschaften liegen an
und dicht unter dem Rennsteige; nur wenige Strecken beherrscht
völlige Gebirgseinsamkeit. Eine Fußwanderung über den 160 km
sich hinkrümmenden Rennsteig hat Beschwerden, aber auch hohe Reize.
Der Einblick in den Bau des ganzen Gebirges, hier und da Einsicht
in die Täler, der Blick in die Ebene hinaus, die Quellen der Wald-
flüßchen, die meist nicht tief unter dem Rennsteig entspringen, die
stille Waldeinsamkeit zeichnen die Rennsteigwanderung aus, ein
idyllisches Gegenstück zu der Kammwanderung im Riesengebirge.

Abb. 70. Schwarzburg.

Als einer der schönsten Punkte Thüringens gilt mit Recht Schwarzburg. Das Stammschloß der uralten Schwarzburger Grafen liegt auf einer schmalen, steilen Felsenzunge, um welche sich die Schwarza schlängelt; vom Schlosse (350 m) und besonders von dem gegenübergelegenen Trippstein (480 m) hat man einen unbeschreiblich schönen Anblick des Tales inmitten der reich bewaldeten Höhen.

Aber dies Bild wird doch noch von dem Panorama übertroffen, welches weiter gegen Nordwesten der aus dem Kamme vortretende Inselsberg (916 m) bietet. Das ist der thüringische Rigi; denn eine Rundschau gewährt er, mannigfaltig und umfassend wie keine sonst im ganzen Thüringer Walde.

Zuweilen ziehen die Gewitter unter dem Berggipfel dahin. Dann steht der Wanderer, der ein solches Schauspiel erlebt, auf der hohen Warte wie auf einer Insel, während unter ihm wie ein wogendes Meer, von grellen Blitzen durchzuckt, die Wolken sich breiten.

Auf der höchsten Spitze des Berges steht eine steinerne Turmwarte, an der Stelle, wo schon Herzog Ernst der Fromme 1640 ein turmartiges Häuschen aufführen ließ, das jedoch allmählich verfiel und endlich von einem Orkane gänzlich zerstört ward. Diese Warte mit ihrer schützenden Brustlehne ist nur 6 m hoch, allein sie genügt, um das großartige Panorama nach allen Seiten hin zu beherrschen. Wohin man die Blicke zuerst richten soll, — man weiß es kaum: ob in das offene Land, gen Norden und Osten, oder ob in das Gebirge, das sich malerisch von Westen nach Osten hinzieht. Ist es doch ein Umkreishalbmesser von 30 km, welchen das Auge bei heiterem Himmel überfliegt. Endlich haftet es — vielleicht mit Hilfe des Fernrohrs — an einzelnen Punkten, die mehr oder weniger hervortreten, und streift vielleicht bis zum Brocken, der wie ein Wolkengebilde am nördlichsten Horizonte lagert, oder nach der andern Seite bis zum Kreuzberg auf der Hohen Rhön, der vom Brocken in gerader Linie 160 km entfernt ist.

11. Die Wartburg.

Auf einem Seitenast des Gebirges, der, von dem Nordwestende des Kammes ausgehend, wie ein mächtiges Vorgebirge in die Ebene hineinragt, liegt 396 m über dem Meere die Wartburg, die man als die in Stein gehauene Chronik des Thüringer Landes ansehen kann. Der Landgraf Ludwig der Springer war einst von der Schauenburg bei

Abb. 71. Die Wartburg.

Friedrichsroda zur Jagd ausgezogen und gelangte auf den Berg, auf
dem jetzt die Wartburg ragt. Hingerissen von der Schönheit desselben,
rief er nach der Sage aus: „Wart Berg, du sollst mir eine Burg
werden!" und bald wurde Hand ans Werk gelegt. 1070 ward der
Bau vollendet. Die Burg wurde die Residenz der Landgrafen von
Thüringen bis 1440. Der glanzvolle Hof des Landgrafen Hermann
versammelte Deutschlands Sänger und Dichter; die Sage verlegt
den Sängerkrieg um 1207 auf die Wartburg. Dorthin ward auch
das ungarische Königstöchterlein Elisabeth gebracht, um zur Gattin
des Landgrafen Ludwig aufzuwachsen; sie erwuchs zugleich zur Heiligen,
dem Bilde strengster Weltentsagung und aufopfernder Barmherzigkeit.
Nach der Wartburg ward am 4. Mai 1521 Luther geführt; hier hat
sich der brausende Strom wie in einem stillen Waldsee geklärt und
gemäßigt; hier oben hat er die Bibelübersetzung begonnen. In späteren
Zeiten verfiel die Wartburg, oder, was noch schlimmer: Ungeschmack
und Unverstand vermauerte und übertünchte ihre Herrlichkeit. Karl
Alexander, der 1901 verstorbene Großvater des gegenwärtigen Groß-
herzogs, hat die Burg in würdiger Weise restaurieren lassen; in ur-
sprünglicher Reinheit und Schönheit prangt sie vom Bergesgipfel.

Man betritt durch den Haupteingang die Vorburg, welche
außer Stallungen das zur Wohnung von Dienstmannen und zur Aufnahme fremder Ritter bestimmte Ritterhaus umfaßt. In diesem ist
auch das Lutherzimmer mit vielen Reliquien von Luther. Hier
steht ein Tisch, an dem Luther in Möhra als Knabe gesessen hat;
an der Wand hängen zwei eigenhändige Briefe von ihm, und mehr zur
Seite ist die Stelle des berufenen Tintenflecks. Vor der Restauration
war die Torburg von der Hofburg nicht mehr abgeschlossen. Jetzt
liegen dazwischen die Dirnitz, d. i. Wärmstube, welche im unteren
Teile eine Sammlung von Rüstungen, im oberen Wohnungsräume
enthält. Östlich von der Dirnitz liegt die Torhalle, östlich von
dieser die Kemenate, die Wohnung der Frauen. Das Hauptgebäude der Hofburg ist das Landgrafenhaus, im 12. Jahrhundert vollendet, der schönste, an zierlichsten Ornamenten reichste
Profanbau Deutschlands aus der romanischen Periode mit einem
35 m hohen Turme. Die im 17. Jahrhundert verbaut gewesenen
offenen Arkadengalerien an der drei Stock hohen Fassade bestehen
aus Rundbogen, welche auf hintereinanderstehenden, gekuppelten
Säulen mittels eines sich stark verjüngenden Deckgliedes ruhen. Einer
der schmalen Gänge hinter den Galerien enthält die von Schwind
gemalten sieben Werke der Barmherzigkeit und dazwischen jedesmal

eine Scene aus dem Leben der heiligen Elisabeth. Zu Ende dieses
Ganges gelangt man in die Kapelle, wo Luther oft gepredigt hat.

Im Landgrafenhause ist das Landgrafenzimmer mit acht
Wandgemälden von Schwind, welche lauter Ereignisse darstellen, die
sich auf die Wartburg beziehen oder auf ihr vorgegangen sind. Der
40 m lange und 9 m hohe Fürstensaal zeigt die ganze Pracht
einer mittelalterlichen Hofhaltung; im Sängersaale fand der
Sängerkrieg nach der Sage statt, von Schwind in einem großen
Freskobilde meisterhaft dargestellt. Auf dem Burghofe genießt man
von dem zinnengekrönten Wartturm oder Bergfried eine reiche
Aussicht.

Die Wartburg erregt, wie kein anderer Punkt in Deutschland,
die verschiedensten Interessen und Sympathieen. Der Katholik gedenkt eines der leuchtenden Sterne am Himmel seiner Heiligen, der
hl. Elisabeth, der Protestant erinnert sich an seinen Luther; der Freund
des Mittelalters freut sich der wieder ins Leben gezauberten Fürsten-
pracht; dem Kenner und Verehrer von alter Poesie und Geschichte
ruht auf dem Orte eine eigentümliche Weihe. Der neuesten Geschichte
gehört das Wartburgfest von 1817 an. Alle Beschauer aber sind
einig in dem herzerhebenden Naturgenuß, der sich dem überraschten
Auge nach allen Seiten hin darbietet, und einig im Dank gegen den
Fürsten, der die Wartburg aus ihren Trümmern wieder erstehen hieß.

12. Die Rhön.

Das schöne Tal der Werra, welche den Südwesthang des
Thüringer Waldes begleitet, trennt von ihm ein ganz anders geartetes
Gebirge voll düsterer Originalität. Es ist die Rhön.

Der südliche Teil des Rhöngebirges ist aus einzelnen flach
konischen Massen zusammengesetzt. Die bedeutendste unter diesen, der
Heilige oder Hohe Kreuzberg, 930 m, hat an seinem Fuße
einen bedeutenden Umfang; an den Abhängen ist er mit Laubholz bewachsen; am südlichen Hange lagern große Basaltblöcke wild übereinander. Der kahle Gipfel, welcher eine ziemlich breite Ebene bildet,
mit Moos, niedrigem Gras und einigen Bergkräutern bekleidet, ist
mit den Kreuzen des Herrn und der Schächer, zu oberst mit einem
großen Holzkreuze geschmückt zum Gedächtnis des Kreuzes, das der
heilige Kilian, Frankens Apostel, hier schon 638 aufgepflanzt haben
soll. Eine vorspringende Kuppe des Berges heißt darum der Kilians-
kopf. Die Aussicht zeigt in blauer verschwimmender Ferne Brocken,

Thüringer Wald, Fichtelgebirge, Steigerwald, die Berge des Odenwaldes und der Bergstraße.

Der Hauptteil des Gebirges, die Hohe Rhön, beginnt nordwestlich vom Kreuzberge und zieht als plateauartiger Rücken von Süd-
südosten nach Nordnordwesten. Die äußern Seitenwände sind scharf
geformt, von Flußtälern zerklüftet. Die höchsten Erhebungen,
Küppel genannt, sind wie Kegel oder breite Bergflächen und Felder
geformt. Die Große Wasserkuppe, in dem westwärts gestreckten
Querraste des Abtsröder Gebirgs, an der Quelle der Fulda, 950 m,
ist der höchste Rhöngipfel. Die Hohe Rhön bildet sowohl in der
Richtung, als in dem landschaftlichen Ausdrucke, den Gegensatz zu
dem benachbarten lieblichen Thüringer Walde und überrascht selbst
Kenner des höchsten europäischen Nordens durch ihre wahrhaft skan-
dinavische Unfruchtbarkeit. Nur eine Moosdecke deckt ihren Rücken,
erzeugt von der Feuchtigkeit der Wolken und Nebel, die fast immer
auf dem Gebirge ruhen. Das Wasser, welches nicht in den Boden
einzusinken vermag, bildet Moore, saure Wiesen und selbst beträchtliche Sümpfe, in denen der Volksglaube ehemalige Städte versunken
glaubt. Ein begünstigtes Ohr hört noch zuweilen ihre Glocken
läuten. Man zählt solcher Moore mehrere, und sie alle sind auf
erhöhten Flächen, die von Basaltgebirgen umschlossen sind, und immer
nahe am Rande des Abhanges gelagert. Meist dehnen sie sich über
große Räume, um welche her der Boden schon bei ferner Annäherung
feucht und schwankend wird. Sie würden den unvorsichtigen Betreter
spurlos versinken lassen; denn ein großes, ästiges Wassermoos überzieht die tiefen Wassertümpel mit einer trügerischen grünen Matte und
vegetiert so stark, daß die davon erzeugten Filze manchmal bis zu einem
Meter hoch über den Boden sich erheben. So breitet sich über 250 ha
das Rote Moor, in dem selbst in 8 m Tiefe noch kein Grund
gefunden wird. Der lange und strenge Winter verwandelt die
ganze Landschaft in ein weites Schneegefilde, dessen Schneedecke oft
10—12 m Dicke erreicht und festgefroren den sich in diese Öde
Wagenden über unsichtbar gewordenes Buschwerk und über Bäume
hinwegträgt. Ununterbrochen bis Ende April, oft bis Ende Mai,
herrscht grimmige Kälte mit Stürmen, abwechselnd mit kalten Nebeln,
Regen und dichtem Schneegestöber. Dann ist auf der weiten Gebirgs-
fläche jede Bahn verloren; die Wege werden durch Stangen bezeichnet.
Die Bewohner der Rhön treiben zwar hier und da auch Getreidebau, aber im allgemeinen sind der lange, harte Winter, die späten
Nachtfröste, die vielen moorigen und felsigen Lagen dem Getreidebau

21*

wie der Gemüse- und Obstkultur, selbst dem künstlichen Futterbau
ungünstig. Die Einwohner nähren sich mehr von dem starken Kar-
toffel- und Flachsbau, sowie von dem reichlichen Ertrag ihrer Berg-
und Talwiesen. Die Dörfer haben wenig Freundliches und Belebtes;
große Moorstrecken ohne frische Vegetation liegen dazwischen. Schon
zahlreiche Ortsnamen bezeigen, daß von Anbeginn Armut, Öde und
Düsterheit das Charakteristische dieses Landstriches gewesen sei: Spar-
brod, Wüstensachsen, Kaltennordheim, Wildflecken, Schmalenau, Dürr-
hof, Dürrfeld, Totemann, Rabenstein, Rabennest, Teufelsberg, Mord-
graben u. a.

Freundlicheres Gepräge als die Basaltplatte der Hohen Rhön
trägt die Vordere Rhön, welche aus einer Sandsteinplatte be-
steht, die von einer Anzahl vereinzelter Basaltberge durchbrochen ist.
Sie hat reicheren Feldbau, vollere Waldungen, mannigfaltigeren
Wechsel in der Oberfläche. Ihre Gipfel erheben sich um ein Bedeutendes über das von Tälern durchschnittene, 300—400 m hohe
Land. In dem westlichen Teile ist der bedeutendste Berg die
Milseburg, 833 m. Wegen des breitern Vorder- und schmälern
Hinterteiles nennt das Volk diesen Berg auch die Totenlade oder
das Heufuder. Sie gewährt einem jeden einen mächtigen Eindruck
durch das Groteske ihrer Formung. Ganz am Fuße des Berges
finden sich rote Tonlager mit Kalkstein überdeckt, dann folgt Basalt,
Muschelkalk, den obersten Teil des Berges bildet Klingstein. Viele
Trümmer bilden förmliche Wälle auf der Ostseite des Berges. Un-
endlich ausgedehnt ist die Fernsicht besonders nach Abend und der
Stadt Fulda hin. Düster und schweigend begrenzen im Osten hohe
Gebirgsmassen dieselbe. Man sieht den Inselsberg, die Wartburg,
den Herkules auf der Wilhemshöhe, die Amöneburg bei Marburg,
sogar den Altkönig und Feldberg im Taunus. Lieblich in der Nähe
zieht sich der Bibergrund hin. Den Durstigen labt der bei den
Umwohnern berühmte Brunnen des heiligen Gangolf, der auf des
Heiligen Wort entquollen sein soll. Auf der Höhe steht die Gangolfs-
kapelle. Auf der Kuppe ragt über bemoosten Klingsteinen ein Kreuz,
und zu den Seiten desselben stehen Maria und Johannes. Der
Milseburg gegenüber erhebt sich der auch aus Klingstein bestehende
Stellberg und die merkwürdige Steinwand oder Teufels-
wand, 788 m, das merkwürdigste Naturschauspiel der gesamten
Rhön. Es sind säulenartig zerklüftete Felspartieen; die Wand gleicht
an ihrer Südseite einer alten Mauer. Zwischen den Felsen wachsen

die üppigſten Kräuter. An der nördlichen Felſenſeite liegen die los-
getrennten Stücke wild übereinander.

Die Rhön gehört unſtreitig zu den eigentümlichſten Gebirgen.
Für ihren vulkaniſchen Urſprung zeugt die Geſteinmaſſe, der kuppen-
förmige Bau der Gipfel, nicht minder auch die zirkelrunden Vertiefungen mit kraterförmiger Umwallung. Sie iſt das letzte Glied
der langen Gebirgskette, welche das Oberrheintal im Oſten begleitet
und mit dem Schwarzwalde beginnt, an den ſich die abgeflachten
Plateaumaſſen des Odenwaldes und des Speſſart anſchließen und die
Verbindung mit der Rhön vermitteln. Dieſe liegt aber zugleich in
der Linie der vulkaniſch-plutoniſchen Bildungen, welche von Weſt nach
Oſt quer durch die Mitte Deutſchlands verfolgt werden kann und
mit der Baſaltmaſſe des Vogelsberges endigt. Deutlich ſind noch
alte Krater in der Rhön erkennbar, wie das ſogenannte Goldloch
zwiſchen den Bergen Pferdskuppe und Eube und der keſſelförmig
geſchloſſene, tiefe See von Frickenhauſen bei Mellrichſtadt. Ihrer
vulkaniſchen Natur verdankt die Rhön aber auch den Reichtum an
mineraliſchen Quellen, von denen mit Recht zumal die Quellen von
Kiſſingen hoch geprieſen ſind.

13. Der Kyffhäuſer und die Kaiſerſage.

„Parallel mit dem Thüringer Walde und Harz ziehen ſich durch
das Thüringerland Bergrücken, die, in ſüdlicher Richtung hinlaufend,
meiſt von der Hochfläche des Eichsfeldes ausgehen und bis an die Saale
oder Unſtrut reichen. Das öſtliche Ende des nördlichſten dieſer Höhenzüge bildet das Kyffhäuſergebirge, deſſen waldgekrönte Berge eine
weite Umſchau über einen großen Teil des umliegenden Landes,
namentlich aber einen prächtigen Anblick des Harzes gewähren. Seine
Ausdehnung beträgt in der Richtung von Nordweſten nach Südoſten
etwa 15 km, während die von Norden nach Süden ungefähr 10 km
ausmacht. Die größte Höhe mißt 457 m und trägt die Ruinen der
ehemaligen Burg Kyffhauſen, von welcher der ganze Bergzug den
Namen erhalten hat. Der nördliche Abhang, welcher außer der
obengenannten Ruine auch noch die der Rotenburg trägt, fällt nach
dem Tale der Helme, der Goldenen Aue, ab; nach Süden zu ſetzt
das Gebirge ſeinen Fuß ſchroff in das Tal der kleinen Wipper.
Dieſer ſüdliche Abhang beſteht meiſt aus Gips und zeigt nur in den

Schluchten einiges Gehölz, während den ganzen übrigen Teil des Höhenzugs die schönste Waldung bedeckt.

Der Berg hat einen breiten Gipfel, und der Umfang der Ruinen, die man hier noch findet, beweist, daß Gebäude von seltener Größe hier prangten. Man sieht noch Spuren von tiefen in den Berg gehauenen Gräben und den daneben aufgeführten Mauern. Gegen die südlichste Seite des Berges hin steht noch ein Tor, das man gewöhnlich das Erfurter Tor nennt, weil man von diesem Stand-

Abb. 72. Der Kyffhäuser vor 1880.

punkte aus bei heiterm Himmel die Türme von Erfurt erkennen kann. Etwas weiter aufwärts und westlich steht ein starker Turm, der bedeutendste Überrest jener alten Bauwerke, der wegen seiner hohen und freien Lage auf eine ziemlich weite Entfernung sichtbar ist. Die alten Mauern dieses Turmes sind 7 bis 9 m dick und auswendig von behauenen Steinen. Von diesem Turme etwas weiter abwärts, nach Osten zu, finden sich Ruinen von starken Mauern, welche vermut-lich das eigentliche Wohnhaus umfaßt haben. Noch weiter herab, auf der östlichen Seite des Berges, über Tilleda, stehen noch die

Überreste einer Kapelle, etwas weniger verfallen als die anderen Gebäude.

Zahlreiche Sagen knüpfen sich an diesen Berg. Die Hauptrolle in allen diesen Sagen spielt Kaiser Friedrich I. Barbarossa. Ihm hat man die Residenz im Innern des Berges angewiesen; dahin ist er verbannt mit seiner Prinzessin-Tochter und seinem ganzen Hofstaat; er hat alle seine Helden bei sich; seine Rüstkammer ist voller Waffen, und in den Ställen stampfen die Pferde ungeduldig im Schlafe. Da sitzt er auf einer Bank an einem steinernen Tische, umgeben von unsäglichen Schätzen; der Bart ist ihm durch den Tisch hindurch bis auf die Erde gewachsen; den Kopf in den Händen haltend, nickt er zuweilen mit dem Kopfe und blinzelt mit den Augen wie einer, der eben erwachen will.

Alle hundert Jahre pflegt er zu erwachen und nach seinen Raben zu sehen. Wenn aber der Bart zum drittenmal um den Tisch gewachsen sein wird, dann soll der Kaiser erwachen und hervorgehen und seinen Schild an einen dürren Baum hängen, worauf dieser ergrünen und eine bessere Zeit anheben wird.

Der innerste Kern der Sage ist die Kaiseridee. Entstanden ist sie in Italien. In den schwärmerisch-frommen Kreisen, welche die Verweltlichung der Kirche beklagten, erwartete man nach den Weissagungen des Abtes Joachim von Fiore, der unter Kaiser Heinrich VI. lebte, das Erscheinen des Antichrists, der durch Zertrümmerung der entarteten Kirche dem „tausendjährigen Reiche" die Bahn bereiten sollte. In Kaiser Friedrich II. glaubte man ihn zu erkennen. Da er aber bei Lebzeiten das Werk nicht zu Ende gebracht, meinte man, könne der Kaiser nicht tot sein, sondern würde zu seiner Zeit wiederkehren. Zugleich hoffte das Volk, daß von dem wachsenden Drucke der Geistlichen und kleinen Herren der Kaiser, der ja zeitlebens gegen diese angekämpft, es erretten würde. In der Volksphantasie verschmilzt Friedrich II. mit Friedrich Barbarossa zu einer Person. Und mit dieser alten Kaisersage fließt endlich die Lokalsage zusammen, nach der in dem Kyffhäuser Wuotan — daher die Raben — schläft. Denn nach dem Glauben der Deutschen sollte einst eine Zeit kommen, in welcher die alten Götter, die Erde und die Menschen untergehen würden und darauf eine Erneuerung der Schöpfung folgen.

Der Weltuntergang wurde dargestellt als eine Folge der Götterdämmerung, d. h. der Verfinsterung der sittlichen Begriffe, der allgemeinen Entsittung. Götter und Riesen kämpfen dann so furchtbar miteinander, daß die Weltesche, die das Weltall trägt, erbebt, und

schließlich verbrennt Surtur die ganze Welt (Muspilli). Durch den
Gott der Wiedergeburt, Widar, aber entsteht eine erneuerte Welt, mit
neuen Göttern und neuen Menschen.

An die Stelle der dem Tage der Entscheidung entgegenschlafenden
Götter trat aber später Kaiser Friedrich. Ihm teilt die Sage die
Rolle Wuotans zu, dem die Raben sich auf die Schulter setzen und
ihm Kunde von dem, was in der Welt vorgeht, ins Ohr flüstern.
Und die letzte Kunde, welche sie brachten, war die Wundermär vom
wiedererstandenen Deutschen Reich! Seinen siegesgewaltigen Neu-
begründer verkündet ein eindruckvolles, weithin sichtbares Denkmal,
das auf der Höhe des Kyffhäusers Kaiser Wilhelm dem Großen errichtet ist. Barbarossa aber hat in der Vorstellung des Volkes jetzt
seine Ruhe gefunden.

14. Der Harz.

Inselartig steigt aus dem Hügellande zwischen Leine und Saale
der Harz empor, ein Massengebirge mit breit abgeflachter Oberfläche,
die sich von Nordwesten nach Südosten bedeutend senkt. Grauwacke,
Tonschiefer und Übergangskalk sind seine Hauptbestandteile; das etwa
600 m hohe Nordwestende ist doppelt so hoch als der Südostfuß.
Täler zerschneiden die Hochfläche in einzelne Abschnitte, Berge mit
meist rundlich-flachen Kuppen sind derselben aufgesetzt. Diese Erhebungen bestehen aus Eruptionsgesteinen, welche die Grauwacke
durchbrachen, aus Granit, Porphyr und Grünstein.

Der höhere, rauhere Teil des Gebirges, wo Schnee und Eis
den Sommer auf wenige Monate beschränken und der Osen selten
kalt wird, heißt der Oberharz. Hier herrscht in den Waldungen
Nadelholz vor; dazwischen treten weite nackte Blößen, Morast und
Bruch auf. Kümmerlich ist es mit dem Ackerbau bestellt; in geschützten Niederungen trifft man indes wohlgepflegte Wiesen. Die
wahren Schätze des Oberharzes liegen unter der Erde, „die nicht
mit goldenem Fluche schwanger geht, sondern nützliches Eisen verleiht". Der Erzreichtum der Harzgrauwacke ist hier am bedeutendsten,
auf ihn sind die Bewohner, Kolonisten aus dem Fränkischen, die ihren
oberdeutschen Dialekt sich bewahrt haben, vornehmlich gewiesen. Alles,
was hier lebt und webt, gehört dem Bergbau an, sei es als Berg-
oder Hüttenmann, sei es als Köhler, Holzschläger und Fuhrknecht:
überall sieht man Gruben, aufsteigende Rauchwolken, Karren mit Erz
in unaufhörlicher Bewegung. Schon seit der zweiten Hälfte des
zehnten Jahrhunderts sind die Silberbergwerke des Oberharzes in

Arbeit, aber nicht erschöpft; noch immer gilt der Trinkspruch des kräftigen und biederen Oberharzers:

Es grüne die Tanne, es wachse das Erz,
Gott gebe uns allen ein fröhliches Herz!

Der niedrigere südöstliche Teil, der Unterharz, ist vorherrschend mit Laubholzwaldung bedeckt. Die Buche ist die Königin seiner Bäume und tritt an vielen Stellen in seltener Kraft und Schönheit auf. Ackerland zieht sich an den Höhen hin und erscheint in manchen Strichen auch auf der Hochfläche. Obstgärten kreisen die Dörfer ein; freilich zeitigen sie erst später als im flachen Lande ihre Früchte. Die Bewohner gehören dem niedersächsischen Stamme an und sprechen daher plattdeutsch.

Deutlich sind im Harze drei Hochflächen und drei Hauptberggruppen zu unterscheiden.

Die nordwestliche Hochfläche von Klausthal und Zellerfeld zwischen Oker und Innerste, von Zuflüssen des Wesergebietes durchfurcht, hat eine Mittelhöhe von 600 m.

Etwas niedriger ist die mittlere Hochfläche. Sie wird durch die Bode, welche unter den Harzflüssen des Elbgebietes der größte ist, in zwei Hälften geschieden. Der Fluß rinnt aus der Kalten und Warmen Bode zusammen, etwa da, wo Bodfeld lag, das Jagdschloß der fränkischen Kaiser, in welchem Heinrich III. starb. Der schönste Punkt des Bodetales, soweit dasselbe die Hochfläche durchzieht, ist Rübeland mit der Marmormühle: in der Nähe liegen die herrlichen Tropfsteinhöhlen, welche als Hermanns-, Baumanns- und Bielshöhle bekannt sind. Die nördliche Hälfte, die Hochfläche von Elbingerode und Hüttenrode, senkt sich von Nordwesten nach Südosten und fällt hier in das busenartig zwischen Bode- und Selke-Hochfläche eindringende Flachland ab. Die südliche Hälfte, die Hochfläche von Hohegeiß und Hasselfelde, sinkt ebenfalls nach Osten, ist hier aber mit der dritten großen Hochfläche zusammengewachsen. Die Mittelhöhe der ganzen mittleren Hochfläche ist auf 400 m anzuschlagen.

Die östliche Hochfläche wird von der Selke, einem Bodezuflusse, durchschnitten. Ihr Tal wird gepriesen: Alexisbad; auch das Eisenhüttenwerk Mägdesprung und die alte, doch in gutem Stand erhaltene Burg Falkenstein am Ausgange sind schöne Punkte. Hier auf der Burg ward der Sachsenspiegel geschrieben. Sie ist auch das Schloß mit schimmernden Fenstern, dessen Bürger, der in der Nähe des Falkenstein, in Molmerswende, geboren war, in seiner „Pfarrerstochter von Taubenhain" gedenkt. Taubenhain aber ist das unter dem Schlosse gelegene Pansfelde. Die Selke ist ein kleiner

Fluß, durch den Dienst in Hüttenwerken getrübt, das Tal auf die Länge etwas einförmig. Schön schaut's sich von Höhenpunkten des Userrandes, wie vom Meiseberge oder dem Berge gegenüber, auf dem ehemals Burg Anhalt stand, auf den frischen Wiesengrund und den umkränzenden prächtigen Wald. Wald bedeckt auch fast die ganze nördliche Hälfte der Hochfläche der Selke; die südliche, zwischen Selke und Wipper, die Hochfläche von Harzgerode, die im Westen über 400 m, im Osten 300 m Mittelhöhe hat, zeigt andere Physiognomie. Wald fehlt auch hier nicht, aber dazwischen dehnen sich weite, mit Kornfeldern bedeckte Flächen, fast immer ohne Aussicht auf Höhen und Tiefen. Erst am Rande des Selketales wird man inne, daß man sich auf hohem Berglande befindet. In der Gegend von Güntersberge wachsen die Hälften der Selkehochfläche untereinander und zugleich mit der Bodehochfläche zusammen.

Unter den drei Berggruppen, welche in dem Harze sich markieren, sind die beiden ersten aus Granit gebildet, zwei Inseln in der Grauwacke.

Mächtig hebt sich über die Hochfläche, an den Nordrand derselben geschoben, das Brockengebirge. Der Brocken, „der Oberaufseher des Harzes von grausamer Höhe und Größe", erhebt sich auf 100 qkm umfassender Grundfläche bis zu 1140 m, etwa so hoch über die Hochfläche emporragend, wie diese über die Ebene. Er ist von Ilsenburg, wo der Harz in die Ebene fällt, in gerader Richtung nur 7 km entfernt; darum ist von der Nordseite sein Anblick imposant. Das hat ihm seinen Ruf gegeben. Der Aufstieg ist von hier ziemlich steil. Oben hört der Baumwuchs auf. Der jetzt sehr verrundete Gipfel hat fünf km im Umfange. Zwischen Wiesen- und Moorflecken sind große und kleine Granitblöcke zerstreut: ihre Namen Hexenaltar, Hexenschüssel, Teufelskanzel u. s. w., sowie der Hexenbrunnen und die Hexenblume (Anemone alpina) erinnern an den diabolischen Spuk der ersten Mainacht. Ein auch im Winter bewohntes Gasthaus dient der Bequemlichkeit der Reisenden. Neben demselben steht ein 60 Stufen hoher Rundschauturm, der eine Fernsicht von mehr als 110 km im Durchmesser gewährt. Von seiner Höhe sind Magdeburg und die Elbe, der Thüringer Wald, der Meißner und der Herkules sichtbar, nicht minder die Türme von Leipzig, mit denen Brennspiegelsignale bei der europäischen Gradmessung gewechselt wurden. An sehr hellen Wintertagen soll im Südosten das Erzgebirge hervortreten. Die Alten fabelten sogar von Ost- und Nordsee. Wie bei manchen anderen Hochgipfeln ist die Aussicht mehr interessant als schön, gewährt aber einen sehr lehrreichen Einblick in den Bau des Gebirges. Die Hochflächen mit ihren Ortschaften treten besonders deutlich hervor. Indes nur wenigen wird der volle Genuß der Aussicht zu teil, und das Brockenbuch ist voller Anklagen gegen das nebelumflutete Haupt des Brockens. Freilich nur dem einsichtigen und sinnigen Reisenden ist die Aussicht Nebensache; nur ihm genügt der originell geformte und geartete Berg mit dem strengen erhabenen Charakter an sich selber. Auf dem felsbedeckten Scheitel wandelnd, gedenkt er der Zeiten, wo die Sachsen hier dem Wodan opferten und Kriegsgefangene schlachteten. Aus dem vor siegender Christenmacht hier noch gepflegten, mit Spukgeheimnis verbundenen Götzendienst hat sich die Sage der Walpurgisnacht entwickelt. Noch jetzt macht man in der Nacht auf den ersten Mai mit Kreide drei Kreuze an die Tür, denn „Die Hexen zu dem Brocken ziehn, die Stoppel ist gelb, die Saat ist grün. Da sammelt sich der große Hauf, Herr Urian sitzt oben auf."

Rings um den Brocken stehen mächtige Berge: im Nordwesten der Kleine Brocken, der mit dem großen einen Berg ausmacht, im Nordosten der Renneckenberg, im Südosten die Heinrichshöhe, im Süden jenseit der Kalten Bode der Wormberg und die Achtermannshöhe (bei Merian Uchtmannshöhe), durch ihre kühn geformte Gipfelkuppe bemerkbar. Nach Südwesten steigt man vom Brocken auf das Brockenfeld hinab, einen weit ausgedehnten Sumpf, der mit Torf, Granitsand, losen Granitblöcken und einer elastischen Decke von Moos und Heidekraut belegt ist. Jenseits gelangt man zum Königsberg mit der Felsengruppe der Hirschhörner. Alle diese Bergtrabanten finden sich in unmittelbarer Nähe des Brockens: ein nach Südwesten auslaufender Arm bildet den Bruchberg oder Acker, der erst zwischen Osterode und Herzberg zu Ende geht.

Das ganze Brockengebirge macht einen düster erhabenen Eindruck. Großartig wilde Fels= und Klippengruppen treten auf, wie die Hohen=Klippen, Felstürme von 20 m Höhe. Kühn sind dazu die Täler der vom Brocken strahlenförmig ausgehenden Flüßchen eingerissen. Nach Norden stürzt in schönen Fällen die Ilse herab. Unweit des Austrittes in das Tal stehen noch zwei mächtige Granitpfeiler, deren rechter, der Ilsenstein, um 75 m das Tal überragt.

Nach Nordosten enteilt die Holzemme. Eine Strecke weit schießt sie in kleineren und stärkeren Fällen über eine schräge Felsenplatte hin. Wenn diese „Steinerne Rinne" Wasser hat, täuscht sie

unter dem Eindrucke der ganzen landſchaftlichen Scenerie den Wanderer
ins Hochgebirge. Die Kalte Bode fließt in der Längenrichtung

Abb. 73. Die Hochebenfläche mit dem Broden im Hintergrunde, vorn die Bände der Roßtrappe.

des Harzes; ihr Tal iſt deshalb ſanfter, doch ſtehen an ihren Ufern
bei dem Dorfe Schierke die Felſennaſen, „die da ſchnarchen, die da
blaſen,“ die Schnarcher, zwei 14 m voneinander entfernte, 23 m

hohe Felsen, welche den Trümmern eines Triumphbogens gleichen.
Auch die nach Nordwesten fließenden Brockenflüsse Ecker und
Radau haben schöne Täler; am Austritt der Radau, über Neustadt,
liegt der Burgberg mit geringen Resten der in der Geschichte Kaiser
Heinrichs IV. oft genannten Harzburg. Etwas entfernter, aber
auch noch durch den Granit gerissen, streicht das Tal der Oker.

Die zweite, von Südosten nach Nordwesten gerichtete Granit=
insel ist viel kleiner als das Brockengebirge. Sie beginnt an der
Selke bei Mägdesprung und erhebt sich bald im Ramberge, 537 m,
zu ihrem Höhepunkt. Der mit schönem Buchenwald bestandene
Gipfel hebt sich gegen 200 m über die Hochfläche, ist mit Granit=
trümmern besät und mit einem Aussichtsturme besetzt. Nach diesem
vom Herzog Alexius von Anhalt seinem Großvater Victor zu Ehren
aufgeführten Turme heißt der Ramberg jetzt Victors=Höhe. Die
Aussicht geht über das Waldgewirr des Unterharzes weit in die
Ebene hinein. Der Granitstreifen zieht vom Ramberge nach Nord=
westen fort. Durch ein großartiges Seitental rauscht die Lupbode
zwischen und unter kolossalen Granitblöcken zur Bode hinab. Das
herrlichste Naturwunder aber hat diese selbst geschaffen. Aus dem
Längentale der mittleren Hochfläche wendet sie sich bei Trese=
burg, um nun im Quertale durch die zweite Granitinsel zu brechen.
Am Zusammenflusse der beiden Flüsse liegen über einen Fels=
vorsprung, auf dessen Spitze die alte Treseburg stand, die Häuser
des Dorfes anmutig hingestreut. Aber das majestätisch wilde Durch=
bruchstal hat nur im Hochgebirge seinesgleichen. Der Blick von der
rechten hohen Wand des Hexen=Tanzplatzes, auf welche man
plötzlich durch den Wald hinaustritt, dem nach drei Seiten steil ab=
stürzenden Granitkegel der Roßtrappe gegenüber, ist überwältigend.
Die gegen 250 m hohen, in groteske Pfeiler zerspalteten Granit=
wände und zwischen ihnen der über Felsstücke fallende und schäumende
Fluß, der Blick in die Tiefe und dann in die Höhe zum blauen
Brocken, der sich unmittelbar auf die Felswand aufzusetzen scheint,
und wieder in die lachende Ebene: das alles bewegt das Menschen=
herz gewaltig und wunderbar. Selbst einem Beschauer, der viele
Städte und Länder gesehen, klang das Tosen der Bode wie „das
Rauschen der Flügelräder von Hesekiels Cherubim, wie ein Getümmel
vom Herrn und ein Getöne des Allmächtigen".

Die dritte höhere und größere Berginsel in der Grauwacke bildet
die Porphyrmasse des Auerberges, 576 m, die, im Gegensatz zu
den beiden andern, nahe an den Nordrand gerückten, dem Südrande
der Hochfläche der Selke nahe steht. Graf Joseph von Stolberg hatte

hier einen Turm nach Schinkels Entwurf errichten lassen; daher der
Name Josephshöhe. Der 1880 vom Blitz gefällte Turm ist durch ein
38 m hohes Kreuz ersetzt worden.

Am Nordostrande fällt der Harz steil, oft wandartig in die
Ebene, so besonders jäh der Rammelsberg bei Goslar. Aber als
wäre das Hochland zu schnell zu Ende gegangen, erheben sich sehr
bald wieder aus dem Flachlande wellige Berge oder Hügelzüge, die
den Nordostrand des Harzes in verschiedenen Abständen in schönen
Parallellinien gürten. In größter Nähe zieht, durch große Lücken
unterbrochen, von Blankenburg bis zu den Gegensteinen bei Ballen-
stedt die Teufelsmauer, ein aus Quadersandstein in grotesken
Formen aufgetürmter Wall von 250 m Höhe; „oft in so gerader
serie hinunter, daß jemanden, der es nicht wußte, einen Aud schwüre,
es wäre nicht naturell, sondern von Menschen-Händen, secundum
rectissimam lineam, eine Mauer dahin gezogen". In etwas weitern
Abständen heben sich isolierte Berge. Dahin gehören unter andern
der stumpfe Kegel mit den Ruinen der Heimburg, die malerische
Sandsteinmasse des Reinstein oder Regenstein, bis zum Siebenjährigen Kriege eine Felsenfeste, der Hoppelberg mit scharf-
geschnittenem, dachfirstähnlichem Rücken, die Pfingstberge mit der
Felsgruppe des gläsernen Mönchs und der Nonne, die Spiegel-
schen Berge und die Klus bei Halberstadt, der Bickeberg vor
Gernrode. Wieder in weiterm Abstande bilden einen um den Harz
gelagerten Kreis die kleinen Waldgebirge: der Große und Kleine Fall-
stein, der Huy, bei dem Benediktinerkloster Huyseburg, und der
Hackel; weiter hinaus Asse und Elm.

Die aus Berg, Wald und lachender Flur so reich und mannigfaltig gestickte Ebene gewährt den Aussichtspunkten am Nordrande des
Harzes einen malerischen Vordergrund mit hohem Reiz. Anderseits
sind die vorgelagerten Berge und Höhenzüge prächtige Schaugerüste
auf den Harz, der sich, von ihnen aus geschaut, in seiner ganzen
Ausdehnung großartig präsentiert. Ja man braucht nur aus einem
der Südtore von Halberstadt zu gehen, um einen Überblick des
ganzen Gebirges zu haben. Im Westen schließt das Gebirge um
Goslar, majestätisch hebt sich das Brockengebirge: in die Schlucht der
Roßtrappe schaut man hinein, die Viktorshöhe ist sichtbar, im äußersten
Südosten verläuft die Hochfläche der Selke.

Im Südosten schließt sich dem Harze das Kupferschiefer-
bergland von Mansfeld an, ein von Bachschluchten zerrissenes
Plateau, das mit zahlreichen isolierten Porphyrkuppen bestreut in 60 m
hohen Wänden über der Saale steht und sich im Osten des Flusses
wieder erhebt.

Der verhältnismäßig weniger von Reiſenden beſchwärmte Südrand des Harzes zeigt im ganzen weichere, man möchte ſagen ſüd-
lichere Formen und eigentümliche Schönheit. Eine etwa mit der
Teufelsmauer zu vergleichende Umwallung, welche wenigſtens an den
meiſten Stellen durch einen Talgrund vom Gebirge geſchieden iſt,
wird von Oſterode bis in die Gegend von Sangerhauſen durch einen
Streifen von Kalk und Gips, der in ſeinen Gipfeln eine Höhe von
320 m erreicht, gebildet. Er zeigt in ſeinem weißen, ſchmalen Walle
im kleinen die Höhlenerſcheinungen der Juliſchen Alpen.

Die Wanderung durch den Harz überzeugt uns, daß wir es mit
einem der eigenartigſten Stücke des deutſchen Mittelgebirges zu tun
haben. Die wilden Partieen mit Alpennatur ſind des Harzes beſonderer Zauber. Zugleich iſt eine Fülle hiſtoriſcher Erinnerungen an das
Gebirge geknüpft. Die zahlreichen Warten, beſonders am Nordabhange,
führen uns in die ſorgenvolle Zeit, in der König Heinrich dem Wieder-
ausbruche der Magyarenkriege entgegenſah; in Quedlinburg, ſeiner
Stadt, iſt ſein Grab. Dazu Goslar, die alte Kaiſerſtadt, die Stätte
der Harzburg, Bodfeld: über allen weht die Weihe der Geſchichte.

15. Die Weſer und das Weſerbergland.

Zwiſchen Wurzel- und Bleßberg, da wo Thüringer Wald und
Frankenwald zuſammenſtoßen, nordöſtlich von Eisfeld, entſteht aus
drei Quellbächen, dem Saarwaſſer, der Naſſen und der Trocknen
Werra, deren Quertäler den ſüdöſtlichen breit abgeflachten Teil des
Thüringer Waldes durchſchneiden, die Werra. Der vereinigte Fluß
iſt bis oberhalb Hildburghauſen nach Südweſten gerichtet, von da ab
wendet er ſich bis Meiningen nach Weſten; dann nach Nordweſten,
und dieſe Richtung behält er fortan im weſentlichen bei. Sein jetzt
von einer Eiſenbahn durchzogenes Tal, als Längenſpalt zwiſchen
Thüringer Wald und Vorderrhön eingeſenkt, iſt überaus anmutig, bei
Meiningen inſonderheit reizend.

Auf dem rechten Ufer empfängt die Werra die reichſten Waſſer-
adern: die bei Themar mündende Schleuſe, welche ſie an Waſſer-
gehalt übertrifft, die Haſel mit der hennebergiſchen Schwarza,
welche mit ihren oberſten Fäden in die ſchönen Gebirgstäler von
Goldlauter und Celle, nach der Schmücke und Oberhof führt. Auch
die Schmalkalbe iſt nicht unbedeutend. Weiter abwärts ſendet auch
die Rhön von links her Ulſter und Felda.

Durch vortretende Teile des Hessischen Berglandes, wie den Zielingswald, wird die Werra in ihrem nordwestlichen Laufe aufgehalten und auf eine Strecke nach Norden gelenkt. Sie windet sich durch Kalkgebirge in die Weitung von Berka und naht sich nach neuem Durchbruch einer neuen Krise ihres Laufs. Bei Hörsel tritt sie in der Thüringischen Pforte hinaus in das Hessische Bergland, um sich in vielen Windungen hindurchzuarbeiten, und empfängt zugleich ihren stärksten Zufluß, die Hörsel, die in reizendem Tale den Nordwesthang des Thüringer Waldes begleitet und aus demselben eine nicht unbeträchtliche Anzahl kleinerer Gewässer an sich zieht.

Unter Hörsel tritt die Werra in die enge Gasse zwischen dem Ringgau, einem Teile des Berglandes, links, dem Haynich und dem Eichsfelde rechts: schroffe Kalkfelsen stehen hin und wieder, wie bei Kreuzburg und Treffurt, zutage. Nur selten wird diese Gegend von Touristen aufgesucht. Und doch bietet sie in ihrer landschaftlichen Ausstattung, ihrem Reichtum an Sagen, historischen Denkmälern und Erinnerungen so vielfache Reize. Wie schön liegt Treffurt unter der stattlichen Ruine des Normansteins! Ein ausgezeichneter Punkt in der Nähe ist der Heldrastein, 481 m, bei dem Dorfe Heldra. Gegen die Werra fällt der Stein 65 m steil hinab, während bewaldete steile Böschungen die Basis der Bergmasse bilden. Die Aussicht von oben ist herrlich. Im Vordergrunde breiten sich saftgrüne Wiesen und üppige Felder aus, von der stattlichen Werra in mannigfachen Windungen und Krümmungen durchblitzt; dazwischen liegen freundliche Dörfer, unmittelbar tief unter den Füßen das Dörfchen Heldra. Weiter zeigt sich rechts die Stadt Treffurt und über derselben die Ruine Normanstein, in größerer Entfernung nordwärts Wanfried und über diesem herüberleuchtend die Wallfahrtskirche auf dem kegelförmigen Hülfensberge. Darüber hinaus erscheinen der Possenturm bei Sondershausen, das Eichsfeld und bei klarer Luft das Harzgebirge mit dem Brocken; weiter westlich der gewaltige isolierte Basaltkegel zwischen Werra und Fulda, der Meißner, und in der Nähe die Graburg; mehr im Rücken die Ruinen Bonneburg und Brandenfels. Südlich erhebt sich der Thüringer Wald mit der Wartburg und dem hochragenden Inselsberge und im Osten der über dem Haynich sichtbare Ettersberg bei Weimar. Eine Bahn hat neuerdings das herrliche Tal erschlossen.

Von Wanfried bis Eschwege breitet sich wieder fruchtbare Weitung aus, in welcher rechts die Friede aus dem Eichsfelde mündet. Unterhalb Eschwege ist das Tal fortwährend schmal, aber überall voller Schönheiten und blühender Ortschaften. Rechterhand folgen meist sanftere Höhen: der lange Höheberg, an seinem Ende die romantischen Schloßtrümmer des alten Hanstein, links das Schloß Ludwigstein; weiter reihen die steilen Weinberge von Witzenhausen sich an, die Höhe von Arnstein und das Leinaholz, ein langer Waldrücken bis in den Bergkessel von Münden.

Nächst der Hörsel ist die links einfließende Wohra im Berglande der stärkste Zufluß.

Die Fulda, der eigentliche Hessenfluß, entspringt oberhalb Gersdorf als starke eiskalte Quelle am Fuße der Kleinen Wasserkuppe, 510 m hoch, unter lose umherliegenden Basalten. Nach einigen hundert Schritten verliert sie sich unter schlammigem Rasen und kommt erst bei Oberhausen wieder zutage. Als schönes klares Wasser durcheilt sie das an Rhönpflanzen und gewürzhaften Kräutern reiche Wiesentälchen, heißt bei Schmalnau die Wanne und nimmt erst bei Eichenzell wieder den Namen Fulda an. Nun geht der Fluß in einem ganz anmutigen Tale von mäßiger Breite durch das Fuldische und das Hersfeldische. Es ist ansehnlich erweitert bei Bebra; dann wird es wieder schmäler, aber reich geschmückt und großartig für das Auge durch die schönen und hohen Berge auf seinen Seiten. Bei Beißförth wird das Tal auf einmal eng zugeschlossen; zwischen den hohen, steilen Wänden des Beißebergs links und des Wilsbergs rechts hat neben dem Fluß kaum die Landstraße Raum. Eng bleibt das Tal hinfort, mühsam scheint sich der Fluß hindurchzuwinden, nackte Sandsteinwände engen ihn hier und dort ein; bisweilen fehlt selbst jeder Talboden, bis plötzlich unter Freienhagen das Tal von Kassel, 10 km weit, aufgetan ist. Dann schließt es sich unter Wolfsanger aufs neue wie zuvor. So geht es bis Münden hinab.

Wegen der Nähe der Werra hat die Fulda auf der rechten Seite wenig Gebiet, überhaupt nicht so viele Nebenflüsse als jene, aber ein paar größere. Das System der Fulda kann geradezu ein Doppelsystem genannt werden; denn die Eder kommt ihr an Mächtigkeit und Größe des Gebietes gleich. Vom Ederkopfe in Nachbarschaft der Lahn-, Dill- und Siegquellen kommt sie 613 m hoch herab, hat raschen Lauf, selten bedeutende Tiefe, aber desto größere Breite; nach Aufnahme der vom Vogelsberg kommenden Schwalm ist sie über 70 m breit. Der Schwälmer Grund ist schön und fruchtbar; er gilt mit seinen strotzenden Getreidefeldern und seinen üppigen Weideplätzen für die hessische Kornkammer.

Werra und Fulda fließen im Kessel von Münden zusammen. Daß die Werra unbestreitbar der Hauptfluß sei, wird aus vielem klar.

Geogr. Charakterbilder I. Das deutsche Land. 22

Unfere Alten hielten in der Tat die Werra und Wefer für einen
Strom, der die Fulda aufnimmt. Noch fpät im Mittelalter heißt die
Wefer bei Bremen meiftenteils Werra (Wirraha), und in der Tat
find beide Namen ein Wort (Wifuracha, mit römifcher Ummodelung
Visurgis), das bald in Werra (Wirraha), bald in Wefer (Wifura)
verkürzt wurde. Die Werra ift 250, die Fulda 200 km lang, das
Bett der Fulda ift im ganzen feicht, das Gefälle ftark, die Schiffahrt
befchwerlich und eines anfehnlichen Vorfpanns bedürftig.

Unter allen den Höhenzügen, welche das Wefergebiet in bunter
Mannigfaltigkeit und anfcheinender Regellofigkeit unter dem Gefamt-
namen des heffifchen Berglandes umfchließen, tritt keines bedeutender
hervor als das Meißnergebirge. Meißner nennt man den
Hauptberg, Wiffener nennen ihn die Dörfer der ganzen Umgegend,
weil er noch mit Schnee bedeckt zu fein pflegt, wenn die niedern
Berge und Fluren ringsum grünen. Eine Verkettung von Bergen
und Hügeln hebt ihn auf ihren Schultern 751 m über das Meer,
und 600 m über das Werratal empor. Von da ftellt er fich dar,
hoch und frei über alle Umgebung ragend, wie ein langer dunkelgrüner
Wall. Seine Krone ift eine völlig platte Ebene, 4 km lang, ein
Viertel fo breit; fie endigt faft überall mit fteilen Gehängen und
Abgründen. Kein anderer Berg hat einen folchen Ruf im Heffen-
lande. Der Gebirgsforfcher kommt, um feinen Bau und feine Gefteine
zu bewundern. Sein Bafalt ftieg in der Urzeit aus den Sand- und
Kalkfteingebirgen empor, und bildete anfehnliche Klippen, Grotten und
fteile Wände, wie den Weißenftein und die Kalwe auf der Oftfeite,
zwifchen denen der Frau-Hollenteich und der Gottesborn liegen, wie
den Seeftein auf der Südfeite, wo fich ebenfalls ein kleiner Teich
befand, und die Kitzkammer auf der Weftfeite. Bergleute fahren in
die Stollen des großen Steinkohlenwerkes, das tief unter dem Bafalt
liegt, und fchon feit 300 Jahren gebaut wird. Pflanzenkundige fuchen
die feltnen und nützlichen Kräuter auf, arme Leute Beeren, um fie
weithin zu verkaufen. Und auf die Oberfläche treiben die Hirten die
fchönften Rinderherden mit ihrem hellen Geläute. Für fie ift die
große Tafel des Berges gedeckt mit fetten würzigen Wiefen und
Weiden; dazu die vielen Wiefengründe am Abhange, von zahlreichen
Quellen bewäffert, die in achtzehn namhafte Riefel und Bäche ihr
weiches Waffer fammeln. Auch der Weidmann findet feine Luft in
den Gehölzen, der Altertumsforfcher erkennt Spuren eines heidnifchen
Gottesdienftes, aus dem fich noch die Sagen der Frau Holle erhalten
haben; und noch immer, wie in grauer Vorzeit, wallfahrten die Land-

leute im Frühjahre zum Tanze hinauf. Die Aussicht reicht bis an den
Harz, Thüringer Wald und die Rhön, über viele Gruppen des Hessischen
Berglandes, hinein in das Waldeckische und Paderborner Land.

Die Weser ist unter allen deutschen Strömen der im Verhältnis
zur ganzen Lauflänge am entschiedensten dem Berglande angehörige
Fluß. Noch ihr ganzer Mittellauf geht durch Bergland. Die verschiedenen Züge dieses Berglandes faßt man unter dem Namen des
Weserberglandes zusammen. Es erscheint wie ein in das Tiefland vorgeschobener Keil, ein Gemenge kleiner Hochflächen und paralleler
Züge umfassend, in denen die Richtung von Südosten nach Nordwesten
vorherrschend ist. Im allgemeinen herrscht im Süden die Form der
Hochfläche, im Norden die der Kette vor. Breite und Höhe nehmen
von Südosten nach Nordwesten ab, die Höhe bleibt immer unter
500 m; aber die wallförmige Gestalt der Bergzüge und die relative
Höhe über den anliegenden Ebenen machen sie für das Auge ansehnlicher als manche Gebirge von größerer absoluter Höhe.

Zwischen Münden und Bodenfelde und westwärts bis Karlshafen
gräbt sich die Weser ein schmales, von zackigen Felsen und hohen
Bergen eingeschlossenes Bett durch die Massen des bunten Sandsteins, der mit dem Strome parallel streicht und westlich im Rein-
harzwald, östlich im Bramwald hohe, feste Wälle bildet. Das Tal
ist enge, kaum weiter als das Strombett; fast überall treten die
Berge bis nahe an das Wasser, das nur selten geringe Talerweiterungen den meist schroffen, felsigen Abhängen abzugewinnen vermochte.

Das kleine westliche Stück, auf dem der Fluß die Diemel aus
dem Rothaargebirge empfängt, läßt eine Vergleichung mit der Rhein-
strecke von Mainz bis Bingen zu. Wie sich der Rhein von Mainz
erst westlich wendet, parallel den Schichten des rheinischen Schiefer-
gebirges, und diese bei Bingen senkrecht durchbricht, so wendet sich
auch die Weser oberhalb Karlshafen westwärts, stößt aber bald auf
die harten Rücken eines Muschelkalkplatte, die sie wieder in die
nördliche Richtung hineinzwängen.

Sobald der Strom mit der Wendung nach Nordnordosten sein
Durchbruchstal verlassen, und, die harten Schichtenköpfe des Kalkes
links, die sanften Abfälle des Sandsteins rechts, die Grenzlinie beider
Formationen gewonnen hat, wird die Bildung des Tales eine andere;
es zeigen sich bedeutendere, von Lehm und Geröll erfüllte Erweiterungen,
die sich, so oft ein einzelner Kalkpfeiler näher an den Solling herantritt, wieder verengen und so eine Reihe Kessel bilden, früher gewiß
Seeen, die das Wasser bis zu einer bedeutenden Höhe anfüllte. Der

22*

letzte und größte dieser Kessel ist die Talebene, in deren Mitte auf dem rechten Weserufer Holzminden liegt, westlich, nördlich und nord=

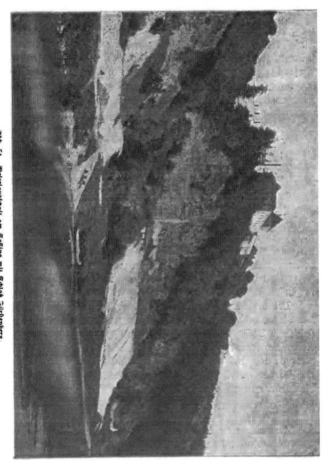

Abb. 74. Weserlandschaft am Solling mit Schloß Fürstenberg.

östlich von Kalkbergen, östlich und südöstlich von Sandsteinhöhen um= schlossen. Unterhalb Forst tritt die Weser in das Kalkgebirge ein: das Tal wird bald wieder enger, tiefer und von schrofferen Felsen und steileren Abhängen begrenzt. Wo der Strom hier Längsspalten findet, in denen er dem Streichen der Kalklager parallel folgt, sind meist breitere Talerweiterungen mit sanfteren Uferrändern entstanden. Öfter aber ist er gezwungen, die Schichten senkrecht zu durchbrechen; und diese Orte sind durch groteske Felsenbildungen ausgezeichnet. Nach dem Durchbruch gewinnt die Weser bei Rühle noch einmal die Grenze zwischen dem Kalk- und Sandstein, tritt aber schon bei Bodenwerder in die weiteren Längentäler des Muschelkalkes und Keupers ein, in denen sie ruhiger ihren Lauf fortsetzt.

Zur Rechten der Weser liegt auf dieser Strecke der Solling, ein mit schönem Laubholz bestandener Bergzug, der 400 qkm bedeckt. Selten wird in Deutschland ein so zusammenhängender Forst gefunden. Der höchste Punkt, der Moosberg, 513 m, liegt östlich von Höxter. An den Solling schließen sich im Norden andere Hügel- und Waldzüge, welche zwischen Leine und Weser nach Nordwesten ziehen. Zur Linken hat der Strom die weit ausgedehnte, einförmige Hochfläche von Paderborn, von 250—330 m mittlerer Höhe, an die sich das Lippesche und Pyrmonter Bergland anschließt.

Von Bodenwerder strömt die Weser in weitem, anmutigem Tale an Hameln und Rinteln vorüber nach der Grenzscheide zwischen Bergland und Tiefland. Sie erreicht sie in der Westfälischen Pforte (Porta westfalica), in der Scharte, wie die Umwohner sagen, einer ziemlich geräumigen, von dem Flusse kaum zur Hälfte ausgefüllten Lücke, die nicht ein enges, zu beiden Seiten schroff und steil in den Strom abfallendes Felsentor darstellt, sondern ein freundliches Quertal ist, in welchem Wiesen und Äcker den Strom umsäumen. Im Tieflande nun hat die Weser fortan ebene Bahn.

VI. Das norddeutsche Tiefland.

___

1. Der Charakter des deutschen Flachlandes.

Wenn man hinunter steigt von unsern Höhen,
Und immer tiefer steigt, den Strömen nach,
Gelangt man in ein großes ebenes Land,
Wo die Waldwasser nicht mehr brausend schäumen,
Die Flüsse ruhig und gemächlich ziehn;
Da sieht man frei nach allen Himmelsräumen,
Das Korn wächst dort in langen, schönen Auen,
Und wie ein Garten ist das Land zu schauen.

Wir sind in dem deutschen Tieflande angelangt, welches die ganze nördliche Hälfte des deutschen Bodens bis zu den Küsten der Nord= und Ostsee hin einnimmt. Diluviale Ablagerungen bilden es, welche nur an einigen Stellen von Braunkohle, Kreide, Jura= und Muschelkalk unterbrochen oder durchbrochen werden. Es ist ein alter Meeresboden, wie die horizontalen Ablagerungen von Mergel, Ton, Lehm, Sand und Kies bezeugen. Aber auch diese Gebilde sind bisweilen noch mit neuen Schichten überdeckt: große Torfmoore, fruchtbare Humuslager, Ablagerungen von Raseneisenstein und Infu= sorienschalen sind darüber gebreitet. Zwischen diesen Erscheinungen des Tieflandes liegen die Findlinge des Hochgebirgs, Blöcke von Granit und andern Urgebirgsarten, welche in allen Größen bis zu 40 m Durchmesser über das Tiefland zerstreut und einst durch die Gletscher der Eiszeit aus Skandinavien und Finnland nach Deutschland herübergebracht sind. Begierig greift in der felsenlosen Niederung der Straßenbauer wie der Pflasterer nach diesen Fremdlingen, und die schönsten wählt sich der Künstler aus, um sie entweder selbst in Kunstwerke zu verwandeln oder wenigstens seine Statuen darauf ruhen zu lassen.

Die untersten geschichteten Gesteine des Flachlandes, denen das Diluvium aufgelagert ist, haben auf die Laufrichtung der niederdeutschen Flüsse bestimmend eingewirkt. Wo sie noch zu Tage treten, da haben sie eine nordwestliche Richtung; und dementsprechend haben die großen Wasseradern des Flachlandes eine Hauptrichtung von Südosten nach Nordwesten. Ihre Ufer sind bei dem hier im allgemeinen vorhandenen lockern Gefüge, bei dem losen Zusammenhange und der erdigen Beschaffenheit der Bodenbestandteile meist flach, häufig ausgeschweift und vielfach zerrissen und durchwühlt; sie haben ferner die Neigung, ihr Bett auf weite Strecken zu versanden, Inseln anzusetzen, in ihren Mündungsgebieten sich in Arme zu zerteilen.

Die Eintönigkeit des deutschen Flachlandes ist übel berufen; aber doch bringt schon die Verschiedenheit der Oberfläche Abwechselung hervor. Fruchtbare Ebenen, höchstens von den Einschnitten der Flüsse unterbrochen, bezeichnen das Lehmgebiet. Flache, zuweilen vom Winde bewegliche, oder mit ausgedehnten, fast schattenlosen Kieferwaldungen bedeckte Hügel und Steppen charakterisieren das Sandland, über welches sich zuweilen aus gröberm Kiese bestehende, kegelförmige Hügel erheben, die in diesen flachen Gegenden fast als Berge oder Gebirge erscheinen, zumal wenn sie noch mit nordischen Geschiebeblöcken bedeckt sind. Der Reichtum an Wald und Wasser in Fluß- und Seenform tritt wohltuend hervor, und die Landrücken der östlichen Gegenden entwickeln in den Durchbruchsstellen landschaftliche Schönheiten überraschender Art.

Weder im Osten gegen das sarmatische Flachland, noch im Westen gegen das niederländische Tiefland hin hat das niederdeutsche Tiefland eine andere Grenze als die schwarzweißen Grenzpfähle Preußens. In der Mitte teilt es die Elbe in zwei ungleiche Hälften, welche bei aller Gemeinschaft des Typus im allgemeinen durch Sondereigentümlichkeiten geschieden sind. Die östliche hat ihre durchziehenden Landrücken, ihre Seenplatte am Meer und Seenreichtum im Binnenlande, ihren Flugsand, Bruch und Kieferwald; die westliche seenarme ihre Heiden und Torfmoore, ihr flaches, fettes Küstengebiet, das gegen die drohende Meeresflut nur durch Menschenkunst geschützt wird. Auch die Bevölkerungsverhältnisse beider Ebenen sind verschieden. Im Westen sitzen echte, ungemischte Germanen, Sachsen und Friesen; nur im Südwesten tritt das Mischvolk der Wallonen auf. Aus der östlichen Ebene aber sind die nach dem Abzuge der Germanen in den Zeiten der Völkerwanderung bis zur Elbe vorgedrungenen Slawen noch nicht wieder in ihre alten Grenzen zurückgewiesen, so daß sie öſtlich von der Oder noch einen erheblichen Teil der Bevölkerung ausmachen, ja ſelbſt weſtlich von derſelben, wie im Spreewalde, inſelartig ſich behauptet haben.

Ein merkwürdiger Parallelismus des Laufes charakteriſiert die großen Ströme des deutſchen Niederlands. Zwar der Vater Rhein eilt, nachdem er ſeinen Durchbruch durch das rheiniſche Schieferplateau vollendet, jäh weſtlich abbiegend die holländiſche Grenze zu gewinnen. Aber Weſer, Elbe, Oder, Weichſel gehen inmitten ihres Laufes alle aus ihrer nordweſtlichen Richtung in ſcharfem Winkel in die nördliche über, um dann nach einiger Friſt doch wieder zurück in die alte nordweſtliche Richtung zurückzukehren. Das iſt das neue Bett, das ſie ſich gegraben haben; in vorhiſtoriſchen Zeiten behielten ſie die nordweſtliche Richtung bis zu ihrer Mündung bei. Damals floß die Elbe durch das Bett der Aller ab; die Oder ging durch das Bett der Havel und mündete in den innerſten Winkel der Nordſee. Aber allmählich, ſtets gegen ihr rechtes Ufer andrängend, gruben ſie ſich durch die entgegenſtehenden Höhenzüge hindurch, gewannen den nordwärts gerichteten Durchbruch und kehrten nach deſſen Vollendung in die Richtung zurück, welche die allgemeine Abdachung Niederdeutſchlands ihnen vorſchrieb. So kam, während die Oder zur Oſtſee gewieſen wurde, die Elbe in das alte Oderbett.

Da, wo die Flüſſe aus dem Berglande treten, lagern ſie das zu Schlamm zerriebene Geröll des Oberlandes bequem zu beiden Seiten ab. So ſind fette Uferlandſchaften entſtanden, welche ſich oft ziemlich weit den Fluß hinabziehen. Wir nennen dieſe Uferlandſchaften mit ſchwerem Boden Börden. Aber dazwiſchen zieht ſich weit in das Binnenland der alte Meeresboden hinauf, von dem das Meer erſt in ſo ſpäten Zeiten gewichen iſt, daß der Sand nur erſt wenig hat verwittern können. Das iſt die Geeſt oder Gaſt, was im Plattdeutſchen ſo viel wie trocken bedeutet. Nur an den günſtigſten, d. h. am wenigſten trockenen Stellen zeigt der Boden einigen Anbau, meiſt deckt ihn Heide. Da zeigt ſich kein friſcher Grasboden, ſondern überall ſieht man nur Himmel und Heide. Überall ſieht man dieſelben langgeſtreckten Rücken, überall dasſelbe düſtere Braun, dieſelbe ſchwermütige Stille. Nur die zahllos die Heide durchſchlöngelnden Wege, die immer die Stellen feſteſten Pflanzenwuchſes, niemals die grade Richtung ſuchen, deuten auf menſchlichen Verkehr hin. Hin und wieder indeſſen begegnet uns auch eine Schafherde, die, träge blökend, dem voranſchreitenden, ſtrickenden Hirten folgt. Ärmlich erſcheinen die ſpärlichen Dörfer, deren tief herabreichende Dächer den rauchgeſchwärzten Häuſern ein düſteres Anſehen geben. Magere Buchweizen-

Abb. 75. Aus der (bremischen) Geest.

Abb. 76. Eingedeichtes Marschland.

selber, von Bienen umschwärmt, liegen in der Nähe. Aber stetig vorschreitend erobern die Kiefern-Anforstungen von der Heide einen Strich nach dem andern. An den Flußwinkeln oder Flußtoren endet die Geest, reicht aber meist mit Inseln und Landzungen in die Marsch hinein. Die Marschen, welche wie ein grüner Saum die deutsche Nordseeküste bis zum jütischen Sandufer umziehen, sind ein Geschenk der See, das sie durch die Ablagerung von Schlammteilen, welche die großen Flüsse mitbringen und zum Teil schon an ihren Ufern absetzen (Flußmarschen), gebildet hat. Mikroskopische Untersuchungen haben überall in diesem Schlick die Panzer von Seeinfusorien, die in brackigem Wasser abzusterben scheinen, nachgewiesen. Zugleich führt die wiederkehrende Flut des Meeres allerlei Seetiere in Masse herbei, welche mit dazu beitragen, dem Marschboden seine erstaunliche Frucht- barkeit — wie in den hamburgischen Vierlanden — zu geben. Gegen weitere Überflutungen nun werden die Marschen durch mächtige Dämme oder Deiche geschützt, welche nach der Örtlichkeit 5—12 m hoch auf- geführt und zu besserem Schutze gegen das heranflutende Meer an der Außenseite mit einer Rasenfläche überzogen worden. Da kann man es denn wohl erleben, daß man, an der steilen Innenseite der Dämme dahin- schreitend, auf der Außenseite mehrere Meter über seinem Kopfe das Rauschen der Meereswogen oder gar die donnernde Brandung hört. Innerhalb der schützenden Dämme liegen die fruchtbaren Marschfelder, üppige Baumpflanzungen und die behäbigen Gehöfte der Marschbauern.

Ununterbrochen setzt nun vor der sonst gesenkten Außenseite der Dämme das Meer neuen Schlick ab; fort und fort werden die von jeder Flut überspülten Watten höher, bis es sich lohnt, auch die neue Marschfläche mit einem Damme zu umziehen. So entstehen immer neue Polder oder Köge, und stetig wächst in das Meer das Land Schritt für Schritt hinaus.

Aber nur der Nordseeküste sind die Marschen eigen; die Ostsee- küste dagegen wird durch den baltischen Höhenzug charakterisiert. Hinter diesem beginnt zunächst der breite karpathische Landrücken mit der flachen Hochfläche der Lüneburger Heide, und setzt sich dann in den Einzel- erhebungen des Fläming, des Lausitzer Grenzwalles, der Tarnowitzer Hochfläche fort, um endlich in die galizische Vorstufe der Karpathen über- zugehen. Der baltische Landrücken dagegen, von dem 10 m hohen Kap Slagen anhebend, gürtet in engem Bogen die Ostsee. Mitunter nimmt der Zug den entschiedenen Charakter des Berglandes an; im Tale der Grabow erheben sich reizende wilde Bergpartieen, und der Heilige Berg bei Pollnow ist als Aussichtspunkt weithin berühmt, ebenso der Gollen bei Köslin, der sich sanft zum Meere hinabsenkt. Tausende

von Seeen sind regellos über den Rücken der Platte, namentlich in Mecklenburg und Ostpreußen verteilt. Viele sind seicht und flach, andere 100 bis
200 m tief, manche gelten dem Volke für unergründlich; Städte und
Dörfer sollen darin versunken sein. An vielen steigen Hügelränder bis zu
100 m auf, und diese, sowie der frische, grüne Wald, welcher die Ufer
umkränzt, verleiht der Landschaft mannigfaltigen Schmuck.

2. Der westfälische Bauer.

Der Rand des niederrheinisch-westfälischen Gebirges im Nordwesten
war einst Meeresküste; gegenüber erhob sich allmählich eine submarine
Bank aus der Flut und wurde zu dem nordwestlichen Ausläufer des
Weser-Berglandes. So entstand ein Meerbusen; ringsumher lagerten
seine Wogen Kreide- und Mergelgebilde an den Bergrändern ab. All-
mählich wurde er trocken gelegt. Das Wasser ließ flaches angeschwemmtes
Land mit allerlei Geschieben von Kreideniederschlägen zurück, ein zum
Teil sandiges, zum Teil sumpfiges, zum Teil fett marschiges Gelände.
Die Fruchtbarkeit nimmt von Norden nach Süden zu: am Abhange des
Haarstrang zieht sich der Hellweg hin, eine äußerst fruchtbare Korn-
ebene, zu der die Soester Börde gehört.

Dies ist das fest umrandete westfälische Land. Hier und da erheben sich auch im Innern Hügelgruppen. Ziemlich in der Mitte des
Ganzen, westlich von Rheda, liegen die welligen Hügel von Strom-
berg, nördlich davon, nahe dem Teutoburger Walde, der Carberg,
der im Aschendorfer Berge 195 m erreicht. Der landschaftliche
Eindruck des Landes hat, wo solche Hügelgruppen nicht aufsteigen, etwas
Einförmiges: da wo flache Sumpfebene oder Heideland sich dehnt und
nur spärliches Tannengehölz auftritt, bedrückt uns der Eindruck düstrer
Dürftigkeit. Schön dagegen sind die Eichenwälder des Münsterlandes:
mächtige, riesige Stämme, oft bis in die Krone von Efeu umsponnen.

Hier wohnt auf seinem Grund und Boden ein eigenartiges, kern-
haftes Bauerngeschlecht. Von den Vorfahren angeerbt ist das Gut.
Das große einstöckige Haus, von dessen Giebel meist zwei Pferdeköpfe in
Holz geschnitzt herabschauen, ist seiner bedeutenden Länge nach gewöhnlich
in drei Teile geteilt. In der Mitte der Giebelseite ist die Einfahrt, welche
unmittelbar auf die Tenne führt. Von da wird die Ernte auf dem Speicher
bis zum Dache untergebracht. Rechts und links von der breiten Einfahrt
sind die Plätze für das Vieh abgesondert, das nicht mit den Köpfen gegen die
Wand gekehrt steht, sondern umgekehrt, klug und gemütlich über die niedern
Futtermauern hinaus dem Tun und Treiben der Herrschaft zusieht.
Der zweite dahinterliegende Raum, der Wohnplatz der Menschen, enthält

den Kochherd mit seiner schwarzen umfangreichen Überdachung, in
welcher die kolossalen Schinken, Würste und Speckseiten ihren Räuche-
rungsprozeß durchmachen. Die Schlafstellen der Familie befinden sich
an den Wänden herum in sogenannten Schlafschränken, deren Türen
abends geöffnet werden. In der Mitte des ganzen Raumes steht
der mächtige Familientisch. Das Gesinde schläft in Verschlägen beim
Vieh oder auf dem großen Heuboden über demselben; Hühner und
Tauben sind in kleinen Anbauten an der Tenne untergebracht. Das
Ganze überschatten Bäume; oft sind es hundertjährige Eichen, die
ihre Äste auf das bemooste Dach des Hauses niedersenken.

Der Herd ist des Hauses innerstes Heiligtum. „Er ist fast in
der Mitte des Hauses und so angelegt, daß die Hausfrau, welche
dabei sitzt, zu gleicher Zeit alles übersehen kann. Ein so großer und
bequemer Gesichtspunkt ist in keiner andern Art von Gebäuden. Ohne
von ihrem Stuhle aufzustehen, übersieht sie zu gleicher Zeit drei
Türen, dankt denen, die hereinkommen, heißt sie am Herde niedersitzen,
behält ihre Kinder und Gesinde, ihre Pferde und Kühe im Auge,
hütet Keller und Kammer, spinnt immerfort und kocht dabei. Ihre
Schlafstelle ist hinter diesem Feuer, und sie behält aus derselben eben
diese große Aussicht, sieht ihr Gesinde zur Arbeit aufstehen und sich
niederlegen, das Feuer anbrennen und verlöschen und alle Türen
auf- und zugehen, hört ihr Vieh fressen, die Weberin schlagen, und
beobachtet wiederum Keller, Boden und Kammer. Jede zufällige
Arbeit bleibt ebenfalls in der Kette der übrigen. So wie das Vieh
gefüttert und die Dresche gewandt ist, kann sie hinter ihrem Spinn-
rade ausruhen, anstatt daß anderwärts, wo die Leute in Stuben
sitzen, so oft die Haustür aufgeht, jemand aus der Stube dem
Fremden entgegengehen, ihn wieder aus dem Hause führen und seine
Arbeit so lange versäumen muß. Der Platz bei dem Herde ist der
schönste unter allen. Und wer den Herd der Feuersgefahr halber
von der Aussicht auf die Diele absondert, beraubt sich großer Vorteile. Er kann sodann nicht sehen, was der Knecht schneidet und die
Magd füttert. Er hört die Stimme seines Viehes nicht mehr, die
Einfahrt wird ein Schleifweg des Gesindes. Die ganze Aussicht
vom Stuhle hinterm Rade am Feuer geht verloren. Und wer gar
seine Pferde in einem besondern Stalle, seine Kühe in einem andern
und seine Schweine im dritten hat und in einem eigenen Gebäude
drischt, der hat zehnmal soviel Wände und Dächer zu unterhalten,
und muß den ganzen Tag mit Beaufsichtigen zubringen. Ein rings
herabhangendes niedriges Strohdach schützt die alle Zeit schwachen

Wände, hält den Lehm trocken, wärmt Haus und Vieh und wird mit leichter Mühe von dem Wirte selbst gebessert. Ein großes Vordach schützt das Haus nach Westen und deckt zugleich die Schweinekoben, und um endlich nichts zu verlieren, liegt der Mistpfuhl vor der Ausfahrt, wo angespannt wird. Kein Vitruv ist imstande, mehr Vorteile zu vereinigen."

Wo alles unter einem Dache, um ein Feuer beisammen lebt, wo der weite Raum der Einfahrt gleichsam ein bedeckter Marktplatz für das kleine häusliche Gemeinwesen ist, um welchen herum dessen sämtlichen Gliedern, Menschen und Vieh ihre besondern Plätze angewiesen sind; wo eben dieser Raum die Jugend nicht bloß zu angestrengter Arbeit, sondern auch zu heiterm Tanze und Gelage versammelt: da mußte ein haushälterischer, anhänglicher Sinn zur Familie, eine größere Anhänglichkeit selbst zum Vieh, mußte für den Genuß der Freuden des Lebens im engen, bekannten Kreise eine festere Neigung entstehen, als wo alles innerhalb derselben Wirtschaft zerfahren und getrennt lebt.

Gehen wir von dem Hause in die Umgebung über, so findet sich der Hof einerseits von dem Garten, anderseits von Wiesen und Ackerland umgeben. Die Felder sind von einem Erdwall umzogen, auf dem dichtes Gesträuch wächst und knollige Baumwurzeln immer neue Sprossen, die alle fünf bis sechs Jahre abgehauen werden, hervortreiben, und über die Felder und Wiesen hin ragt das Gehölz. Je älter und unberührter die Eichen im Gebüsche, desto stolzer und selbstbewußter der Landmann. Hier und da gewähren die Gebüsche eine Durchsicht bis zum Nachbarhofe, oder es öffnet sich eine Fernsicht zu dem Turme des Dorfes, der am Sonntage alle Bewohner der Hunderte von zerstreuten Höfen zur Kirche ruft, die den Einigungspunkt der Gemeine bildet.

Die Bauerhöfe machen die bestimmte Grundlage für das sociale Leben aus. Eine Anzahl solcher Höfe, etwa 20—70, machen eine Bauerschaft aus, mehrere Bauerschaften ein Kirchspiel. Mit dem Kirchspiele, mit der gemeinsamen Kirche und dem gemeinsamen Friedhofe nimmt die Zentralisation ein Ende, so daß selbst die Vereinigung mehrerer Kirchspiele zu einem Gerichtsbezirke und zu einem landrätlichen Kreise von unwesentlichem Einflusse auf die Denkungsweise der Menschen geblieben ist. Die Einigung im Kirchspiele ist eine durch die Religion hervorgerufene und deshalb dauernde und feste.

Solche Hofeswirtschaft gilt indessen nur für das Münsterland und Delbrücker Land. Im Paderbornischen, im Sauerlande

mit dem Herzogtum Westfalen gibt es geschlossene Dörfer und kleine
Ackerstädte, die nicht mit Wallhecken, sondern von weiten Feld= und
Wiesenflächen umgeben sind. So scheiden sich die alten Bestandteile
des Westfalenlandes, das eigentliche Westfalen und Engerland, noch
heute charakteristisch voneinander ab.

3. Die nordwestdeutschen Niederungen.

Die Gegensätze zwischen Geest und Marsch fallen besonders in den
Gegenden der unteren Ems und Hunte in die Augen. Die höher
gelegene sandige Geest hat hier im Süden des Gebietes die größte
Mächtigkeit und erhebt sich zuweilen nicht unbedeutend über die nahen
Flüsse. So geht zwischen der Hunte und dem Meere am rechten Ems=
ufer eine Geesthügelkette an Oldenburg vorbei, und läuft, den Jade=
busen zur Rechten lassend, auf die Stadt Jever zu. Die Ähnlich=
keit dieser Hügelkette mit Dünen ist ganz augenscheinlich. Neben
Geest und Marsch treten im Unteremslande die Moore in gewal=
tiger Ausdehnung auf und bedecken an beiden Ufern der Ems an
4000 qkm Landes. Viele Striche bilden Mittelstufen zwischen Geest und
Moor (anmooriges Land) und zwischen Moor und Marsch. Manche
Marschlandschaften sind durch Moorstreifen inselartig abgesondert
und waren dadurch besonders geeignet, die im Mittelalter in diesen
Strichen auftretenden Marschdemokratien zu bilden und bis auf die
Gegenwart die Sitten der Altväter unverändert zu erhalten.

So liegt, um einige hervorragende Marschländer anzuführen, das
Butjadinger Land zwischen Jadebusen und Wesermündung, im
Mittelalter ein kleiner freier Staat, der sich vom Regiment der
bremischen Erzbischöfe unter ostfriesischen Schutz begab. Am rechten
Ufer der unteren Hunte liegt das Stedinger Land, im 13. Jahr=
hundert der Schauplatz eines erbitterten Kampfes gegen einen Friesen=
stamm, der mit der Kraft und Tüchtigkeit der Ahnen auch Reste des
Heidentums bei sich erhalten haben mochte.

Die Moorlandschaften, welche schon die Aufmerksamkeit der alten
Geographen auf sich zogen, gehören zu den trostlosesten Strichen von
ganz Deutschland. Kein Strauch unterbricht diese unübersehbaren
Einöden; sie sind spärlich mit kurzem, schilfigem Moorgras und
Binsen bewachsen, und stellenweise tritt braunes, übelschmeckendes
Wasser zutage. Eine Totenstille ruht auf ihnen, höchstens unter=
brochen durch das Geschrei des Kiebitz oder den klagenden Laut des
Moorhuhns. Meist sind diese Moräste 1—3 m, hier und da aber

auch bis 6 m mächtig. Wehe dem Unkundigen, der es wagte, über
solchen Boden zu wandern! Ohne die langen Bretterfandalen der
Eingeborenen würde er an vielen Stellen unfehlbar in das tiefe Moor
allmählich verfinken, wenn nicht baldigst mit Tauen und Brettern ihm
Hilfe geleiftet würde. Und doch bieten auch diese Einöden der kul=
tivierenden Kraft Gewinn. Immer mehr wendet sich daher auch das
Interesse der beteiligten Kreise der Moorkultur zu. In der preußischen
Moorverfuchsstation in Bremen ist ein vortreffliches Organ für die
Prüfung aller einschlägigen Fragen geschaffen, eine Zentral=Moor=
kommission macht die Refultate der wissenschaftlichen Forschung für
die Praxis nutzbar, und ein großer Verein sucht durch regelmäßig
erscheinende Mitteilungen in landwirtschaftlichen Kreisen für diesen
Teil der deutschen Kulturarbeit zu wirken. Die Moorkultur ist heute
schon so weit gefördert, daß ihre Erträge hinter denen guter Mineral=
böden nicht mehr zurückstehen.

Noch 42 m über dem Meere, 180 m breit, tritt die Weser
aus der „Scharte" in das Tiefland. Bei keinem deutschen Strome ist
der Übergang so plötzlich und unvermittelt. Sogleich fehlen erkenn=
bare Talränder; durch weite von Marschdistrikten unterbrochene Moor=
und Heidegegenden fließt die Weser in flacheingefurchtem Bette zwischen
2—3 m hohen Sommerufern. Der Strom hat in seinem Unterlaufe
von der Scharte bis zum Meere noch 220 km zurückzulegen, eine
Strecke, auf der er seinen größten Nebenfluß, die Aller, aufnimmt.

Die Aller entspringt nordnordwestlich von Seehausen am
Butterberge in einer Meereshöhe von 255 m. Bis Obisfelde ist der
Lauf nordnordwestlich gerichtet, die Ufer sind niedrig, öfter sumpfig.
Nur bei Morsleben und Walbeck, wo sich waldige Vorhügel des Elm
von Osten und Höhen des Alvensleber Hügellandes von Westen heran=
drängen, bekommt die Aller, eine echte Plattlandstochter, etwas von
Berg= und Waldeslieblichkeit zu sehen. Die Zuflüsse sind auf der
nordnordwestlichen Strecke unbedeutend, auch der Hauptfluß erreicht
nur eine geringe Mächtigkeit. Von Obisfelde an schlägt die Aller
nordwestliche Richtung ein und behält sie bis zur Mündung bei. Zur
Rechten hat der Fluß zuerst den Drömling, eine 30 km lange und
7 km breite bruchige Niederung, die seit 1776 durch Abzugsgräben
trocken gelegt ist. Die Fanggräben gehen zur Aller und zur Ohre,
einem aus dem Drömling kommenden Elbzuflusse. So leicht ist die
Verbindung zwischen Elb= und Wesergebiet in dieser Sumpfniederung,
durch welche vor Zeiten der Elblauf nordwestwärts ging.

Die Aller begleitet abwärts den Südrand der Lüneburger Heide
und empfängt aus derselben die Parallelflüsse Ise, Luchte, Ortze,

Böhme. Ihre eigentliche Stärke zieht die Aller aber von links aus dem Harze, dem Eichsfeld und den Bergen zwischen Wesergebirg und Harz. Diese Beiflüsse sind unter sich und der oberen Aller und dem Weserstück von Minden an parallel. Die 110 km lange Ocker kommt vom Clausthal-Zellerfelder Harzplateau, bricht in wildem Tale durch den granitnen Rand des Gebirges und vereinigt die Harzflüsse Radau, Ecker, Ilse in ihrer Flußrinne. An ihr liegt in fruchtbarer Ebene die bedeutende Stadt Braunschweig. Die Fuse entsteht im Ohder Wald, in Vorbergen des Harzes, die Imme in der Ebene.

Der größte Seitenfluß der Aller ist die Leine. Sie entspringt als starke Quelle 270 m hoch auf dem Eichsfeld, 4 km südwestlich von der Stadt Worbis auf einem Bauerhofe des Dorfes Leinefelde. Das oberste Leinestück läuft westlich, dann schlägt der Fluß auf immer nördliche Hauptrichtung ein und tritt in die zwischen Harz und Wesergebirge eingesenkte Mulde von Göttingen, in der sich jedoch noch einzelne bewaldete Züge erheben. Erst unterhalb Elze tritt die Leine entschieden in die Ebene ein.

In der Göttinger Mulde hat sie von rechts her unterhalb Northeim mit der Ruhme einen bedeutenden Zufluß erhalten. Diese entspringt an Vorbergen des Harzes bei Gieboldehausen und vereinigt sich mit der Oder, die aus dem Herzen des Brockengebirges kommt, vom Oderteiche aufgefangen und für die Bergwerke von Andreasberg auf eine Zeit lang durch den Rehberger Graben fast ihrer ganzen Wassermasse beraubt wird.

Aus dem Oberharze strömt auch die Innerste der Leine zu. Bei Langelsheim tritt sie aus dem Harze, fließt aber im Hügelland fast bis zur Mündung. Sie ist der gefährlichste und gefürchtetste aller Harzflüsse. Denn bei dem starken Gefälle ihres oberen Laufs schwillt sie oft furchtbar an. Noch verderblicher indes wird sie durch die Menge bleiglanzhaltigen Schlieges, den sie aus den Pochwerken mit sich führt. Ihr Wasser enthält keine Fische, und wo sie über die Ufer tritt, tötet sie alle Vegetation. Die verstärkte Leine wird bei Hannover schiffbar und mündet nach einem Laufe von 160 km.

Bei der Leinemündung wird die von Celle ab schiffbare Aller 60 m breit. Die Mündung erfolgt nach einem Laufe von 250 km und liegt noch 12 m über dem Meere.

Von der Allermündung bis Elsflet fließt die Weser an Bremen vorüber nach Nordwesten. Rechts empfängt sie die mit der Hamme und Delme vereinigte, auf der untersten Strecke Lesum genannte

Wümme, einen 110 km langen, zuletzt 50 m breiten schiffbaren Fluß der Moore. Das Düvels=(Teufels=)Moor erstreckt sich über 250 qkm, ist aber jetzt auch trockengelegt; dennoch hat die Inschrift an einer Dorfkirche: Gloria in desertis Deo noch Geltung. Die Hamme steht künstlich mit Zuflüssen der untersten Elbe in Ver= bindung. Links strömt bei Elsflet die Hunte, ein Parallelfluß der Ems, ein.

Bei diesem Punkte beginnt der direkt nach Norden gerichtete Weser=Liman *), in dem die der Weser sonst fremde Inselbildung ihren Anfang nimmt. Solche Inseln oder Sande sind der Altensand, Eschersand, Elsfleter Sand u. a. Da, wo rechts die Geeste mündet und in ihrer ausgetieften Mündung große Schiffe aufnimmt, wo Bremerhafen liegt, fängt der von Südosten nach Nordwesten ge= richtete, am Ausgange 15 km breite Mündungsgolf des Stromes an, der hier große Seeschiffe trägt. Unterhalb Blexen teilt sich der Strom in das westliche Fedderwaader und das östliche, tiefere Wurstener Fahrwasser. Der Hohenwegs= und 18 km weiter der mächtige Rote= Sand=Leuchtturm dienen dem Schiffer als Landmarken bei der ge= fährlichen Einfahrt. In den Jahren 1887—97 hat der Bremer Staat allein 33 Millionen für die nach den Plänen des Wasserbau= direktors Franzius ausgeführte Korrektion der Unterweser aufgewandt.

Die Weserschiffahrt erfreut sich der Gunst bedeutsamer Verhält= nisse. Die Mündung ist, besonders auf dem rechten Ufer, wenig von Frost und Eis belästigt. Der ganze Fluß hat in bezug auf Klima und andere Verhältnisse etwas von den holländischen Gewässern. Unsere Ostseeströme starren noch lange von Eis, wenn die Weser längst frei ist. Ja, in manchen Wintern bleibt die Weser immer zugänglich. Sie hat in dieser Hinsicht sogar vor der nahen, aber etwas weiter nord= östlich liegenden Elbmündung Vorzüge. Sie ist weniger von Eis gehemmt als diese, die nicht nur ein kälteres Klima hat, sondern auch viel größere Eismassen herabführt. Von Bremerhafen abwärts, wo der Strom in den breiten Meerbusen eintritt, friert er fast nie zu und ist hier nur zuzeiten mit losem Eise gefüllt.

4. Der Bremer Ratskeller.

Bremen soll seinen Namen von Bram, Bräm, d. h. von dem Uferrande, auf welchem es erbaut ist, bekommen haben. Schiffer

---

*) Limäne, auch Ästuarien, auch offene oder negative Deltas oder Flut= mündungen genannt, sind bis zu einem breiten Meeresarm erweiterte offene Flußmündungen, die sich besonders an Meeren mit starker Flutbewegung finden.

und Fischer gründeten die älteste Ansiedelung. Karl d. Gr. machte
Bremen 787 oder 788 zum Sitz eines Erzbischofs; seitdem wurde
bald die Stadt groß und ansehnlich und wuchs an Macht, Handel und
Reichtum, ja ihr ward die hohe Mission, das Deutschtum in den
fernen Osten zu tragen. 1158 wurden bremische Schiffer nach Livland
verschlagen und gründeten Riga. Aber auch das Mittelmeer ward
der Schauplatz bremischer Tapferkeit und Milde. Bremische Seefahrer
halfen 1141 Lissabon erobern, und Bürger von Bremen und Lübeck
stellten 1190 das „deutsche Spital" wieder her und riefen die Ge-
nossenschaft der „Brüder des Hospitals der Deutschen" ins Leben,
aus der 1198 der „Orden der deutschen Herren zu St. Marien" erwachsen ist.

Durch Handel reich geworden und 1276 zum Hansabund getreten, entzog sich die Stadt immer mehr dem Einflusse ihrer Erzbischöfe, aber erst im Jahre 1741 wurde sie als freie Reichsstadt anerkannt. Seinen bedeutenden Aufschwung im vergangenen Jahrhundert verdankt Bremen besonders der durch den Bürgermeister
Smidt bewirkten Gründung der Hafenstadt Bremerhafen und der
Vertiefung des Fahrwassers bis Bremen hinauf. Heute ist Bremen
der erste Tabaksplatz der Welt und nach Rangun der bedeutendste
Welthandelsplatz für Reis. Die Handelsflotte Bremens übertrifft
an Raumgehalt die Handelsflotten Schwedens, Spaniens, Dänemarks, der Niederlande, Österreich-Ungarns und Belgiens.

Bremen liegt in flach sandiger Ebene auf beiden Ufern der Weser.

Wir treten in die Altstadt auf dem rechten Ufer. Giebelhäuser
mit Erkern und Stukkatur im gotischen und Renaissancestil und oft
seltsamen Emblemen geschmückt, bilden sie, seit Jahrhunderten von
derselben Familie und nur von dieser bewohnt, alles fest, tüchtig,
wohlhabend. Bald gelangen wir durch die Sögestraße oder die breite
Obernstraße auf den Markt. Dort steht vor dem schönen, um
1410 erbauten Rathause der berühmte, 6 m hohe, überdachte
Roland. Am linken Arme trägt er einen Schild mit dem Reichsadler und der Umschrift: „Vryheit do ik ju openbar, de Karl (d. i.
Karl d. Gr.) und mennich vorst vorwar Desser stede ghegheven
hat, Des danket Gode is min Radt." Der Roland, von Rückert in
alliterierenden Reihen besungen, sieht nicht so grimmig aus, wie man
aus dem Kopfe des Verbrechers zu seinen Füßen entnehmen sollte,
schaut vielmehr freundlich, treuherzig drein. Hinter ihm an der Südseite des Rathauses ist der deutsche Kaiser mit seinen sieben Kurfürsten, jeder mit seinen Emblemen, in Sandstein ausgehauen, ehrwürdig anzusehen. 23*

Wir vertagen es, das Innere des Rathauses uns anzusehen; wir steigen vielmehr hinunter in die unterirdischen Räume: uns zieht es zu dem weltberühmten **Bremer Ratskeller**. Früher eine schlichte, einfache Trinkstätte, in der der Bremer Rat seinen Bürgern für billiges Geld gute Rheinweine kredenzen ließ, ist der Keller seit 1874 bedeutend erweitert und durch den Bremer Maler und Dichter Arthur Fitger mit prächtigen Fresken geschmückt worden. Ob er Hauff in seiner neuen Gestalt zu seinen berühmten Phantasien angeregt hätte, ist zu bezweifeln; denn was er an Eleganz gewonnen hat, das hat er wohl an Stimmung verloren. Zudem sind die mächtigen, reich verzierten Fässer im Hauptkeller — leer! Nur eine große Rose unter der Decke eines Raumes erinnert an Zeiten, da der Rat hier „sub rosa" seine wichtigsten Beschlüsse faßte, die strengste Verschwiegenheit erheischten.

Der **Bremer Ratskeller** wird zum erstenmal in einer Urkunde von 1342 erwähnt. Gute Rheinweine zu bekommen, ließ sich der Rat keine Mühe verdrießen. Um den bedeutenden Zöllen, welche auf dem Rheine erhoben wurden, zu entgehen, ließ man die Weine ganz zu Lande gehen. Die Fahrt auf dieser großen Weinstraße war so schwierig und gefährlich, daß, wie am Ende des 17. Jahrhunderts ein darüber befragter Kellerbeamter aussagte, „den Predigern alljährlich drei Stübchen Wein im Namen des Weinkellers verehrt wurden, weil sie auf der Kanzel gebetet haben, daß die Reise möchte wohl succedieren und die Weine glücklich in salvo kommen." Den Wein aus Gläsern zu trinken, scheint verhältnismäßig neuer Gebrauch zu sein. Die Vornehmen tranken aus silbernen Deckelkrügen, den gewöhnlichen Bürgersleuten setzte man den Wein in zinnernen Gefäßen vor. Den Keller häufig zu besuchen und Gesellschaften dorthin zu führen, war patriotische Pflicht jedes Ratsherrn und Ratsverwandten. Fremden von Distinktion erzeigte man eine Ehre, wenn man sie unter den Tisch trank. War ein auswärtiger Diplomat dafür bekannt, einen recht festen Kopf zu haben, so gab man ihm beim Ehrentrunk den besten Trinker der Stadt zur Gesellschaft. Als einmal ein kaiserlicher Gesandter kam, den niemand herunter bringen konnte, ließ man den Amtmann von Blumenthal kommen und erfocht durch den bodenlosen Schlund desselben den herrlichsten Triumph. Kaiserlicher Majestät Botschafter lag längst unter dem Tische, als der Amtmann noch gemütlich fortzechte. Den Ehrengeschenken an Wein, die der Bremer Ratskeller an Potentaten machte, verdankt sein Archiv einen Schatz von Autographen aus mehreren Jahrhunderten. Kein Fürst war so stolz, daß er dem Rate für solche Einsendungen nicht gedankt hätte. Friedrich d. Gr. ließ 1756 durch seinen Kammerdiener Fredersdorf danken und schrieb dann noch selbst, daß die gute und devote Gesinnung der Stadt Bremen, von der sie ihm eben die bündigsten Beweise gegeben habe, ihm zu ganz besonderem Contentement gereiche, und daß ihm das Präsent von altem Rheinwein recht angenehm gewesen sei. Freilich trank der König keinen; er blieb bei seinem leichten französischen Rotwein. Aber diesmal wollen wir seinem Beispiele nicht folgen.

5. Die Lüneburger Heide.

Die Lüneburger Heide, „das Landmeer," gehört zu den verrufensten Gegenden Deutschlands. Als Gott der Herr, so erzählt die Volkssage, zu seiner Schöpfung sprach: Siehe da, es ist alles sehr gut — da hatte er gerade den Daumen auf die Heide gesetzt. Kalte Schauer durchrieseln den leichtlebigen Rheinländer, wenn er den Namen hört, und leise spricht er wohl vor sich hin: „Ich danke dir, Gott, daß ich nicht wohne in Sibirien oder auch in der Lüneburger Heide," und schaut mit zweifacher Wonne in den sauren Wein, der in dem Römer vor ihm perlt. In seinem „romantischen Ödipus" läßt Graf Platen mit beißendem Witze seinen Gegner „Nimmermann" in der „schönen Lüneburger Ebene", die ein Bild seiner Geistesöde sein soll. Schafe hüten und macht diese schwarzen Heidschnucken, die ein französischer Schriftsteller für ein peuple sauvage de Westfalie hielt, zum Chor in seiner aristophanischen Komödie.

Indes sehen wir uns den so viel geschmähten Landstrich ohne Vorurteil näher an. Daß ihn ein Reisender „langweilig bis zum Interessanten" fand, ist immerhin schon eine gute Vorbedeutung.

Die Hochfläche der Lüneburger Heide erstreckt sich von der Göhrde bis in die Gegend von Bremen und Stade ununterbrochen in unveränderter Richtung von Südosten nach Nordwesten. Sie füllt einen bedeutenden Teil des alten Fürstentums Lüneburg, zu dem auch die fruchtbaren Rand- und Marschlandschaften gehörten

„Daher von den Alten dieses Fürstentumb einem Mönchskopff ver=
glichen worden, welcher in der mitte kahl, rings herumb aber mit
Haar bewachsen." Auf beiden Seiten wird sie durch die Elbe und
die Aller begrenzt. Der höchste Rücken der Ebene streicht näher
dem nordöstlichen Rande der ganzen Erhebung; die Höhe desselben

Abb. 77. Lüneburger Heide.

(Nach A. Lente.)

wechselt zwischen 100 und 130 m und erreicht in der Gegend von
Undeloh im Wilseder Berg (171 m) ihren höchsten Punkt. Der
Abfall der Heide ist zu beiden Seiten sanft, doch nicht gleichförmig,
südwärts erst in sehr bedeutender Erstreckung merkbar, nordwärts
etwa viermal so steil. Dieses Verhältnis der entgegengesetzten Ab=

dachungen läßt den Wanderer, welcher von Norden kommt, die
Heide als einen ausgedehnten blauen Gebirgsstreif am Horizonte
wahrnehmen, aus welchem die ihm entgegenkommenden Flüsse mit
beträchtlichem Fall und tief eingeschnittenen Tälern hervortreten,
während er, wenn er von Süden kommt, nichts als eine endlose
Ebene vor sich sieht, deren Flüsse langsam durch einen breiten
Rand von Sümpfen und Torfmooren zur Aller abfließen. Die
Sand-, Ton- und Mergellager der Heide decken in mächtiger Auf-
schüttung ein untenstehendes festes Gestein. Unter dem hohen Nordrande läuft ein Zug von Muschelkalk und Gips, der an zwei Stellen
zu Tage tritt.

Die landschaftliche Physiognomie der Ebene ist nicht so traurig,
wie man zu erwarten geneigt sein möchte. Nirgends trifft das Auge
kahle Sandschollen und Hügel, die der Wind versetzt; selbst in der
höchsten Trockenheit bekleidet Erica tetralix, mit gemeiner Heide um
den Rang streitend, in reicher Fülle auch die Heidelbeere, den Boden;
wo Zutritt der Feuchtigkeit eine freiere Entwickelung erlaubt, treten
in großem Umfange schöne Waldungen von Buchen und Birken auf; und
die herrlichen Eichenwäldchen, welche die einsamen Heidedörfer umgeben,
zeugen von der Fruchtbarkeit ihrer Grundlage. Einförmige Kiefernwälder
und mit ihnen öde Sandschollen beginnen erst in der Nähe des Aller-
tales und an den sumpfigen Rändern der Flüsse des Südabhanges.
Die heilkräftige Arnica montana ist gleichförmig überall durch
die Heide verteilt und ziert die Ebene bis Hannover in großem
Überfluß.

Die Dörfer der Heide bilden mit ihren Gärten und Wiesen, mit
ihrer Einfassung von Baumgruppen freundliche Oasen. Die Bewohner sind auf die drei Hauptprodukte der Heide, Schafe, Buchweizen und Honig, vornehmlich angewiesen. Unter dem Druck der
niedrigen Wollpreise ist die Schafzucht in den letzten Jahren stark
zurückgegangen; zum Vorteil der Gegend allerdings, da die großen
Heidschnuckenherden — sie zählten zuzeiten an 600 000 Stück — die
Entwicklung der jungen Bestände an Birken und Tannen arg zurück-
hielten. Der Buchweizen liefert dem Heidebewohner eine Hauptnah-
rung. Er wird teils zu Mehl, teils zu Grütze verarbeitet, die, mit Milch
zu einer Suppe gekocht, meistenteils als erstes Frühstück genossen wird;
das Mehl dient besonders zu Pfannkuchen und „Boukwaitenklüten".
Als die Franzosen zu Anfang vorigen Jahrhunderts nach Hannover
kamen, konnten sie sich nicht genug über die seltsam großen grauen
Kugeln wundern, welche alt und jung mit immer neuem Appetite Tag

für Tag in Riesenportionen zu sich nahm. Ein französischer General, der einst beim Pfarrer eines Heidedorfes einquartiert war und von dieser eigentümlichen Speise gehört hatte, sandte seinen Reitknecht zu dem nächsten Bauernhause und ließ ein paar dieser grauen Kugeln kommen. Auf einem silbernen Teller wurden dieselben dem Herrn General vorgesetzt, der sich erwartungsvoll davon vorlegte. Ihre gewaltige Konsistenz und völlige Geschmacklosigkeit versetzten aber den Sohn der schönen Provence in begreifliches Erstaunen.

Eine andere Quelle, aus der dem Landmann ein ansehnlicher Erwerb zufließt, sind die Blüten des Heidekrautes und des Buchweizens, die den Bienen eine reiche Weide gewähren und einen feuerroten Honig erzeugen. Da die Heide erst im Juli zu blühen beginnt, so werden die Bienenstöcke im Frühling womöglich zuerst in die Rübenfelder gestellt; danach sucht der „Imker" mit seinen Körben die Nachbarschaft großer Buchweizenfelder auf und bleibt dort bis zum Juli, wo er dann seinen „Immenzaun" mitten in der blühenden Heide errichtet, ohne sich eher wieder um die Bienen zu bekümmern, als bis die Stöcke mit Honig gefüllt sind. Viele gehen jahraus, jahrein ausschließlich diesem Gewerbe nach, andere treiben die Imkerei neben ihrer Ackerwirtschaft und verkaufen ihre Ausbeute an jene, welche einen Großhandel mit Honig und Wachs treiben. Besonders ist Hamburg der Ort, wo der Imker starken Absatz für seine Ware findet. Ganze Wagenlasten bringt er zu Anfang des Herbstes dorthin und kehrt mit gefülltem Beutel in sein Heidedorf zurück. An 50000 Bienenstöcke zählt man in der Heide. Auch an Heidelbeeren verkauft die Heide jährlich für gegen 100000 Mark nach Hamburg. Den Verdienst einer fleißigen Sammlerin berechnet man bei guter Ernte auf 5 Mk. den Tag.

Aber nicht bloß von den Leuten auf der Heide, auch von denen, die unter der Erde sind, ist zu reden. Hünengräber sind an vielen Punkten zahlreich. Beim Öffnen derselben findet man eine Art Gewölbe, meistens länglichrund und von größeren und kleineren Granitblöcken roh zusammengefügt oder vielmehr gelegt. In der Mitte stehen Urnen von gelblich-grauer Farbe, mit Asche und Knochen gefüllt; daneben liegen mancherlei Waffenstücke aus Stein oder Metall, Schmucksachen und anderes Geräte. Meist läßt der Landmann jedoch aus Pietät diese Ruhestätten der Toten einer weit entlegenen Vergangenheit unversehrt und pflügt um dieselben herum, so daß aus einer überall angebauten Dorfgemarkung manchmal zehn bis zwanzig Hünengräber mit ihrem braunen Heidegewande hervorschauen.

Schroff aus der Ebene steigt bei Lüneburg ein Kalk= und

Gipsfelsen 58 m empor, auf dessen kreisähnlicher Hochfläche sich vorzeiten eine umfangreiche Burg erhob. Seit einem halben Jahrhundert hat er durch Kalk= und Gipsbrüche so an Ausdehnung verloren, daß sein Gipfel an manchen Stellen nur noch eine Wand bildet. In mineralogischer Hinsicht hat dieser Kalkberg Berühmtheit erlangt, weil sich in seinem Gipfel der Borazit findet in kubischen, glasglänzenden, durchscheinenden Kristallen von weißgrauer Farbe, der außerdem nur noch im Gipsfelsen bei Segeberg in kleineren Kristallen, und nicht kristallisiert bei Luneville in Lothringen vorkommt.

Einen zweiten, jetzt unterirdischen Gipsstock haben Bodenuntersuchungen und Bohrungen bei Stade nachgewiesen. In 9 m Tiefe stieß man auf lockeres Gipsgestein, mit 11 m begann fester stahlgrauer Gips. Wie man vorausgesetzt, deckte die Gipsschicht, wie bei Lüneburg, dessen Saline schon seit dem 10. Jahrhundert im Betriebe ist, ein reiches Salzlager. Die jetzt aus einem 180 m tiefen Bohrloch bei Campe vor der Stadt gepumpte stark gesättigte Sole ergibt jährlich gegen 150000 Ztr. Salz.

6. Das untere Elbgebiet.

Durch den Fläming wird die Elbe, nachdem sie die Schwarze Elster aufgenommen, ganz westwärts in ihrem Laufe gedrängt. Sie nimmt in dieser Laufstrecke die Mulde auf, welche aus dem sächsischen Berglande ihr zukommt. Jedoch von Aken bis Magdeburg wendet sie sich gegen 40 km nach Nordwesten den Vorbergen des Harzes zu und vereinigt sich auf diesem Laufe mit der thüringischen Saale. So verstärkt, unternimmt sie nordwärts den Durchbruch durch den sogen. karpathischen Höhenzug. Bei Magdeburg hat sie ihn vollendet. Magdeburg, wo der 242 m breite Strom noch 45 m über dem Meere ist, tritt daher als ein bedeutsamer Punkt des Elblaufs hervor: unterhalb der Stadt durchsetzen zum letztenmal die Riffe des Rotliegenden die Elbe.

„Das dem Niederungsgebiete der Nordsee angehörige untere Elbtal, die fruchtbare ‚Marsch‘, die in den 20 km oberhalb Hamburgs beginnenden, ca. 15 km breiten ‚Vierlanden‘ ihren üppigsten Reichtum entfaltet, ist ein dem Flusse und dem Meere abgerungenes Stück Land. In vorgeschichtlichen Zeiten bildete die ganze Elbmarsch bis weit über Hamburg hinauf einen Meerbusen der Nordsee. Die sich allmählich vollziehende Aufschlickung des Grundes dieser Meeresbucht, mutmaßlich auch eine entsprechende Senkung des Meeresspiegels, machte im Laufe der Vorzeit das Land zum Teil

wasserfrei. Zur Zeit der Gründung Hamburgs, im 9. Jahrhundert
unserer Zeitrechnung, bestand die ganze Elbniederung noch aus einer
einzigen unbewohnbaren Sumpfwildnis, welche zum größten Teil
von der Flut des Meeres täglich zweimal überschwemmt wurde,
während zur Zeit der Ebbe zahlreiche große und kleine Inseln aus
dem Wasser hervortraten, wie dies noch heute in kleinerem Maßstabe
innerhalb des Stromschlauches der Unterelbe beobachtet werden kann.
Im 12. Jahrhundert begannen dann, von Kirchen= und Landesfürsten
betrieben, welche Kolonisten aus Friesland und Holland herbeizogen,
die Eindeichungen des zur Niedrigwasserzeit freien Landes und die
Urbarmachung der fruchtbaren, aus bestem Boden bestehenden Marsch.
Wurden die Deiche auch nicht gleich so hoch und umfassend gebaut,
so daß sie das gewonnene Land jederzeit schützten, brachen vielmehr
von Zeit zu Zeit die vom Meere ausgehenden verheerenden Sturm=
fluten über die Deiche in dasselbe hinein und zerstörten manch
eifriges Mühen, so erlahmte doch der fleißige und zähe Sinn der
Bewohner nicht, sondern verbesserte den Deichschutz nach den ge=
wonnenen Erfahrungen und eroberte doppelt wieder, was die See
ihm geraubt. Heute nun ist das System der Elbdeiche derart aus=
gebaut, daß die Sturmfluten der letzten 50 Jahre keine erheblichen
Schädigungen der Elbmarsch, vor allem weder Deichbrüche noch
Überschwemmungen zu verursachen vermochten. Das von den Deichen
geschützte und hinter denselben gelegene Land ist aber so niedrig, daß
es ohne die Deiche auch heute noch größtenteils von der gewöhnlichen
Flut des Meeres überschwemmt werden würde. Mittelst Ent=
wässerungsschleusen, teils mittelst künstlicher, von Dampfmaschinen
betriebener Entwässerungsanlagen, wird die eingedeichte Marsch nach
dem Flusse hin entwässert.

Begrenzt wird das weite Elbtal zu beiden Seiten des Flusses
von niedrigen, aber hier im Flachlande sehr eindrucksvollen Höhen,
der sogenannten ‚Geest‘. Diese Höhenzüge, die landwärts im all=
gemeinen eine wellige Hochebene mit vereinzelten Erhebungen bilden,
bestehen im wesentlichen aus diluvialem Sand und bezeichnen durch
ihren heute noch zum Teil dünenartigen Charakter die Ufer des ehe=
maligen Meerbusens. Die Geest ist im Gegensatze zur Marsch, an
deren Rande sie unvermittelt emporsteigt, ein mageres, zum Teil
unfruchtbares und wasserarmes Gelände, welchem der Mensch müh=
sam seinen Unterhalt abringt. Die nach der Elbe zu gelegenen
Hänge und Höhen der Geest sind zum Teil mit Laubwald oder
Nadellaub bedeckt und geben der Fernsicht über das Elbtal einen

freundlichen und harmonischen Abschluß. Vom Elbstrom selbst sind
die Geesthöhen im allgemeinen weit entfernt; am nächsten an den=
selben hinan treten sie in der Nähe von Hamburg und Harburg.
Bei Harburg sind es die Schwarzen Berge, die höchsten unter den
Höhen an der Elbe, welche ihren Fuß bis zur Stadt Harburg und
deren Hafen erstrecken; sie sind Ausläufer der Lüneburger Heide
und ziehen unter wechselnden Namen, immer mehr verflachend, bis
zur Elbmündung bei Curhaven, wo noch heute das Meer den äußersten
Dünenfuß dieser Höhen (bei Duhnen) bespült und das Ufer auf
kurzer Strecke keines Deiches bedarf. Bei und unterhalb Hamburgs
aber ist die einzige, etwa 18 km lange Strecke, wo die Geesthöhen
hart an das Ufer des heutigen Elbstromes hinantreten, ein Bild
gebend von dem Anblicke, den die von den Fluten bespülten bergigen
Ufer des vorzeitlichen Meerbusens auf ihrer ganzen Erstreckung ge=
boten haben werden, abgesehen von der menschlichen Kultur, den
reizenden Ortschaften und Landhäusern — allen voran Blankenese —,
die diese herrlichen Elbhöhen heute schmücken." (Nach † W. Buch=
heister, Wasserbaudirektor in Hamburg.)

Die Zuflüsse, welche der unteren Elbe von links zugehen, sind,
von der Mulde und Saale abgesehen, auf eine lange Strecke hin
nicht bedeutend. Eine Ausnahme machen die O h r e , deren Lauf bei
gerade entgegengesetzter Richtung der oberen Aller in geringer Ent=
fernung parallel ist, und der A l a n d , der die längere B i e s e (mit
U c h t e und M i l d e) aufnimmt und gar kein unansehnlicher Fluß ist.
Noch bedeutender ist die J e e t z e , die im Oberlaufe ein anmutiges
Tal durchfließt. Von Salzwedel ab ist sie für Kähne fahrbar und
erreicht an der Mündung bei Hitzacker eine Breite von 40 m.

Die untersten linken Zuflüsse der Elbe kommen aus der Lüne=
burger Heide, so die Ilmenau oder Elmenau, die Luhe, Este,
Schwinge, Oste. Die letzte, welche neben der Wümme entsteht,
ist ein Fluß der Moore und Marschen, bei Bremervörde 60 m breit
und schiffbar. Ein Kanal verbindet die Oste durch Hamme und
Wümme mit der unteren Weser, ein anderer mit der Schwinge, und
stellt so eine Wasserstraße zwischen Bremervörde, Stade und Ham=
burg dar.

Auch auf dem rechten Ufer gehen unterhalb der Elstermündung
der Elbe auf eine lange Strecke nur kleine Gewässer zu.

Der größte Seitenfluß der unteren Elbe ist die H a v e l.

Etwa 8 km nordnordwestlich von Neustrelitz liegen 68 m über
dem Meere am Südabhange des Mecklenburgischen Rückens zwei

kleine Seeen, der Große und der Kleine Bobensee, von dem dazwischen liegenden Dorfe Dambeck auch die Dambecker Seeen genannt. Aus dem großen See fließt ein Wasser zum kleinen, die Junge Havel. Noch eine geraume Strecke bis Fürstenberg, wo die Schiffbarkeit beginnt, erscheint der Fluß nur hier und da wie ein Band zwischen einer Reihe verschlungener Landseeen. Unterhalb Zehdenicks tritt die Havel in die nördliche Senke, was sogleich durch sumpfige Ufer bezeichnet wird. Bei Oranienburg, 33 m, wo sie 30 m breit ist, hat sie dieselbe wieder verlassen.

Bis Fürstenberg hat die Havel südwestliche, von da bis Spandau südliche Richtung. Von nun an tritt in bezug auf Wassermenge und Richtung eine große Veränderung ein, welche durch die einmündende Spree hervorgerufen wird. Die von den Lausitzer Bergen kommende Spree tritt schon unterhalb Bautzen, 180 m, in das Tiefland und entwickelt überraschend schnell den Charakter des Niederungsflusses. Sie teilt sich in Arme, die sich erst oberhalb Spremberg wieder vereinigen, und scheint bei sehr undeutlich gezogenen Grenzen ihres Gebietes unentschlossen, welchen Weg sie einschlagen soll. Nur durch eine Reihe von Teichen und Wiesengräben ist sie an der einen Seite von der Elster geschieden, und eine geringe Aufstauung der Spree würde einen Teil ihres Wassers in die Sumpfniederungen der Elster führen. Ebenso ziehen sich südlich von Peitz Teichgruppen, Bruch- und Wiesengründe zur Neiße, und eine Kette von Brüchen verbindet die Spree mit der Plane, einem Nebenflusse der Havel.

Unterhalb Kottbus bei Peitz tritt die Spree in die südliche Senke und wird aus ihrer bis dahin nördlichen Richtung auf 20 km nach Westnordwesten gebogen. Diese Senke füllt der Spreewald aus, der im Ganzen etwa 44 km lang und 4—8 km breit ist.

Die Spree kommt hier wegen mangelnden Gefälles von neuem in Verlegenheit, welchen Weg sie wählen soll, und teilt sich daher in eine unzählige Menge von Armen, die netzförmig eine weite, bei hohem Wasserstande ganz überschwemmte Niederung durchfließen. In älterer Zeit dehnte sich hier ein undurchdringlicher Bruchwald, den die Wenden zum Zufluchtsorte nahmen, als sie vor den Deutschen nach Osten hin wieder weichen mußten. Die Nachkommen derselben wohnen noch heute im Spreewalde und haben die Art ihres Stammes in Sprache und Sitte bewahrt. Ein Teil des Spreewaldes ist in meist künstlich erhöhtes fruchtbares Wiesen- und Gartenland verwandelt worden: der aus Dammerde und Sand bestehende Boden zeigt den üppigsten

Abb. 76. Ansicht aus dem Spreewaldborf Lehde.

Graswuchs. Ein anderer Teil bildet noch jetzt eine beträchtliche
Waldmasse. Die herrschende Holzart ist die Erle, doch findet man
auch Eschen, Buchen, Eichen, Weiden und Kiefern; auf den höheren
Stellen wuchern Vogelbeeren und Heckenkirsche als Unterholz. Außer
einigen unbedeutenden Sandhügeln oder Horsten ist alles ebene Fläche.
Da die ganze Gegend von zahllosen Flußarmen oder Fließen und
künstlichen Kanälen durchzogen ist, so müssen die Bewohner des Spreewaldes alles, was anderswo zu Fuße, zu Pferde oder zu Wagen
abgemacht wird, in Kähnen verrichten; diese zimmert man aus
Baumstämmen. Mit großer Geschicklichkeit wissen die Bewohner des
Spreewaldes sie zu regieren, und pfeilschnell treibt man sie durch das
Wasser. Alle Ausflüge und Besuche macht man zu Kahn ab. In
festlichem Schmucke fährt man Sonntags in Kähnen zur Kirche.
Auf Kähnen folgen die Leidtragenden der Leiche eines Verstorbenen,
welche im Kahne zum Gottesacker gebracht wird. Der Förster be-
sucht zu Kahn sein Revier, verfolgt zu Kahn den Holz- und Gras-
dieb, fährt zu Kahn zur Jagd; denn der Wildstand ist reich, es gibt
Hirsche, stark an Leib und Geweihe, viele Rehe, auch Birkhühner und
Bekassinen. Der Fremde, welcher zur Sommerszeit diese Gegend
besucht und zu Kahn bereist, hat einen reichen Genuß. Die hohen,
uralten Eichen und Erlen, welche die Ufer besäumen, bieten in der
Sommerschwüle einen erquickenden Schatten und spiegeln ihr dunkles
Laub lieblich in dem klaren Wasser. Unter einem Laubdache gleitet
das Fahrzeug sanft dahin. An den Flußarmen klappern Mühlen,
und freundliche Häuser verleihen der nordischen Landschaft den Charakter der Wohnlichkeit. Gewöhnlich liegen diese Häuschen auf kleinen
natürlichen Erhöhungen unter dem Schatten mächtiger Eichen, gleich
kleinen Burgen mit Gräben rings umschlossen. Brücken, hohe Dämme
und Fußsteige verbinden diese Inselsitze. Einen eigentümlichen Anblick
gewährt der Winter. Kaum hält das Eis, so schnallt sich alle Welt
Schlittschuhe an: das arme alte Mütterchen, das sich Raff- und
Leseholz sammelt, der Holzhauer, der Förster, Männer, Weiber und
Kinder, alle gleiten dann pfeilschnell über die spiegelblanken Kanäle.

Aus der Senke und dem Spreewalde herausgetreten, geht die
Spree eine Strecke nach Osten zum 10 km langen Schwielung-
see oberhalb Beeskows, den sie schiffbar verläßt. Nach einer kleinen
nördlichen Laufstrecke, auf welcher der 1668 vollendete Friedrich-
Wilhelmsgraben oder der Müllroser Kanal unterhalb Beeskows aus der Spree in einer 22 km langen Geländervertiefung zur
Oder geht, wendet sich der Fluß entschieden nach Nordwesten, durchfließt

den 6 km langen und 4 km breiten, sehr tiefen Müggelsee ober-
halb Köpenicks und empfängt links die Dahme oder wendische
Spree, die schon mehrere beträchtliche Seeen durchflossen hat. Bei
Berlin ist die Spree 65 m breit und vereinigt sich nach einem Laufe
von 333 km bei Spandau mit der Havel, sodaß diese jetzt in die
Richtung des stärkeren Nebenflusses ablenkt.

Von Spandau fließt die Havel bis zum Schwilowsee nach Südwesten, dann hält sie sich bis Plaue mehr westwärts, auf dieser
Strecke seit der Aufnahme der Spree ein Fluß, ebenso wunderlich wie
anmutig. Bald ist sie 600 m und bald 60 m breit, bald überaus tief,
dann wieder flach; plötzlich entwickelt sich der mit langsamstem Gefälle
schleichende Strom zu weiten, prächtigen Seeen. Zu diesen Havel-
seeen gehören der Tegeler See bei Tegel, der Wansee zwischen
Spandau und Potsdam, der Fahrlandsee, in der Nähe von
Potsdam der Jungfernsee und der südlich von Potsdam sich ausbreitende Schwilowsee. Seeförmig geht sie von hier weiter, bis
sie bei Deetz die Gestalt eines 250—300 m breiten Stromes an-
nimmt und sich dann wieder auf 100 m verengt. Mit dieser Breite
läuft sie auf Brandenburg zu; im Norden der Stadt jedoch erweitert
sie sich zum Beetzsee. Unterhalb der Stadt Brandenburg bildet sie
den Plauersee, dessen östlicher, breiterer Teil auch der Breitlings-
see genannt wird. Der südostwärts von Brandenburg liegende
Rietzersee steht durch die Emster mit der Havel in Verbindung.
Die Nuthe fließt links, Potsdam gegenüber, ein.

Von Plaue oder Pritzerbe an wendet sich die Havel in mehreren
Treppenstufen nordwestlich. Auf dem untersten Teile ihres Laufes
tritt sie wieder in die nördliche Senke und mündet bei Werben, wo
die Stromvereinigung mit der Elbe einem großen Seebecken gleicht.
Der Platz, auf dem einst Gustav Adolf hier ein befestigtes Lager aufschlug, gilt noch heute für eine der günstigsten Festungssituationen von
ganz Deutschland.

Die Lauflänge der Havel beträgt 350 km, die Entfernung
zwischen Quelle und Mündung aber nur 90 km. Der Fluß, von
Oranienburg an betrachtet, bildet die Ost-, Süd- und Westseite eines
Vierecks, an dessen Südostecke die Spree mündet. Die Nordseite des
Vierecks aber wird durch die Sümpfe der nördlichen Senke gebildet,
in welcher auf dem Unterlaufe noch Rhin und Dosse eintreten,
beide entstanden am Südhange des Mecklenburger Rückens.

Den Raum innerhalb des Vierecks bildet das Havelland,
von zahlreichen Kanälen und Gräben, Seeen und Luchen durch-

schnitten, ohne Hügel und Wald, mit vielen Brüchen und Mooren und einzelnen rasenartigen Kulturflächen und Marschländern. Ein großer Kanal, der Hauptgraben genannt, durchschneidet es von Osten nach Westen, indem er oberhalb Spandau aus der Havel abgeht und unterhalb Rathenow wieder hineinführt. Das Havelland besteht aus dem Havelländischen Luch, 50 km lang und 8—10 km breit, um den Hauptgraben herum gelegen, zwischen Fehrbellin, Friesack, Nauen, Rathenow und Spandau, teils fettes Marschland, teils ein bewachsenes Bruch, aus dem Rhinluch längs des Rhins, 44 km lang und 4 km breit, wozu das Kremmersche, Linumsche, Fehrbellinsche Luch und andre nach andern Orten benannte gehören, und aus dem Toten Busch an der Dosse zwischen Havelberg und Wusterhausen, einer sehr moorigen Strecke. Bei dem Dorfe Linum ist der bedeutendste Torfstich, der jährlich über 20 Mill. Stück liefert.

Begeisterten Preis hat die Havel bei Fontane gefunden: „Jedes Land und jede Provinz hat ihre Männer, aber manchem Fleck Erde wollen die Götter besonders wohl. Ein solcher Fleck Erde ist das beinahe inselförmige Stück Land, um das die Havel ihr blaues Band zieht. Es ist der gesunde Kern, daraus Preußen erwuchs, jenes Adlerland, das die linke Schwinge in den Rhein und die rechte in den Niemen taucht. Wohl ist es bedeutungsreich, daß genau inmitten dieser Halbinsel jenes Fehrbellin liegt, auf dessen Feldern die preußische Monarchie gegründet wurde. Und welch historischer Boden ist diese Insel überhaupt! Entlang an den Ufern des Flusses, der sie bildet, hatten jene alten Familien ihre Sitze, die seit den Tagen der Quitzows mehr auf Charakter als auf Talent hielten, und deren Zähigkeit und Selbstgefühl, die doch nur Typen unseres eigenen Wesens sind, wir uns endlich gewöhnen sollten mehr mit Respekt als mit Eifersucht anzusehen. Auf dieser Havelinsel, um jenen schmalen Streifen Land, der nach außen sie umgürtet, liegen die Städte und Schlösser, darin der Stamm der Hohenzollern immer neue Zweige trieb, liegen die Städte, darin drei Reformatoren der Kunst das Licht der Welt erblickten: Winckelmann, Schinkel und Schadow (von denen Schinkel eine Kasernenstadt in eine Stadt der Schönheit umwandelte), liegen die Herrensitze, darin Zieten, Knesebeck und die Humboldts geboren wurden, Zieten, der liebenswürdigste und volkstümlichste aller Preußenhelden, und Knesebeck, der in winterlicher Einsamkeit den Gedanken ausbrütete, „die Macht Napoleons durch die Macht des Raumes zu besiegen".

Der gewundene Lauf der Havel machte abkürzende Kanäle notwendig. Der Ruppiner Kanal, 1799 zwischen Oranien= burg und Havelberg angelegt, benutzt die Senke nach Westen, wie der 1742—1746 angelegte 40 km lange Finowkanal in der Senke östlich durch das Oderbruch zur Oder geht. Der Plauesche Kanal geht aus dem Planeschen See nach Parey an der Elbe. Er ist 30 km lang und 7 m breit.

Auch noch unterhalb der Havelmündung empfängt die Elbe von rechts her bedeutende Zuflüsse: bei Wittenberge mündet die Stepenitz, bei Dömitz in zwei Armen die Elde (Eldene), ein wasserreicher Seenfluß, weiter abwärts die Sude mit der Schale, die Bille, welche durch die Vierlande fließt, und die Alster in Hamburg. Zuletzt fließt ihr noch die Stör aus einer Sumpfgegend 22 km westlich von Plön zu.

Die Elbe ist eine der wichtigsten Wasserstraßen Deutschlands, auch abgesehen von dem Teile unterhalb Hamburgs, welcher mit Seeschiffen befahren wird. Die Dampf= und Schleppschiffahrt auf der Elbe wird von Dresden aufwärts bis Melnik und bei günstigen Wasserverhältnissen weiter, die Moldau hinauf, bis Prag betrieben, abwärts bis Hamburg, Harburg und Altona. Der Personenverkehr auf der Elbe beschränkt sich auf die Strecken von Riesa aufwärts bis Bodenbach und von Lauenburg abwärts über Hamburg bis zur Mündung. Dem Frachtverkehr dienen über 18000 Schiffe, die auf der Bergfahrt besonders Getreide, Petroleum, Kohlen und Reis, talwärts Braunkohlen, Holz, Steine und Ziegel, Rohzucker und Kali= salze befördern.

In der landschaftlichen Natur des unteren Elbgebietes ist der Strom die Grenzmarke zwischen zwei ganz verschiedenen Bodenzonen. Linkerhand im Westen liegt ein gegen Norden an Breite abnehmen= der Strich fruchtbarster schwarzer Dammerde, üppige Getreidefluren oder schönen Laubwald tragend; im Osten oder zur Rechten ist Sand die vorherrschende Bodenart. Seine weiten dürftigen Ebenen werden nur durch Moore, Seen und Kieferwald, hier und da durch Marschen in Flußniederungen unterbrochen. Zuweilen ist der Übergang aus einer Zone in die andere durch Übersiedelung des einen Typus in das Gebiet des anderen vermittelt. So ist der Gegensatz der Alt= mark und des rechten Elbufers nicht so grell; auch die Gegenden zwischen Saale und Elbe bilden eine Übergangsregion. An anderen Stellen ist der Wechsel sprunghaft. Nähern wir uns Magdeburg durch die fette Börde, überschreiten die Elbe und wandern nur auf

Geseritz und Burg zu — wir glauben, aus dem Lande der fetten Kühe in das der mageren übergegangen zu sein.

Einst war das linke Elbufer nur eine zusammenhängende Waldstrecke. Noch jetzt gibt es einige größere Waldungen. Zwischen Düben, Gräfenhaynchen und Dommitzsch dehnt sich die Dübener Heide, zwischen Neuhaldensleben, Helmstädt und Gardelegen ist noch Wald von 80 km Länge und 22 km Breite, einst die Garleber (Gardelegner), jetzt auch Letzlinger Heide genannt, das gern und oft besuchte Jagdrevier unsers Kaisers. Nur die Waldstrecke am linken Ufer der Ohre um Kolbitz, Letzlingen und Burgstall besteht aus Nadelholz. Den Übergang zur Lüneburger Heide bildet die Göhrde. Auf gerodetem Waldboden dehnen sich die fettesten Getreideauen, wie die Fluren von Halberstadt, in welchen nach altem Wort ein Reiter zu Pferde von den Ähren überragt wird. Links der unteren Bode streckt sich die 44 km lange und 20—30 km breite Magdeburger Börde, zwischen Elbe und Milde die Wische.

Die Striche am rechten Elbufer, die Mark Brandenburg, „die Streusandbüchse von Deutschland", mit welcher der südliche Abfall des Mecklenburger Rückens gleiche Natur hat, sind übel berufen. Ein Süddeutscher denkt sich eine wagerechte Fläche ohne Höhen mit tiefem Sand bedeckt, in den man knietief einsinkt, einer Sahara ähnlich. Diese kindliche Vorstellung trifft nirgends zu. Es geht zwischen beiden Senken eine Zone von Landhöhen hindurch, zu denen der Harlunger Berg, die Müggelberge bei Köpenick, die Kalkberge von Rüdersdorf mit dem 81 m hohen Arminsberge gehören. Auch sonst sind Hügel, wie jedem, der die Mark mit eigenen Augen gesehen, bekannt ist, in der Mark gar nicht selten und nehmen sich in der Ebene oft ganz stattlich aus. Die zahlreichen kleineren und größeren Seespiegel geben vielen Gegenden Wechsel und Anmut, und der Wald zieht in tiefgrünen Streifen durch die Ebene. So hat die Vereinigung von Höhenzügen, Wald und See Potsdam zu einer der anmutigsten Städte des norddeutschen Tieflandes gemacht.

7. Hamburg — die deutsche Welthandelsstadt.

Als Karl der Große im Jahre 808 über dem steilen Abfall des Geestrückens inmitten der Elb-Brüche Hamburg gründete, hat ihm der Gedanke an die Begründung einer Handelsstadt gewiß ferngelegen. Er beabsichtigte vielmehr, für die christliche Mission in Nordalbingien und die weiter nördlich gelegenen Länder einen zuverlässigen Stütz-

Geogr. Charakterbilder I. Das deutsche Land. 24

punkt, eine „Hamme" (vom dithmarsischen und sächsischen Hamm = Gehege) zu gewinnen. Von der Elbe war die Burg durch weite un= wegsame Sumpfstrecken getrennt, und noch im Jahre 1150 (siehe die Karte) lag Hamburg von dem Hauptstrom, der jetzigen Süderelbe, über 9 km entfernt. Adolf III. von Schaumburg scheint der erste Fürst gewesen zu sein, der erkannte, daß Hamburg mit Erfolg seine Zukunft auf dem Wasser suchen werde; er legte 1188 das Nikolai= Kirchspiel an, hinter dem der erste Hamburger Hafen entstand. Der bei Hamburg vorbeifließende Elbarm, die Norderelbe, war aber noch immer für die Schiffahrt wenig geeignet, und so begann denn im 13. Jahrhundert die Korrektion der Elbe, die in einer Verlegung des Hauptstromes ihr Ziel sah. Unsere Karte (Abb. 80) gibt uns ein klares Bild von der Durchführung dieses Planes durch die Jahr= hunderte hindurch und läßt gleichzeitig erkennen, wie durch Ein= deichungen bereits früh die Sümpfe und Brüche zwischen den Elb= armen in Ländereien verwandelt sind, die mit den fruchtbarsten Deutschlands erfolgreich wetteifern.

Die Korrektion der Elbe hat mit dem Durchstich im Hammer= breet und der Anlage des Stadtdeiches im Jahre 1258 begonnen und erst mit dem Durchstich der Kalten Hofe (Koldenhof) im Jahre 1878 ihren Abschluß gefunden.

Im Schutze der Hammaburg auf dem „Berg", etwa an der Stelle des heutigen Johanneums, ist wahrscheinlich im Jahre 811 die erste Hamburger Kirche durch Karl den Großen erbaut worden. Heridag war ihr erster Priester, den Karl wohl für die Verwaltung eines nordalbingischen Erzbistums mit dem Sitze in Hamburg in Aussicht genommen hatte. Ludwig dem Frommen war es vorbehalten, diesen Plan auszuführen: 833 ward Ansgar vom Papste Gregor IV. als Erzbischof von Hamburg anerkannt und ausdrücklich als „Legat des Nordens" bestellt. Der so bevorzugten Stadt mußte es später leichter als anderen gelingen, sich ihre Unabhängigkeit gegenüber den Lehnsherren zu wahren.

Um die bischöfliche Hauptkirche und die Burg erwuchs die Stadt; aber schon 839 legten Normannen das durch Elbfischerei, Handel und Schiffahrt aufblühende Hamburg in Asche, und bald wieder erstanden, ward es 845 schon wieder von jenem räuberischen Seevolke geplündert. Durch den Beschluß der Synode von Mainz 847 ward das Erzbistum mit dem Erzbistum Bremen vereinigt. Die Erz= bischöfe wählten größerer Sicherheit halber Bremen zu ihrem regel= mäßigen Sitze, vernachlässigten aber dabei Hamburg keineswegs, sondern verweilten daselbst bald kürzere, bald längere Zeit. Wenigstens meldet dies der Chronist Adam von Bremen von dem Erzbischof Adelbert ausdrücklich. „In der Tat", sagt er, „liebte der geistliche Herr diesen Ort, wie alle seine Vorgänger, darum, weil er von jeher die Mutterkirche aller Völker des Nordens und das Haupt seiner Diözese gewesen war. Und darum feierte er beinahe alle Oster= und Pfingst= und auch alle Muttergottesfeste daselbst, wozu er eine sehr große Menge von Geistlichen versammelte, insbesondere von solchen, welche durch eine schöne Stimme die Gemeinde einzunehmen vermochten; und da er damals einen vollzähli=

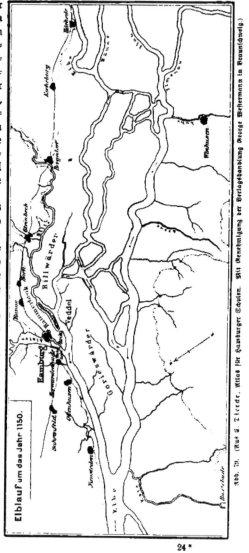

Elblauf um das Jahr 1150.

Abb. 75. (Aus J. Tiede, Atlas für Hamburger Schulen. Mit Genehmigung der Verlagshandlung George Westermann in Braunschweig.)

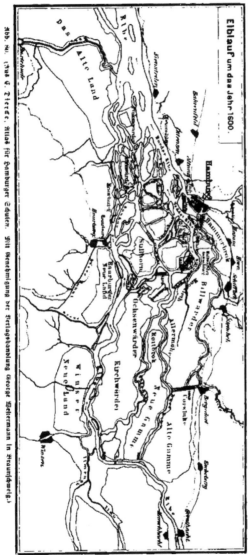

Abb. 86. (Aus C. Tiede, Atlas für Hamburger Schüler. Mit Genehmigung der Verlagshandlung George Westermann in Braunschweig.)

Elblauf um das Jahr 1600.

gen Kreis von Kirchendienern hatte, ließ er alle gottesdienstlichen Handlungen mit großer Sorgfalt und Erhebung und auch mit vielem äußeren Glanze aufführen."

Lange Zeit ging dieser Kirchenfürst selbst mit dem Gedanken um, in Hamburg ein selbständiges Papsttum für den ganzen Norden zu gründen. Allein gerade diese maßlosen Entwürfe des ebenso stolzen und hochstrebenden als vornehmen, staatsklugen und tätigen Erzbischofs scheiterten, und die späteren Erzbischöfe nahmen ihren bleibenden Sitz in Bremen. Um diese Zeit schließt die erste Periode der Geschichte von

Hamburg. Die Bürgerschaft benutzte die Abwesenheit der mächtigen Kirchenfürsten zur Vergrößerung ihrer Macht, ihres Ansehens und ihrer Rechte und arbeitete dahin, auch den Stellvertretern jener Herren gegenüber eine möglichst selbständige Stellung zu erhalten. Unter vieler Bedrängnis von Normannen und Slawen, deren sich die kaiserlichen Vögte in der Burg nicht immer zu erwehren vermochten, war Hamburg allmählich groß geworden. Seit 1110 stand die Stadt wie das Land unter den schauenburgischen Grafen, deren erster Graf Adolf I., für Hamburgs Emporkommen ungemein viel tat. Von ihm sollen die niederländischen Kolonisten in die Elbmarschen gerufen sein, deren Nachkommen noch jetzt dort wohnen. Sein Sohn Adolf II. erwirkte der Stadt 1189 von Kaiser Friedrich wichtige Privilegien, unter anderen eigene Gerichtsbarkeit, Zollfreiheit und freie Fischerei bis zum Meere. Als 1189 die Stadt Bardowiek in harter Fehde von Heinrich dem Löwen zerstört war, kauften die Hamburger die Granit-Quadersteine ihrer Mauern und Häuser, um damit ihre eigene Stadt gegen die Elbe zu schützen. Nicht lange darauf ward die Stadt mit den holsteinischen Landen von den Dänen unter dem Könige Kanut und seinem Bruder Waldemar erobert und vom Könige Waldemar an seinen Statthalter, den Grafen Heinrich von Orlamünde, verkauft, welcher aber seine Rechte in betreff der Stadt an die Bürger derselben zurückverkaufte. Der sein Land zurückerobernde Graf Adolf IV. bestätigte sodann großmütig 1225 diese Unabhängigkeit der Stadt, doch blieb die Schirmherrschaft über Hamburg den holsteinischen Grafen. Nachdem Adolf IV. am 22. Juli 1227 die Dänen bei Bornhövede geschlagen hatte, errichtete er in Hamburg reiche Stiftungen. 1292 erlangte Hamburg von den damaligen vier Grafen von Holstein die sogenannte Köre, „daß es ihr gestattet sei, sich selber Gesetze, Verordnungen, Statuten zu erkiesen, danach zu richten, sie nötigenfalls zu verändern oder ganz aufzuheben, auch neue zu verfassen und hinzuzutun".

Das 13. Jahrhundert legte den Grund zu Hamburgs Freiheit, nicht minder aber auch zu Hamburgs Größe. 1241 ward der Grund zur Hansa gelegt, 1270 erhielt Hamburg sein eigenes Gesetzbuch; die Neustadt ward angelegt, 1292 wurden beide Städte vereinigt und 1321 das Münzrecht erworben. Gestört ward die mächtig aufstrebende Stadt in den letzten Jahrhunderten des Mittelalters, in welchen der größte Teil des Gebietes erworben ward, teils durch inneren Zwist zwischen Rat und Bürgerschaft, teils durch dänische Angriffe. Wie die Väter das werdende Hamburg so oft zerstört,

so suchten Dänemarks Könige zu wiederholten Malen das erblühte
Hamburg „als eine holsteinische Landstadt" zu annektieren. Jedoch
Kaiser Maximilian schützte am 3. Mai 1510 die Stadt auf dem
Reichstage zu Augsburg durch ein eigenes Dekret gegen den begehr-
lichen Nachbar.

Das 16. Jahrhundert schloß Hamburgs Mittelalter; es begann
eine neue Zeit. Zwar der innere Zwist erlosch nicht und machte
öfteres Einschreiten von Kaiser und Reich nötig, und Dänemark war,
wie in allen Jahrhunderten, ländergierig und suchte Hamburg noch
immer bei verschiedenen Anlässen zur Unterwerfung zu zwingen. Aber
einen völlig neuen Charakter drückte der Stadt die Einführung der
mit Eifer angenommenen Reformation auf. Von 1522—1528
währte der Kampf zwischen der alten Kirche, die ihren Halt im
Domkapitel fand, und dem Luthertum. Vom 9. Oktober 1528 bis
9. Juni 1529 weilte Bugenhagen in Hamburg, organisierte die
neuen Kirchenzustände und arbeitete die Kirchenordnung aus. Der
katholische Gottesdienst im Dom mußte 1529 auf Befehl des Rates
aufhören; das Kloster Harvestehude an der Alster, dessen Nonnen
von dem alten Kultus nicht lassen wollten, wurde niedergerissen. Die
Stadt wurde sehr eifrig lutherisch und zwang durch ihre Strenge
gegen andere Bekenntnisse Katholiken, Reformierte und Mennoniten
zur Auswanderung.

In weltlichen Dingen brachte die Wandelung der See- und
Handelswege große Veränderungen. Die Ostsee, einst das Hauptgebiet
der Hansa, trat gegen die Nordsee und den Atlantischen Ozean immer
mehr an Bedeutung zurück. Die Hansa selber sank: nur drei Städte,
Lübeck, Hamburg und Bremen, hielten den Bund aufrecht. Solange
die Hansa geblüht, hatte Hamburg neben Lübeck immer nur die zweite
Rolle gespielt: jetzt überflügelte es die alte Ostseestadt. Die Kämpfe
in den Niederlanden führten Hamburg viele Auswanderer zu, durch
welche es an Betriebsamkeit und Vermögen gewann.

Die neueste Geschichte von Hamburg können wir mit 1768
beginnen. Im Vertrage zu Gottorp entsagte Dänemark gegen
bedeutende Summen allen Ansprüchen, und 1770 erhielt Hamburg,
nachdem es schon öfters Reichssteuern entrichtet, endlich Sitz und
Stimme auf dem Reichstage. Mit 1778 beginnt für Hamburg eine
glänzende Epoche; große Handelsstadt war es lange, jetzt ward es
Welthandelsstadt. Die Unabhängigkeitserklärung der Kolonien
in Nordamerika und die Freigebung des in so gewaltigen Verhältnissen
steigenden Verkehrs für die deutschen Nordseehäfen brachte Hamburg
mächtigen Aufschwung. Noch einmal jedoch brachte die französische

Zeit auf der Bahn zur Größe schmerzlichen Aufenthalt. 1806 wurde die Stadt von den Franzosen besetzt, womit eine Reihe unerhörter Gelderpressungen und Bedrückungen begann, und endlich 1810 dieselbe dem französischen Kaiserreiche einverleibt. Als aber die Franzosen 1812 in Rußland ihr Heer eingebüßt, befreiten sich die Hamburger im März 1813 von der französischen Herrschaft; aber nur kurze Zeit sah sich die Stadt wieder unabhängig, denn neue französische Heerscharen unter Davoust drangen am 30. März ein, und ungeheuer war der Verlust, den sie durch diese Besitznahme und die darauffolgende Belagerung erlitt. Das empörende Aus= plünderungssystem, das die Franzosenzeit zuerst der Stadt brachte, die darauffolgende furchtbare Zeit der Einverleibung Hamburgs ins französische Reich und die entsetzliche Willkür der Davoustschen Scharen sind noch heute unvergessen.

Hamburg stieg jedoch nach dieser Unglückszeit rasch zu neuer, größerer Blüte. Die Befreiung der süd= und mittelamerikanischen Staaten von der spanischen Herrschaft, Brasiliens von Portugal und eines Teiles der Insel Haiti von Frankreich gaben dem Welthandel der Stadt neuen Aufschwung. Allein, neues Unglück brachte der Brand vom 5. bis 8. März 1842, der in 71 Straßen die Wohnstätten von fast 20000 Menschen vernichtete und einen Schaden von 135 Millionen Mark anrichtete. Ganz Deutschland zeigte damals durch seine Beisteuer, wie hoch ihm sein Hamburg gelte. Gegenwärtig ist Hamburg der erste Seehafen des europäischen Festlandes, der in seinem Gesamthandelsverkehr als der zweite Platz Europas über= haupt sogleich nach London seinen Rang einnimmt und darin weit alle übrigen Seeplätze, ja die Aus= und Einfuhr sämtlicher außer= deutschen Länder Europas, nur Großbritannien und Frankreich aus= genommen, übertrifft. Hamburgs Schiffsverkehr wird nur von dem Londons, Hongkongs und New Yorks übertroffen. Die Zahlen zeigen, daß dieser gewaltige Aufschwung des hamburgischen Handels wesent= lich eine Folge der Wiederaufrichtung des Deutschen Reiches ist. Denn während die Jahreseinfuhr Hamburgs in dem Jahrzehnt von 1861—70 durchschnittlich 996 Millionen Mark betrug, hob sie sich in dem Jahrzehnt von 1871—80 mit erstaunlicher Schnelligkeit bis auf 1727 Millionen Mark. 1902 betrug die Einfuhr 3806, die Aus= fuhr 3319 Millionen Mark, d. h. mehr als die Italiens, Spaniens, Norwegens, Schwedens und Dänemarks zusammen! Die freie und Hansestadt Hamburg liegt am rechten Ufer der Norderelbe, teils auf der Fortsetzung des holsteinischen Heide= bodens, teils auf Gelände, das einem früheren Elbbette angehört,

90 km von der Mündung des Stromes. Beim Entenwärder im Osten tritt ein schmaler Elbarm in die Stadt und ergießt sich als Oberhafen= und Zollkanal durch die Häusermasse, um weiter unten am Binnenhafen sich wieder mit der Norderelbe zu vereinigen. Von Norden fließt der Elbe aus dem Holsteinischen die Alster zu, ein für Hamburg bedeutsamer Fluß. Vor dem Eintritt in die Stadt an der Nordseite bildet sie einen 169 Hektar

Abb. 81. Ein Hamburger Fleet.

großen See, die Außen=Alster, welche bis an den früheren Wall der Stadt hinanreicht. Unmittelbar nach dem Eintritte in die Stadt unter der Lombardsbrücke hindurch erweitert sie sich nochmals zu einem schönen viereckigen Bassin, der Binnen= Alster. Nach dem Austritt aus diesem Becken nimmt der Fluß seinen Weg durch die Stadt, wo er die Turbinen der Elektrizitätswerke treibt und durch Kanäle oder Fleete

sein Wasser der Elbe zuführt. Diese Fleete lagen früher bei
niedrigem Wasserstande oft trocken und bedeuteten dann, besonders
da die Kanalisation der Stadt noch sehr mangelhaft war, eine
nicht zu unterschätzende Gefahr für den Gesundheitszustand der
Bevölkerung. Einen eigenartigen Anblick gewährten dann die
„Fleetenkieker", eine besondere Klasse von Industriellen, die in
großen Wasserstiefeln das Bett der Fleete durchstampften und
auch die bescheidensten Reste menschlicher Wirtschaft ihren spähen=
den Augen und ihrem Sammelkorbe nicht entgehen ließen. Heute
ist ein großer Teil der Fleete verschwunden; ein sinnreiches
Schleusensystem sorgt für die Durchspülung der gebliebenen,
und das Gewerbe der Fleetenkieker ist eingegangen. Auf dem
linken Ufer der Alster oder im Südosten breitet sich auf niedrigem
Sumpflande ein Teil der Altstadt aus; rechts vom Flusse oder
im Westen liegt auf etwas höherem Terrain die Neustadt.
Westlich vor der Neustadt liegt St. Pauli, bis 1894 Vorstadt,
die Stadt des Vergnügens, in der besonders der seemännische
Teil der Bevölkerung der Weltstadt Erholung und Belustigung
nach den Strapazen der Seefahrt sucht. St. Pauli wetteifert
beinahe mit Hamburg selbst an Weltruf, und doch wird mancher
Fremde, der es aufsucht, arg enttäuscht sein. Vielleicht mit mehr
Recht als die durch Schiller verherrlichte Schottenkönigin darf
St. Pauli von sich sagen, daß es besser sei als sein Ruf; denn
die Stadt des Porters, der Austern, der Tanzsäle, Rauchtheater
und Musikhallen bildet doch nur einen kleinen Bruchteil des über
80000 Einwohner zählenden Vorortes; der Rest aber wird von
arbeitsamen Menschen des Mittelstandes bewohnt, die zum großen
Teil im Hafen und auf den Werften der Elbinseln in hartem
Tagewerk ihr Brot ernten.

Anderen Charakters ist die bereits seit 1868 zur Stadt ge=
zogene östliche Vorstadt St. Georg. Sie war lange nur Stadt
der Handwerker, hatte daher einen sehr soliden Namen und war
die Stätte der harmlosen Volksfeste, des Vogelschießens, des
Lämmermarktes und des „Waisengrüns". Noch heute ist sie, trotz
ihrer 100000 Einwohner, im ganzen still; nur eine wahrhaft
großstädtische Straße, der Steindamm, mit prächtigen Läden und
einer großen Zahl von Restaurants und Cafés durchzieht in der
stattlichen Breite von 50 m den eleganteren nördlichen Teil.

Zwischen St. Georg und St. Pauli liegt die ursprüngliche
Stadt, durch den Unterlauf der Alster in Altstadt und Neustadt

geschieben. Hier finden wir noch besonders in den beim großen
Brande 1842 verschont gebliebenen Teilen enge, dunkle und
winklige Straßen mit hohen, schmalen und tiefen Fachwerk=
häusern, Höfen und Gängen, die ihren Bewohnern nur ein ge=
ringes Maß an Luft und Licht gewähren. Doch auch hier macht
sich, trotz der enorm hohen Bodenpreise, dank einer systematisch
geleiteten staatlichen Wohnungsfürsorge in den letzten Jahrzehnten
ein erfreulicher Fortschritt bemerkbar, und Jahr für Jahr machen
Hunderte von menschenunwürdigen Gelassen lichteren und ge=
räumigeren Wohnstätten Platz. Nach den furchtbaren Erfahrungen
des Cholerajahres 1892, in dem über 7500 Menschen der ver=
heerenden Seuche zum Opfer fielen, hat Hamburg sich zu einer
der gesündesten Städte Deutschlands entwickelt.

Kaum eine zweite Stadt Deutschlands, die Reichshauptstadt
nicht ausgenommen, hat eben im verflossenen Jahrhundert der=
artige Umwälzungen erfahren wie Hamburg. Die Entfestigung
in den Jahren 1820—24, der große Brand im Jahre 1842 und
die Schaffung des Freihafens im Jahre 1888 haben eine durchaus
moderne Großstadt entstehen lassen, deren Bewohnerzahl von
106841 im Jahre 1811 auf 747000 im Jahre 1904 angewachsen
ist. Der vornehmste Teil der inneren Stadt gruppiert sich um
das Alsterbassin. Hier finden sich die größten Hotels, die
modernsten Cafés, die großen Bankhäuser, das Geschäftshaus der
„Hamburg=Amerika=Linie", die Kunsthalle und das neue Rathaus.
Der im Entstehen begriffene Zentralbahnhof liegt nur 400 m entfernt.

Das Hamburger Rathaus, bereits das vierte seit Gründung
der Stadt, ist in den Jahren 1886—1897 in den reichen und
vornehmen Formen der Renaissance erbaut. Die Hauptfassade
eigt deutsche Formen; die Seitenbauten leiten zu den italienischen
Formen der anstoßenden Börse über. Neun Hamburger Architekten
haben gemeinsam den stattlichen Bau ersonnen, und trotzdem ist
es ein Werk aus einem Guß geworden! Ein 112 m hoher Turm
überragt das 110 m lange Gebäude und trägt einen mächtigen
Reichsadler zum Zeichen, daß des Reiches Glanz und Größe das
höchste Streben Hamburgs gilt. „Die ganze Disposition des
Bauwerks", schreibt Rathausbaumeister Hauers, „zeigt durch das
Fehlen von Rampen und Freitreppen, von inneren Höfen und
Korridoren den typischen Charakter alter Rathäuser; auch in
der inneren Ausstattung ist alles vermieden, was an die Üppigkeit
von Königsschlössern und den ephemeren Schmuck von Kasinosälen

erinnern könnte. Trotzdem dürfte das Rathaus an solider Pracht
wenigen solcher Bauten nachstehen, namentlich der große Saal
nach seiner Vollendung, wenn an die Marmortäfelung der Wände
sich der reiche Bilder= und Skulpturenschmuck anschließt. Zu=
sammen mit den anliegenden Räumen des Kaiser=, des Turm=
und Bürgermeisterfaales bildet sich hier ein Saalkomplex, dessen
Einzelräume so solide ausgestattet sind, daß sie den Tagesgebrauch
nicht zu scheuen haben, und dabei so reich geschmückt durch Werke
der bildenden Kunst, daß sie, gegebenenfalls, sich zu einem Fest=
lokal vereinigen, welches auch für die vornehmsten Staats=
repräsentationen einen stolzen Hintergrund bildet."

In der Altstadt lag die älteste Kirche von Hamburg, der schon
zu Karls d. Gr. Zeit gegründete, öfter zerstörte, 1106 wieder auf=
geführte Dom St. Mariä oder U. L. Frauen. Als er 1803 an die
Stadt überging, war das Gebäude sehr baufällig. 1805 wurde es
abgetragen. Die Katharinen= und Jakobikirche, vom
Brande verschont, sind jetzt die einzigen aus dem Mittelalter
stammenden Kirchen von Hamburg. Sie sind gotischen Stils und
entstammen dem 14. und 15. Jahrhundert. An St. Katharinen
waren Nikolai und Goeze Hauptpastoren, an St. Jakobi bis
1661 Schuppius, einer unserer originellsten Satiriker.

Nachdem im Jahre 1620 die ganze westliche Vorstadt als Neu=
stadt zur Stadt gezogen war, genügte bald die kleine Kirche daselbst
nicht mehr, und 1649 ward der Grund zu einer neuen, größeren ge=
legt. Diese 1661 eingeweihte große Michaeliskirche wurde am
10. März 1750 durch einen in den Turm einschlagenden Blitzstrahl
eingeäschert. An der Stelle dieser Kirche ward dann im Juni 1751
durch Georg Sonnin der Bau einer neuen Kirche begonnen, die
am 19. Oktober 1762 eingeweiht wurde. Die Kirche, die größte von
Hamburg, liegt auf dem höchsten Punkte der Stadt. Sie ruht auf
vier kolossalen Tragepfeilern und ist eine Kreuzkirche, das Ganze eine
enorme Halle, deren Weite den Eindruck des Großartigen machen
würde, wenn nicht die vielen Gipsverzierungen am inneren Gewölbe
störend wirkten. Sie faßt 3200 Menschen. Der 1778—1786 auf=
geführte Turm ist der höchste von Hamburg, 131 m, und wird, weil
er im Innern einen großen Fallraum darbietet, oft zu physikalischen
Beobachtungen benutzt. Er bietet Aussicht über Stadt und Elbe, fast
bis zur Nordsee, nördlich über einen Teil von Holstein, südlich über
einen Teil von Hannover.

Der prächtigste Kirchenbau ist nach dem Brande entstanden.

Die St. Nikolaikirche am lebhaften Hopfenmarkt, welche wie die St. Petrikirche 1842 mit abbrannte, ist im Stil der eng= lischen Gotik erbaut, und zwar von Sandstein; nur die Mauerflächen sind von Backsteinen, und zwar die äußeren von gelben doppelt ge= brannten. Durch die Verwendung von Sandstein wurde ermöglicht, eine so reiche Ornamentik anzuwenden, daß diese Kirche an äußerem Schmuck alle Bauten der früherem Jahrhunderte im Norden Deutsch= lands übertrifft. Auch das Innere ist reich ausgestattet: Marmor= stufen und der Fußboden von schwarz und weißem Marmor, Marmor= säulen über dem Chor, Altar und Kanzel von farbigem Marmor; über dem Altar ein Christus am Kreuze in kolossaler Größe, und unter dem Kreuze ein Relief, Christus am Ölberge betend, beides in weißem Marmor ausgeführt. Der Plan ist von dem Engländer George Gilbert Scott.

Auch die Petrikirche ist im gotischen Stil des 14. Jahr= hunderts neu erbaut.

Nicht weit von der Nikolaikirche erhebt sich als Mittelpunkt des Hamburger Handels — die Börse. 1839 an der Stelle des ehe= maligen Maria=Magdalena=Klosters begonnen, blieb sie mitten in dem Brande von 1842 stehen. Sie ist 110 m lang und 75 m breit. Der für das Börsenpublikum bestimmte innere Raum wird durch große Fenster von oben erleuchtet; an ihn schließen sich auf allen vier Seiten Bogengänge. Zwischen 1 und 2 Uhr ist hier ein großer Teil der Handelswelt versammelt, an 5000—6000 Menschen. An den Seiten dieses Raumes befinden sich verschiedene Kontore und Ge= schäftszimmer, im oberen Stocke auch die Kommerzbibliothek, reich an neueren Werken der Geographie, Statistik und neueren Geschichte. Zwei östliche Flügelbauten stellen jetzt die Verbindung mit dem Rathause her.

Die Börse bildet den natürlichen Mittelpunkt für den Groß= handelsbetrieb der Stadt, und so finden wir auch die Kontore der großen Import= und Exportgeschäfte, der größeren Agenten und Kommissionäre, der bei den verschiedenen Zweigen des Handels be= teiligten Assekuranzfirmen besonders in dem Stadtteil zwischen der Börse und dem Zollkanal, in den beiden Reichenstraßen, in der Catharinenstraße, im Grimm, im Cremon, in der Brandstwiete und Mattentwiete, am Dovenfleet und beim Zippelhaus. In nächster Nähe der Börse haben die großen Bankinstitute sich mächtige Paläste, durchweg in den Formen der soliden Frührenaissance, errichtet, so außer der Reichsbank die Dresdner, die Deutsche, die Vereins=,

404

die Kommerz= und Diskonto= und die Norddeutsche Bank. Von dem Umfang der Geschäfte dieser Welthandelsbanken macht man sich nicht leicht einen Begriff. So hat die letztgenannte Norddeutsche Bank im Jahre 1903 einen Gesamtumsatz erzielt von über 20 Milliarden. Das bedeutet eine Summe, von der Frankreich 1871 an das siegreiche Deutschland fünfmal die Kriegskostenentschädigung hätte bezahlen können. Für den erzielten Gewinn hat die Norddeutsche Bank aller= dings auch dem Hamburgischen Staate für das Jahr 1903 eine Ein= kommensteuer von 348 994,80 Mk. entrichtet!

Um die innere Stadt, St. Georg und St. Pauli, haben sich be= sonders in den letzten Jahrzehnten 16 weitere Stadtteile entwickelt, die sämtlich aus 1894 zur Stadt gezogenen Vororten entstanden sind und zum Teil heute Großstädten an Einwohnerzahl nahekommen. Der Charakter dieser Stadtteile ist untereinander gründlich verschieden, von dem vornehmen Harvestehude am rechten Ufer der Außenalster, in dem das Durchschnittseinkommen der Bevölkerung, also Dienst= boten und Kinder eingeschlossen, 3099,51 Mk. beträgt, bis zu den Arbeitervierteln Barmbecks und des „Billwärder Ausschlag", deren Bevölkerung nur über ein Durchschnittseinkommen von 372,70 Mk. resp. 463,13 Mk. pro Kopf verfügt.

Mit Ausnahme der ältesten Teile ist Hamburg eine bequem und weiträumig angelegte Stadt; die größte in Deutschland, übertrifft sie die Reichshauptstadt um 14 ha an Bodenfläche. Vergleicht man hiermit die Einwohnerzahlen, so stellt sich heraus, daß jedem Ham= burger 103 qm für seine Bewegung zu Gebote stehen, während der Berliner sich mit kaum 31 qm Fläche begnügen muß.

Begreiflicherweise richtet der Fremde, den es drängt, die deutsche Handelsstadt kennen zu lernen, zuerst seine Schritte nach dem Hafen, oder richtiger nach den Häfen. Hamburg hat im ganzen 27 Häfen, von denen 20 östlich und 7 westlich vom Reiherstieg liegen (f. die Karte), und deren Namen z. T. alten Ortsbezeichnungen (Sandtorhafen, Grasbrookhafen, Kuhwärderhafen), z. T. ihrer gegen= wärtigen Bestimmung (Segelschiffhafen, Petroleumhafen, Kohlen= schiffhafen — Indiahafen, Magdeburger Hafen, Moldau=, Spree=, Saalehafen usw.) entlehnt sind. Diese Häfen bieten eine Wasserfläche von über 400 Hektar und eine Quailänge von über 25 km, zu der noch über 15 km Liegeplätze an Dükdalben in freiem Wasser kommen.

Unsere nach einer Originalradierung Bernh. Schumachers her= gestellte Abbildung gewährt uns einen Blick von einem im Strom liegenden Schiffe in den Niederhafen. Zu unserer Rechten haben wir

ben Dalmannquai, vor uns im Hintergrunde die Straßen „Vorsehen"
und „Baumwall", von dem mächtigen Turme der Michaeliskirche
überragt. Das Gebäude rechts auf unserem Bilde ist der Quaispeicher,
der in sechs Stockwerken 190 000 qm Lagerfläche und eine Tragkraft
von 15 Millionen kg hat. Er bildet übrigens nur einen geringen
Teil des Gesamtlagergelasses der Quaianlagen, die zusammen gegen
40 ha überbachter Lagerfläche bieten. Die Zifferblätter am Turme
zeigen den Wasserstand an, und ein weithin sichtbares Gerüst trägt
den Zeitball, der zur Kontrolle der Schiffschronometer täglich genau
um 12 Uhr Greenwicher Zeit fällt. Die Mitte des Bildes gibt uns
einen kleinen Ausschnitt aus dem Werktagsleben im Hamburger Hafen.
Zur Rechten fährt einer der gedrungen gebauten und daher ungemein
leicht wendenden Hafendampfer auf uns zu. 56 derartige Fahrzeuge
befördern täglich gegen 60 000 Menschen von und nach den zahlreichen
Arbeitsstätten des Hafens. (Im Jahre 1904 betrug die höchste
Anzahl der a n einem Tage beförderten Personen 66 500, die
niedrigste 44 500.) Links sehen wir einen Schleppdampfer drei mit
Waren beladene „Schuten" stromab nach irgendeinem „ladenden"
Schiffe bringen. In der Mitte zieht ein anderer Schlepper einen
„Oberländer" hinter sich, eines jener mächtigen Flußfahrzeuge, die
den Inhalt von mehr als 100 Eisenbahnwaggons in sich aufnehmen
können. Zwischen den beiden Schleppzügen schießt von links eine
Barkasse hindurch, auf der grünröckige Zollbeamte nach Zollkonter=
bande im Hafen Ausschau halten. Vor ihnen treibt ein Hafenfischer
in all dem Trubel sein friedliches Gewerbe — ohne große Auslagen,
denn die reiche Stadt verzichtet darauf, aus dem Fischreichtum ihrer
Hafengewässer Revenüen zu ziehen. Im Hintergrunde unseres
Bildes sehen wir Ozeandampfer und Segelschiffe verschiedener Typen,
zur Linken einen Repräsentanten der neuesten Periode der Schiff=
baukunst, einen mächtigen Viermaster; vielleicht ist es die neue
„Preußen", die mit ihren 7000 Tons Ladefähigkeit an Größe mitt=
leren Ozeandampfern gleichkommt.

    Hamburg ist der größte Heimatshafen der Welt. Seine ver=
schiedenen Reedereien verfügen heute für den Seeverkehr über mehr
als 500 Dampfer und mehr als 300 Segelschiffe. Zu diesen kommt
noch die aus über 140 Fahrzeugen — Dampfern und Seglern —
bestehende Hochseefischerei=Flotte. Die größte Reederei Hamburgs
und zugleich der Welt ist heute die „Hamburg=Amerika=Linie", die
unter ihrem genialen und energischen Leiter, dem Generaldirektor
Albert Ballin, jetzt alle Konkurrenzgesellschaften aus dem Felde ge=

Abb. 82. Im Hamburger Hafen (nach einer Radierung von K. Schumacher).

schlagen hat. Über den gegenwärtigen Umfang ihres Betriebes (November 1904) berichtet die Verwaltung der „Hamburg-Amerika-Linie", wie folgt: „Das Aktienkapital der Gesellschaft beträgt nach dem Geschäftsbericht über das Betriebsjahr 1903 100 Mill. Mark; an Prioritätsanleihen sind 38 750 000 Mark, an Kapitalreserve 8 797 000 Mark, an Versicherungsreserven 11 201 000 Mark und an Erneuerungsreserven 2 000 000 Mark vorhanden.

Die „Hamburg-Amerika-Linie" besitzt gegenwärtig eine Flotte von 141 Ozeandampfern (davon 15 im Bau) mit 711 856 Br.-Reg.-Tons. Unter ihnen sind der Ozeanflieger „Deutschland" mit 16 502 Reg.-Tons und einer Maschine von 33 000 indizierten Pferdestärken das größte und schnellste Schiff Hamburgs, ferner die eleganten Doppelschrauben-Postdampfer „Blücher" und „Moltke", die gewaltigen Frachtdampfer der P-Klasse usw. Außerdem verfügt die Gesellschaft über 171 Flußfahrzeuge (Flußdampfer, See- und Flußschlepper, Barkassen, Leichter usw.) mit einem Tonnengehalt von 33 488 Br.-Reg.-Tons. Die Gesamtflotte der „Hamburg-Amerika-Linie" besteht demnach aus 312 Schiffen mit 745 344 Br.-Reg.-Tons.

Außer dieser Flotte, deren Tonnengehalt von keiner Schiffahrtsgesellschaft der Welt übertroffen wird, besitzt die Gesellschaft eigene Verwaltungsgebäude, Bureaus, Wirtschaftsbetriebe, Werkstätten, Magazine, Dock- und Hafenanlagen, Speicher, Schuppen, Lager usw. in Hamburg, Cuxhaven, Stettin, Emden, Havre, Cherbourg, Montreal Hoboken (New York), St. Thomas, Kingston (Jamaika), Colon, Schanghai, Hongkong, Tsingtau und Hankow.

Das gesamte schwimmende und feste Inventar hat einen Buchwert von über 170 Mill. Mark.

Die Absicht der Gründer der Gesellschaft war, eine ständige Schiffahrtsverbindung zwischen Hamburg und Nordamerika zu schaffen. In den 58 Jahren ihres Bestehens hat die „Hamburg-Amerika-Linie" jedoch ihren Betrieb stetig ausgedehnt, hat sich allmählich immer neue Verkehrsgebiete erschlossen, so daß sich jetzt das Netz ihrer ca. 50 festen Schiffahrtslinien um den ganzen Erdball spannt. Von Hamburg, Stettin, Genua, New York, Schanghai aus unterhält die Gesellschaft direkte Verbindung mit ca. 270 verschiedenen Häfen in allen Weltteilen.

Von 1847 bis Ende 1903 hat die „Hamburg-Amerika-Linie" über 3 200 000 Passagiere und über 39 800 000 cbm Güter befördert. Das Jahr 1903 zählte 304 346 Passagiere und 4 800 554 cbm Güter. An Rundreisen sind von den Schiffen der Gesellschaft seit dem

Gründungsjahre ca. 10000 zurückgelegt worden. Im Jahre 1903 wurden 940 Rundreisen gemacht.

Neben der Passagier= und Güterbeförderung hat die „Hamburg= Amerika=Linie" bereits seit einer Reihe von Jahren als besonderen Tätigkeitszweig die Touristenfahrten zur See gepflegt. Die beiden prächtigen Vergnügungsdampfer „Prinzessin Victoria Luise" und „Meteor", denen sich zuweilen die bequemen und vornehmen Post= dampfer „Moltke" und „Blücher" anschließen, unternehmen jährlich ca. 30 Vergnügungsfahrten nach den verschiedenen gepriesensten Zielen der Seetouristik, nach Westindien, dem Mittelmeer, dem Orient, Norwegen, Spitzbergen, den nordischen Hauptstädten, den berühmtesten westeuropäischen Badeörtern, zur „Kieler Woche" und um die Welt. Im Jahre 1904 haben ca. 4600 Personen an diesen Erholungs= und Vergnügungsreisen teilgenommen."

Hamburg ist bald nach seiner Gründung zu Blüte und Wohl= stand gelangt und gilt seit Jahrhunderten für eine reiche Stadt. Nicht mit Unrecht; denn die Mehrzahl seiner Bewohner erfreut sich eines Einkommens, das eine bequeme Lebensführung ermöglicht, wenn auch selbstverständlich der vorzüglich organisierten öffentlichen und privaten Liebestätigkeit noch immer genug zu tun übrigbleibt. So darf man sich kaum wundern, wenn man in Deutschland vielfach der Vorstellung begegnet, Hamburg sei eine Stadt der materiellen Genüsse, in der Wissenschaft und schöne Künste der Konkurrenz der Austern und Hummer, des Porters und Sekts und der importierten Havannazigarren nicht gewachsen seien, und in der die Mehrzahl der ideellen Interessen unter der Wucht der Baumwollenballen und Pfeffersäcke erdrückt würden. „Daß diese Anschauung eine irrige ist," sagt Professor Leithäuser, „lehrt ein Blick in die Gegenwart und Vergangenheit der mächtigen Hansastadt, welcher uns zeigt, daß die idealen Güter der Menschheit seit Jahrhunderten hier ihre Pflege gefunden haben, daß in Hamburg die Quelle regen geistigen Lebens nie versiegt war, und daß die staunenerregende Entwicklung des blühenden Gemeinwesens undenkbar wäre ohne den Einfluß großer führender Geister, deren Name der Stadt einen Ehrenplatz auch im Reiche der schönen Wissenschaften sichert." Seit den Tagen der Reformation hat Hamburg stets hervorragenden Anteil an den geistigen Bestrebungen des deutschen Volkes genommen, und das Bugenhagen=Denkmal vor dem Johanneum erinnert uns daran, daß der Doctor Pomeranus für seine Tätigkeit hier fruchtbaren Boden gefunden, in dessen Furchen die junge Saat des Humanismus

kräftig keimen konnte. Sind doch die Hamburger Humanisten
Jungius und Reimarus zu europäischer Berühmtheit gelangt. In
der Folge hat Hamburg sich einen ehrenvollen Platz in der deutschen
Literatur behauptet. Fleming, Brockes, Hagedorn, Klopstock,
Lessing und Campe haben einen beträchtlichen Teil ihres Lebens
in Hamburgs Mauern zugebracht. Dazu gebührt Hamburg der
Ruhm, die erste deutsche Oper gesehen zu haben, und die Namen
Schönemann, Schröder und Eckhoff erinnern uns daran, daß die
deutsche Schauspielkunst schon immer in Hamburg Triumphe gefeiert
hat. Malerei und Musik sind früh in Hamburg gepflegt worden.
Schon im Anfange des 15. Jahrhunderts wirkte hier der Meister
Francke, dessen Werke zu den bedeutendsten seiner Zeit gerechnet
werden, und Johannes Brahms, dem man dort jetzt durch Klinger
ein Denkmal errichten läßt, ist in Hamburg geboren. Gerade in der
Gegenwart wird Hamburgs Name weit über die Grenzen Deutschlands hinaus in künstlerisch interessierten Kreisen genannt; denn eine
Bewegung für die Pflege der künstlerischen Bildung aller Schichten
des Volkes hat durch die Anregung Alfred Lichtwarks und Carl
Götzes in Hamburg ihren Ausgang genommen!

8. Die Nordsee-Inseln: Norderney, Wangeroog, Helgoland.

Vom Dollart zieht sich ostwärts der Küste der Nordsee entlang
eine Reihe kleiner, sandiger, mit Dünen besetzter Inseln. Einst bildeten sie noch Teile des Festlandes, aber die gierigen Wellen des
Ozeans haben dessen Küste zerrissen und die Inseln allein übrig-
gelassen, die gleich Schanzen wohl den wilden Sturmlauf des Meeres
brechen, aber von ihm auch immer mehr unterwühlt werden. Der
Römer Plinius kennt zwischen der Nordostspitze Hollands und der
Eider noch 33 Inseln: zwei Drittel von ihnen sind jetzt verschwunden.
Diese dürren, kahlen Sandflächen, rings von Dünenketten umschlossen,
an einzelnen Stellen nur mit einer eignen Grasart, dem biegsamen
Helmt, bewachsen, sind die Heimat eines armen und genügsamen, doch
mutigen Stammes, des letzten Restes der echten Friesen. Es ist ein
rauhes, hartes, tüchtiges Geschlecht, mit schwerem Körper, wetter-
gebräuntem Gesicht und blondem Haar. An der sichersten und wind-
freiesten Stelle ihres Eilandes haben sie sich angesiedelt; da liegt ihr
Dorf ganz still und eng mit seinen ärmlichen, niedrigen Hütten. Im

Sommer ist von den Männern keiner daheim, nur die Alten und Gebrechlichen blicken täglich von der höchsten Düne sehnsüchtig aufs Meer hinaus; die übrigen sind fort zur See. Unter den Inseln sind Norderney und Wangeroog wegen ihrer Seebäder die bevölkertsten und bekanntesten, wenn schon auch auf den anderen, vorzüglich auf Borkum, das die Emsmündung teilt, Badegäste einkehren.

Norderney, nur 15 qkm groß, eine langgestreckte, schmale Insel, ist auf drei Seiten mit mehrfachen Reihen von Dünen be= setzt, die 10—15 m sich erheben und kleine grüne Täler zwischen sich haben. Die Bewohner wohnen in dem einzigen Dorfe, das am südwestlichen Ende der Insel liegt und aus wenigen Reihen von Häusern besteht, die klein und artig, reinlich und mit Gärtchen versehen sind. Das schon 1800 angelegte, doch erst seit 1814 in Aufnahme gekommene und sehr stark besuchte Seebad hat eine einzige und besonders für die fern vom Meere herkommenden Fremden über= raschende Lage. Auf der Nordseite des ansehnlichen Kurhauses be= finden sich die Anlagen des Georgsgartens, und bei dem Logierhause, auch Schloß oder Palais genannt, findet man sogar eine Seufzerallee und einen Philosophengang. Man fährt von der Stadt Norden zu Schiffe dahin, kann aber auch zu Wagen, zu Pferde oder zu Fuße durch das Watt auf einer Sandbank, welche zur Ebbezeit fast trocken liegt, hinübergelangen. Wie alle friesischen Inseln wird auch Nor= derney immer mehr vom Meere benagt und weggefressen; so wurde noch in der Neujahrsnacht 1855 bei heftigem Sturme ein ansehn= liches Stück der Insel von den Fluten verschlungen. Einen guten Überblick über die Insel und das Meer hat man von dem Pavillon auf der Marienhöhe, eine noch freiere Aussicht über See und Inseln von der sogenannten Weißen Düne am Nordstrand.

An der Westseite des Jadebusens liegt die zur oldenburgischen Herrschaft gehörende Insel Wangeroog, vom Lande durch ein zur Ebbezeit fast trocken liegendes Watt geschieden. Sie hatte in älteren Zeiten beträchtlichen Umfang und eine sichere, von vielen frem= den Schiffen besuchte Bucht. Zwei Kirchen erhoben sich, die eine im Norden, die andere im Westen der Insel; aber die Stürme aus Nord= westen fegten immer mehr Land hinweg, die fruchtbaren Strecken fielen der See anheim; auch die Kirche im Norden wurde eine Beute des wilden Elements, die im Westen folgte ihr später. Graf Johann von Oldenburg baute um 1600 den über 60 m hohen Turm, der in seinen verschiedenen Stockwerken als Leuchtturm, Kirche und Raum für Strandgut diente. Unter Anton Günther war die Insel noch 10 km lang und 2 km breit. Sie besaß noch immer viel schönes Weideland, ja man zählte 1730, also 100 Jahre später, noch 202 Matt fette Weide und 70 Matt geringere. Aber nun schritt das Verderben rasch heran: je höher die Deiche des Festlandes wuchsen, desto schlimmer verfuhr die See mit den ungeschützten Inseln. Die Weiden wurden mehr und mehr übersandet, und die Viehzucht der Wangerooger beschränkte sich auf immer kleinere Strecken. In der Zeit der Kontinentalsperre trieben die Inseln ergiebigen Schleich-handel; 1819 ward ein Seebad angelegt und ein Leuchtturm von 24 m Höhe errichtet. Die besseren Verhältnisse der Insulaner traten bald zu Tage. Statt der elenden Hütten mit Wänden aus Klei, Strohdächern und drei Türen, von denen jedesmal nur die der Wind-seite entgegengesetzte geöffnet wurde, entstanden jetzt Häuschen aus Ziegelsteinen, die eher geeignet waren, Winters ein Schirm gegen den Sturm zu sein und Sommers Badegäste aufzunehmen. Aber um so gieriger verlangte die See nach der ganzen Beute. Die Insel war noch 7 km von Westen nach Osten ausgedehnt, von Norden nach Süden aber nur 2 km, an einigen Stellen nur einige Hundert Schritt breit. Die Flut vom 1. Januar 1855 riß einen Teil der Insel weg. Seitdem droht ihr völliger Untergang. Und doch hängen die Bewohner mit unendlicher Liebe an ihrem so unsicheren Wohnsitz. Als man es für nötig fand, die den Meereseinbrüchen zumeist preis-gegebenen Familien nach dem Festlande zu versetzen, so haben sie es doch nicht aushalten können. Sie trachteten auf alle Weise wieder nach ihrer alten Insel zurückzukommen; ja manche erlagen dem Heimweh.

Die Weser- und Elbmündung zu schützen und zu beherrschen, ist die kleine unweit des Landes gelegene, mit einem Leuchtturm versehene hamburgische Insel Neuwerk, mehr aber das 60 km in das Meer hinausliegende Helgoland (das alte Heiligeland) geeignet, „die rote Klippe". Vordem gehörte sie zum Herzogtum Schleswig; bis 1714 war sie im Besitze der Herzöge von Holstein-Gottorp, dann dänisch. Im Jahre 1808 bemächtigten sich ihrer die Engländer, welche erst 1890 die Insel an Deutschland wieder abtraten: eine wertvolle Er-werbung; denn in seiner unvergleichlichen Lage ist Helgoland eine wichtige Basis aller kriegerischen Unternehmungen für oder gegen Deutschland.

Etwa 60 m über dem Meere erhebt sich der rote Thonstein-felsen der Insel, 2300 Schritte lang und 650 breit. Schroff

25 *

steigen im Nordosten die Uferwände auf. Ein großartiges Bild der
Zerstörung bietet der Küstenstrich, der das Nordhorn mit dem Süd-
horn verbindet. Da erblicken wir gigantische Türme, vom Felsen
losgetrennt, dunkle Höhlen und Klüfte, schlanke Säulen und zackige
Klippen. Hohe Felsentore öffnen sich gleich gotischen Spitzbogen,
und durch die mächtigen Hallen rauscht das Meer. Seevögel nisten
in den dunklen Grotten; hin und wieder tauchen auch Seehunde auf.
Jede einzelne Schicht des Felsens ist am ganzen Umfange der Insel
mit den Augen zu verfolgen, weil jede bezeichnet wird durch den
Wechsel ganz entgegengesetzter Farbe, der intensivsten Töne von Rot
und Grün, die überhaupt an Felsenmassen vorkommen. Und um die
Reihe der hohen Farbentöne, aus denen hier das Landschaftsbild ge-
webt wird, zu vervollständigen, streckt sich dann noch, durch einen
blauen Meeresarm von der roten Klippe getrennt, die bewegliche,
sanfthügelige, im Sonnenglanz schneeweiß scheinende Düne ins Meer.
Selbst das Auge des Eingebornen ist nicht abgestumpft gegen den
Reiz dieser Farben. Er wählte sie als Wahrzeichen seiner Heimat,
und wohin ihn seine Segel tragen, dahin bringt er am Mast die
grün-rot-weiße Flagge, die er sich durch einen Wahlspruch deutet:

> Grön is dat Land,
> Rood is de Kant,
> Witt is de Sand,
> Dat is de Flagg vun't hillige Land.

Der Boden, den der Ankommende zuerst betritt, ist ein flaches,
sandiges Gestade, mit Muscheln und Seetang bedeckt, der weiße Sand
des Unterlandes. Der Blick begegnet einigen Rüstern, Linden,
Rosen- und Fliedergebüsch besonders aber Kartoffelfeldern, dazwischen
stehen Gasthäuser für Badegäste und andere Wohnungen. Aber die
meisten Häuser stehen auf der Hochfläche der Insel, dem sog. Oberlande. Hier schmückt eine Kirche und ein stattliches Schulgebäude
die Insel. Die Einwohner (über 2300) friesischen Stammes
beschäftigen sich vornehmlich mit dem Lotsengewerbe; die Zahl der
Lotsen beträgt gegen 380, und es befindet sich eine Lotsenschule
hier. Bei der großen Zahl der Lotsen aber ist der Verdienst im
ganzen gering, weshalb die Helgoländer auch ein beschränktes

Leben führen. Kartoffeln und Fische sind die Hauptspeise. Die Fische werden teils frisch genossen, teils gesalzen oder in der freien Luft getrocknet. Brot ist selten und teuer; gewöhnlich trägt man statt dessen getrocknete Fische bei sich. Zuweilen beschäftigt man sich mit der Jagd auf die Zugvögel, die der Ostwind auf die Insel führt. Die Seebäder werfen auch reichen Gewinn für die Helgoländer ab; sie sind seit 1826 in Gang gekommen. Die Düne, deren fester und feiner Sandgrund den herrlichsten Badestrand darbietet, hat eine Länge von 1600 Schritten bei einer Breite von 400. Die Dünenhügel, mit Sandhafer reich bewachsen, erheben sich bis zu 20 m Höhe über die Meeresfläche, bilden kleine Täler und Schluchten und gleichen einer aus der Flut aufsteigenden grünen Gebirgskette. Ehedem, so sagt man, war Helgoland, das alte Fosetesland, auf dem der heilige Willibrord das Heidentum stürzte, eine umfangreiche, stark bevölkerte Insel. Viele wollen sogar behaupten, daß es die äußerste Spitze des germanischen Festlandes, die Heimat des tapfern und freiheitliebenden nordfriesischen Stammes gewesen sei. Neuere Untersuchungen haben einen so ausgedehnten Umfang in das Reich der Fabeln gewiesen, doch reichte jedenfalls der Untergrund viel weiter in das Meer als jetzt.

Helgoland beherrscht gewissermaßen auch noch die Mündung eines dritten Stromes, der Eider. Sie entsteht auf dem baltischen Rücken aus mehreren kleineren Seeen, durchfließt in anfangs nördlichem Laufe den Wester- und Flemhudersee und wendet sich dann über Rendsburg westwärts, indem sie mit großen Krümmungen weite Marschgegenden durchfließt, welche durch kostspielige Eindeichungen vor den Überschwemmungen des Flusses geschützt werden mußten. Bei Friedrichstadt ist die Eider im Mittel gegen 200, bei Tönning etwas über 300 m breit und 4—5 m tief. Weiter unterhalb verbreitert sich die Mündung bis zu 10 km. Dieser wasserreiche Fluß, dessen natürliche Schiffbarkeit bei Rendsburg beginnt, hat durch seine Verbindung mit dem Kieler Busen eine große Bedeutung erhalten. Schon in den Jahren 1777—84 hatte man mit Benutzung des Grenzflüßchens Levensaue eine Kanalverbindung zwischen Kiel und Rendsburg hergestellt, die bis zur Fertigstellung des Kaiser Wilhelmskanals eine wichtige Abkürzungsstrecke zwischen Nord- und Ostsee bildete. Heute liegt dieser „Eiderkanal", soweit er nicht von der neuen Wasserstraße aufgenommen ist, trocken.

Nördlich von der Elbmündung setzt die jütische Halbinsel an, deren Küste wiederum von zahlreichen Gestadeinseln begleitet ist:

Nordstrand, Pelworm, Amrum, Föhr und Sylt sind die größten. Das sind die friesischen Utlande, die wie Wellenbrecher gegen den Wogenanprall der Küste vorgelagert sind. Seit Jahrzehnten sind alle diese Eilande und seit 1898 selbst das noch nördlicher gelegene Röm während der Sommermonate der Schauplatz eines lebhaften Strand= und Badelebens, zu dem sich die „upper tens" besonders der deutschen Großstädte hier vereinigen.

9. Der Kaiser Wilhelmskanal.

„Zu Ehren des geeinigten Deutschlands! Zu seinem fort= schreitenden Wohle! Zum Zeichen seiner Macht und Stärke!" Das waren die Worte, mit denen am 3. Juni 1887 Kaiser Wilhelm der Große seine drei Hammerschläge bei der Grundsteinlegung des „Nord= Ostsee=Kanals" begleitete. Acht Jahre später war das große Werk vollendet. Der Enkel des ehrwürdigen Herrschers weihte es ein — Kriegsschiffe aller Nationen waren zur Teilnahme an dem Feste er= schienen — und nannte in pietätsvoller Dankbarkeit nach seinem großen Ahnen den gewaltigen Bau.

98 km lang, erstreckt sich der „Kaiser Wilhelmskanal" von Brunsbüttel nach Holtenau bis in die Kieler Bucht. Die Breite im Wasserspiegel beträgt 60 m, in der Sohle 22 m; die Tiefe ist zunächst auf 8 m festgesetzt, wird aber noch fortwährend vergrößert, so daß sie streckenweise schon 9—9,5 m beträgt. Die Fahrzeit stellt sich auf 18 bis 24 Stunden.

Demnach kommt der Kaiser Wilhelmskanal dem Sues=Kanale in Tiefe und Sohlenbreite gleich, bleibt aber an Länge um 62 km hinter ihm zurück. Auch hat der lockere Wüstensand dazu gezwungen, die Böschungen des Sues=Kanals sanfter zu legen, so daß die Breite im Wasserspiegel an manchen Stellen bis zu 100 m hat gesteigert werden müssen.

Durch die sich stetig vergrößernden Dimensionen der großen Panzerschiffe, für die allmählich der Sund zu seicht wurde und auch der Große Belt nur noch mit großer Vorsicht zu benutzen war, war die Anlage des Kanals zu einer Notwendigkeit geworden; aber auch für die Handelsschiffe war es von großer Wichtigkeit, den Weg ab= kürzen und die Fahrt durch das stürmische Skager Rack vermeiden zu können. Unter sorgfältiger Berücksichtigung der Tiefenverhältnisse hatte daher schon 1878 der Hamburger Reeder Dahlström den Plan eines Kanals entworfen; und so zweckmäßig erwies sich dieser, daß er von der Regierung des Deutschen Reiches dem Bau des Kaiser Wilhelmskanales zu Grunde gelegt worden ist.

Mit einem Vorhafen bei **Brunsbüttel** beginnt der Kanal. Denn hier erweitert sich die schmale Fahrrinne der Elbeinfahrt bei einer Tiefe von 11—13 m so beträchtlich, daß die größten Panzerschiffe selbst bei Ebbe ohne Schwierigkeit in den Vorhafen einlaufen können, zumal seit einem Jahrhundert sich hier die Tiefenverhältnisse nur unerheblich geändert haben. Hier ist das Land der Dithmarschen, die wie kleine Fürsten auf ihren zerstreuten Gehöften hausen. Allenthalben sieht man die strohgedeckten, niedrigen, aber breiten Bauernhäuser; auf den grünen Moorwiesen, welche die Entwässerungskanäle mit Silberstreifen durchziehen, weiden übermütige Füllen und in ganzen Herden stattliches Rindvieh.

Von der 1500 m breiten Reede bei dem kleinen Örtchen Brunsbüttelerhafen gelangen die Schiffe in den 100 m breiten Vorhafen, den zwei mächtige, aus Basalt aufgeführte Molen von 450 und 340 m Länge bilden. Nachts hat die nördliche längere Mole rotes Licht, die andere nach Seefahrerbrauch grünes.

Aus dem Vorhafen führen die riesigen Tore der Schleuse, in mächtige Quadermauern eingefügt, in den Kanal. Sie gibt ihm ruhiges Wasser. Denn der Normalwasserstand des Kanals liegt wie die Ostsee 1,27 m höher als das mittlere Wasser der Elbe zur Ebbezeit und 1,52 m niedriger als das mittlere Elbwasser zur Flutzeit. Dadurch würden starke Strömungen im Kanal entstehen, wenn die Schleusen in Brunsbüttel nicht alle Schwankungen ausschlössen. Sie bilden eine Doppelschleuse mit einer nördlichen Ausfahrts- und einer südlichen Einfahrtskammer von je 150 m Länge, 25 m Breite und 9,80 m Tiefe, genügend, um den größten Panzerschiffen die Durchfahrt zu gestatten. Bewegt werden die mächtigen Schleusenthore durch hydraulische Maschinen, für die indessen im Notfall ohne weiteres Menschenkraft eintreten kann. Überdies sind noch gewaltige Nottore da, wie riesenhafte eiserne Pontons anzusehen, die sich in die Rillen der Schleusenmauern einfügen und, voll Wasser gepumpt, sinken und den Abschluß bewirken.

Ostwärts von den Schleusen dehnt sich der Innenhafen hin, 416 m lang und 105 m breit. Rings ist er mit mächtigen Granit-

quadern ausgekleidet, deren Mauerwerk überall durch Reibepfähle geschützt ist. Nach Norden schließt sich ihm der kleine Betriebshafen
an, für die Fahrzeuge der Kanalverwaltung und der Kanallotsen bestimmt, während Maschinenhäuser und Verwaltungsgebäude den Innenhafen umgeben, den überdies eine 6,8 km lange Zweigbahn mit der
Eisenbahn Elmshorn-Tondern verbindet.

6 km hinter dem Innenhafen durchläuft der Kanal den langgestreckten Kuden-See, der mit seinem Wasser die Kessel der
Maschinenhäuser in Brunsbüttel speist. Teilweise indes hat er,
um eine Regelung des Kanalbettes zu ermöglichen, zugeschüttet
werden müssen.

Der Kanal ist so breit, daß Handelsschiffe bequem darin aneinander vorbeifahren können; für die großen Kriegsschiffe indes
sind im Kanal sechs Ausweichestellen angebracht, jede 100 m
breit und 500 m lang, deren erste 6 km hinter dem Kuden-See
sich befindet.

Weiterhin durchschneidet der Kanal einen Höhenrücken, in den
die Wasserstraße oft an 40 m tief einschneidet. Hier schwingt sich
zwischen vier schlanken Ufertürmen die „Grünenthaler Hochbrücke"
wie ein graziöser Sichelbogen über das Wasser hinweg. Die eigentliche Fahrstraße durchschneidet diesen Bogen, dessen oberer Teil sich
noch hoch über die Straße erhebt. Und doch liegt diese schon 42 m
über dem Wasserspiegel, so daß die größten Schiffe mit voller Takelung
unter der Brücke durchfahren können. Höchst luftig, fast leck erscheint
daher das genial ausgeführte Bauwerk dem Beschauer.

In nicht sehr großer Entfernung erreicht der Kanal nunmehr
Rendsburg, den wichtigsten Platz am Kanal. Stellenweise scheidet
hier nur ein starker Damm den Kanal von dem alten Eiderkanal,
bis er vom Audorfer See bis nach Holtenau dem Laufe des alten
Kanals sich fast ganz anschließt; nur zwischen Steinwehr und Königs-
förde schneidet er den großen Bogen gerade ab, den der alte Kanal
hier nach Süden machte.

Der Verkehr der beiden Kanalufer wird hinter der Grünenthaler Brücke durch Fähren bewirkt, die, vom Staate unterhalten,
bei Tage wie bei Nacht — nachts wird die ganze Kanallinie
elektrisch beleuchtet — unentgeltlich die Ankommenden übersetzen. Bei
Rendsburg aber treten kurz hintereinander, durch hydraulische
Maschinen bewegt, drei Drehbrücken in Tätigkeit, von denen zwei

für Eisenbahnen, die dritte für den gewöhnlichen Lastverkehr bestimmt ist.

Weiter zieht der Kanal durch das gesegnete Holsteiner Land
dahin. Immer reger wird der Verkehr, der sich auf dem Wasser
entwickelt Schleppdampfer fauchen daher, große Lastkähne nach sich
ziehend, flinke Regierungsdampfer huschen vorüber, riesenhafte Bagger
sind in Tätigkeit, Segelboote und Ruderkähne eilen hin und her.
Da erhebt sich vor uns der mächtige Doppelbogen der „Lewensauer
Hochbrücke", der zweiten festen Brücke des Kanals. 3 Millionen kg
Eisen erforderte der Wunderbau; und wie leicht schwingt sie sich von Ufer
zu Ufer. Gerade über den Scheitel des Bogens ist die Fahrstraße

Abb. 83. Die Hochbrücke bei Lewensau.

gelegt, auf der Eisenbahnen, Fuhrwerke, Fußgänger dahineilen,
während mächtige Dampfer in voller Takelung auf dem Wasser
darunterweg gleiten.

Anmutige Landschaftsbilder bieten jetzt die Ufer des Kanals
dar; schattige Buchenwälder begleiten ihn fast bis an den Holtenauer
Binnenhafen, dessen Schleusen das Ende der gewaltigen Anlage bezeichnen. Der Innenhafen ist bedeutend kleiner, als der in Brunsbüttel; und die Schleusentore stehen hier gewöhnlich weit offen.
Denn die Kieler Bucht, in welche der Kanal ausläuft, ist ein
ruhiges und friedfertiges Gewässer, dem die Untiefen und Strömungen
der Elbmündung durchaus fehlen.

Erreicht ist, was die Erbauer erstrebten: verknüpft ist durch ein
enges Band der Nordsee die Ostsee, sei es für friedfertigen Handel,
sei es — wenn die Ehre des Vaterlandes es fordert — für nach-
drucksvollen Krieg. Daher hat der Kaiser Wilhelmskanal, wenn er
auch an Bedeutung für den Weltverkehr mit dem Sues-Kanal nicht
zu vergleichen ist, doch eine nationale Wichtigkeit, die nicht hoch genug
angeschlagen werden kann.

10. Die Ostsee-Insel Rügen.

Von Stralsund, der alten berühmten Hansastadt an der pommerschen Küste, fahren wir, die sich immer schöner gestaltende Stadt-
ansicht im Auge, in einer halben Stunde hinüber nach Altefähr auf
der Insel Rügen, der weitaus bedeutendsten unter den deutschen
Ostsee-Inseln.

Im 9. Jahrhundert herrschten auf Rügen Slavenfürsten, die
auch einen Teil des gegenüberliegenden Festlandes besaßen. Schon
damals sollen Mönche von Corvey das Christentum gepredigt und
die Insel für ihren Patron St. Vitus zum Geschenk erhalten haben;
das Heidentum erhielt sich jedoch bis in das 12. Jahrhundert und
wurde von Dänemark aus gestürzt. König Waldemar eroberte und
zerstörte 1168 Arkona, das letzte Asyl des Götzendienstes. Mit den
Stücken des zerschlagenen Holzbildes des Swantewit wurde das
Siegesmahl gekocht. Bischof Absalom von Roschild pflanzte das
Evangelium, unter Fürst Jaromir um 1180 wurde die Insel völlig
bekehrt und füllte sich mit deutschen Ansiedlern. Zugleich wurden die
rügischen Fürsten von Dänemark abhängig; doch warfen sie im
13. Jahrhundert das dänische Joch ab, und Witzlaf II. nahm 1282
die Insel von Kaiser Rudolf zu Lehen. Nach dem Tode Witzlafs III.
1325 kam Rügen durch Vertrag an Pommern und wurde das Besitztum einer abgezweigten Linie, bis es 1478 auf immer mit Pommern
vereinigt wurde.

Die Insel Rügen ist 967 qkm groß, ihre größte Länge von
Süden nach Norden beträgt 51 km, die größte Breite im südlichen
Teile fast 41 km. Sie ist eine spinnenartig ausgespreizte Zusammensetzung von Vorgebirgen, Halbinseln und Landzungen. Vom Rugard,
„dem Auge des Landes", sieht man das Ganze von Arkona bis
Stralsund und Greifswald wie eine Landkarte unter sich liegen. Wir
denken die Insel uns als Dreieck, das an der Nordostseite durch ein

einbringenbes Binnenmeer von begleitenben Halbinfeln gefchieben wirb. Die nach Süben gekehrte Grunblinie ift burch ben Rügenfchen Bobben ausgebuchtet. Am Weftenbe bes Bobbens ftredt fich bie Halb= infel Zubar mit bem füblichften Vorgebirge Palmerort Pommern

Abb. 84. Stubbenfamer auf Rügen nach E. Heyn.

gegenüber, am Oftenbe ragt bie wieber vielfach gglieberte unb eingeriffene Halbinfel Mönchgut in bas Meer. An ber Oftfüfte fpringen zwei Vorgebirge in bie See: füblich bas Thieffower Hövb ober bas fübliche Pferb, nörblich bas Göhrenfche Hövb ober bas norbifche Pferb, ein fteiniger Rücken, ber mit einem Pferberücken

allenfalls Ähnlichkeit hat. Der Nordostseite läuft die Halbinsel
Jasmund parallel. Diese hängt mit der Insel durch die schmale
Heide zusammen, die zwischen dem Prorer Wiek, einer äußeren
Meeresbucht, und dem Kleinen Jasmunder Bodden des
Binnenmeeres hinläuft. Weit springt Jasmund nach Osten vor und
endigt mit der Stubbenkamer (d. i. Felsstufen). An Jasmund
ist durch die Schabe, eine schmale sandige Niederung, 8 km lang
und an der breitesten Stelle 2 km breit, die Halbinsel Wittow
gehängt, die der Nordspitze des Dreiecks gegenüberliegt, und samt
Jasmund durch den Großen Jasmunder Bodden, den größeren
Abschnitt des Binnenmeeres, vom Kern geschieden wird. Wittow hat
das nördliche Vorgebirge Arkona. Wittow und Jasmund sind
durch das Tromper Wiek, eine Bucht des Außenmeeres, geschieden.
Die Nordwestseite des Dreiecks ist nicht so tief ausgezackt (Kubitzer
Bodden), hat aber dafür die begleitenden Inseln Ummanz und
Hibbensöe.

Nur für den Kern gebraucht der Insulaner den Namen Rügen.
Von den Halbinseln spricht er, als ob das lauter selbständige Länder
seien. Zwischen den einzelnen Halbinseln ist der Verkehr erstaunlich
gering, und auf den beiden großen Landengen, der Schabe und der
Schmalen Heide, hört fast alle Kultur auf. Man kann hier den
ganzen Tag auf sogenannten Straßen bis über die Knöchel in Dünen-
sand und Geröll waten, ohne einer sterblichen Seele zu begegnen.
Wie in den Hochalpen ein Felsrücken, so halten hier die Landengen
die selbständigen Gestaltungen des Volkslebens auseinander. Jede
Halbinsel hat ihre besondere Schattierung des Dialekts, jede ihre
eigenen Bräuche. Aber was dieser bunte, unruhige Wechsel von
Berg und Tal, Feld und Wald, Heideland, Dünenland, Sumpf-
land, Feldland in der Natur der Eingeborenen zersplittern mochte,
das hielt das ringsum flutende Meer wieder mit starkem Arm zusammen.

Die Oberfläche ist im Westen eben und waldlos und hebt sich
allmählich zum Rugard bei Bergen 108 m. Die nordöstliche Halbinsel Jasmund hat steiles, felsiges Ufer und schönen Laubwald. Im
ganzen ist der Boden fruchtbar und ergiebig, Wittow ist die Kornkammer der Insel. Erratische Blöcke liegen auf Rügen noch in unzähliger Menge, obgleich schon Jahrhunderte an diesem Kapital ge-
zehrt haben. Die mannigfaltigsten Steinbrocken, wie man sie nur
aus Dutzenden von Steinbrüchen zusammentragen könnte, sind zu
buntscheckigen Gartenumfriedigungen aufgeschichtet, während überhangende

Dornbüsche diese Granitmusterkarte malerisch bekrönen. Die Landstraßen der Insel sind mit Granit gepflastert.

Ackerbau, Viehzucht und Fischerei sind die Nahrungszweige der
Insulaner. Die Gänsezucht ist bedeutend, ein wichtiges Gewerbe ist
der Heringsfang. Für die Bewohner von Rügen insgesamt ist der
Ausfall des Heringsfanges eine wichtige Frage. Kommen im Frühjahr die Heringe in zahllosen Schwärmen angeschwommen, so sind die
Leute auf Rügen fürs ganze Jahr lustig, wie die Weinbauern am
Rhein nach einem guten Herbst. Beide beten um volle Fässer, und
das volle Heringsfaß läßt sich so wenig mit Sicherheit prophezeien
wie das volle Weinfaß. Die Rügensche Ära zählt nach guten Herings-
gängen wie die Rheingauische nach guten Weinjahren. Aber die
Olympiaden der guten Heringsjahre sind glücklicherweise nicht so lang
wie die Olympiaden der guten Weinjahre.

Im Kerne der Insel liegt B e r g e n, die Hauptstadt von ganz
Rügen, nicht in der Mitte, sondern dem Jasmunder Bobben näher
auf hohem Terrain: am höchsten steht die in ganz Rügen sichtbare
Kirche. Auf dem Rugard stand bis 1631 eine Burg: noch jetzt kann
man die Spuren der Wälle verfolgen. Südwestlich von Bergen liegt
die Stadt G a r z an dem kleinen Garzer See. Hier stand Karenza,
Burg und Festung der alten Fürsten, die 1168 von Waldemar I.
und den pommerschen Fürsten Kasimir I. und Bogislaw I. erobert
und zerstört wurde. Der Garzer Wall, südlich von der Stadt, ein
längliches unregelmäßiges Viereck, ist ein Überrest davon. Südlich
von Garz, unweit der Stelle, wo die Halbinsel Zudar sich vom
Lande löst, findet man das Dorf S c h o r i t z, wo Ernst Moritz Arndt
geboren ist. Um G i n g s t, im Nordwesten Rügens, heißt die fruchtbare
Gegend das Paradies.

An der Südküste des Kerns in der gleichnamigen Herrschaft
liegt P u t b u s. Die Fürsten von Putbus stammten von Stoislaw,
dem Bruder des 1212 gefallenen rügischen Fürsten Jaromir. Kaiser
Karl VI. erhob 1727 den Freiherrn Malte von Putbus in den
Reichsgrafenstand, und 1807 wurde die Familie in den schwedischen
Fürstenstand erhoben. Preußen bestätigte 1815 den Fürsten ihren
Titel, die 1816 auch die Herrschaft Spyker auf Rügen erwarben und
45 Dörfer und 55 Güter besaßen. 1854 starb Fürst Wilhelm Malte
von Putbus ohne männliche Erben, aber mit Bewilligung der Krone
Preußen folgte sein Enkel, der Sohn seiner ältesten Tochter als Fürst
von Putbus. Das schöne Schloß hat einen reizenden Park, daneben
ist der Flecken Putbus entstanden, halbkreisförmig an den fürstlichen

Garten gelehnt, „das Rügensche Karlsruhe", dahinter liegt das alte
Dorf Putbus. Von Putbus führt eine gerade Straße zu dem
2¹/₂ Kilom. entfernten, am Fuße der waldigen Goore und dicht am
Strande gelegenen Seebade.

Die Halbinsel Mönchgut, einst dem Kloster Eldena gehörig,
hat zwar mit dem Kern breiteren Zusammenhang als Jasmund und
Wittow, ist aber durch Seeen und durch die Granitz, eine kleine
waldige Berggruppe mit einem Jagdschlosse des Fürsten von Putbus,
doch völlig geschieden. - Da das Kloster Eldena deutsche Kolonisten
ansiedelte und diese sich von den Slaven abgeschlossen hielten, haben
die Leute von Mönchgut am meisten altes Herkommen in Sprache,
Tracht und Sitte bewahrt. Doch schwinden bei dem lebhaften Verkehre und den mannigfachen Berührungen mit Fremden auch hier
immer mehr die alten Trachten und Sitten.

Nach Jasmund, einem 14 km langen und 10 km breiten
Hochlande, gelangt man vom Kern aus durch die Prora, einen
malerischen Hohlweg. Jasmunds Hauptort ist Sagard. Die Nord-
ostküste besteht aus von Feuersteinlagern durchzogener Kreide, die in
steilen Wänden und Vorgebirgen zur See fällt. Von dem in einer
Schlucht gelagerten Fischerdorfe Saßnitz, das zu einem glänzenden
Badeorte sich entwickelt hat, tritt man in die Stubnitz. Das ist
ein 15 km langer und 4 km breiter herrlicher Buchenwald, der sich
längs des Meeresufers hinzieht und viele Hünengräber, die sogenannten Steinkisten, birgt. In diesem Walde liegt der Hertha-
see, dessen hohe Ufer ein regelmäßiges Oval bilden und mit dichten
Buchen umkränzt sind. Sein Grund ist voll Baumstämme und Äste,
und von den hineinfallenden und darin verwesenden Blättern ganz
mit Moor angefüllt. Westwärts daran stößt ein Wall, der Burgwall
genannt, der einen ovalen Platz einschließt. Sein steiler Abhang beträgt nach außen hin meist über 30, nach innen 10-12 m und an
manchen Orten noch weniger. Nördlich läßt er einen schmalen Zugang nach dem inneren Raume und auch nach dem See zu einen
Ausweg offen. Westlich wird er fast von einem Viertelkreise eines
zweiten Walles eingefaßt, der aber nicht so regelmäßig angelegt ist.
Alles ist jetzt mit hohen Buchen bewachsen, und heiliger Schauer ruht
auf See, Hain und Wall in der grünen Waldnacht und feierlichen
Stille, nichts stört die Stille des Todes, als etwa das Glöckchen einer
Herde, eine Ente oder ein Taucher, die plötzlich aus den Binsen hervor-
rauschen. Man hielt diesen Wall früher für die Reste der Herthaburg
und wollte dahin den Schauplatz der Verehrung der Nerthus verlegen,

die man fälſchlich Hertha genannt hat. Von dieſem Orte iſt es etwa
1000 Schritte weit bis zu der berühmten Stubbenkamer. Die
Große Stubbenkamer, deren höchſte Spitze Königsſtuhl (von
Karl XII.) heißt und 125 m hoch iſt, bildet eine unförmliche
Pyramide, die gegen das Meer hin faſt ſenkrecht abgeſchnitten iſt.
Die koloſſalen Maſſen der abgeriſſenen Pfeiler gewähren bis zum
Meeresſtrande den Anblick der wunderbarſten Geſtalten. Auf der
höchſten Spitze hat man eine in Deutſchland einzige Ausſicht in die
ſchauerliche Tiefe und über die ſich unermeßlich ausdehnende Oſtſee.
Aufgang und Untergang der Sonne, oder ein Abend bei Mondſchein
oder Sternenglanz ſind beſonders herrlich. Ein zweiter Einſchnitt
dieſes Kreidegebirges, die Kleine Stubbenkamer, liegt oſtwärts
vom Königsſtuhl, iſt nicht ſo hoch, aber faſt noch ſteiler und läßt
von ihrem mit Bäumen und Gebüſch bewachſenen Rande faſt ſenkrecht
zur Tiefe blicken. In der zwiſchen beiden Stubbenkamern liegenden,
von oben bis unten mit Buchen und Geſträuch bewachſenen Schlucht
führt ein Fußſteig, den 600 eingegrabene Stufen bequemer machen,
zum Strande, und rechts davon rieſelt eine kleine Quelle, deren kriſtall-
helles Waſſer ſich in einem Keſſel ſammelt und dann ins Meer fällt.
Am Strande hat man eine ſchöne Anſicht der grotesken Kreidewände.

Wittow, bei den Schiffern Wittmund, hat das intereſſante
nördliche Vorgebirge von Rügen. Auf Arkona (ſlaviſch urkan =
am Ende), 55 m hoch, ſtand die gleichnamige Feſtung und der Tempel
des Swantewit. Der Burgring, ein 20—25 m hoher Wall, ſoll ein
Reſt der Feſte ſein. Jetzt ſteht hier ein Leuchtturm und neben demſelben ein Gaſthaus; man ſieht bis nach der Inſel Moen hinüber.
Mancher zieht Arkona, den Punkt, wo das Meer ringsum brandet,
wo die ſchmale Spitze Landes dem, der lange ſinnend über die Flut
hinausſchaut, unter den Füßen ſchwindet, daß er mitten in den Wogen
zu ſtehen vermeint, der Stubbenkamer vor. Im Weſten wirft Wittow
einen ganz ſchmalen Halbinſelſtreifen weit ins Meer, den Bug.

An der Nordweſtſeite liegen die größten der Inſeln, die um
Rügen geſtreut ſind. Ummanz hat etwa 150 Bewohner. Sie
nennen ihre Inſelchen das Land, ſich die Upländer, alle übrigen ſind
ihnen Bauländer, ohne Land, und ein Mann vom Lande heiratet
nie ohne Land. Weiter in das Meer ſüdweſtlich von der Spitze
des Bug liegt Hiddenſee, 20 km lang und 200—3000 m breit.
Im Norden und Nordweſten hat die Inſel Dünen und Berge; der
ſüdliche Teil, der Gellen, iſt ſandig und unbewohnt. Die 800 Einwohner nähren ſich von Fiſchfang und halten ihr „ſötes Länneken“
für das erſte Land, wenn ſie auch in die Welt gefahren ſind.

Rügen wird viel bereist; besonders seitdem eine direkte Schnell=
zugverbindung Berlin—Saßnitz es den reiselustigen Berlinern er=
möglicht, in wenig mehr als fünf Stunden aus dem dürftigen Schatten
ihrer „Linden" unter die mächtigen Buchen Rügens zu fliehen. Und
wen sollte es auch nicht nach Rügen ziehen? Der bunte Wechsel
seiner Oberfläche: üppige Saaten, rauschende Wälder, Seeen und
Felsen, frische Gegenwart und alte Hünengräber auf grüner Heide=
strecke, die moderne Eleganz im Seebad und die Einfachheit alter
Sitten in armen Fischerhütten, und mehr als das alles: das Meer
ist es, was nach Rügen zieht.

11. Die Oder, der Strom des ostdeutschen Tieflandes.

Das mährische Gesenke, d. i. Eschengebirge, schließt den langen
Zug der Sudeten ab. Es ist eine langgestreckte, reich bewaldete Hoch=
fläche. Nur wenige Gipfel übersteigen die Höhe von 600 m; auf
einem derselben, dem Liesel= oder Lesselberge entspringt 627 m über
dem Meere in einem von Tannenwald umgebenden Sumpfe die
O d e r. In einer Schlucht stürzt sie sich aus der Höhe herab und
nimmt dann mit scharfer Wendung ihren Weg durch ein wildes,
tief eingeschnittenes Tal, welches allmählich breiter und sanfter wird.
An der preußisch=österreichischen Grenze bei Oderberg tritt sie schon
in das Tiefland ein. Der erste größere Nebenfluß, die links unweit
Mährisch=Ostrau einströmende O p p a, übertrifft die Oder an Wasser=
fülle und Breite; sie entsteht im Altvatergebirge aus mehreren Quell=
bächen, die durch malerische Täler fließen und meist zum Dienst zahl=
reicher industrieller Anlagen genötigt sind. Einer derselben, die kleine
Oppa, kommt zwischen dem großen und kleinen Altvater 1319 m
herab, stürzt sich, den Hohen Fall bildend, von einer Felswand in
den Tobel, einen finsteren Grund, hinab, woraus sie zwischen Fels=
blöcken schäumend hervorrauscht. Auch ein Nebenfluß der Oppa, die
Mora, entquillt dem kleinen Altvater in einer Höhe von 1314 m
und stürzt sogleich nach ihrem Ursprunge aus einer Felsspalte mit
starkem Wasserstrahl in die Tiefe. Rechts geht der Oder, unweit
Oderberg, die Olsa zu.

Die Oder, welche in der Ebene bis Kosel eine nördliche, dann
nordwestliche Richtung verfolgt, wird für kleine Fahrzeuge bei Ratibor,
für größere bei Breslau schiffbar. Sie hat einen sehr veränderlichen
Wasserstand und erhält in dem ihr zahlreich zugeführten Gerölle der
Nebenflüsse manches Hemmnis der Schiffahrt. Die von der Oder
durchströmte Diluvialebene erscheint als ein weites Tal zwischen dem

Ur- und Übergangsgebirge der Sudeten auf der einen und den Hügeln des baltischen Höhenzuges auf der andern Seite; von beiden Seiten sind isolierte Massen in die Ebene vorgeschoben. Das Ufer ist breit, teilweise sumpfig, mit Gebüsch bestanden, nur an einigen Stellen hoch und bewaldet. Hin und wieder beschatten uralte Eichen den Strom. Rechts nimmt die Oder die Malapane, Klodnitz und Stober auf. Bis an die Grenze der schlesischen Hügellandschaft, wo sie den uralisch-baltischen Landrücken durchbricht, strömen ihr auf der linken Seite der Fluß des Glatzer Gebirges, die im schönsten Tale hinfließende Glatzer Neiße, der rasche Fluß des Waldenburger Berglandes, die Weistritz oder das Schweidnitzer Wasser mit dem Striegauer Wasser und der Pulsnitz und der schlesische Schlachtenfluß, die Katzbach, mit der Wütenden Neiße zu. Von Breslau in 112 m Höhe, macht der Stromlauf der Oder treppenartige Wendungen von vier Stufen, bis er zwischen den Höhen des großen Landrückens hindurch seinen Weg gefunden hat. Die Oder durchbricht den Rücken von der Katzbachmündung bis oberhalb Glogau in einer 50 km langen, von der nordwestlichen Hauptrichtung abweichenden nördlich gerichteten Strecke. Sand- und Lehmhügel begleiten die tief eingewaschene Stromfurche.

Nicht lange kann die Oder die danach wieder eingeschlagene nordwestliche Richtung ungehindert fortsetzen. Bei der Einmündung der Faulen Obra tritt sie in die südliche Senke und wird von dieser bis Krossen zur Einmündung des Bober oder bis zur Lausitzer Neiße nach Westnordwesten fortgeführt. Dann schlägt der Strom bis Küstrin auf 50 km wieder eine nördliche Richtung ein. Das Tal ist unterhalb Glogau 4 bis 8 km breit, meist fruchtbare Niederung, oft sumpfiges Terrain, in welches die Oder zahlreiche tote oder verlassene Arme entsendet. Als Talränder treten an verschiedenen Stellen bewaldete, sogar mit Reben besetzte Hügel auf; links bei Wartenberg, Rotenburg, Fürstenberg, rechts bei Carolath, Krossen, Frankfurt. Hier bei Frankfurt bilden die Ufer der Oder welliges Hügelland mit kleinen Seitentälern voll Wiesenabhänge und Weinberge. Als Mittelpunkt des Weinbaues gilt die Stadt Grünberg. Unterhalb Frankfurts bieten die Höhen von Lebus einen schönen Blick in das Odertal.

Küstrin ist ein Wendepunkt für den Oderlauf. Der Strom empfängt in der Warthe hier seinen größten Nebenfluß und ist zugleich mitten in der nördlichen Senke, welche seine Gewässer nach Nordwesten ablenkt. In derselben breitet sich auf dem linken Ufer

der mehr als 15 km breite Oderbruch von Lebus bis Zellin oder
Wriezen, eine mit zahlreichen Meiereien, Dorfschaften und einzelnen
Wohnungen bedeckte, von vielen künstlichen und natürlichen Wasser=
läufen durchschnittene, durch Dämme, vor den Überschwemmungen
des Stroms geschützte, durch Kunst entsumpfte, sehr fruchtbare Niede=
rung, bald Wiesengrund, bald fetter Getreideboden, von markierten
Talrändern begrenzt, der Sole eines trockengelegten Seees vergleich=
bar. Die Entsumpfung des Oderbruchs, durch welche man 34 000 ha
Land, ein Gebiet, so groß wie das des Fürstentums Schaumburg=Lippe,
für die Bebauung gewann, ist ein Verdienst Friedrichs des Großen.
In den Jahren 1746—1753 wurde ein Kanal aus der Oder bei
Güstebiese oberhalb Küstrins herausgeführt, der sich bei Hohensaaten
wieder mit dem Strome vereinigt; er sollte den Bruch trocken
legen und die Schiffahrt kürzen. In diese fast 20 km lange Neue
Oder hat sich allmählich die Hauptwassermasse gedrängt; die
Alte Oder ist nur noch bei hohem Wasserstande schiffbar. Ein
dritter Oderarm, der Wriezener Landgraben, der den Finow=
kanal empfängt, ist nur 15—20 m breit. Die Abzugsgräben des
Bruchs verbinden die Oderarme untereinander.

Nunmehr beginnt die Oder in einer 3—6 km breiten Furche
den breiten baltischen Höhenzug zu durchgraben und gewinnt
damit fast bis zur Mündung anmutige Uferlandschaften. Es ist
wahr, daß die Oder sich mit den reizenden Gestaden der übrigen
Großflüsse nicht messen kann; dafür entwickelt sie, von dem lang=
weiligen Alter jener Ströme ganz verschieden, noch am Ende
ihrer Laufbahn reiche Anmut.

Links hat der Strom von Wriezen bis Oderberg die Oderberge
und die sogenannte Märkische Schweiz; auch die Gegend von Schwedt
ist überaus freundlich; auf dem rechten Ufer heben sich 100—130 m
hohe Sand= und Lehmhügel, welche oft, wie die bei Zehden, schöne
Aussicht bieten. Noch bei und unterhalb Stettin sind die Oderufer
durch begleitende Hügelreihen sehr anmutig.

Inzwischen zeigt die Oder in der Durchbruchsfurche entschiedene
Neigung sich zu teilen. Die erste Spaltung erfolgt bei Garz, indem
der stärkere Arm unter dem Namen der Großen Regelitz an
Greiffenhagen und der bewaldeten Buchheide vorbei nordostwärts
fließt, während der schwächere westliche, sich wieder mehrfach teilende
Arm unter Beibehaltung des früheren Namens seinen Lauf an Stettin
vorbei fortsetzt. Zwischen den beiden Hauptarmen besteht eine durch
eine Menge von kleinen Armen vermittelte Verbindung. Die Große

Regelitz bildet den 15 km langen und 4 km breiten Dammschen See; in diesen führen aus der Oder die Kleine Regelitz, die Parnitz, der Dunsch und der Schwantestrom. Beide Haupt= arme vereinigen sich etwa 20 km nördlich von Stettin, während der Dammsche See sich in der Gegend von Pölitz in drei Arme, die große und kleine Strewe und die Jasenitzfahrt, teilt und die Inseln Korbwerder und Kölpin umschließt. Nach ihrer Vereinigung breitet die Oder sich meerbusenartig aus und bildet das 7 km lange und ebenso breite Papenwasser, mit welchem sie sich in das Haff ergießt. Und drei Ausgänge aus diesem bieten sich ihr zum Meere: zu den Seiten die langgestreckte Peene und die seichte Divenow, in der Mitte die stark gewundene, tiefe Swine.

Die Oder ist ein sehr unbeständiger Strom. Ihr Wasserstand ist sehr ungleich: ihr Hochwasser oder Johanniswasser tritt im Juni ein. Außerordentliche Naturereignisse schwellen sie rascher und gefährlicher an als andere Ströme, und oft durchbricht sie die 6 m hohen Deiche ihrer Ufer. Bedeutende Kunstbauten hat sie daher erfordert, um schiffbar gemacht zu werden; allein erst von Schwedt und Stettin ab, wo man die Oder bis 7 m vertieft hat, ist die Befahrung des Stromes ungehindert und lebhaft.

Das Gebiet der untern Oder ist auf der linken Seite durch Spree und Havel sehr eingeengt, greift dagegen zur Rechten bis an die äußerste östliche und südöstliche natürliche Grenze des deutschen Landes. Die Warthe, die nordwestlich von Krakau auf der Vorstufe der Karpathen entspringt, ist der wahre Bruderfluß der Oder, an Lauflänge und Wasser= menge ihr gleich und in der Laufrichtung parallel. Wie die Mosel von Südwesten her das französische Element mit dem deutschen vermittelt, so leitet die Warthe von Südosten her das slawische in das deutsche über.

In prähistorischen Zeiten, wie oben erwähnt wurde, war der Lauf der Oder ein ganz anderer als heute. Damals folgte der Strom der Senkung des Müllroser Kanals und dem Spreelaufe bis Spandau, um von dort durch das große Havelland buch und das Tal der untern Havel und Elbe zum Meere zu gelangen. Bei dem heutigen Hamburg lag also damals die Mündung der Oder, während zugleich der Unterlauf der Weichsel ebenfalls west= wärts gerichtet war. Demnach erscheinen Netze=, Warthe= und Oder= bruch als Auswaschungen der Weichsel. Aufstauungen des Wassers in dem Oderbruche mögen früh einen, wenn auch nur zeitweiligen Durchbruch nach Norden hervorgerufen haben, bis dieser so tief eingeschnitten war, daß er der Abfluß der Weichsel wurde. Als

26 *

dann später die Weichsel unter ähnlichen Verhältnissen bei Forbon
den noch näheren Weg ihres jetzigen Laufes zur Ostsee fand und ihre
Wasser bei allmählich immer tieferem Einschneiden desselben das alte,
westliche Bett verließen, blieben in demselben die Netze und Warthe
zurück. Mit ihnen vereinigt floß die Oder, nachdem sie, nordwärts
durchbrechend, die Senkung des Müllroser Kanals verlassen hatte,
dann durch den alten Weichselburchbruch zur Ostsee und gewann so
ihren heutigen Lauf.

12. Die Feste Marienburg.

Es war im Jahre 1230, als die Ritter des Ordens „der
beutschen Herren zu St. Marien", der 1191 aus den „Brüdern des
Hospitals der Deutschen" neugestaltet war, zuerst den Fuß in das
Land der heidnischen, zwischen Weichsel und Niemen seßhaften
Preußen setzten, welches ihnen der Papst Gregor IX. und der Herzog
Konrad von Masovien, denen beiden es freilich nicht gehörte, geschenkt
hatten. Die Eroberung des Landes schritt bei der Volksmenge und
dem tapferen Widerstande seiner Bewohner langsam nur, doch stetig
vorwärts. So war denn nach 40 Jahren fast unausgesetzten Kampfes
die größere westliche Halbscheid des Landes im Besitz der Ritter und
zum großen Teile auch bereits christianisiert und germanisiert. Um
den wiederholten Einbrüchen der kriegerischen Bewohner des noch
freien östlichen Landesteils nachhaltig Widerstand leisten zu können,
legte man überall Burgen an, so um 1280 am östlichen Ufer der
Nogat die „Marienburg", also benannt nach der Schutzpatronin des
Ordens, der Jungfrau Maria. Solches geschah durch den Ritter
Mangold von Sternberg, welcher damals als „Landmeister", d. h.
Stellvertreter des in Venedig weilenden Hochmeisters, — in Preußen
gebot. Um ihrer Lage willen (so ziemlich in der Mitte des bereits
eroberten Landesteils) wurde die Burg zum Sitze des Landmeisters
und somit zur Hauptstadt des Preußenlandes bestimmt. Sie vor
anderen Ordensburgen auch durch den Namen auszuzeichnen, wurde
sie das „Hochschloß" oder das „Ordens-Haupthaus" genannt. Doch
war die Burg trotz dieses Titels mehr fest als wohnlich angelegt,
mehr Festung als Herrensitz.

Dies änderte sich jedoch gar sehr, als im Jahre 1309 — nachdem
der Orden inzwischen die geringen Landbesitzungen, welche er im
Morgenlande gehabt, an die Sarazenen gänzlich verloren hatte —
der Hochmeister Siegfried von Feuchtwangen seinen fürstlichen Sitz

nach dem inzwischen gänzlich eroberten Preußenlande und in die
Marienburg verlegte. Schon für den Ordens-Statthalter, den „Landmeister", waren die Räumlichkeiten des Hochschlosses etwas zu beschränkt gewesen; für den gefürsteten Hochmeister und seine Hofhaltung
waren sie völlig unzureichend und auch zu wenig glanzvoll. So ließ
denn Siegfried von Feuchtwangen, welcher am 14. September 1309
mit stattlichem Gefolge seinen Einzug in die Marienburg hielt, dem
Hochschlosse das mit großer Pracht ausgeführte „Mittelschloß" und
diesem wieder die „Vorburg" hinzufügen; jenes als hochmeisterliche
Residenz, diese als Wohnung der niederen Hofbeamten, eines Teils
der Knechte und des gesamten reisigen Trosses. Damit erhielt dann
die Marienburg einen Umfang, wie vielleicht kein zweiter Fürstensitz
jener Zeit sie hatte. Gleichzeitig entfaltete sich in ihr auch eine architektonische Pracht und Großartigkeit, welche Staunen erregte.

Nach Siegfried von Feuchtwangen, dem zweiten und vornehmsten
Gründer der Marienburg, haben in derselben noch 16 Hochmeister
mit fürstlicher Pracht, die meisten auch mit fürstlichem Sinne, gewaltet.
Am längsten und ruhmreichsten Winrich von Kniprode (von 1351 bis
1382), unter welchem der Orden und das Ordensland ihr goldnes
Zeitalter hatten. Drei Vierteljahrhundert danach, am 6. Juni 1457,
mußte sein neunter Nachfolger im Hochmeisteramt, der unglückliche
Ludwig von Erlichshausen, bei Nacht und Nebel als Flüchtling die
Hochmeisterburg verlassen, um Leben und Freiheit vor einer Rotte
meuterischer böhmischer Landsknechte zu retten, welche der bedrängte
Orden in seinen Sold und in die Burg aufgenommen hatte. Von
diesen ward bald darauf Schloß und Stadt Marienburg an König
Kasimir von Polen verkauft. Es war dieses zur Zeit jenes schweren
zwölfjährigen Krieges (von 1454—1466), welchen der Deutschherren-
Orden gegen den „Preußischen Bund" und den Herrscher von Polen
mit so viel Unglück führte.

Durch schnöden Verrat habgieriger und meuterischer Söldner war
die schöne Marienburg in polnischen Besitz gekommen und sank nun
von einer Fürstenburg zum Wohnsitze polnischer Starosten herab. Diese
verzwickten und zerstückten um ihrer Bequemlichkeit willen den Prachtbau des Hoch- und Mittelschlosses durch allerhand geschmacklose Aus-,
An- und Einbauten, während die nun nicht mehr benützte „Vorburg"
allmählich ganz in Trümmer sank. Doch schlimmer noch als in der
polnischen Zeit erging es der Marienburg, als bei der ersten Teilung
Polens (1772) mit dem übrigen Westpreußen auch Stadt und Schloß
Marienburg unter die Herrschaft Friedrichs des Großen gekommen

war. Dieser Monarch hatte gleich seinem übersparsamen Vater wenig
Sinn für mittelalterliche Romantik. Einzig, was nützte, fand vor
seinen Augen Gnade, und ganz wie er dachten seine Minister. Um
die „alte unnütze Burg" nutzbar zu machen, wurden in ihren Räumen
Werkstätten für Weber, ein Getreidemagazin, eine Montierungs=
kammer, ein Pferdestall und eine Reitbahn angelegt. Dadurch verfiel
der Prachtbau natürlich immer mehr und sollte schließlich (1803) gar
„zum sofortigen Abbruch" öffentlich verkauft werden.

Da, sozusagen „in der elften Stunde", nahten ihm zwei Retter.
Es waren dies Max von Schenkendorf, der begeisterte Sänger alt=
deutscher Herrlichkeit, und Heinrich Theodor von Schön, der frei=
sinnige, um Preußens gleichnamige Stammprovinz hochverdiente
Staatsmann. Sie waren es, die in Wort und Schrift auf die große
historische wie architektonische Bedeutung der Marienburg hinwiesen.
Dem ersteren verdankt man die fernere Erhaltung desjenigen, was
dem Zahne der Zeit und den Zerstörungen durch Menschenhand noch
nicht erlegen war; dem zweiten aber die Wiederherstellung des Hoch=
meisterpalastes in seiner alten Pracht.

Besonders die Unterstützung des kunstsinnigen Kronprinzen
Friedrich Wilhelm ermöglichte es Schön, bei den mäßigen ihm zur
Verfügung stehenden Mitteln und der damals noch geringen Er=
fahrung auf dem Gebiete der Burgenforschung ein Werk zustande
zu bringen, das uns heute mit Bewunderung erfüllen muß. Über
den Fortgang der Restauration des ehrwürdigen Bauwerkes lassen
wir den gegenwärtigen Leiter der Arbeiten, den Geh. Baurat
Dr. C. Steinbrecht, selber berichten: „An die ersten Erfolge schlossen
sich, durch politische Ereignisse bald gestört, bald begünstigt, weitere
Bestrebungen an. 1850 schrieb A. von Quast seine grundlegenden
Bauforschungen über Marienburg, und unter Kaiser Wilhelm I.
brachte der Kultusminister von Goßler die Wiederherstellung des
Hochschlosses in Gang — 1882.

Zuerst flossen die Baumittel nur spärlich, bis 1886 die Fürsorge
des Kronprinzen Friedrich dem tätigen Marienburg=Verein die
Quellen einer Geldlotterie erwirkte und jetzt Kaiser Wilhelms II.
Gunst erhöhte Begeisterung und eine erweiterte, auch das Mittel=
schloß und die Vorburgen berücksichtigende Auffassung in das Unter=
nehmen brachte.

Bereits ragt das Hochschloß sorglich ausgebaut wieder stolz aus
wehrhaften Ringmauern empor. Seit 1896 ist die Forschung auch
in die Rätsel des Mittelschlosses vorgedrungen. Hier ist der Ostflügel,

Abb. 85. Die Feste Marienburg um 1880. (Nach G. Schönleben.)

welcher die Gastkammern enthält, in der ursprünglichen Gestalt emporgestiegen, der Nordflügel und der Torbau begonnen und mit der Gewölbeausbesserung und Fenstererneuerung im großen Remter eine den neueren Erfahrungen entsprechende Überarbeitung des Hoch= meisterpalastes eingeleitet. — Draußen aber, in der Umgebung der Hauptgebäude, sind alle für die Erscheinung des Schlosses und für das Verständnis der alten Anlagen wichtigen Teile des ehemaligen Schloßgrundes wieder zurückerworben, um — soweit nicht die neu= zeitlichen Verkehrs= und Nutzanforderungen unüberwindliche Hinder= nisse bieten — durch Umgestaltung in die ursprüngliche Form der Erscheinung des Schlosses dienstbar zu werden. Schon beim Kaiser= manöver 1894 konnten die Festtafeln im Hochschlosse stattfinden, und am 5. Juni 1902 bot das ganze Schloß einen Festplatz noch glänzenderer Art: Im Hochmeisterpalast waren wohnliche Gemächer für die kaiserlichen Majestäten hergerichtet, seine Remter öffneten sich viel hohen Gästen zum Empfange, und in das Hochschloß — den stimmungsvollen Hof, den feierlichen Kapitelsaal, in die weihevolle Kirche — bewegte sich unter Fanfaren= und Orgelklang der Zug der Johanniter und Deutschherren: ein Eindruck und ein Bild von wahrhaft erhebender Größe und zauberhafter Pracht.

„Alles Große und Würdige erstehe wie dieser Bau!' Dieser Weihespruch des Kronprinzen Friedrich Wilhelm bei dem ersten Remterfeste 1822 hat sich prophetisch erwiesen: wie Preußen damals und mit ihm dann das Deutsche Reich sich er= neute, so steht jetzt — ein Gleichnis dieser Vorgänge — die Marienburg wieder erhaben da. Möchte sich des Spruches Kraft auch für die gänzliche Vollendung und Ausgestaltung bewähren.“

13. Berlin — die deutsche Kaiserstadt.

Im 12. Jahrhundert, zu Albrechts des Bären Zeit, lag auf der Insel, welche die Spree 14 km vor ihrer Vereinigung mit der Havel bildet, das wendische Fischerdorf Colne, auf dem rechten Ufer das Dorf Berlin. Der heutige Fischmarkt und die Fischerstraße auf der Insel, die Stralauer Straße auf dem rechten Ufer, durch die älteste Überbrückung der Spree, den Mühlendamm, miteinander ver= bunden, bezeichnen den ursprünglichen Umfang der bald mit deutschen Kolonisten besetzten Orte To dem Berlin und Colne. Die Hauptbeschäftigung der Bewohner beider Städte wird durch die Hei= ligen charakterisiert, denen sie ihre Kirchen weihten; die Bewohner der Insel Köln, Wenden, hatten dem heiligen Petrus, dem Schutzpatron

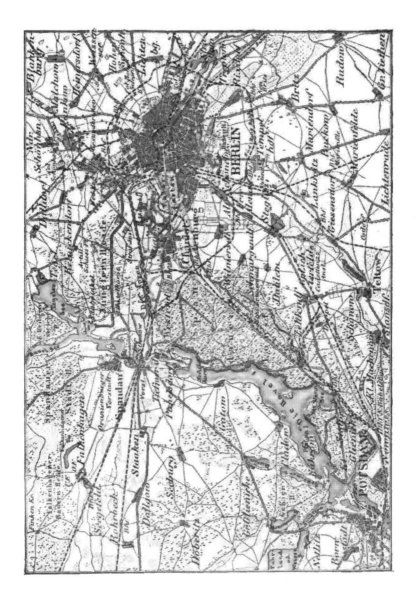

des Fischfangs, die Bewohner Berlins, gewiß vorherrschend deutschen
Ursprungs, hatten dem heiligen Nikolaus, dem Schutzherrn der Fähren,
ihre Pfarrkirche geweiht. Beide Kirchen waren aus Quadern von
Findlings-Granitblöcken gebaut; auch die gleichzeitig entstandenen
Tore und Stadtmauern waren aus Granit. Die schwerfällige,
allen baukünstlerischen Schmuckformen widerstrebende Bauart aus
Granit ist ein Beweis, daß die Einwanderung, durch die sich Berlins
und Kölns Bevölkerung rasch vermehrt hatte, nicht von Westen her
aus der Altmark und dem Havellande, sondern von Süden her aus
der Zauche, dem Teltow und von Obersachsen kam, sonst würde der
Backsteinbau, den niederländische Kolonisten in die Altmark und das
Havelland eingeführt hatten, sich schon um diese Zeit in Berlin gezeigt haben. Lange stand die Doppelstadt hinter anderen märkischen
Städten, wie Brandenburg, Stendal, Salzwedel, weit zurück. Das
änderte sich, nachdem die Städte 1307 unter einem gemeinschaftlichen
Rate vereinigt waren. Berlin-Köln trat zur Hansa, ward das Haupt
des märkischen Städtebundes und wußte in den unruhigen Zeiten,
welche erst mit der Befestigung der Herrschaft der Hohenzollern ein
Ende nahmen, eine fast unabhängige Stellung zu gewinnen. Doch
störte daneben Eifersucht zwischen Berlinern und Kölnern, Streit
zwischen den Geschlechtern und den Zünften den Frieden. Der zweite
Hohenzoller, Friedrich der Eiserne, benutzte 1448 solch inneres Zer-
würfnis zu landesherrlichem Eingreifen. Die Städte wurden wieder
getrennt, vieler Gerechtsame beraubt: in Köln wurde eine kurfürst-
liche Burg erbaut, an deren Stelle später Joachim II. ein Schloß
aufführte, nachdem gegen Ende des 15. Jahrhunderts unter dem
Kurfürsten Johann Cicero die Residenz von Spandau dauernd nach
Berlin verlegt war. Aber auch als Residenz der Hohenzollern blieb
die Doppelstadt noch lange unbedeutend; die Straßen waren noch
sehr unsauber, zur Erleuchtung waren einsame Feuerbecken auf
Pfählen befestigt, welche Wächter mit brennendem Kien zu versehen
hatten. Vornehme Gasthöfe gab es nicht; hohe Herrschaften wurden
auf dem Rathause vom Rate bewirtet.

　　Im Dreißigjährigen Kriege haben die Mark und Berlin insonderheit furchtbar gelitten. Der Große Kurfürst fand 1640 nur 6000 Einwohner in der Stadt vor; aber mit ihm beginnt eine Periode des
Emporsteigens auch für die Hauptstadt der Marken. Auf dem linken
Spreeufer entsteht neben Köln zuerst auf einem von Spreearmen
umschlungenen Terrain der Friedrichswerder und erhält 1660
städtische Rechte. Bis an die heutige Schloßbrücke reichte noch Heide

und Wald, der Lietzower Weg führte mitten hindurch. Indessen schon 1647 wurde eine Allee von Linden und Nußbäumen von der Brücke gerade westwärts zu dem Wildgarten hingeführt, den ein Jahrhundert zuvor schon Kurfürst Joachim inmitten des märkischen Waldes erworben hatte. Dieser Wildgarten war ein Stück urwüchsigen Waldes, mit einer Einfriedigung versehen und von mehreren Gräben, den Ablauf des Wassers zu regeln, durchzogen. Er hatte noch einen weiten Weg, bis aus ihm die herrlichen Anlagen des Berliner „Tier=

Abb. 80. Die Straße „Unter den Linden" im Jahre 1690.

gartens" geworden sind. Auch der schlichte Baumweg, der vom Schlosse über die „Lauf= und Hundebrücke", die jetzige großartige, mit Marmorstatuen geschmückte Schloßbrücke, dorthin führte, erfuhr bald eine Umgestaltung: eine vierfache Lindenreihe wurde an seine Stelle gepflanzt, zu welcher, wie man erzählt, die Kurfürstin Dorothea mit eigener Hand den ersten Spatenstich getan, das erste Bäumchen eingesetzt hat. Das war der Anfang der heutigen Prachtstraße „Unter den Linden", welcher König Friedrich Wilhelm II. durch das Brandenburger Tor, eine genaue Nachbildung der athenischen Propyläen, einen eindrucksvollen Abschluß gegeben hat.

Seit 1673 wurde die Neustadt oder Dorotheenstadt angelegt. Die gesamten Stadtanlagen wurden mit Festungsgräben, die aus der Spree abgeleitet wurden, umschlungen und auch sonst befestigt. Bei dem Tode des Großen Kurfürsten 1688 hatte Berlin 20000 Einwohner. Ihre Zahl war insonderheit durch Einwanderungen gestiegen; zumal sehr viele der aus Frankreich vertriebenen Reformierten fanden in Berlin durch die Fürsorge des Kurfürsten eine neue Heimat.

Der erste König ließ seinen Sinn für stolze Pracht auch der Residenz zugute kommen; der Neubau des Schlosses, die Garnisonkirche, das Zeughaus, die Bildsäule des Großen Kurfürsten stammen aus seiner Regierungszeit. Die Zahl der Einwohner wurde durch neue Einwanderer, wieder meist französische Reformierte, gemehrt. Auf dem rechten Spreeufer lagerten sich an das alte Berlin neue oder erweiterte Reviere: das Spandauer Viertel, die Georgenstadt, das Stralauer Viertel; auf dem linken Spreeufer, neben der Neustadt und dem Friedrichswerder erhob sich die schon vom Großen Kurfürsten projektierte Friedrichsstadt. Berlin und Köln, wie die neuen Stadtteile, wurden 1709 wieder unter einen Magistrat gestellt. Seit 1701 war Berlin königliche Residenz; zum Andenken an den Einzug Friedrichs I. von Königsberg her erhielten Georgenstadt, Georgentor, Georgenstraße die Namen Königsstadt, Königstor, Königsstraße. Berlin zählte nun schon 50000 Einwohner.

Sein Sohn, König Friedrich Wilhelm I., war ein baulustiger Herr. Wie in Potsdam, das recht eigentlich seine Schöpfung ist, gab er auch in Berlin aus seiner Kasse sehr bedeutende Summen zur Beförderung der Neubauten her. Jetzt wurde die Friedrichsstadt ausgebaut, nach dem Geschmacke des Königs ganz regelmäßig. Die Minister, die höchsten Staats- und Militärbeamten bauten die Wilhelmstraße. Die Einwohnerzahl mehrte sich wiederum durch Aufnahme böhmischer, salzburgischer und anderer Einwanderer. Sie betrug beim Tode des Königs schon 68000.

Der Große Friedrich, der Berlin nicht gerade hold war, verweilte selten in der Hauptstadt, doch mußte auch ihr seine Größe neuen Glanz geben. Opernhaus, Bibliothek, Invalidenhaus, Hedwigskirche sind unter Friedrich II. aufgeführt, und die Stadt zählte am Schluß seiner Regierung schon gegen 120000 Einwohner. Immer schneller erhob es sich unter den folgenden Königen zu einer europäischen Großstadt; nach den Befreiungskriegen 1816 zählte es 180000, 1840: 310000, 1849: 390000 Einwohner.

Unter dem Einflusse der an den großartigsten Erfolgen so reichen
Regierung Kaiser Wilhelms I. nahm auch Berlin die großartigste
Entwicklung: 1858 zählte es 458 000, 1861 schon 525 000, 1871
über 800 000 Einwohner; zu Anfang 1877 erreichte es die Million,
und 1888, im Todesjahr des großen Kaisers, enthielt es 1 450 000
Einwohner, die bis 1904 auf 2 040 000 gewachsen sind. Mit seiner
Häusermasse deckt es mehr als 63 qkm Landes.

So spiegelt sich die Geschichte Brandenburgs, Preußens,
Deutschlands ein dem Wachstum Berlins wider. Aber mit Recht ist
darauf hinzuweisen, daß in der Lage Berlins sich doch auch so viele
Vorteile sammeln, wie an keinem anderen Punkte Deutschlands.
„Preußen", sagt ein Kenner, „ist ein Strom- und Küstenland, wie
Österreich ein Berg- und Binnenland ist. Berlin liegt nun mitten in
Norddeutschland und mitten zwischen den beiden zentralen rein deutschen Strömen Elbe und Oder, da wo diese beiden großen Verkehrs-
und Kulturstraßen durch ihre Nebenflüsse am nächsten aneinander
treten, man kann sagen an der Elbe und Oder zugleich. Die Spree
ist durch Kanäle zweimal mit der Oder, und durch die Havel und den
Plaueschen Kanal zweimal mit der Elbe verbunden. Kurfürst Friedrich I. hatte ganz recht, auf die Vorstellung, daß er doch nicht das
schöne Franken mit der Reichsstreusandbüchse, der armen Mark, vertauschen solle, zu antworten: Ein Land, das so viel Wasser hat, ist
nicht arm zu nennen. Berlin ist ein Mittelpunkt zwischen Ost- und
Mitteldeutschland. Hier kreuzen sich die Handelswege von Schlesien
und Posen nach der Nordsee, von Sachsen, Böhmen und Thüringen
nach der Ostsee, von Breslau, Posen und Danzig nach Leipzig,
Magdeburg und Hamburg, und von Prag, Dresden, Leipzig nach
Stettin. Ein so bedeutender Kreuzungspunkt großer Verkehrs- und
Wasserstraßen findet sich in Deutschland nicht wieder: der Ostsee-
hafen Stettin ist nur 80 km, der Nordseehafen Hamburg nur doppelt
so weit entfernt, die Weser- und Weichselmündungen sind in wenig
Stunden zu erreichen. Dabei liegt Berlin so recht in der Mitte
zwischen dem 50. und 55. Breitengrad und dem 23. und 40. Längen-
grad, also zentral in Nord- und Mitteldeutschland, gleich weit von
der Gebirgsmauer der Sudeten und des Erzgebirges und von der
Ost- und Nordsee, gleich weit vom Mittelrhein und der mittleren
Weichsel, gleich weit von Köln und Warschau, Luxemburg und
Memel, von Flensburg und Ratibor, von Stralsund und Bodenbach.
Es liegt außerdem in jenem begünstigten Klimastreifen, der sich von
der mittleren Elbe und Saale, von Dresden und Naumburg aus an

die Nord- und Oftsee zieht, so daß seine Jahresdurchschnittstemperatur
um 1° höher ist als die Breslaus, und nur ¹/₂° niedriger als die
Frankfurts a. M. Berlin liegt an der Stelle, von wo aus jeder Teil
Deutschlands, außer Altbayern, am leichtesten zugänglich ist, und
man hätte keine passendere Stelle für die Hauptstadt des preußischen
Staates in seiner gegenwärtigen Zusammensetzung und für ganz
Nord- und Mitteldeutschland finden können, wenn ersterer schon vorhanden, oder Nord- und Mitteldeutschland geeinigt gewesen wären,
als man den ersten Grund zum Schlosse in Berlin legte. War früher
Berlin nur die Hauptstadt des preußischen Staates, so ist es durch
die Eisenbahnen faktisch die Hauptstadt von dem ganzen außeröster-
reichischen Deutschland geworden, und es ist keine andere Stadt in
Deutschland ein solcher Zentral- und Knotenpunkt von Bahnen. Alle
diese Gründe haben zusammengewirkt, um Berlin zu einer wahren
Großstadt zu machen und ihm eine Bevölkerung zu geben, die der
aller deutschen Haupt- und Residenzstädte zusammengenommen gleich
ist. Dabei ist Berlin die gesündeste aller großen Städte Deutschlands."

Die Gegend von Berlin ist in Deutschland als eine Wüste, in
der sich ein nordisches Palmyra erhebe, übel verrufen. In der Tat
gehört sie zu den reizlosesten der Marken und steht hinter Potsdam,
Spandau, Brandenburg weit zurück, — aber doch sind jene Be-
hauptungen übertrieben. Berlin liegt fast ganz in der Talniederung
der in der Stadt von Südosten nach Nordwesten fließenden Spree,
die für kleine Fahrzeuge schiffbar ist. Oberhalb der Stadt teilt sich
der Fluß und vereinigt sich erst unterhalb derselben wieder. Die
Stadt liegt durchschnittlich 3 m über dem Spreespiegel. Der Boden
der Spreeniederung ist schwer und schwarz: einige Teile der Stadt,
wie die Friedrichsstadt, stehen auf einem tonigen Torflager, das zum
Teil aus Kieselpanzern von Infusorien besteht; die Ränder der
Spreeniederung bildet im Norden und Süden die Lehmplatte der
Mark. Im Norden tritt dieselbe als Windmühlenberg dicht an die
Stadt, und zwischen dem Prenzlauer und Landsberger Tore in die
Stadt hinein. Die nach Norden und Nordosten führenden Chausseen
sind darin eingeschnitten. Im Süden hebt sich vor dem Hallischen
Tore am Rande der Lehmplatte der Kreuzberg 67 m. Der Boden
um Berlin ist meist aus Sand und Lehm gemischt: nur nach Nord-
westen und Südosten ist „das Berlinische Sandmeer", dem fleißige
Kultur in den letzten Jahrzehnten bedeutende Erfolge abgerungen
hat: Blumen- und Gemüsezucht gedeiht rings um die Stadt.

Berlin besteht wie Paris aus einer Flußinsel und zwei auf beiden

Flußufern gelagerten Halbkreisen. Auf der Insel liegt Köln, auf
dem rechten Ufer zwischen dem nördlichen Spreearme und dem Berliner Festungsgraben oder Königsgraben das eigentliche Berlin;
zwischen dem Berliner Festungsgraben und der Mauer die Königsstadt, an dem obern rechten Spreeufer das Stralauer Viertel,
an dem untern rechten Spreeufer das Spandauer Viertel, auch
Sophienstadt genannt, mit der 1828 zu einem besondern Stadtteil erhobenen Friedrich-Wilhelmsstadt, der Dorotheenstadt gegenüber. Auf der Insel nördlich des südlichen Spreearmes
(Kupfergraben oder Schleusengraben genannt) und des (meist über-
bauten) Köllnischen Festungsgrabens liegen Neu-Köln und der
Friedrichswerder. Auf dem linken Spreeufer liegen die Neustadt oder Dorotheenstadt, die Friedrichsstadt; die Luisenstadt oder das ehemalige Köpenicker Viertel östlich von der
Friedrichsstadt; an der obern Spree das Köpenicker Feld. Alle
diese Teile der Stadt waren früher von einer gegen 5 m hohen und
1 m dicken Mauer eingeschlossen, deren Umfang etwa 15 km betrug.

Alle bisher genannten Stadtteile lagen innerhalb der Ringmauer, außerhalb derselben aber die Rosentaler Vorstadt
oder das Voigtland, 1752 für arme Zimmerleute, die aus dem
sächsischen Voigtlande eingewandert waren, angelegt, daneben vor
dem Oranienburger Tore die Oranienburger Vorstadt oder
der Wedding.

Von den ehemaligen Toren ist nur noch das Brandenburger Tor erhalten.

Wir beginnen unsere Wanderung durch die Stadt von der
Kurfürstenbrücke aus, deren Name sich aus der Vergangenheit erklärt. Da stehen wir zwischen Berlin und Köln, zwischen der
alten nördlichen Stadt des bürgerlichen, gewerblichen Verkehrs und
der südlichen Stadt moderner Eleganz: da stehen wir bei dem
Gründer preußischer Größe, an der ehernen, 1703 aufgestellten,
herrlichen Reiterstatue des Großen Kurfürsten, und unser Blick fällt
auf das Königsschloß und den Schloßplatz. Doch wenden wir uns
zuerst hinein in das eigentliche Berlin, das die Alte Königsstraße wie eine Pulsader durchschneidet. Ein ununterbrochener
doppelter Wagenzug bedeckt den Damm der Straße, ein rastlos sich
verändernder Menschenstrom wogt an beiden Seiten auf den bereits
viel zu schmal gewordenen Bürgersteigen hin. In dieser lärmerfüllten
Straße ist die große Post gelegen und steigert die Lebendigkeit zu gewissen Tagesstunden ins Ungemessene. Über den Festungsgraben ge-

langen wir in die Königsstadt, zunächst auf den Alexanderplatz, von dem die Neue Königsstraße zum Königstore geht. Seit 1895 ziert den Platz die 7,5 m hohe Figur der Berolina, von Hundrieser in Kupfer getrieben.

Wir kehren zur Kurfürstenbrücke zurück. Ein Gang von der Brücke nach dem Brandenburger Tore zeigt uns die Hauptstadt in der Großartigkeit ihrer Prachtbauten und Monumente. Vor uns erhebt sich das königliche Schloß. In seinem ältesten, der Spree zugekehrten Teile von Joachim II. 1540 aufgeführt, im 17. Jahrhundert von den Beschreibern für „ziemlich weitläufig er= achtet", aber unter König Friedrich I. durch Cosander von Goethe in den jetzigen großartigen Bau gewandelt, ist es ein längliches Viereck mit fünf Portalen. Im vorderen Schloßhofe steht St. Georg mit dem Drachen von Kiß, auf der Rampe nach dem Lustgarten zu die beiden Pferdebändiger von Clodt. An imposanter Macht der Wirkung ist ihm kein anderes Fürstenschloß, selbst nicht der viel größere Winterpalast in St. Petersburg, zu vergleichen. Der Weiße Saal, 32 m lang, 16 m breit und 13 m hoch, ist 1728 begonnen und 1844 von Stüler ausgebaut worden. 1894—95 hat er durch Ihne eine vollkommene Neugestaltung erfahren, die sich an die ursprüng= liche Architektur anlehnt. Als hervorragendsten Schmuck enthält er neun Marmorstandbilder preußischer Herrscher im Alter ihrer Thronbesteigung. Erst 1903 ist der Saal vollendet. Größere Hoffeste (auch der Fackeltanz bei Hochzeitsfesten im königlichen Hause) werden in diesem Saale gehalten. Auch der Reichs= tag des Deutschen Reiches, der erste am 21. März 1871, wird im Weißen Saale eröffnet. Aus dem Weißen Saale gelangt man zur achteckigen Schloßkapelle. Boden und Wände bekleidet Marmor, mit Fresken von vielen Künstlern versehen; die Fenster sind von kolossalen Heiligenstandbildern unterbrochen, die Wände mit zahlreichen Malereien auf Goldgrund geschmückt. Der Altar ist aus Marmor errichtet und mit reichster Mosaikarbeit versehen; über dem= selben erhebt sich ein 2½ m hohes, massiv silbernes, stark vergoldetes Kreuz, mit vielen Edelsteinen im Werte von etwa 2 Millionen Mark geziert. Von der anderen Seite des Weißen Saales führt ein Zimmer zur Bildergalerie; aus derselben gelangt man in die frühere Hofkapelle, in deren Nähe sich der Rittersaal befindet mit Bas= reliefs von Schlüter und Deckengemälden aus der Geschichte Friedrichs I., dem königlichen Throne, dessen antiker Sessel von getriebenem Silber gefertigt und mit reichverziertem, karmoisinrotem Samt überdacht ist.

Der Westfassade des Schlosses gegenüber erhebt sich auf einer erhöhten Plattform seit dem 22. März 1897, dem hundertjährigen Geburtstage des ersten deutschen Kaisers, das ihm von der Dankbarkeit der Nation geweihte imposante Denkmal. Es ragt zu einer Höhe von 20 m auf; Roß und Reiter allein sind 9 m hoch. Reinhold Begas hat Wilhelm I. im Feldmantel auf seinem Lieblingspferde Hippokrates dargestellt, das ein herrlicher Friedensengel am Zügel führt. Vor dem Denkmal lagern als Kolossalfiguren Krieg und Friede; mächtige Löwen, die Zeichen des Sieges in den Pranken, sind die Wächter. Eine Reihe von Künstlern haben das Denkmal selbst mit einer Fülle im einzelnen prächtiger Allegorien umgeben, so daß es fast scheinen will, als sei das Ganze der schlichten Größe des Gefeierten nicht ganz entsprechend.

Das Schloß stößt mit seiner südwestlichen Langseite an den Schloßplatz, den zur Weihnachtszeit früher das Gewühl des Weihnachtsmarktes erfüllte, mit der nordöstlichen an den Lustgarten. Dieser, unter dem Großen Kurfürsten Schloßgarten, wurde von Friedrich Wilhelm I. zum staubigen Paradeplatz umgewandelt, erhielt aber von Friedrich Wilhelm III. die jetzige anmutige Gestalt eines Schmuckplatzes. Die Reiterstatue des Königs ziert seine Mitte. An der Ostseite des Lustgartens erhebt sich das alles beherrschende, 110 m hohe, mächtige Kuppelbau des Domes. An der Nordseite des Lustgartens steht das Alte Museum, unter Friedrich Wilhelm III. von Schinkel im Stil eines griechischen Tempels aufgeführt, das erhabenste Bauwerk Berlins, bis in jede Einzelheit die Lieblingsschöpfung des großen Meisters. Zu der von 18 ionischen Säulen getragenen Vorhalle führt eine breite Freitreppe empor; ein erhöhter Mittelbau krönt das Ganze. Auf den Ecken desselben erheben sich Kolossalgruppen aus Erz: vorn die Rossebändiger von Monte Cavallo in Rom, hinten Pegasus, von den Horen getränkt. Die Wangen der Freitreppe schmücken die Amazone von Kiß und der Löwentöter von Wolff. Ein mächtiges Freskogemälde erfüllt die Rückwand der statuengeschmückten Vorhalle; es zeigt links die Entwickelung der Weltkräfte aus dem Chaos zum Licht, rechts die Bildung menschlicher Kultur. Das obere Stockwerk des Museums ist der Malerei, das untere der Skulptur gewidmet; das Souterrain enthält Sammlungen von Münzen, Medaillen und Siegelstempeln. Durch einen Bogengang ist mit dem Alten Museum das dahinterliegende Neue Museum verbunden, unter Friedrich Wilhelm IV. von Stüler erbaut. Im unteren Stock befindet sich das ägyptische Museum, eine der bedeutendsten Sammlungen dieser Art. Durch eine Vorhalle gelangen wir rechts in einen ägyptischen Tempel, aus dessen Hintergrund zwei mächtige Porphyrstandbilder, Ramses II. (um 1350 v. Chr.) und Usertesen I. (2100 v. Chr.) darstellend, uns Kunde geben von einer seit Jahrtausenden zugrunde gegangenen Kultur; die nächsten Räume

Abb. 87. Das Alte Museum in Berlin.

(IV—XIII) enthalten die vorzüglich geordnete Sammlung, die uns einen fast lückenlosen Überblick über die Kunst der alten Ägypter und manchen lohnenden Blick in ihr häusliches Leben gewährt. Finden wir doch sogar Schieferplättchen, auf denen ägyptische Damen vor 5000 Jahren ihre — Schminke verrieben. Ägyptische Landschaften

an den Wänden, ein Tierkreis aus Dendera am Plafond helfen mit,
uns in die Zeit jener versunkenen Kultur zu versetzen. Selbst die In=
schrift am Gesims, die uns von den Verdiensten Friedrich Wilhelms IV.
um das Museum berichtet, — ist in Hieroglyphenschrift abgefaßt.

Das Mittelgeschoß des Neuen Museums enthält eine reichhaltige
Sammlung von Gipsabgüssen antiker plastischer Kunstwerke. Land=
schaften aus Griechenland und Wandgemälde aus der Heroenzeit
des Landes versuchen, diese Sammlung zu einem Kulturbilde zu er=
gänzen. Das Obergeschoß enthält das über 300 000 Blätter bergende
Kupferstichkabinett, die Werke antiker Kleinkunst, die Vasensammlung

Abb. 88. Schloßbrücke mit dem Alten und Neuen Museum. Nach einer Photographie von
Sophie Williams=Berlin.

und die Schätze an geschnittenen Steinen, deren Grundstock Friedrich
der Große für 30 000 Dukaten (ca. 250 000 Mk.) erworben hat.
Allein ein später angekaufter geschnittener Onyx repräsentiert einen
Wert von über 60 000 Mk.! Einen herrlichen Schmuck hat das
Treppenhaus durch Wilhelm von Kaulbachs Wandgemälde erhalten.
Sie sind in den Jahren 1847—1866 entstanden und stellen die
Hauptmomente aus der Geschichte der Menschheit dar: den Turmbau
zu Babylon, Homer und die Griechen, die Zerstörung Jerusalems,
die Hunnenschlacht auf den katalaunischen Feldern, die Kreuzfahrer
vor Jerusalem und die Reformation. Ein reizender Kinder= und
Tierfries unter dem Gebälk gibt in drolligem Humor den Entwicklungs=

gang der Menschheit noch einmal wieder und löst nach dem Ernste der Historie, der uns umfangen, wohltuende Freude an der sich stets erneuernden Jugend unseres Geschlechtes aus.

Vor der Treppe des Alten Museums steht im Lustgarten die 1500 Zentner schwere Granitschale, aus einem erratischen Granitblocke gearbeitet, der auf den Rauenschen Bergen bei Fürstenwalde gefunden wurde. Etwas weiter zurück liegt die Nationalgalerie, vor der sich das Monument König Friedrich Wilhelms IV., nach dessen Skizze das Gebäude von Stüler entworfen ist, erhebt; sie ist ganz der modernen Kunst gewidmet.

Neuerdings und mit Recht ist der Stadtteil nordwestlich vom Schloß, der zwischen der Spree und dem Kupfergraben eine lang-gestreckte Halbinsel bildet, die Museumsinsel genannt worden. In der Tat wird sich schwerlich irgendwo eine Stätte nachweisen lassen, selbst nicht auf dem Monte Vaticano in Rom, wo eine solche Fülle der kostbarsten Kunstschätze auf verhältnismäßig kleinem Raume vereinigt ist. Kaum 80 m westlich von der Apsis, die den hinteren Abschluß der Nationalgalerie bildet, finden wir den Zugang zu der Sammlung vorderasiatischer Altertümer und dem Olympia-Museum. Während das letztere die Gipsabgüsse der Kunstwerke enthält, die Ernst Curtius bei seinen auf Kosten des Reiches veranstalteten Ausgrabungen ans Licht förderte, führen einzelne Stücke der anderen Sammlung aus Vorderasien uns in schier fabelhafte Zeiten zurück. So berichten Inschriften auf alt-babylonischen Ziegeln über Ereignisse aus dem Jahre 3000 v. Chr., und unter den sogenannten hettitischen Bildwerken finden wir das Reliefporträt eines Königs Barrekub, den wir getrost als einen Zeit-genossen des Herkules oder der Argonauten bezeichnen können. Nörd-lich von der Nationalgalerie erhebt sich seit 1901 das Pergamon-Museum, ein schlichter, aber in der Raumausnutzung und Belichtung für seine Zwecke idealer Bau. Er enthält vor allem den wunder-baren Fries der Gigantomachie vom großen Altar der Burg zu Pergamon. Deutscher Forschergeist, von einem glücklichen Zufall unterstützt, hat uns diesen Rest aus der Zeit der vornehmsten perga-menischen Kunst, die sich ebenbürtig neben die hellenische stellt, ja, diese vielleicht an dramatischer Lebendigkeit übertrifft, erhalten. Der in Smyrna ansässige deutsche Ingenieur Karl Humann entdeckte im Jahre 1871 in einer byzantinischer Zeit entstammenden Mauer Marmorreliefs, die banausischer Unverstand — wir sagen heute: glücklicherweise — mit den glatten Rückflächen nach außen als

27*

Baumaterial verwendet hatte. In den Jahren 1878—80 wurde der ganze kostbare Schatz gehoben, der Deutschland — dank der Munifizenz des Sultans — jetzt Albion nicht mehr um seine Elgin Marbles beneiden läßt. Karl Humanns Büste von Brütt hat im Museum über einem herrlichen Mosaikfußboden aus Pergamon mit Recht einen Ehrenplatz gefunden.

Das neueste und, da der Platz jetzt vollkommen ausgenutzt ist, letzte Gebäude der Museumsinsel ist das neuerdings (18. Oktober 1904) eröffnete Kaiser-Friedrich-Museum. In italienischem Barockstil von Ihne errichtet, erhebt sich das imposante Gebäude auf dreieckiger Basis nach Art venezianischer Paläste mit seinen beiden Hauptfronten direkt aus dem Wasser. Das Museum umfaßt 80 Säle, die um fünf große Höfe gruppiert sind, und soll besonders der christlichen Kunst dienen. Es hat zum Teil schon die Gemäldegalerie und das Münz-abinett sowie die Bildwerke der christlichen Epoche aus dem Alten Museum aufgenommen. Auch für Werke der Kleinkunst sind Räume vorgesehen, und manche über die vier königlichen Schlösser verstreuten Kunstschätze werden an der neugeschaffenen Stätte, vor der ein Reiterstandbild Kaiser Friedrichs von Matson sich erheben wird, weiteren Kreisen zugänglich gemacht werden.

Jenseit der Spree, dem Kaiser-Friedrich-Museum gegenüber, liegt in schönem Garten Schloß Monbijou, welches in dem H o h e n - z o l l e r n - M u s e u m eine Fülle interessanter Erinnerungen an die Fürsten des preußischen Herrscherhauses enthält.

Der mächtige Platz zwischen dem Alten Museum und dem Schloß erhält von Osten seinen Abschluß durch den prächtigen, alles über-ragenden Dombau. Nachdem 1892 der preußische Landtag die Mittel bewilligt, ist das Werk nach den Plänen Raschdorffs 1894 im Stile italienischer Hochrenaissance begonnen. Heute geht es seiner Vollen-dung entgegen, und am Geburtstage Kaiser Friedrichs III., am 18. Oktober, im Jahre 1905 wird es seiner Bestimmung übergeben werden. Der Dom ist als Hofkirche des Kaiserhauses gedacht und enthält dementsprechend in seinem Innern die Predigt- und Fest-kirche, die Tauf- und Traukirche und die Denkmalskirche. In der letzteren wird besonders das Bronzedenkmal Johann Ciceros von Peter und Johann Vischer (1530 vollendet) neben den Prunksärgen des Großen Kurfürsten und seiner Gemahlin Aufstellung finden. Auch des ersten Kanzlers Marmorbildnis von Reinhold Begas wird hier über der Hohenzollerngruft erstehen. 87 Särge verstorbener Mit-glieder des Herrscherhauses wird diese in sich aufnehmen. Der Dom ist durchweg aus deutschem Stein erbaut; Granit bildet die Sockel,

schlesischer Sandstein den Hochbau; selbst der prächtig gezeichnete
Marmor der Säulen ist deutschen Ursprungs. Man könnte füglich
fragen, warum nicht auch ein deutscher Stil für die deutsche
Kaiserkirche gewählt sei. Aber der Charakter des Platzes war bereits
durch die vorhandenen Bauten gegeben, und es läßt sich nicht
leugnen, daß die mächtigen repräsentativen Formen des Domes
zwischen den zierlichen Formen der Nordfassade des Schlosses und der
strengen Klassizität des Alten Museums würdig und zweckentsprechend
zur Geltung kommen.

Vom Schloß aus überschreiten wir den südlichen Spreearm auf
der 1823 neuerbauten, 49 m langen Schloßbrücke. Acht Marmor=
gruppen, auf Granitpostamenten aufgestellt, schmücken den mächtigen
Bau. Überlebensgroß, in ihrer blendenden Weiße an den Süden
mahnend, stellen sie in durchsichtiger Allegorie den Geist dar, welcher
das Preußenvolk durchbringt und Preußen groß gemacht hat. Hier
lehrt Nike, die Siegesgöttin, den Knaben Heldengeschichte, dann
unterweist Pallas den Jüngling und reicht ihm die Waffen dar, und
Nike krönt den siegreichen Kämpfer. An der Nordseite wieder richtet
Nike den verwundeten Krieger auf; Pallas ermutigt ihn zu neuem
Wagen und unterstützt ihn im Kampfe, und den Siegeslauf des
jungen Helden beschließt die achte Gruppe: den im siegreichen Kampfe
Gefallenen trägt Iris zum Olymp empor.

So führt der Gedanke der Brücke uns direkt zu der preußischen
„Ruhmeshalle" hin, zu dem vor zwei Jahrhunderten aufgeführten
imposanten Bau des Zeughauses. Es birgt in zwei Geschossen
einen Teil der erbeuteten Kriegstrophäen und eine große Sammlung
von alten Festungsplänen, Kanonen, Rüstungen und Armaturstücken
nebst alten Waffen jeder Art, während den Binnenhof die Masken
sterbender Krieger von Schlüter schmücken.

Die großartigste Partie der Residenz erinnert durch Bauten
und Standbilder daran, daß Preußen dem Schwerte Ruhm und
Größe verdankt. Hier stehen neben der Königswache Scharnhorst
und Bülow, ihnen gegenüber Blücher, den Fuß auf erobertem Ge=
schütz; ihm zur Linken Gneisenau, zur Rechten York. Das sind die
Helden der Befreiungskriege. Aber einer anderen Heldenzeit gemahnt
das von Rauch entworfene, am 31. Mai 1851 enthüllte Reiter=
standbild Friedrichs des Großen am Eingange der Linden.
Es zeigt uns die Minister, Krieger und Feldherren, die Genien der
Kunst und die Heroen der Wissenschaften aus Friedrichs Zeit. Das
Ganze ist 14 m, das Königsbild allein 6 m hoch.

Vom Opernplatze bis zum Pariser Platze zieht die Prachtstraße

Berlins „Unter den Linden". Rechts am Eingange steht die Universität, vor welcher die sitzenden Marmorstatuen der Brüder Wilhelm und Alexander von Humboldt Wache halten, daneben die Akademie, links gegenüber das bescheidene Palais, das Kaiser Wilhelm der Große bewohnt hat. Die Linden sind oft mit den Pariser Boulevards verglichen; allein bei diesen, die nur halb so breit sind, wird in der Mitte gefahren und geritten, und die Fußgänger sind auf die Bürgersteige zu beiden Seiten beschränkt. Hiervon ist die Folge, daß das Menschengewimmel an den Häusern ganz außerordentlich, und daß die Menschen den Schaustellungen der Läden viel näher gedrängt werden. Die Berliner Linden dagegen, 60 m breit, haben eine fünffache Teilung. Seit ihrer vollständigen Neugestaltung im Jahre 1902 enthalten sie in ihrer Mitte eine breite Allee von Linden und Kastanien für Fußgänger und an jeder Seite derselben eine schmälere Allee für Reiter. Dann folgt nach beiden Seiten ein breiter Fahrdamm neben den an den Häusern sich entlang ziehenden Trottoiren. Ein anderer Unterschied der Boulevards von den Linden ist der, daß jene sich auf der Nordseite durch viele, sehr mannigfach wechselnde Stadtviertel bald gerade, bald in Winkeln in dem ungeheuren Umfange vom Bastilleplatz bis zur Madeleinekirche hinziehen und daher nirgends eine weite Perspektive gewähren. Dafür bieten sie immerfort wechselnde Bilder; vom Bastilleplatz an steigert sich mehr und mehr ihre Belebtheit und die Pracht der Läden; erst auf den Boulevards der Italiener und der Kapuzinerinnen sieht man das wahre Paris. Die Berliner Linden dagegen sind einen Kilometer lang, schnurgerade auf das Brandenburger Tor gerichtet, dessen herrliche Viktoria über den Bäumen winkt, und nehmen aus allen Hauptstraßen der Friedrichsstadt das Leben auf. Ihr Ende bezeichnet der mit grünen Anlagen und Springbrunnen geschmückte Pariser Platz.

Das Brandenburger Tor, das den Platz im Westen schließt, ist ein prächtiger Sandsteinbau, an den beiden Hauptseiten mit korinthischen Säulen geziert, mit fünf Durchgängen. Oben befindet sich ein von vier, 4 m hohen Rossen gezogener Triumphwagen, darauf, das Antlitz zur Stadt gewandt, Viktoria, die Siegesgöttin, mit dem preußischen Adler und dem eisernen Kreuz. Napoleon hatte 1807 Schadows herrliches Werk nach Paris bringen lassen; die Preußen haben es 1814 sich wiedergeholt. Im Jahre 1868 ist, um dem Verkehre mehr Raum zu schaffen, dem Tore ein Anbau zugefügt. Er besteht aus zwei Säulenhallen: jede hat 18 Säulen, von denen 16 in vier Reihen dastehen, während zwei mit zwei Pfeilerpaaren sich hart an das Tor anschließen.

Doch wir wenden uns in die Stadt zurück. Wir folgen der Wilhelmstraße, vorbei an dem Palais des Reichskanzleramts zum Wilhelmsplatze, den unter alten Bäumen die Erzstatuen der Paladine Friedrichs des Großen schmücken. Dann gehen wir vorüber an dem „Kaiserhofe" zum Schillerplatze, in dessen Mitte sich zwischen zwei im Renaissancestil aufgeführten Kirchen mit herrlichster Wirkung das Schauspielhaus erhebt, von Schinkel in griechischem Stile erbaut. Davor steht die Marmorstatue Schillers von Begas.

Es war das alte Berlin, das wir vorwiegend betrachtet haben: jetzt müssen wir auf das neue Berlin unsere Blicke richten, das sich besonders im Norden, im Süden und Westen um und vor die ältere Stadt gruppiert hat. Im Norden, vor dem Neuen und dem Oranienburger Tore, die Bahnhöfe nach dem Norden umschließend, hat sich das Volk der Maschinenbauer und Arbeiter niedergelassen und aus dem sonst so armen und verrufenen Vogtlande eine stolze und große Fabrikstadt gemacht, deren Schornsteine wie zahllose Minarets der Industrie in die Luft ragen. Hier ist Berlins Birmingham. Das Fabrikleben ist ausschließlich die Ursache dieser neuen Straßenanlagen gewesen. Schon hat diese imposante Fabrikstadt Moabit erreicht, schon jetzt sich längs des Ufers der Spree Fabrik an Fabrik fort bis weit hinaus über Borsigs Eisenhammer, ja dieser eiserne Arm Berlins greift bereits nach dem Eckzipfel von Charlottenburg. Auch sonst erstrecken sich aus den meisten Toren lange Straßenarme in die Weite, wie die Schönhauser Allee. Nicht minder eigentümlichen Charakters ist der weitgestreckte Stadtteil, welcher sich im Südosten auf dem Köpenicker Felde in erstaunlicher Größe und Schnelligkeit erhoben hat. Noch ist es kein Menschenalter her, als die Kohl- und Kartoffelfelder der Berliner Ackerbürger, welche sich seitdem in Rentiers und Hausbesitzer verwandelt haben, bis nahe an die alte Jakobsstraße reichten. Dort, wo jetzt die schöne Alexandrinenstraße steht, ging die Feldstraße, ein Sandweg, an dem sich hier und da ein Gärtner angesiedelt hatte. An dem Kanal, welcher Spree und Landwehrgraben verbindet, ist jetzt die lebhafteste und schönste Gegend. Auf beiden Seiten der Kais breiten sich schöne Trottoirs, breite Fahrstraßen, mit doppelten Reihen von Linden und Kastanien eingefaßt und von prächtigen Wohnhäusern und zierlichen Villen begrenzt. In der Nähe des Kanals liegt das kastellartige Diakonissenhaus Bethanien, die katholische St. Michaelskirche im romanischen Stil und die evangelische St. Thomaskirche. Überhaupt drängen sich hier die gottes-

dienstlichen Gebäude zusammen.   Neben die Gotteshäuser der Haupt-
konfessionen treten hier auf engstem Raume die Annenkirche der
separierten Lutheraner, die Bethäuser der Irvingianer, Methodisten,
Baptisten, denen das Berliner Missionshaus sich anreiht.

Am Westende Berlins hatte sich zunächst in schönen, mit mehr
oder weniger Eleganz eingerichteten Häusern der die freie Luft suchende
höhere Beamte angesiedelt; davon erhielt dieser Stadtteil, vom Potsdamer bis zum Anhaltischen Tore, den Zunamen des Geheimrats-
viertels.   Der Baugeist warf sich mit seinen Ansiedelungen noch
weiter westwärts in die lebensfrohe Potsdamerstraße und in die Freiheit des Tiergartens.   Hier existierten bis vor wenigen Jahrzehnten
keine eigentlichen Straßen.   Vor dem Potsdamer Tore standen längs
der Chaussee wohl etliche Stadthäuser, aber bald setzten sie sich als
mit Gärten umgebene kleine Sommerhäuschen fort, unterbrochen von
ein paar Tanzlokalen oder Bierhäusern, die in dem nahen Dorfe
Schöneberg eine förmliche Kolonie bildeten, zu der Sonntags und
Montags die kleinen Bürgerfamilien pilgerten, um sich Kaffee zu
kochen und durch Tanz und Spiel sich zu vergnügen.   Im Tiergarten
selbst hatte der reiche Bürgerstand seine Villen und Gärten.   Wie
durch Zauberei ist dies alles anders geworden.   Die Stätten, wo
sonst der Berliner nur während des Sommers weilen zu können
glaubte, sind jetzt auch im tiefsten Winter bewohnt; hier ist der Begriff einer Sommerwohnung in Wahrheit veraltet.   Die alte Potsdamer Chaussee ist bis Schöneberg hin eine stattliche Straße geworden,
aus den kleinen Landhäuschen sind große Miethäuser gemacht; die
Gärten verschwinden, und nur schmale Grasstreifen mit Blumenbeeten
bleiben vor den Häusern.   Schöneberg ist inzwischen eine Stadt
von 120000 Einwohnern geworden.   Noch eleganter hat sich die
Verwandlung am Kanal gemacht.   Hier sind Prachtstraßen entstanden,
deren Häuser mit allem Stolz und Reichtum von Palästen ausgestattet sind und durch die Nähe des Tiergartens einen eigenen Reiz
ausüben.   Noch ist kein Handel hier, keine Industrie; keine Fabriken
sieht man, keine Geschäfte, und dennoch wogt, bis weit über das
Tor hinaus, ein Menschen- und Wagenverkehr, dessen Ursache lediglich aus dem organischen Zusammenhang dieser neuen, schönen Stadt-
gegend mit dem alten Berlin zu erklären ist.   Man fühlt und sieht
es, daß nach dieser Seite hin Berlin sich auf naturgemäße Weise in
seinem Gesamtwesen erweitern mußte.

Berlin vereinigt in sich große Gegensätze, Regionen von ganz
verschiedenartigem Charakter.   Der Fremde freilich, besonders der

Vergnügungsreisende, der Berlin nur auf einige Tage, höchstens Wochen besucht und das eigentliche Ortsleben nicht kennen lernt, wird das nicht gewahr. Wie verschieden ist doch vom „Geheimrats= viertel" die Arbeitergegend im Norden, von dem Geschäftsgewühl der Königstraße die fast ländliche Ruhe in den Nebenstraßen des nörd= lichsten Stadtteiles Gesundbrunnen, wie verschieden von dem Gedränge der Friedrichsstraße die Stille im Quartier latin, nord= wärts von den Linden! Wie sehr sticht von dem belebten Treiben an der oberen Spree und dem Kanal in nächster Nähe die Ruhe mancher Straßen der Luisenstadt noch ab! Und wie wenig groß= städtisch nehmen sich gar die Straßen an der Peripherie der König= stadt aus mit ihren „Ausspannungen", wo der Mann vom Lande an Vieh= oder Wollmärkten sein Geschirr einstellt! Eins freilich fehlt auch den ferneren Regionen nicht, der durchgehende Wagenverkehr. Außer den Tausenden der Droschken und Taxameter, unter denen neuerdings auch schon das Automobil als „Kraftdroschke" auftritt, vermitteln Hunderte von Omnibussen den Verkehr vom Zentrum an die Peripherie und umgekehrt. Elektrische Bahnen durchziehen in allen Richtungen die Stadt. Gewaltige Verkehrsmittel sind die großartig angelegte Stadtbahn und die 1896—1902 erbaute „Elektrische Hoch= und Untergrundbahn". Die eleganten Wagen der Aristokratie suchen sich die bequeme Ausfahrt durch das Brandenburger Tor, von wo sie in langem Zuge, oft im förmlichen Korso, durch den Tiergarten sich bewegen, während im Mittelpunkt der Geschäfte die Last= und Roll= wagen zum Schrecken der Fußgänger und der Anwohner daherrasseln. Sendet nun gar das Hauptpostamt mit dem Schlage der Glocke nach den mehr als hundert Stadtpostämtern auf einmal die Briefwagen aus, und kommt vollends, durch ihre schrille Glocke angezeigt, die Feuerwehr im Galopp herangesaust, so mag der Fußgänger sehen, wo er bleibt. Zu seiner Beruhigung, aber zum Verdruß des Handels= standes schafft die Fahrordnung erhöhte Sicherheit, indem sie die schwer= beladenen Wagen auf die Nachtstunden beschränkt. Ebenso muß jeder nicht ausschließlich zum Personentransport bestimmte Wagen Namen und Wohnung des Besitzers in deutlicher Schrift erkennen lassen, so daß bei keinem etwa „in Gedanken stehengebliebenen" oder „durch= gegangenen" Fuhrwerk der Schuldige dem wachsamen Auge des „Schutzmanns" entgeht, der, da oder dort bald zu Pferde, bald zu Fuß postiert, in einem Bilde des Berliner Straßenlebens nicht fehlen darf.

Der eigentliche Berliner trägt einen scharf ausgeprägten Charakter.

Faßt man den gewöhnlichen Bürgersmann mit seinem Sinne für Familienleben oder dem Hange zu gemütlichem Wirtshausverkehr in das Auge, muß man dem Berliner einen oft betätigten Wohltätigkeitssinn zugestehen, und denkt man endlich, um zu immer Höherem aufzusteigen, an den glorreichen Enthusiasmus von 1813 und 1870, so scheint es gewagt, dem Berliner Herz und Gemüt abzusprechen, ja man rühmt mit Recht an den Berlinern „offenen Mund, offene Hand, offenes Herz". Eine scharf zugespitzte Verständigkeit ist jedoch überwiegender Charakterzug. Der Berliner ist immer schlagfertig, immer imstande, für jedes Begegnis und Ereignis eine scharfe, pikante, witzige Form und Fassung zu finden. Berliner Kinder im Felde sind tapfer und immer guten Mutes und Witzes, Berliner Witze und Wortspiele sind allbekannt, und das bekannte illustrierte Berliner Witzblatt, über das jeder schon tausendmal gescholten und doch schon tausendmal gelacht hat, geht durch alle Welt. Ein teckes, dreistes Auftreten, das man schon in dem scharfgeschliffenen, hellen, an verwechseltem Mir und Mich überreichen Dialekte, der jedes G in J verwandelt, ausgedrückt finden kann, ein unduldsamer Stolz auf Berlin und seine Herrlichkeit ist dem Berliner eigentümlich. So lange jene Herrlichkeit von jedermann anerkannt und zugestanden wird, hat er selbst viel an heimischen Zuständen auszusetzen, wird aber Feuer und Flamme, wenn ein Fremder Berlin zu tadeln wagt. Reisende Berliner gewöhnlichen Schlages pflegen überall etwas hoch und anmaßlich aufzutreten und verderben bei den Süddeutschen den Preußen und Norddeutschen ihren guten Ruf. Übrigens haben die Berliner die köstliche Gabe, sich und ihre Schwächen selbst zu ironisieren und das Berlinertum zur Zielscheibe ihres Witzes zu machen. Man braucht bloß ihre Lokalpossen mit den lustigen Couplets vor sich vorübergehen zu lassen, um von jener schätzbaren Eigenschaft den vergnüglichsten Eindruck zu gewinnen. „Die Berliner taugen nichts", war ein Lieblingsspruch des alten Fritz. Echt berlinisch aber auch die Antwort des um eine Pfarre petitionierenden Kandidaten: „Zwei ausgenommen: „Ew. Majestät und ich".

Berlin ist nicht allein das Z e n t r u m d e r A d m i n i s t r a t i o n des Deutschen Reiches und des Königreichs Preußen, der Sitz aller hohen Behörden, sondern überdem nach drei Seiten hin bedeutsam ausgezeichnet. Die Universität, die polytechnische Hochschule, viele höhere und niedere Schulanstalten, die Akademie, die gelehrten Gesellschaften, die Schätze an Handschriften, Büchern und Kunstschöpfungen machen die Stadt zu dem H a u p t s i t z e d e u t s c h e r W i s s e n s c h a f t.

Wie Berlin unter Friedrich dem Großen ein Vereinigungspunkt schriftstellerischer Größen Frankreichs war, so ist es in neuer Zeit der Sammelplatz der ersten deutschen wissenschaftlichen Größen geworden. Es ist ferner eine überaus wichtige Handelsstadt und besonders durch seine Leistungen auf den Gebieten der Metall-, Holz- sowie der textilen Industrie die gewerbtätigste Stadt des Kontinentes.

Noch müssen wir einen Blick auf die Umgebungen Berlins werfen. Wir beginnen mit dem 32 ha großen Friedrichshain, der, auf hügeligem Terrain vor dem Landsberger Tore 1840 angelegt, den zu weit vom Tiergarten entfernten Bewohner der Nordstadt entschädigen und eine große Parkanlage für das Volk sein sollte. Vor dem Neuen Tore liegt das Invalidenhaus, auf 600 Mann berechnet, mit der schönen Aufschrift: Laeso et invicto militi („Dem verwundeten, doch unbesiegten Soldaten"). Auf dem Invalidenkirchhofe ist das Grabmal Scharnhorsts nebst dem vieler anderer namhafter Generale. Am rechten Spreeufer, 2 km von Berlin, liegt das Fischerdorf Stralau, ein beliebter Ausflugsort, und Rummelsburg an der Nordseite des nach ihm benannten Sees mit dem großen städtischen Waisenhause. Mit dem Wedding zusammengewachsen ist Moabit an der Spree, das ähnlich jener Vorstadt ein Hauptsitz des Maschinenbaues und der Eisengießerei geworden ist. Der seltsame Name kommt von französischen Kolonisten her, welche den sandigen Strich terre maudite oder pays de Moab nannten. Denn ursprünglich war Moabit eine französische Gärtnerkolonie.

Der Vorort Schöneberg mit dem botanischen Garten grenzt heute, eine ansehnliche Stadt, unmittelbar an das Weichbild von Berlin. Die Kanalufer, vom Hallischen Tore und namentlich von der Potsdamer Straße abwärts, sind, mit Alleen geziert, die bevorzugte Promenade der vornehmen Welt, zumal der stattliche Quai am nördlichen Ufer, Kaiserin-Augusta-Straße genannt. Vor dem Brandenburger und Potsdamer Tore, zwischen der Spree und der Potsdamer Chaussee bis Charlottenburg hin dehnt sich der Tiergarten, ein über 255 ha großer Lustwald, der sich im 16. Jahrhundert bis zum Zeughause und zum Dönhofsplatze erstreckte und Hirsche und anderes Wild hegte. Die schönsten Anlagen und Wasserpartien sind in dem Parke zerstreut, auf den der Berliner mit Recht stolz ist. Nur muß man nicht an den der Stadt zugekehrten Rändern haften, wo die Blätter der Bäume mit Staub überzogen sind und das Getöse keinen Waldgenuß aufkommen läßt, sondern tiefer ein-

Abb. 89. Siegessäule.

Abb. 90. Reichstagsgebäude.

dringen, am lohnendsten ganz nach Westen in den See park, der, nach Friedrich Wilhelm IV. Gedanken von Lenné angelegt, ein ver= edeltes Abbild märkischer Wasserlandschaften bietet. Am Rande des Tiergartens stadtwärts liegt der weite Königsplatz, der schönste Platz Berlins. Nach Westen begrenzt ihn das großartige „Krollsche Etablissement", von der königlichen Bühne jetzt als „Neues Opern= theater" gepachtet, gegenüber das imposante Reichstagsgebäude, über welchem, weithin schimmernd, die goldene Kaiserkrone schwebt. Rasen= flächen mit anmutig geordnetem Gebüsch, Blumenstücke und Bassins mit weiß zerstäubenden Springbrunnen erfüllen die Mitte des mächtigen Platzes, dem die breite „Siegesallee" die Spaziergänger der Stadt zuführt. Stolz ragt in der Mitte des Platzes das Sieges= denkmal empor, ein gewaltiger Bau, der an Kolossalität die Trajans= säule in Rom um die Hälfte, die Vendomesäule in Paris um mehr als ein Viertel übertrifft. Granitstufen führen zu der säulengetragenen Siegeshalle empor, deren Mosaikgemälde die Wiedererstehung des Deutschen Reiches verherrlichen. Aus der Mitte der Halle aber strebt die „Siegessäule" auf, in ihren Kannelierungen von einer dreifachen Reihe dänischer, österreichischer und französischer Geschützrohre ge= gürtet, in der Höhe über einem von Adlern gebildeten Kapitäl die 13 m hohe, vergoldete Gestalt der geflügelten Borussia (von Drake) als Siegesgöttin tragend.

Das Reichstagsgebäude ist in den Jahren 1884—94 von Wallot als eines der imposantesten Werke der modernen Architektur und mit einem Kostenaufwande von ca. 27 Millionen Mark erbaut worden. Sein innerer künstlerischer Schmuck ist noch nicht ganz vollendet. Das Gebäude hat recht verschiedene Beurteilung erfahren, und be= sonders das Verhältnis der Kuppel zu den übrigen Bauteilen ist oft bemängelt worden. Eine glänzende Massenwirkung und eine un= gemein zweckmäßige Grundrißanordnung ist ihm aber noch niemals abgesprochen worden.

Dem ersten Kanzler des Deutschen Reiches hat man, seiner Be= deutung entsprechend, den Ehrenplatz vor des Deutschen Reiches Parlamentshaus eingeräumt. Seit 1901 erhebt sich hier sein fast 7 m hohes ehernes Standbild auf hohem Unterbau aus rotem Granit. Die Figur des eisernen Fürsten ist grandios aufgefaßt. So schuf er das Deutsche Reich, so schrieb er mit Blut und Eisen des Deutschen Reiches Grundgesetz, so trat er vor die Vertreter des deutschen Volkes, wenn man von links oder rechts an sein Werk zu tasten wagte! Leider hat Begas die Hauptfigur mit allerlei genrehaften, zum Teil

sogar rätselhaftem Beiwerk umgeben, das den unbefangenen Be=
schauer leicht um den mächtigen Eindruck des eigentlichen Denkmales
bringt.

Ein Nationaldenkmal für den großen Mitarbeiter Otto von
Bismarcks, für Helmuth von Moltke, wird sich in nicht zu ferner Zeit
auf der gegenüberliegenden Seite des Königsplatzes, nicht weit von
der Stätte seiner Tätigkeit und seines Scheidens, dem Generalstabs=
gebäude, erheben.

Der sich an den Königsplatz schließende Teil des Tiergartens
hat in den letzten Jahren besonders durch den Kunsteifer des gegen=
wärtigen deutschen Kaisers manchen Schmuck und dadurch ein viel=
fach verändertes Ansehen erhalten. Die vom Königsplatz zum
Kemper Platz sich hinziehende S i e g e s a l l e e ist in den Jahren 1898
bis 1901 auf den Befehl des Kaisers mit 32 Standbildern branden=
burgisch=preußischer Herrscher geschmückt und dadurch zu einer Via
triumphalis geworden, die nicht ihresgleichen hat. Hinter jedem
Standbild befindet sich eine halbrunde, stilgerecht verzierte Marmor=
bank, aus der sich die Hermen zweier Zeitgenossen des Dargestellten
erheben. So ist der Große Kurfürst von Otto von Schwerin und
dem Feldmarschall Derfflinger flankiert. Zur Seite des Wissenschaft
und Künste pflegenden Friedrich Wilhelm IV. erblicken wir Rauch
und Alexander von Humboldt. Wilhelm I. steht zwischen seinen
Paladinen Bismarck und Moltke.

Auch die der Siegesallee benachbarten Teile des Tiergartens
haben neuerdings manch neuen bildnerischen Schmuck erhalten.
141 Persönlichkeiten, so hat man in diesen Tagen ausgerechnet (No=
vember 1904) sind hier in dauerhaftem Material verewigt, und der stets
bereite Berliner Gassenwitz hat sich gern an dieser Denkmalsfülle
geübt. Den Tiergarten das neuste Berliner „Freilicht"=Museum zu
nennen, ist seine harmloseste Frucht. Zu den Denkmälern früherer
Zeit, dem herrlichen Luisen=Standbild von Encke, Schapers Goethe=
Denkmal, Otto Lessings seinem Urgroßonkel errichtetes Standbild,
Drakes Denkmal Friedrich Wilhelms III. sind neuerdings ein
Marmordenkmal Richard Wagners von Eberlein, am Kemper Platz
der Rolandbrunnen, am Goldfischteich das Haydn=Mozart=Beethoven=
Monument gekommen. Auf der Luiseninsel grüßt aus tiefem Grün
die anmutige Jung=Wilhelm=Statue, und nicht weit davon erhebt
sich seit dem 1. Juni 1904 das Kurprinzendenkmal, den Großen Kur=
fürsten als Jüngling darstellend. Seinen jüngsten Schmuck hat der
Tiergarten in den Oktober 1904 enthüllten Jagdgruppen erhalten,

die, am „großen Stern" um einen Hubertusbrunnen gruppiert, das edle Weidwerk in verschiedenen Jahrhunderten verherrlichen.

Durch den Tiergarten geht es von Berlin nach Charlotten=burg an der Spree, das aus dem Dorfe Lietzen erwachsen ist. 1695 erhielt die Kurfürstin Sophie Charlotte, die nachherige „philosophische Königin", ein Landhaus in Lietzen nebst umliegendem Gelände zur Anlegung eines Lustschlosses von ihrem Gemahl geschenkt. Im Jahre 1698 war der neue Sommersitz Lützenburg in wohnlichem Stande und wurde 1699 eingeweiht. Nach dem Tode der Königin 1705 erhielt er den Namen Charlottenburg; allmählich erwuchs neben dem Schlosse eine Stadt. Im Schloßgarten am Ende einer Allee von dunkeln, hohen Tannen erhebt sich das Mausoleum, ein Tempel mit dorischen Granitsäulen. Eine Flügeltür von getriebener Bronze führt in das Innere; auf einigen Marmorstufen steigt man zur Binnen=halle empor, in der sich die ruhenden Marmorbilder König Friedrich Wilhelms III. und der edlen Königin Luise, seiner Gemahlin, be=finden, Kunstwerke von ergreifender Wirkung, von Rauchs Meister=hand geschaffen, zumal „die Königin selbst noch in Stein das Bild reizendster Anmut, eine unverwelkliche weiße Marmorrose". In der Grabkapelle darunter sind die Sarkophage des vielgeprüften Königs=paares selbst beigesetzt. Hier ruht mit ihm sein glorreicher Sohn, Kaiser Wilhelm der Große, der Wiederhersteller der Macht und Herrlichkeit unseres deutschen Vaterlandes, ihm zur Seite seines Lebens treue Gefährtin, Augusta, des neuerstandenen Deutschen Reiches erste Kaiserin.

Piererſche Hofbuchdruckerei Stephan Geibel & Co. in Altenburg.

Druck:
Customized Business Services GmbH
im Auftrag der KNV-Gruppe
Ferdinand-Jühlke-Str. 7
99095 Erfurt